Beiträge zur Wissenschaft
vom Alten und Neuen Testament
Siebente Folge

Herausgegeben von
Siegfried Herrmann und Karl Heinrich Rengstorf
Heft 1 · (Der ganzen Sammlung Heft 121)

Verlag W. Kohlhammer

Stuttgart Berlin Köln Mainz

Rüdiger Liwak

Der Prophet und die Geschichte

Eine literar-historische Untersuchung zum Jeremiabuch

Verlag W. Kohlhammer
Stuttgart Berlin Köln Mainz

Als Habilitationsschrift auf Empfehlung der
Evangelisch-Theologischen Fakultät der Universität Bochum
gedruckt mit Unterstützung der Deutschen Forschungsgemeinschaft.

CIP-Kurztitelaufnahme der Deutschen Bibliothek

Liwak, Rüdiger:
Der Prophet und die Geschichte : e. literar-histor.
Unters. zum Jeremiabuch / Rüdiger Liwak. - Stuttgart ;
Berlin ; Köln ; Mainz : Kohlhammer, 1987.
  (Beiträge zur Wissenschaft vom Alten und Neuen
  Testament ; H. 121 = Folge 7, H. 1)
  ISBN 3-17-009442-4

NE: GT

INHALTSVERZEICHNIS

VORWORT

Die vorliegende Untersuchung ist im Sommersemester 1984 von der Abteilung für Evangelische Theologie an der Ruhr-Universität Bochum als Habilitationsschrift angenommen worden. Sie wurde für den Druck überarbeitet und weitgehend mit der inzwischen erschienenen Literatur konfrontiert. Ihre Drucklegung ist durch eine großzügige finanzielle Unterstützung der Deutschen Forschungsgemeinschaft ermöglicht worden, der dafür gedankt sei. Den Herren Prof. Dr. Dr. S. Herrmann und Prof. D. Dr. K. H. Rengstorf danke ich für die Aufnahme der Untersuchung in die Reihe BWANT und den Mitarbeitern des Verlags W. Kohlhammer für die Herstellung und den Vertrieb des Buches.

Viele haben zur Entstehung der Arbeit beigetragen, einigen bin ich besonders verbunden: Herrn Prof. Dr. M. Dietrich und Herrn Prof. Dr. W. Mayer, die mich in altorientalische Texte und ihre Themen eingeführt haben; dem Deutschen Evangelischen Institut für Altertumswissenschaft des Heiligen Landes, das mich im Sommer 1982 als Stipendiaten an einem von Prof. Dr. M. Weippert geleiteten Lehrkurs teilnehmen ließ und damit das Studium archäologischer und topographischer Probleme der biblischen Stätten förderte; dem Korreferenten der Habilitationsschrift, Herrn Prof. Dr. H. Graf Reventlow, Litt. D., und dem langjährigen Mitarbeiter in Bochum, Herrn Dr. U. Rüterswörden, für ihre wertvollen Hinweise und Ratschläge. Mit größter Dankbarkeit nenne ich meinen Lehrer Prof. Dr. Dr. S. Herrmann. Er hat meine Begeisterung für die Geschichte Israels und für die Prophetie geweckt und unermüdlich gefördert. Als ich seine Wissenschaftliche Hilfskraft und sein Wissenschaftlicher Assistent war, stand er mir auf dem Weg zur Promotion und zur Habilitation jederzeit zur Seite, nicht nur mit fachlichem Rat.

Daß es schließlich zu einer Druckvorlage kam, ist das Verdienst von Frau Elke Helmboldt, die auch die Register erstellte und zusammen mit Herrn Volker Neuhoff die Korrekturen mitgelesen hat. Von Anfang an hat meine Frau die Arbeit kritisch begleitet und mir immer viel Verständnis entgegengebracht. Ihnen allen sage ich Dank.

Bochum, im Oktober 1986   Rüdiger Liwak

I. Erkenntniskritische Orientierung

A. Die Aufgabe und das Problem

1. Die Aufgabe

Die vorliegende Untersuchung will Geschichtswahrnehmungen und Geschichtsvorstellungen aus der Zeit des Übergangs vom 7. zum 6. Jh. v. Chr. erarbeiten, einer Zeit, die in Juda und Jerusalem durch Umbruch, Krise und Zusammenbruch geprägt zu sein scheint, also besonders intensive Erfahrungen und Gedanken widerspiegeln kann. Als Textgrundlage soll nicht etwa das sog. deuteronomistische Geschichtswerk mit seinen auch jene Jahre abdeckenden Kapiteln oder die Überlieferung des sog. chronistischen Geschichtswerks dienen, denn es ist gar nicht von vornherein sicher, ob in diesen Werken der Umgang mit der "Geschichte" transparenter, direkter, reflektierter ist als in den aus jenem Zeitraum stammenden Prophetenschriften, die nicht nur Erinnerungen, sondern auch explizit Erwartungen formuliert haben, und das gegenüber jenen "Geschichtswerken" in einem streckenweise komplexen sprachlichen System, in dem Poesie und Prosa miteinander verbunden sind. Dieser Pluralismus an Zeit- und Sprachformen legt eine Untersuchung des Geschichtsbewußtseins innerhalb der prophetischen Bücher nahe.

Wenn aus mehreren zur Debatte stehenden Prophetentexten einige Kapitel am Anfang des Jeremiabuches ausgewählt wurden, dann deshalb, weil hier besonders konzentriert Vergangenheit, Gegenwart und Zukunft zu Wort kommen. In Verbindung mit den Geschichtsvorstellungen sollen Sach- und damit zusammenhängend Datierungsfragen von Jer. 2-6 erörtert werden, denn die Geschichtsvorstellungen lassen sich nicht direkt aus jenem Textkomplex herauslösen, weil sie nicht theoretisch reflektiert sind, sondern erst durch die Einzelprobleme mit ihren zeitlichen Bezügen und durch die kompositionelle Fügung der Texte hindurch erkennbar werden; die Sachfragen wiederum profilieren sich erst hinreichend im Kontext der Geschichtswahrnehmungen. Die Verschränkung der Aufgaben bedingt auch eine diskursive Darstellungsform, die text-, literar-, form-, gattungs-,traditions-, überlieferungs- und redaktionskritische Beobachtungen nicht getrennt, sondern im Verlauf des Textes dann zur Sprache bringt, wenn der jewei-

lige Aspekt Beachtung verdient. Damit die Überlegungen zu Jer.
2-6 im Zusammenhang erfolgen, ist der Text nicht in "dicta
probantia" segmentiert; er wird in seiner Gesamtheit, d.h. in
der Reihenfolge der Kapitel besprochen und dabei auch auf Probleme hin befragt, die nicht unmittelbar für die Frage nach dem
Geschichtsverständnis verwertbar sind.

Die dabei zu erörternden Entstehungsgeschichten einzelner
Textpassagen geraten nicht selten in eine Spannung, die erst
in der Endgestalt des Komplexes Jer. 2-6 aufgehoben wird. Um
zu demonstrieren, wie die Endgestalt den Leser für ihr Anliegen
gewinnen will, ist das ganze Kapitel 2 als deutlichstes Beispiel
einer fiktiven Rede auf seine rhetorischen Elemente hin untersucht, die der begrifflichen Klarheit wegen mit den Termini vor
allem der klassischen Rhetorik beschrieben werden. Die Hinweise
zur Rhetorik beschränken sich zwar nicht auf Kapitel 2, werden
aber sonst nur vereinzelt genannt, weil ursprüngliche Redekon-
zeptionen durch nachträgliche literarische Bearbeitungen zum
Teil verwischt bzw. durch andere Elemente überlagert worden
sind. Weil es nicht immer deutlich ist, ob ein Textstück ursprünglich mündlich vorgetragen wurde, bevor es verschriftet
worden ist, wird häufiger die fakultative Lesung Hörer/Leser
angeboten, die freilich unberücksichtigt läßt, daß auch der
Leser gewissermaßen ein "Hörer" war, weil er den Text laut las,
das jedenfalls legt die Wurzel קרא mit ihren Bedeutungen "laut
sprechen" und "lesen" nahe.

Bei den Sach- und Datierungsfragen von Jer. 2-6, die in Verbindung mit 1,1-3 abgehandelt werden, ist der sogenannte "Feind
aus dem Norden" ein wesentlicher Punkt, der einer neuen Lösung
zugeführt werden soll, die den zeitlichen Rahmen von 1,1-3 und
die rhetorische Vermittlung der Gedanken in 2-6 berücksichtigt.

Diskursivität prägt die Darstellung im ganzen. Nachdem auf
den folgenden Seiten einige erkenntniskritische Probleme angesprochen sind, wird ein Überblick zum Geschichtsbegriff zeigen,
daß man sehr behutsam mit dem neuzeitlichen Geschichtsbegriff
und seinen Implikationen umgehen muß, wenn man sich jenseits
des "garstigen Grabens" bewegt, der in diesem Falle etwa in der
Mitte des 18. Jh.s liegt. Der Überblick berücksichtigt Geschichtsschreibung im klassischen Sinne, die in Jer. 2-6 nicht vorliegt.
Weil aber in ihrem Zusammenhang Hinweise gewonnen werden können,
die gleichsam für die Tiefenstruktur der Wahrnehmung bedeutend

sein können, sollen auch dazu Beobachtungen gesammelt werden.
Freilich können jeweils nur Grundlinien aufgezeigt werden, nicht
in wünschenswertem Maße auch die zugrundeliegenden Dokumente.
Fehlende und verkürzte Perspektiven hängen mit den begrenzten
Aspekten der Untersuchung zusammen. Wenn übereinstimmende antike
Geschichtsvorstellungen referiert werden, dann nicht, um pan-
antike Strukturen nachzuweisen, sondern um Bedingungen und Möglichkeiten sichtbar zu machen, auf deren Hintergrund die Ge-
schichtserinnerung und -erwartung von Jer. 2-6 erst Konturen
gewinnt.

Gehalt und Gestalt der Erinnerungen und Erwartungen von Jer.
2-6 sind durch mehrere, auf unterschiedliche Wissens- und Er-
fahrungsbereiche bezogene Arbeitsschritte komplementär herausgearbeitet. Zunächst werden die ersten Verse des Jeremiabuches
untersucht, in denen sich das Phänomen "Geschichte" nach Meinung
einiger Exegeten schon im ersten Wort des Buches Gehör verschafft.
Für eine begriffs- und sachkritische Absicherung soll in einem
folgenden Exkurs die Bedeutung von דבר geklärt werden, vor
allem die Frage, ob mit diesem Nomen ein Bewegungs- und Interpretationsbegriff vorliegt, der Geschehen oder gar Geschichte
auf den Begriff bringen kann. Im Anschluß daran werden einige
historische Probleme diskutiert, die in den Zeitraum gehören,
der durch Jer. 1,1-3 abgesteckt wird, dabei unter anderem auch,
insbesondere auf archäologischer Basis, Verteidigungsmaßnahmen,
die Angriffserwartungen in Jer. 2-6 besser zu verstehen helfen,
aber auch andere Sachfragen, die mittelbar und unmittelbar Jer.
1,1-3 und Jer. 2-6 berühren. Nach dieser Grundlegung folgt die
Erörterung literarischer und historischer Probleme des Komplexes 2-6. Abschließend werden die Kapitel 2-6 in den Zusammenhang des ganzen Buches gestellt und mit ihren Sach- und Datierungsfragen sowie mit ihren Geschichtsvorstellungen zusammengefaßt und vertieft.

2. Das Problem

Wenn man dem Geschehen und seinem Verständnis zur Zeit Jeremias näherkommen will, müssen, wenn möglich, philologische, archäologische und historische Überlegungen investiert werden,
die sich gegenseitig ergänzen und auch korrigieren können. Mö-

gen auch nicht immer die Grundsätze einer methodisch reflektierten Exegese praktiziert werden, so wird doch in aller Regel bei der Analyse alttestamentlicher Texte darauf geachtet,
daß Analyseregeln befolgt werden, die exegetisch verantwortbare Aussagen ermöglichen. Im günstigsten Fall werden die zur
Verfügung stehenden methodischen Operationen soweit wie möglich
angewandt und damit einseitige Ergebnisse weitestgehend ausgeschlossen. Auch die vorliegende Untersuchung macht sich diese
methodische Forderung zu eigen und wendet die in der Geschichte
der Exegese entstandenen kritischen Fragestellungen an. Dabei
gilt es aber zu bedenken, daß die exegetischen Methoden primär
auf eine literar - k r i t i s c h e Synchronie und erst sekundär auf eine literar - g e s c h i c h t l i c h e Diachronie
ausgerichtet sind,[1] die dann auch Schlußfolgerungen auf das
Verhältnis vom Text zum Geschehen zuläßt. Es ist zu fragen,
ob nicht komplementär auch der umgekehrte Vorgang bedacht werden muß, sozusagen eine methodisch reflektierte Exegese der
"Geschichte", bei der aufgrund ergänzender schriftlicher und
archäologischer Zeugnisse der Weg vom Geschehen zum Text beschrieben wird.[2] Hier sind interdisziplinäre Probleme angedeutet, denen die alttestamentliche Forschung, die ihre Quellen
vor allem anhand literarwissenschaftlicher Mittel bearbeitet,
im Gespräch mit der Geschichtswissenschaft nachgehen muß,[3] wenn
die Fragen nach Text und Geschichte bzw. Geschichte und Text in
ihren theoretischen und praktischen Bezügen, d.h. im Rahmen von
Geschichtsforschung und Geschichtsschreibung im weitesten Sinne
zu ihrem Recht kommen sollen.[4] Das gilt für den Gegenstand der

---

1 Vgl. die Beobachtungen von W. Richter, Exegese als Literaturwissenschaft,
Göttingen 1971.

2 Die Dichotomie wird ergänzt und interpretiert von K. Stierle, Geschehen,
Geschichte, Text der Geschichte, in: Geschichte - Ereignis und Erzählung
(Poetik und Hermeneutik V), hg. von R. Koselleck und W.D. Stempel, München
1973, 530-534, abgedr. in: ders., Text als Handlung. Perspektiven einer
systematischen Literaturwissenschaft (UTB 423), München 1975, 49-55.

3 Zu den Wechselwirkungen zwischen Literatur und Geschichte s. die Aufsätze in dem instruktiven Sammelband: Geschichte - Ereignis und Erzählung.

4 Das Verständnis von Theorie und Praxis in der Geschichtswissenschaft ist
kontrovers. Einen guten Überblick verschaffen drei repräsentative Aufsatz-
bände: Seminar. Geschichte und Theorie. Umrisse einer Historik, hg. von H.
M. Baumgartner und J. Rüsen (Suhrkamp Taschenbuch Wissenschaft 98), Frankfurt a. M. 1976; Theorie und Erzählung in der Geschichte, hg. von J. Kocka
und Th. Nipperdey. Theorie der Geschichte, Beiträge zur Historik, Bd. 3,

Untersuchung wie für die Untersuchung selbst, deren Verfasser
im "Kontext" der Geschichte vorausgegangener Arbeiten steht,
die mit ihren Hypothesen und durch ihre Auseinandersetzungen
mit den Quellen und dem jeweiligen Forschungsstand Vorstellungen darüber geprägt haben, ob und wie das Geschehen der späten
Königszeit auf die Texte des Jeremiabuches eingewirkt hat und
ob bzw. wie die Texte des Jeremiabuches das Geschehen ihrer
Zeit beeinflußt haben.

Sollen nicht nur die literarischen, sondern auch die historischen Fragen vor unzureichenden Antworten geschützt werden,
dann sind weitere Faktoren zu berücksichtigen. Die "Untersuchung" als Form der Darstellung ist durch die thematische Beschäftigung bedingt, die durch einen problemorientierten Umgang
mit den Quellen und durch den Anspruch methodischer Rationalität geprägt wird.[5] Die Art und Weise, wie die Grundlage der
Untersuchung, der Text des Jeremiabuches, ihr Geschichtsbewußtsein zum Ausdruck bringt, muß die vorliegende Arbeit über die
schon angedeutete Dichotomie von Poesie und Prosa hinaus im
einzelnen aufzeigen und für den Zusammenhang historischer Erkenntnis bewerten. Diese Erkenntnis ist freilich eines der
Probleme schlechthin, denn die theoriebezogene Forschung innerhalb der neueren Geschichtswissenschaft hat eins mit wün-
schenswerter Deutlichkeit gezeigt: Mit der neuzeitlichen Erfahrung[6] einer geschichtlichen Zeit ist die strikte Trennung
zwischen dem Faktischen und seiner Darstellung obsolet geworden, weil mit der Bewußtwerdung geschichtlicher Perspektivierung die Erfahrung verbunden war, daß vergangene Wirklichkeit
nur in verkürzenden Aussagen rekonstruierbar ist. Damit entfällt ein oppositionelles Verhältnis von Fiktion und Faktizität.

München 1979; Formen der Geschichtsschreibung, hg. von R. Koselleck, H.Lutz
und J. Rüsen. Theorie der Geschichte, Beiträge zur Historik, Bd. 4, München
1982. Die neueste kritische Aufarbeitung des Theorieproblems in der Geschichtswissenschaft hat J. Meran (Theorien in der Geschichtswissenschaft,
Göttingen 1985) vorgelegt.

5 Vgl. J. Rüsen zu J.G. Droysens Typologie der Darstellungsformen und zu
den Kriterien der "untersuchenden" Darstellung in dem Beitrag: Bemerkungen
zu Droysens Typologie der Geschichtsschreibung, in: Formen der Geschichtsschreibung, 192-200.

6 Nachweise vor allem bei R. Koselleck in seinem Aufsatzband: Vergangene
Zukunft. Zur Semantik geschichtlicher Zeiten, Frankfurt a.M. 1979; ders.,
Art. "Geschichte,Historie" (Kap. I.V-VII), in: Geschichtliche Grundbegriffe.
Historisches Lexikon zur politisch-sozialen Sprache in Deutschland, hg. von

"Nicht nur darstellungstechnisch, auch erkenntnistheoretisch
wird vom Historiker gefordert, nicht eine vergangene Wirklichkeit, sondern die Fiktion ihrer Faktizität zu bieten."[7] Wenn
das so ist, dann lösen sich Geschichtsforschung und Geschichtsdarstellung weitgehend als k o m p l e m e n t ä r e s Begriffspaar auf. " F i k t i o n a l i s i e r u n g ist in geschichtlicher Erfahrung immer schon am Werk, weil das ereignishafte
W a s eines historischen Geschehens immer schon durch das perspektivische W a n n seiner Wahrnehmung oder Rekonstruktion,
aber auch durch das W i e seiner Darstellung und Deutung bedingt ist, in seiner Bedeutung also ständig weiterbestimmt wird."[8]
Grundsätzlich ließe sich also Fiktionalisierung als Konstitutions-
akt des Historikers verstehen, der einer Erfahrung vorausgeht,
sie begleitet und zur Anschauung bringt. Insofern ist die Fiktionalisierung nicht nur ein sekundäres Problem der Darstellungsform, sondern die Notwendigkeit, Geschichte gleichsam zu produ-
zieren. Das bedeutet, der strenge Gegensatz zwischen Poetik und
Historik wird hinfällig und mit ihm die strikte Trennung zwischen
dichterischer Gestaltung und empirischer Induktion;[9] beide Formen
der Beschäftigung mit der Wirklichkeit, die poetologische und die
historiographische, können in der Kategorie der Wahrscheinlichkeit als Form dichterischer und historischer Wahrheit konvergie-
ren.[10] Freilich, selbst wenn das oppositionelle Verhältnis von
res factae und res fictae aufgehoben wird, bleibt eine grundsätzliche Differenzierung. "Denn ein Unterschied läßt sich nicht
verleugnen, der zwischen Erzählungen bestehen muß, die von dem
berichten, was sich tatsächlich ereignet hat, oder die von dem
berichten, was sich ereignet haben könnte, oder die vorgeben, es

---

O. Brunner, W. Conze und R. Koselleck, Bd. 2, Stuttgart 1975, 593-595.647-717.

7 R. Koselleck, Vergangene Zukunft, 280.

8 H.R. Jauß, Der Gebrauch der Fiktion in Formen der Anschauung und Darstellung der Geschichte, in: Formen der Geschichtsschreibung, 416. Mit R.Koselleck
und H.R. Jauß vgl. U. Muhlack, Theorie oder Praxis der Geschichtsschreibung,
in: Formen der Geschichtsschreibung, 607-620; D. Hardt, Fiktion, Erfahrung,
Gewißheit. Second thoughts, in: Formen der Geschichtsschreibung, 621-630.

9 Eine ausführliche wissenschaftsgeschichtliche Erörterung bei W. Hardtwig,
Die Verwissenschaftlichung der Geschichtsschreibung und die Ästhetisierung
der Darstellung, in: Formen der Geschichtsschreibung, 147-191.

10 Dazu R. Koselleck, Vergangene Zukunft, 283; H.R. Jauß, Der Gebrauch der
Fiktion in Formen der Anschauung und Darstellung der Geschichte, in: Formen
der Geschichtsschreibung, 417f.

habe sich ereignet, oder die selbst auf jedes Wirklichkeits-
signal verzichten."[11] Nur die sprachlichen und kompositionellen
Realisationen können das eine oder das andere zu erkennen geben.

Bevor der neuzeitliche Geschichtsbegriff ausführlicher zur
Sprache kommt, seien noch einige andere geschichtswissenschaftliche Probleme kurz genannt. Dabei handelt es sich insbesondere
um Darstellungsformen und ihre Beziehungen zu den unterschiedlichen zeitlichen Erstreckungen und geschichtlichen Bewegungen,
die mit den Begriffen Ereignis, Struktur und Prozeß erfaßt und
auf historische Interpretationen und ihren Standort bezogen
werden können.[12]

Alle bisher erörterten Punkte geschichtstheoretischer bzw.
geschichtspraktischer Reflexion haben eine wichtige heuristische Funktion, im doppelten Sinne. Einerseits zielen sie auf
einen sinn- und bedeutungsbildenden Umgang mit den Wirklichkeit deutenden Texten, weil diese Wirklichkeit erst aufgerichtet wird, andererseits verhindern sie einen identifikatorischen
Umgang mit Erfahrungsdeutungen von Wirklichkeit, weil jene Wirklichkeit ein für allemal vergangen ist. Wenn etwa am Anfang
dieser Einführung die Zeit, von der im folgenden die Rede ist,
mit den Begriffen Umbruch, Krise und Zusammenbruch beschrieben
wurde, kann das die Theorie eines begrenzten Zeit- und Hand-
lungskomplexes voraussetzen.[13] Die Konzeption eines in der Geschichte immer wieder zu beobachtenden "Niedergangs"[14] wäre
eine entsprechende Theorie. Die Frage ist dann aber, in welchem Verhältnis diese Deutung mit Deutungen der betreffenden
Zeit steht. Teilt sie das Jeremiabuch oder verfolgt es eine

11 R. Koselleck, Vergangene Zukunft, 281. Über Verständnismöglichkeiten
des Fiktiven unterrichtet der Sammelband: Funktionen des Fiktiven, hg. von
D. Henrich/W. Iser (Poetik und Hermeneutik X), München 1983.

12 S. die Diskussion in: Geschichte - Ereignis und Erzählung, in: Historische Prozesse, hg. von K.-G. Faber/Chr. Meier, Theorie der Geschichte,
Beiträge zur Historik, Bd. 2, München 1978, und in: Objektivität und Parteilichkeit in der Geschichtswissenschaft, hg. von R. Koselleck/W.J. Momm-
sen/J. Rüsen, Theorie der Geschichte, Beiträge zur Historik, Bd. 1, München
1977.

13 Zum Theoriebedürfnis und -gebrauch s. J. Rüsen, Wie kann man Geschichte
vernünftig schreiben? Über das Verhältnis von Narrativität und Theoriegebrauch in der Geschichtswissenschaft, in: Theorie und Erzählung in der Geschichte, 300-333, eine systematische Analyse des Theoriegebrauchs 322ff.

14 S. die Aufsatzsammlung: Niedergang. Studien zu einem geschichtlichen
Thema, hg. von R. Koselleck/P. Widmer (Sprache und Geschichte, Bd. 2),

Deutung, die jener nur nahekommt oder gar widerspricht?

Bei der Beschäftigung mit Texten, die geschichtliche Wirklichkeit reflektieren, steht die Chance des Verstehens neben dem Risiko des Mißverstehens, und das nicht zuletzt, weil die Dialektik einer produktiven und rezeptiven Haltung auf die Schwierigkeiten einer historischen Erkenntnis hinweist, die darüber hinaus vor allem durch unterschiedliche Kategorien im geschichtlichen Denken behindert werden kann. Wenn man in der Antike "Geschichte" sagte oder meinte, darunter aber etwas anderes verstand als heute,[15] dann kann der neuzeitliche Geschichtsbegriff nicht den antiken Quellen unterstellt werden. Diese Folgerung ist trivial, sie muß aber hervorgehoben werden, weil die Analyse der auf Geschichtserfahrungen bezogenen Texte zwar in der Regel im Rahmen literarischer Fragestellungen methodenbewußt kontrolliert, im Zusammenhang historischer Fragestellungen aber allzu oft unmethodisch praktiziert wird. So können die literarischen Gegebenheiten zutreffend erfaßt werden, ihre historischen Implikationen aber verdeckt bleiben. Um das zu vermeiden, soll im folgenden zunächst der neuzeitliche Geschichtsbegriff mit seiner Vorgeschichte in einigen für die Untersuchung wesentlichen Grundzügen erläutert werden. War bisher mehr von der Bedeutung erkenntniskritischer Einsichten in unterschiedliche Auffassungen von "Geschichte" die Rede, so sind nun in Aufnahme und Weiterführung einiger schon geäußerter Gedanken entscheidende Differenzierungen im Geschichtsverständnis zu nennen.

Stuttgart 1980; daneben: P. Widmer, Die unbequeme Realität. Studien zur Niedergangsthematik in der Antike (Sprache und Geschichte, Bd. 8), Stuttgart 1983.

15 Unterschiede, aber mit anderen Akzenten, betont neuerdings auch C. Westermann, The Old Testament's Understanding of History in Relation to that of the Enlightenment, in: Understanding the Word. Essays in Honor of Bernhard W. Anderson, ed. by J.T. Butler, E.W. Conrad and B.C. Ollenburger (Journal for the Study of Old Testament. Supplement Series 37), Sheffield 1985, 207-219.

B. **Der neuzeitliche Geschichtsbegriff und seine Vorgeschichte**

I. **Der neuzeitliche[16] Geschichtsbegriff**

Zunächst einige Hinweise zur Terminologie, denn es stehen zwei Begriffe zur Verfügung: Geschichte und Historie.

Das Wort "Geschichte" ist auf den deutschen Sprachraum beschränkt und hat nur im niederländischen "geschiedenis", das dort neben "historie" steht, eine Parallele. Seine etymologische Basis ist das althochdeutsche Verbum "giskehan" (geschehen) und das feminine Nomen "diu giskiht" (mittelhochdeutsch: daz geschihte), das am Ende des 1. vorchr. Jt.s entstand, aber nicht etwa als Äquivalent für lateinisches "historia", sondern für "casus". "Der Wortinhalt faßt so das momentane, zufällige Ereignis, den Ausgang irgendeines Geschehens."[17]

Der andere Terminus, Historie, der in vielen europäischen Sprachen seine vom lateinischen "historia" abgeleiteten Parallelen hat, geht etymologisch auf attisches ἱστορία (ionisch ἱστορίη) zurück, das vom Verbum ἱστορέω , dem der Stamm Ϝιδ (sehen, wissen) zugrunde liegt, abgeleitet ist. Er bezeichnet zunächst die Erkundung, die Erfahrung aus eigener Erkenntnis, die bezeugt (ἵστωρ = der Kundige, Zeuge) werden kann.[18] In diesem Sinne steht das Wort ἱστορίη auch im Werktitel Herodots: ἱστορίης ἀπόδεξις. Herodot legt also seine Erkundung dar, die sich auf alles beziehen konnte, was empirisch erforschbar war.[19] Sollte ein Geschehen bzw. eine Tat begrifflich formuliert werden, half man sich mit einer Partizipialform des Verbums γίγνεσθαι bzw. mit dem Nomen ἔργον, vor allem aber mit dem Nomen

---

16 Von "Neuzeit" wird erst seit 1870 gesprochen (J. Grimm/W. Grimm, Deutsches Wörterbuch, Bd. 7, Leipzig 1889, 689), von "neuer Zeit" spricht man schon seit dem 18. Jh., dazu R. Koselleck, 'Neuzeit'. Zur Semantik moderner Bewegungsbegriffe, in: ders., Vergangene Zukunft, 302.

17 H. Rupp/O. Köhler, Historia - Geschichte, Saeculum 2 (1951) 629, dort auch zu Etymologie.

18 Zur Geschichte des Begriffs s. H. Keuck, Historia. Geschichte des Wortes und seiner Bedeutungen in der Antike und in den romanischen Sprachen, Diss. Münster 1934; F. Büchsel, Art. ἱστορέω (ἱστορία), in: ThWNT III, Stuttgart 1938 (Nachdruck 1957), 394-399; G. Scholtz, Art. Geschichte, Historie, in: HWPh III, Basel 1974, 344-398.

19 W. Schadewaldt, Die Anfänge der Geschichtsschreibung bei den Griechen, Frankfurt 1982, 113ff. und passim.

πρᾶγμα , das auch komplexere Strukturen erfassen konnte.[20]
ἱστορία bezeichnete zum ersten Mal in der Poetik des Aristoteles eine Form von Geschichtsschreibung, die zurückliegende politisch-militärische Ereignisse in der Einheit einer Zeit darstellt, während das Geschehen bzw. der Geschehenszusammenhang selbst erst bei Polybios mit jenem Begriff erfaßt wurde.[21] Aber das blieb singulär. Im römischen Bereich diente der entsprechende Begriff "historia" vor allem als Sammelbegriff, "primär für die Form, für den Rahmen und sekundär für das ganze Paket von Handlungen, Geschehnissen, Abläufen, das darin enthalten war. Inhaltlich zielte es mehr auf die Summe der Ereignisse als auf den Zusammenhang zwischen ihnen, der in der Form der Historie(n) hergestellt wurde."[22]

Im deutschen Sprachraum liegt mit "Geschichte" und "Historie" eine begriffliche Differenzierung vor. So kann "Geschichte" auf die Tat(en), das Ereignis bzw. die Ereignisse, das Geschehen, das Widerfahrnis (res gestae) und "Historie" auf ihre literarische Vermittlung (historia rerum gestarum) bezogen werden.

Am Anfang der Wortbildung meinte der Begriff "Geschichte" etwas Vereinzeltes, so im 11. Jh. bei Notker dem Deutschen und im 12. Jh. etwa bei Heinrich von der Aue, wo "geschiht" konkret die Tat und abstrakt die Sache bezeichnen konnte , aber nur selten, z.B. bei Gottfried von Straßburg, auch schon auf größere Zusammenhänge zielte.[23] In den geschichtlichen Werken jener Zeit fehlt irgendein Sammelbegriff, weder das Wort "geschiht" wurde verwendet noch ein dem Terminus "historia" entsprechender Begriff; die ihnen zugrunde liegenden Quellen und ihre Ereignisse wurden "buoch", "maere", "rede", "liet" genannt.

Das Wort "historia" ist zum ersten Mal in einem deutschen Text von Gottfried von Straßburg verwendet worden.[24] Im 14. Jh.

---

20 Chr. Meier, in: Geschichtliche Grundbegriffe. Historisches Lexikon zur politisch-sozialen Sprache in Deutschland, hg. von O. Brunner, W. Conze, R. Koselleck, Bd. 2, Stuttgart 1974, 597.

21 So Chr. Meier, in: Geschichtliche Grundbegriffe, Bd. 2, 598f.

22 Chr. Meier, in: Geschichtliche Grundbegriffe, Bd. 2, 600.

23 Dazu H. Rupp / O. Köhler, Saeculum 2 (1951) 630f. mit Belegen.

24 Beleg bei H. Rupp / O. Köhler, Saeculum 2 (1951) 632.

konnte dann "historia" die literarische Einheit, "geschiht"
ihr vielfältiger Inhalt sein, beide Termini konnten aber auch
promiscue verwendet werden. Der Sprachgebrauch der Chronisten
des 15. und 16. Jh.s, für die nur "historie" wissenschaftlichen Charakter hatte, blieb wirkungslos, denn mit den Geschichtswerken der Humanisten wurde auch "geschicht" wissen-
schaftlich hoffähig, im 17. Jh. sogar verbreitet, immer auf
das konkrete Geschehen bezogen.[25]

Eine entscheidende Veränderung vollzog sich in der zweiten
Hälfte des 18. Jh.s, in der "Geschichte" und "Historie" kon-
taminierten und der Kollektivsingular "die Geschichte" ent-
stand.[26] Bis in das 18. Jh. war "die Geschichte" wie "die
Geschicht" und "die Geschichten" eine Pluralform, die die
Summe der Einzelgeschichten erfaßte. Formal identisch mit
der Pluralform spiegelte die feminine Singularform eine neue
Erkenntnis wider, die Mitte des 19. Jh.s J. G. Droysen in den
Satz faßte: "Über den Geschichten ist die Geschichte."[27]

Es wurde nun möglich, neben einer "Genitiv-Geschichte" die
"Geschichte an sich" zu denken, in die Vergangenheit und Zukunft integriert sind und die sich selbst zugleich als Subjekt und Objekt darstellt. Der neue Geschichtsbegriff gab
nicht alle älteren Vorstellungen auf,[28] erschloß aber neue
Bewußtseinsinhalte, von denen einige, die für die Untersuchung wesentlich sind, genannt werden sollen.[29]

Mit dem Kollektivsingular "Geschichte" als Reflexionsbe-
griff entwickelte sich gleichzeitig die Geschichtsphilosophie.[30]
Einen wesentlichen Teil des Erfahrungspotentials verdankt der
moderne Geschichtsbegriff der geschichtsphilosophischen Bemü-
hung, die insbesondere in Gestalt der idealistischen Geschichtsphilosophie bleibende Erkenntnis beitrug, indem sie die Erfahrung der Französischen Revolution nutzte.

---

25 Im einzelnen nachgewiesen bei H. Rupp / O. Köhler, Saeculum 2 (1951)
635.

26 Ausführlich R. Koselleck, in: Geschichtliche Grundbegriffe, Bd. 2, 647ff.

27 J.G. Droysen, Historik, hg. von R. Hübner, 8. Aufl., Darmstadt 1977, 354.

28 S. dazu vor allem R. Koselleck, Geschichte, Geschichten und formale Zeitstrukturen, in: ders., Vergangene Zukunft, 130-143.

29 Es sei mit Nachdruck auf R. Kosellecks Zusammenstellung in: Geschichtliche Grundbegriffe, Bd. 2, 647ff hingewiesen.

30 S. dazu R. Koselleck, in: Geschichtliche Grundbegriffe, Bd. 2, 658ff.

Ein zentraler Punkt ist das Axiom der Unwiederholbarkeit, das das von der Aufklärung so geschätzte Kausalitätsprinzip unterlief. Mit den globalen Entdeckungen außerhalb Europas lernte man unterschiedlich entwickelte Kulturstufen kennen, mit denen die Erkenntnis verschiedener Zeitstrukturen einherging, die einerseits zu dem Theorem der Gleichzeitigkeit des Ungleichzeitigen, andererseits aber auch zu der Erfahrung unterschiedlicher Tempi führte, denn man erlebte, wie mit den raschen technischen Umwälzungen die geschichtliche Zeit gegenüber vorhergehenden Erfahrungen beschleunigend empfunden und als Übergang zu einer andersartigen, planbaren und machbaren Zukunft begreifbar wurde.[31] Die Vergangenheit lernte man in der geschichtlichen Perspektive zu sehen, die immer nur vom jeweiligen Standort aus möglich schien.[32]

Einige im Zusammenhang mit jenen Erfahrungen stehende Aspekte müssen etwas näher betrachtet werden. Wenn in einer Umbruchsituation Erwartungen aufsteigen, die qualitativ von der Vergangenheit verschieden sind, dann kann der Vergangenheit keine Exemplarität zukommen, die den Umgang mit der "Geschichte" bis zum 18. Jh. geprägt hat. Es sei an den von Cicero formulierten fünffachen Nutzen der Geschichte für den Redner erinnert, von dem das vorletzte Element die Geschichte als "Lehrmeisterin des Lebens" (magistra vitae) bezeichnet.[33]

Der Topos historia magistra vitae, die Befragung der Geschichte, um

---

31 W. von Humboldt (Das achtzehnte Jahrhundert, in: ders., Werke, hg. von A. Flitner und K. Giel, Darmstadt 1960, Bd. 1, Schriften zur Anthropologie und Geschichte, 398f.) sagt zu den Erfahrungen des 18. Jh.s: Wer "den heutigen Zustand der Dinge mit dem vor fünfzehn bis zwanzig Jahren vergleicht, der wird nicht läugnen, daß eine größere Ungleichheit darin, als in dem doppelt so langen Zeitraum am Anfange dieses Jahrhunderts herrscht."
S. zum Problem R. Koselleck, 'Neuzeit'. Zur Semantik moderner Bewegungsbegriffe, in: ders., Vergangene Zukunft, 321ff, wo er auch auf die Erfahrung jener Zeit hinweist, in einer Übergangszeit zu leben, die auch heute (noch) aktuell ist.
Zu Zeiterfahrungen wie Irreversibilität, Wiederholbarkeit und Gleichzeitigkeit des Ungleichzeitigen und den aus ihnen möglichen Ableitungen wie Fortschritt und Dekadenz, Beschleunigung und Verzögerung und anderes mehr s.R. Koselleck, Geschichte, Geschichten und formale Zeitstrukturen, in: ders., Vergangene Zukunft, 132f.

32 Diese Erkenntnis ist durch J.M. Chladenius (Allgemeine Geschichtswissenschaft, Leipzig 1752) in die geschichtswissenschaftliche Diskussion eingeführt worden, der in diesem Zusammenhang vom "Sehe-Punkt" (100ff.) spricht.

33 Cicero, De orat. 2,36; vgl. 2,51: Historia vero testis temporum, lux veritatis, vita memoriae, magistra vitae, nuntia vetustatis.

die Erfahrungen früherer Generationen verwerten zu können,
fand zwar immer wieder Kritiker,[34] wurde aber grundsätzlich
bis zur Zeit der Französischen Revolution praktiziert. Erst
nach ihren Erfahrungen zweifelte man daran, daß man der Vergangenheit prognostisches Material entnehmen könne. In dem
Augenblick, in dem sich das Einmaligkeitsaxiom durchsetzte,
wurde die Möglichkeit bestritten, vergangene Erfahrung in
zukünftigen Situationen anzuwenden.

"Man hat der Historie das Amt, die Vergangenheit zu richten, die Mitwelt zum Nutzen zukünftiger Jahre zu belehren,
beigemessen: so hoher Ämter unterwindet sich gegenwärtiger
Versuch nicht: er will bloß zeigen, wie es eigentlich gewesen"[35], resümierte L. von Ranke. Der Abschied von jenem Topos
bedeutete auch eine neue Bestimmung des Stellenwertes von res
factae und res fictae. Dazu ist schon das Wesentliche in erkenntniskritischer Sicht gesagt, im vorliegenden Zusammenhang
sei das Ergebnis der Diskussionen um das Verhältnis von Poetik
und Historik mitgeteilt.

"Weder die Vertreter der 'nackten Wahrheit', also die Wegbereiter der 'Geschichte selbst', setzten sich durch, noch die
Verfechter der überlegenen Dichtung, die ihre Darstellung den
Regeln einer immanenten Möglichkeit unterwarfen. Vielmehr gingen beide Lager eine Fusion ein, bei der die Historie von der
allgemeineren Wahrheit der Dichtung, von ihrer inneren Plausi-
bilität, profitierte - wie umgekehrt die Dichtung sich zuneh-
mend dem Anspruch geschichtlicher Wirklichkeit stellte."[36] So
wurde die Geschichte als "Geschichte an sich", als zusammen-
hängendes System verständlich, das mit der "epischen Einheit"[37]
korrelierte, die ihrerseits Anteil an wahrhaftiger Geschichte
hatte,[38] Wirklichkeit und Reflexion waren aufeinander bezogen.

Wenn "Geschichte" zugleich ein Bewegungs- und Reflexions-
begriff wurde, dann mußte auch das Verhältnis von Geschichte

34 Ausführlicher R. Koselleck, Historia magistra vitae. Über die Auflösung des Topos im Horizont neuzeitlich bewegter Geschichte, in: ders.,
Vergangene Zukunft, 45; ders., in: Geschichtliche Grundbegriffe, Bd. 2, 642f.

35 L. von Ranke, Sämtliche Werke, Bd. 33, 2. Aufl., Leipzig 1874, VIf.

36 R. Koselleck, in: Geschichtliche Grundbegriffe, Bd. 2, 660.

37 B.G. Niebuhr, Geschichte des Zeitalters der Revolution, Hamburg 1845, 41.

38 Vgl. H. Singer, Der Deutsche Roman zwischen Barock und Rokoko, Köln/Graz
1963.

und Natur zum Problem werden. Solange die Einheit von Natur
und Geschichte gegeben war, erzählte diese Geschichte die Geschichten der Menschen und beschrieb die Gegebenheiten der Natur.[39] Zwar konnte in jener Zeit auch schon die Beschreibung
einer historia naturalis durch eine diachron vorgehende dyna-
misierte Naturgeschichte ersetzt werden. Die Natur wurde sogar
als Modell menschlicher Geschichte verstanden.[40] Dennoch ist
die Naturgeschichte von der histoire humaine abgekoppelt und
als histoire naturelle an die theoretische Naturwissenschaft
gebunden worden, wie etwa bei Voltaire.[41] Die Dichotomie zwischen Natur und Geschichte war vollzogen.[42]

Damit sind in aller Kürze einige Besonderheiten des modernen Geschichtsbegriffs genannt, die auch den heutigen Umgang
mit der Geschichte prägen. Sie verdichten sich im Verzicht
auf die Exemplarität und providentielle Grundlegung[43] der Geschichte.

2. Die Vorgeschichte des neuzeitlichen Geschichtsbegriffs

a) Der Übergang zur Neuzeit und das Mittelalter

Alle soeben beschriebenen Faktoren des Kollektivsingulars
"Geschichte" sind nicht mit einem Schlage da und nicht alle
Erfahrungen sind neu.

Das hohe Pathos, mit dem die antike Geschichtsschreibung
die historia magistra vitae betrieb, um sie der Nachwelt zu
vermitteln, war der Geschichtsschreibung schon in der Zeit
vor der Aufklärung abhanden gekommen. Man schrieb für die
eigene Zeit, man beschäftigte sich nur mit den Geschichten,

39 R. Koselleck, in: Geschichtliche Grundbegriffe, Bd. 2, 679.

40 J.G. Herder, Ideen zur Philosophie der Geschichte der Menschheit
(1784/87), SW., Bd. 14, Berlin 1909, 145.

41 S. Voltaire, Art. Histoire, Encyclopédie, Bd. 8, Genf 1765, 220f.

42 Zur weiteren Aufspaltung geschichtlicher Einheit unter dem Aspekt politischer und sakraler Geschichte, die schon vom Humanismus betrieben
wurde, s. A. Klempt, Die Säkularisierung der universalhistorischen Auffassung. Zum Wandel des Geschichtsdenkens im 16. und 17. Jahrhundert,
Göttingen 1960, 42ff.

43 S. dazu unten S. 16f.

um Ereignisse zu erfahren, nicht um Lehren aus der Vergangenheit zu ziehen.[44] Daneben wurde schon im 17. Jh. anstelle der
Vorstellung von Geschichte als Aggregat die Vorstellung von
Geschichte als System gebildet, wenn Pascal vom homme universel
und im Anschluß daran Leibniz von der Welt als einem Gesamtpro-
zeß sprachen.[45] Die Geschichtstheorie blieb davon zunächst noch
unberührt. Zwar hatten die einschneidenden physikalischen Um-
brüche des 17. Jh.s die Vorstellungen über Bewegung und Zeit
korrigiert, auf die historische Forschung wirkte sich das aber
nicht aus; sie gab sich rastlos, sammelte und systematisierte
dabei im wesentlichen nur Fakten.[46]

Zuvor, in der Reformationszeit mit ihrem lebhaften Interesse
an der Geschichtsschreibung, war vor allem das Exemplarische,
also Verwertbare, aufbereitet worden. Eines der bekanntesten
Beispiele ist eine Schrift Carions, die Ph. Melanchthon umge-
arbeitet hat.[47] Reformatorische Gedanken wurden mit historischen
Gegebenheiten vermittelt, wobei freilich M. Luther einer rationalen Erkenntnismöglichkeit der Geschichte fremd gegenüberstand,
weil er vom unberechenbaren Handeln Gottes ausging,[48] das als
Ereignis und Prozeß in der Verschränkung der Zeitdimensionen
erlebt wurde. Die geschichtliche Erfahrung konnte von der eschatologischen Erwartung ebenso bestimmt sein wie von prophetischer Erinnerung.[49]

---

44 So A. Momigliano, Tradition and the Classical Historian (1972), in:
ders., Essays in Ancient and Modern Historiography, Oxford 1977, 161-177.

45 Mit Nachweisen H. Günther, in: Geschichtliche Grundbegriffe, Bd. 2, 639.

46 So A. Momigliano, Ancient History and the Antiquarian (1950), in: ders.,
Studies in Historiography, London 1966, 1-39.

47 Ph. Melanchthon, Chronicon Carionis, CR, Bd. 12, Halle 1844.

48 Eines der bekannten Zitate mag das veranschaulichen: "Das man wol mag
sagen, der wellt laufft und sonderlich seyner heyligen wesen sey Gottes
mummerey, darunter er sich verbirgt und ynn der wellt so wunderlich regirt
und rhumort", Der 127. Psalm ausgelegt an die Christen zu Riga in Liefland
(1524), WA, Bd. 15 (1899) 373.

49 In seiner Schrift "An die Rathherren aller Städte deutschen Lands, daß
sie christliche Schulen aufrichten und halten sollen" (1524), WA, Bd. 15
(1899) 32, drückt Luther das metaphorisch aus: "... Gottis wort und gnade
ist ein farender platz regen, der nicht wider kompt, wo er eyn mal gewesen
ist ... Und yhr deutschen dürfft nicht dencken, das yhr yhn ewig haben wer-
det, Denn der undanck mit verachtung wird yhn nicht lassen bleyben". Zum
Verständnis der Prophetie im Rahmen geschichtlicher Erfahrungen sagt Ph.
Melanchthon im "Chronicon Carionis", CR, Bd. 12 (1844) 714: "... ut libri

In der säkularen Geschichtsforschung hatte ebenfalls die (antike) Vergangenheit als Erfahrungs- und Exempelarsenal gedient. Ein ganz wesentlicher Zweck der historischen Forschung im Humanismus resultierte aus der Zuordnung zur Rhetorik, die mit ihren Exempeln moralphilosophische Entscheidungen zu begründen hatte.[50]

Wenn man während des Übergangs zur Neuzeit eine "Geschichte" schrieb, dann beinhaltete sie das, was der Autor selbst erlebt hatte.[51] Mittelalterliches Geschichtsdenken war einem anderen Grundsatz gefolgt, denn mit dem Begriff "historia" verband es einen Erkenntniswillen, bisher unbekanntes Wissen zu erlangen, das sich nicht auf historische Kenntnisse beschränkte.[52] Es ist bezeichnend, daß die "historia" mit der auf Überzeugung ausgerichteten Rhetorik verbunden war. "Unter dieser Voraussetzung gelangte die Kenntnis des Vergangenen nicht über die Grenze des Exemplarisch-Nützlichen hinaus; als vitae magistra stand die Historie im Dienste umfassender Lebensnormen."[53] Das ist aber nicht der einzige Aspekt. Der Sinn der Historie wurde entscheidend durch Augustinus modifiziert, für den sie sich aus dem menschlichen Handeln und den Setzungen Gottes zusammensetzt, die jenes Handeln erst bedeutungsvoll machen.[54] Das Faktum verdankt sich in seiner Exemplarität der providentia Dei als einheitsstiftender Grund heilsgeschichtlicher Betrachtung. Diese Vorstellung blieb im mittelalterlichen Denken[55] wesentlich. "Die

---

prophetici melius intelligantur, omnium temporum historia complectenda est."

50 H. Günther, in: Geschichtliche Grundbegriffe, Bd. 2, 628, s. ebenda 652ff., wo die Positionen Dantes, Petrarcas und Vallas als "Historisches Denken in der früheren Neuzeit" analysiert. Zur rhetorischen Geschichtsschreibung s. E. Kessler, Das rhetorische Modell der Historiographie, in: Formen der Geschichtsschreibung, 37-85, vor allem 62ff.

51 S. dazu H. Günther, in: Geschichtliche Grundbegriffe, Bd. 2, 625f.

52 Für das frühe Mittelalter weist O. Engels (in: Geschichtliche Grundbegriffe, Bd. 2, 610f.) beispielhaft auf Isidor von Sevilla hin; ebenda 610ff. zur begriffsgeschichtlichen Kontamination von historia und gesta (als Kollektivsingular), die vom 12. Jh. an wieder auseinanderfielen.

53 O. Engels, in: Geschichtliche Grundbegriffe, Bd. 2, 622, der in diesem Punkt die Kontinuität mit der antiken Tradition unterstreicht: "Methode und Funktion des antiken Bildungsgutes änderten sich mit der Verchristlichung nicht ..." S. auch E. Kessler, Das rhetorische Modell der Historiographie, in: Formen der Geschichtsschreibung, 59ff.

54 Augustinus, De doctrina christiana 2, 19 (29). 28 (44), CC, Ser. Lat., Bd. 32, Turnholdt 1962, 53f.63.; vgl. E. Kessler, Das rhetorische Modell der Historiographie, in: Formen der Geschichtsschreibung, 59f.

55 Zu einem differenzierten Verständnis der mittelalterlichen Geschichts-

isoliert gesehene Ereigniskette besaß einen geringen Wahrheits-
gehalt, erst als Bestandteil der dies- und jenseitigen Gesamt-
wirklichkeit erschloß sie sich in ihrer vollen Bedeutung. Wie
in der Antike sollten auch jetzt noch geschichtliche Beispiele
zum Guten anspornen oder vom Bösen abhalten, die Darstellung
der Vorgeschichte sollte den gegenwärtigen Zustand rechtfertigen oder korrigieren helfen; alles das stellte im Prinzip nichts
Neues dar. Aber das Erkenntnisziel hatte sich entscheidend ver-
schoben, sofern in den geschichtlichen Ereignissen Taten Gottes
gesehen wurden."[56] Die Christen hatten dieses Ziel schon in der
Spätantike verfolgt.

b)   Rom und Griechenland

    In der Spätantike verschränken sich Antike und Mittelalter
auch bei den Geschichtsvorstellungen.[57]
    Mag man auch als Grundformen zeitlicher Erfahrung Linearität
und Zyklik voneinander unterscheiden, es läßt sich jedenfalls
nicht eine Differenzierung in zyklisches und lineares Geschichtsdenken mit paganen Vorstellungen einerseits und christlichen
andererseits kombinieren. "Wenn man nun unbedingt mit geome-
trischen Figuren die Ablaufstruktur der Geschichte veranschaulichen will, so könnte für die christliche Vergegenwärtigung
die (abgesteckte) Strecke, für die römische nicht der Kreis,

---

forschung vgl. J. Spörl, Wandel des Welt- und Geschichtsbildes im 12. Jahrhundert? Zur Kennzeichnung der hochmittelalterlichen Historiographie, in:
Unser Geschichtsbild Bd. 1, München 1955, 99-114, überarbeitet 1960, abgedr.
in: Geschichtsdenken und Geschichtsbild im Mittelalter. Ausgewählte Aufsätze
und Arbeiten aus den Jahren 1933 bis 1959 (Wege der Forschung, Bd. 21), hg.
von W. Lammers, Darmstadt 1965, 278-297; vgl. auch die anderen in: Wege der
Forschung stehenden Aufsätze. Neuerdings J. Fleckenstein, Zum mittelalterlichen Geschichtsbewußtsein. Bemerkungen zu seiner Einheit und Mehrschich-
tigkeit, in: Archäologie und Geschichtsbewußtsein (Kommission für Allgemeine und Vergleichende Archäologie des Deutschen Archäologischen Instituts
Bonn, AVA-Kolloquium, Bd. 3) München 1982, 53-67; mit Einschluß der Spätantike O. Engels, in: TRE Bd. 12, 1984, 608-630; F.-J. Schmale, Funktion und
Formen mittelalterlicher Geschichtsschreibung. Eine Einführung, Darmstadt
1985.

56 O. Engels, in: Geschichtliche Grundbegriffe, Bd. 2, 624.

57 F. Vittinghoff, Zum geschichtlichen Selbstverständnis der Spätantike,
HZ 198 (1964) 529-571; vgl. K. Rosen, Über heidnisches und christliches Geschichtsdenken in der Spätantike (Eichstätter Hochschulreden 34), München 1982.

sondern die Linie bzw. eine Vielzahl von Linien, die irgendwann in das Imperium Romanum einmündeten, als Symbol dienen."[58]

Die eigentlichen Unterschiede beziehen sich auf Dauer und
Wert der geschichtlichen Zeit. Die Spätantike benutzte als Modell[59], um ihre eigene Zeit als hervorragend zu qualifizieren,
den Lebensaltervergleich, mit dem man unter dem Blickwinkel
einer positiv bewerteten hohen Altersstufe die Vorzüge der späten römischen Geschichte herausstellen wollte. Christliche Po-
lemik setzte dagegen, daß jene Metapher "das Eingeständnis eines naturgesetzlichen, baldigen Untergangs Roms sei, so wie
beim Menschen dem Greisenalter der Tod folgt"[60]. Auch wenn die
Christen[61] an der Vorstellung der unüberbietbaren Pax Romana
partizipierten,[62] den damit verbundenen Roma-Aeterna-Gedanken
teilten sie nicht. Wie ausgeprägt auch immer eschatologische
Erwartungen waren, die Christen rechneten mit der Endlichkeit
der Geschichte. Sie erlebten wie im mittelalterlichen Denken
die providentielle Vorgabe als einheits- und sinnstiftenden
Gedanken, der sich auch in der christlichen Chronographie nie-
derschlug.[63] Die sogenannte Vier-Reiche-Lehre, die in der römischen Geschichtsdarstellung übernommen worden war,[64] wurde

---

58 F. Vittinghoff, HZ 198 (1964) 572.

59 Für Einzelheiten sei auf F. Vittinghoff (HZ 198, 1964, 529 und passim)
und auf Chr. Meier (in: Geschichtliche Grundbegriffe, Bd. 2, 607f.)verwiesen.

60 F. Vittinghoff, HZ 198 (1964) 561.

61 Zum neutestamentlichen Geschichtsverständnis vgl. kritisch die zahlreichen Arbeiten R. Bultmanns ("Geschichte und Eschatologie im Neuen Testament",
in: Glauben und Verstehen, Ges. Aufsätze III, 2. Aufl., Tübingen 1962, 91-1o6,
"Der Mensch und seine Welt nach dem Urteil der Bibel", in: Ges. Aufsätze III,
151-165, "Das Verständnis der Geschichte im Griechentum und Christentum, in:
Ges. Aufsätze IV, Tübingen 1965, 91-103, "Reflexionen zum Thema Geschichte
und Tradition",in: Ges. Aufsätze IV, 56-68, "Heilsgeschichte und Geschichte",
in: Exegetica, Tübingen 1967, 356-368) mit E. Dinkler, Earliest Christianity,
in: The Idea of History in the Ancient Near East, ed. by R.C. Dentan, New
Haven/London 1966, 168-214, und neuerdings U. Luz, in: TRE,Bd.12,1984,595-604
mit weiterer Literatur. Zur patristischen Zeit: R.H. Bainton, Patristic Christianity , in: The Idea of History, 215-236; R. Montley, in: TRE Bd. 12, 1984,
604-608; undifferenziert ist der Vergleich von W. den Boer, Greco-Roman Historiography in its Relation to Biblical and Modern Thinking, in: On the
Meaning of History (Cahiers de Bossey 5),um 1950, 28-47.

62 Chr. Meier, in: Geschichtliche Grundbegriffe, Bd. 2, 608.

63 A. Momigliano, Pagan and Christian Historiography in the fourth century,
in: The Conflict between Paganism and Christianity in the fourth century,
Essays ed. by A. Momigliano, Oxford 1963, 79-99, vor allem 83ff.

64 Chr. Meier, in: Geschichtliche Grundbegriffe, Bd. 2, 607.

seit dem 2. Jh. in der Identifizierung des vierten Reiches mit Rom auf das Ende der Geschichte bezogen.[65]

Die römische Geschichtsvorstellung kannte zwar nicht eine entsprechende Verschränkung von Historie und Metahistorie, zielte aber auch auf eine geschichtliche Einheit, sie "war von vornherein auf die Geschichte eines einheitlichen Subjekts konzentriert. Sie sollte Roms Erfolge erklären, seine Expansion und seine Ansprüche legitimieren (und dazu die Beispiele der Väter weitergeben). Dazu benutzte man die Geschichte vor allem als Arsenal."[66]

Bei der Geschichtsschreibung traten Anspruch und Wirklichkeit auseinander. Die ältesten Werke, die die beiden Senatoren Quintus Fabius Pictor und Lucius Cincius Alimentus in griechischer Sprache verfaßten, stammen aus der Zeit um 200 v. Chr. Beide Historiker schrieben eine Geschichte Roms, die für den römischen Standpunkt werben sollte. Zum Teil auf Vorarbeiten gestützt, wurde von der Urgeschichte bis zur besser bekannten Zeitgeschichte hin mit gerafften Überblicken gearbeitet.[67] Vielleicht hat es in Rom auch für die Jahrhunderte vor Quintus Fabius Pictor und Lucius Cincius Alimentus (zuverlässige) Geschichtsaufzeichnungen gegeben, wenn nämlich die Überlieferung zutrifft, nach der von Anbeginn der römischen Geschichte der Pontifex maximus jährlich denkwürdige Ereignisse aufgeschrieben hat. Diese Pontifikalannalen[68], die im 2. Jh. in einer aufgefüllten Gesamtausgabe erstellt wurden, sind möglicherweise bei dem Einfall der Gallier, die 387 oder 390 v. Chr. Rom in Brand gesteckt haben, in ihrem damaligen Umfang verloren gegangen. Das war jedenfalls später die Meinung des Livius, der erst das Geschehen seit der Katastrophe Roms klarer zu erkennen meinte. Er sah die Schwierigkeit, Ereignisse hohen Alters deutlich wahrzunehmen und verglich das mit Gegenständen, die aus weiter Entfernung kaum wahrzunehmen seien.[69]

---

65 F. Vittinghoff, HZ 198 (1964) 554f.

66 Chr. Meier, in: Geschichtliche Grundbegriffe, Bd. 2, 606.

67 Zu Quintus Fabius Pictor und Lucius Cincius Alimentus s. die Zusammenfassung bei D. Flach, Einführung in die römische Geschichtsschreibung, Darmstadt 1985, 61ff., mit Literatur.

68 Zu den römischen Pontifikalannalen s. D. Flach, Einführung in die römische Geschichtsschreibung, 56ff.

69 Livius 6,1,1.

20

Diese wenigen Hinweise mögen genügen, um Aufgaben und Schwierigkeiten am Anfang der römischen Beschäftigung mit der Geschichte
anzudeuten.[70] In Griechenland ist nur wenig über die theoretische
Grundlage der Geschichtsschreibung in literarischen Entwürfen
nachgedacht worden.[71] Um so eifriger haben sie Herodot und nach
ihm Thukydides mit nachhaltiger Wirkung praktiziert.

Die Vorstellung einer politisch-militärischen Ereignisgeschichte geht im wesentlichen auf Thukydides[72] zurück, der in
seinem Geschichtswerk über den Peloponnesischen Krieg (431-404
v. Chr.) handelt, den langjährigen Konflikt zwischen Athen und
Sparta mit seinen Verbündeten, den er vom II. Buch an schildert,
nachdem er im I. Buch in der sogenannten Archäologie (I,2-19)
die griechische Geschichte von ihren mythischen Anfängen an re-
kapituliert und Ziele und Methoden seiner Arbeitsweise (I,20-22)
dargelegt hat. Selbst als Stratege in der nördlichen Ägäis eingesetzt, machte er Autopsie und sorgfältige Ermittlungen zu wesentlichen Voraussetzungen seiner Arbeit (I,22). Sein Ziel war
es, sein Geschichtswerk zum κτῆμα εἰς αἰεί zu machen (I,22,4).
Erinnerung und Erwartung konnten korrelieren, weil anthropolo-
gische Grundgegebenheiten (I,22,4), die durch φιλοτιμία, πλεονεξία
und φόβος (δέος) angetrieben wurden,[73] das ermöglichten.[74] So
erkläre sich auch der Ausbruch des Peloponnesischen Krieges, der
im Vergleich mit vorhergehendem Geschehen als κίνησις γὰρ αὕτη

Für weitere Etappen der römischen Geschichtsschreibung muß auf D. Flach
(Einführung in die römische Geschichtsschreibung) verwiesen werden.

71 Zum Problem s. H. Strasburger, Die Wesensbestimmung der Geschichte durch
die antike Geschichtsschreibung (Sitzungsberichte der Wissenschaftlichen Gesellschaft an der Joh. Wolfg. Goethe-Universität Frankfurt/Main, Bd. 5, Nr.
3), 3. Aufl. Wiesbaden 1975; abgedr. in: Studien zur Alten Geschichte, hg.
von W. Schmitthenner und R. Zoepffel, Bd. 2 (Collectanea 42/2), Hildesheim/
New York 1982, 967ff., mit Literatur.

72 Die Literatur zu Thukydides ist unübersehbar. Instruktiv vor allem K.
von Fritz, Die griechische Geschichtsschreibung, Bd. 1: Von den Anfängen
bis Thukydides, Berlin 1967, 523ff., mit Anmerkungsband; W. Schadewaldt,
Die Anfänge der Geschichtsschreibung bei den Griechen. Herodot, Thukydides
(Tübinger Vorlesungen, Bd. 2), Frankfurt a.M. 1982, 223ff., weitere Literatur 397ff.

73 I,75,3; 76,2; II,65,7; III,82,8. Thukydides kann darin das ἀνθρώπινον
sehen (I,22,4), dessen Gesetzmäßigkeit nicht auf den individuellen Bereich
beschränkt wird (III,45,1).

74 Vgl. dazu W. Mürri, Beitrag zum Verständnis des Thukydides, in: Thukydides, hg. von H. Herter, Darmstadt 1968, 135ff.

μεγίστη verstanden wird, die sich in zahlreichen παθήματα
konkretisiere.[75] Ein wesentliches Merkmal der historiographischen Position des Thukydides ist seine Faktentreue, die durch
Ausschluß mythischen, novellistischen und nicht belegbaren Materials und chronologische Exaktheit erreicht wird.[76] Es bleibt
allerdings nicht bei der Aneinanderreihung von Tatsachen; ein-
gestreut in die Darstellung sind über vierzig Reden, die einzelne Situationen analysieren und transparent machen, dabei aber
nicht etwa die Bedingungen der Möglichkeit historischer Abläufe
zu klären vermögen, die mit den generellen Aussagen der Reden
kaum verschränkt werden.[77] "Wie die allgemeinen Strukturvoraus-
setzungen wirken, ergibt sich nur im Ganzen, in der Summe, in
der Fernperspektive; nicht im Einzelnen."[78]

Thukydides wollte gemäß seinem Proömium mit der Darstellung
des Peloponnesischen Krieges die Darstellung des Trojanischen
Krieges und des Perserkrieges, also Homer und Herodot, über-
bieten. Während Thukydides den historia-Begriff nicht benutzt,
nennt ihn, wie schon erwähnt, Herodot[79] im ersten Satz seines
Proömiums, meint damit aber eben nicht "Geschichte", obwohl
Cicero ihm den Ehrennamen pater historiae verlieh.[80]

Im Einleitungssatz seines Werkes nennt Herodot seine Absicht. Er legt ἱστορίης ἀπόδεξις vor, um nicht τὰ γενόμενα
ἐξ ἀνθρώπων noch die ἔργα μεγάλα τε καὶ θωμαστά in Vergessen-

---

75 I,23, vgl. II,48-54.71-78; III,20-24 u.a. H. Strasburger, Die Wesensbestimmung der Geschichte, in: Studien zur Alten Geschichte, 979ff., spricht
aufgrund des Terminus κίνησις von einem kinetischen Geschichtsbegriff. Das
ist mißverständlich, denn Thukydides hat mit der κίνησις als Maßstab zur
Kriegsbeurteilung nur verbreitete Anschauungen geteilt, nicht eine eigenständige Leistung erbracht, vgl. K. von Fritz, Gnomon 41 (1969), 583ff, vor
allem 590f.

76 Beispielhaft sei auf die präzise Fixierung von Kriegsausbruch (II,2)
und Friedensschluß (V,19) hingewiesen.

77 Zu den Reden s. F. Egermann, Thukydides über die Art seiner Reden und
über seine Darstellung der Kriegsereignisse, in: Historia 21 (1972) 575-602.

78 Chr. Meier, Die Entstehung des Politischen bei den Griechen, Frankfurt
a.M. 1980, 349.

79 Auch zu Herodot ist die Literatur unübersehbar. Besonders instruktiv
wiederum K. von Fritz, Die griechische Geschichtsschreibung, 104ff.; W.
Schadewaldt, Die Anfänge der Geschichtsschreibung bei den Griechen, 105ff;
weitere Literatur 397ff. Eine Verzahnung mit alttestamentlichen Problemen
neuerdings bei J. van Seters, In Search of History. Historiography in the
Ancient World and the Origins of Biblical History, New Haven/London 1983,
31ff.

80 Cicero, De legibus 1,5.

heit geraten zu lassen, die von Griechen und Barbaren hervor-
gebracht wurden, insbesondere aber, δι'ἥν αἰτίαν beide Krieg
miteinander führten. Eben das zeigt er in neun Büchern, in denen bis zum vierten Buch Herrscherlisten als chronologisches
Gerüst dienen, bevor vom fünften Buch an mit den Ereignissen
des Perserkrieges ein gerraffterer Handlungsablauf beginnt. Sofern man ἱστορίη als Bezeichnung der von Ionien ausgegangenen
ethno- und geographischen Studien versteht,[81] trifft der Terminus für Herodot zu. Seine Darstellung erschöpft sich freilich
nicht in der Ereignisgeschichte. Zwar läßt sich nicht mit Sicherheit sagen, was er unter γενόμενα und ἔργα verstand, es dürften
aber neben den Kriegstaten auch architektonische Werke gewesen
sein.[82] Veränderung war keine zentrale Kategorie bei Herodot;
die für neuzeitliches Bewußtsein sinn- und bedeutungsstiftende
prozessuale Einbettung von Ereignissen war ihm fremd. Der kau-
sale Konnex hatte "kein von den Ereignissen zu trennendes, un-
abhängiges Dasein, dessen mehr oder minder adäquater , mehr oder
minderadäquater Ausdruck nun die Ereignisse sind. Jede Tat und
jedes Ereignis in der Antike enthielt und zeigte auch seine 'allgemeine Bedeutung' in den Grenzen seines So-Seins."[83] Linearer
und zyklischer Erfahrungsmodus der Zeit müssen sich nicht aus-
schließen, die Zeit läuft von der Vergangenheit zur Zukunft,
birgt nichtsdestoweniger einen κύκλος τῶν ἀνθρωπηΐων πραγμάτων
(I,207,2). Wandel und Bestand widersprechen sich nicht. Daß Herodot ruhmreiche Taten, die mündlich überliefert und allenfalls
von den sogenannten Logographen[84] verschriftet waren, in Literatur überführte, die bis dahin in Gestalt der Epen Götter und
Helden der Urzeit zum Thema hatte, war für Griechenland neu.

Neu war auch die ätiologische Frage, die ihn bedrängte. Die αἰτίη
des Proömiums meint Ursache und Schuld zugleich, Herodot nennt
deshalb gleichermaßen mythische Mutmaßungen und politische Analysen, wenn er den Gegensatz zwischen den Kulturbereichen er-

---

81 S. Chr. Meier, in: Geschichtliche Grundbegriffe, Bd. 2, 595.

82 So Chr. Meier, Die Entstehung des Politischen, 371. H. Strasburger, (in:
Studien zur Alten Geschichte, 972) allgemeiner: Kultur.

83 Chr. Meier, Die Entstehung des Politischen, 342f. (gesperrt gedruckt).

84 Zu den Herodot vorausgegangenen Prosaschreibern, die mißverständlich
als Logographen bezeichnet werden, K. von Fritz, Die griechische Geschichtsschreibung, 77ff. und Anmerkungsband 337ff.

klären will und Gründe für den Sieg der Griechen sucht.[85] Zwar
waren für Herodot Empire, Autopsie und die Befragung von Zeugen
wesentliche Bestandteile seiner Erkenntnis, das hinderte ihn aber
nicht an eigener Überlegung; "Überlieferungstreue" und "Sinnver-
mutungen", die wie bei Thukydides vor allem in Form einer Rede
vorgetragen werden konnten, erfordern und ergänzen sich gegenseitig.[86] Dabei wurden faktische und metafaktische Kausalver-
knüpfungen gleichermaßen als Erklärungsmuster verwendet. "Die
jonische Wissenschaft mit ihrem starken praktischen Interesse
an Daten ... traf sich mit der allgemeineren empirischen Aufmerksamkeit, die mit der Auffassung archaischer Denker gegeben
war, wonach man im irdischen Geschehen den Vollzug göttlicher
Gerechtigkeit beobachten könne. Es verbindet sich also bei Herodot der Glaube an einen Sinn der Geschehnisse mit der Gewißheit, daß dieser sich in deren Ablauf mindestens teilweise ent-
schlüsseln lasse, und der methodischen, kritischen Zucht der
jonischen Historie."[87]

So tritt bei Herodot ein metaphysisch fundierter Tun-Ergehen-
Zusammenhang neben einen historisch-immanenten Kausalnexus, ohne
daß sich für ihn die doppelte Erklärung widersprach.[88]

Ein letztes Wort zum Problem von Inhalt und Darstellung. Es
ist fraglich, ob die Entwürfe Herodots und Thukydides' in der Nachfolge des homerischen Epos stehen[89] oder mehr aus den politischen und

---

85 Dazu Chr. Meier, Die Entstehung des Politischen, 379ff., ebenda, vor allem 383 zur "Lösung" Herodots.

86 Chr. Meier, Die Entstehung des Politischen, 390ff.

87 Chr. Meier, Die Entstehung des Politischen, 340.

88 Ein typisches Beispiel ist der Sturz des Pharao Apries aufgrund einer
Niederlage gegen die Griechen, für die Herodot in II,161,4 schicksalhafte
Gründe ("weil es ihm schlecht ergehen sollte, kam es so ...") nennt, in
IV,159,6 aber dann eine rationale Erklärung gibt, nach der die Ägypter die
Griechen unterschätzt hätten. Schließt sich beides aus?
Zum Zusammenhang zwischen Schuld und Sühne s. etwa V,56; zu den "Warnern",
so z.B. Solon gegenüber Kroisos und Amasis gegenüber Polykrates, s. H. Bi-
schoff, Der Warner bei Herodot, Diss. Marburg 1932. Zum ganzen L. Huber,
Religiöse und politische Beweggründe des Handelns in der Geschichtsschrei-
bung des Herodot, Diss. Tübingen 1965.

89 So vor allem H. Strasburger, in: Studien zur Alten Geschichte, 980ff.,
und ders., Homer und die Geschichtsschreibung (Sitzungsberichte der Heidel-
berger Akademie der Wissenschaften, Philosophisch-historische Klasse, Jg.
1972, 1. Abh.), Heidelberg 1972, abgedr. in: Studien zur Alten Geschichte,
1057-1097. Skeptisch im Vergleich mit dem Befund im Pentateuch J. van Seters, In Search of History, 18ff.

sozialen Erfahrungen im Griechenland des 5. Jh.s verstanden werden müssen;[90] zumindest Herodots und Thukydides' Darstellung verrät epische Züge, die die stoffliche Formung beeinflußt haben
können: "Es ist für klassische Philologen längst nichts Neues
mehr, daß die beiden Archegeten der Geschichtsschreibung, Herodot und Thukydides als Darsteller noch stark von der E p i k
beeinflußt sind, aber die Historiker haben noch ihre Folgerungen daraus zu ziehen, daß das poetische Vorbild auch bis tief
in die Substanz des Geschichtlichen hineinwirkt."[91] Mit wenigen
Strichen sind damit Grundlinien der frühen römischen und griechischen Geschichtswahrnehmungen gezogen. Nicht ökonomische und
soziale Veränderungen, die sich in jenen Zeiten nur langsam vollzogen, prägten die Erfahrungen, sondern die Ereignisgeschichte.
"Wohl hat man einige prozessual entstehende Veränderungen in der
Historiographie berücksichtigt, aber zumeist nur als Ergebnisse,
nur gelegentlich oder neben dem historischen Zusammenhang. Die
geschichtliche Dynamik war im ganzen so schwach, daß sie die
Schwelle nicht überwinden konnte, jenseits derer sie sich erst
der herkömmlichen Historie als Teil der Geschichte hätte aufdrängen können. Es gab kaum äußere Veränderungsprozesse jenseits des politisch-militärischen Bühnengeschehens, die größere
Teile der Menschheit unabhängig von ihrer politischen Gliederung
zum Träger oder Thema einer 'Geschichte' hätten werden lassen."[92]

---

90 So Chr. Meier, Die Entstehung des Politischen, 422ff., ders.,in: Geschichtliche Grundbegriffe, Bd. 2, 602f.

91 H. Strasburger, in: Studien zur Alten Geschichte, 980. Erst nach Herodot und Thukydides wurden in der griechischen Geschichtsschreibung spezi-
fische Merkmale dominant. Beide mögen davon überzeugt gewesen sein, daß
man wegen der geschichtlichen Konstanten einen Nutzen aus ihren Werken
ziehen konnte, aber erst Ephoros von Kyrene und Theopomp von Chior als
wichtigste Vertreter einer rhetorischen Geschichtsschreibung setzten sich
das Ziel, moralpolitische Lehren vorzuführen. Thukydides sprach zwar vom
Leiden der Menschen (I,23), aber erst Duris von Samos und Phylarch setzen
bewußt die Mittel der Tragödie ein, um die Leser zu rühren. S. den Überblick über die rhetorische und tragische Geschichtsschreibung bei D. Flach,
Einführung in die römische Geschichtsschreibung, 38ff. (mit Literatur),
ebenda auch zu Mischformen.

92 Chr. Meier, in: Geschichtliche Grundbegriffe, Bd. 2, 603. Für weitere,
z.T. anders akzentuierte Ansätze sei verwiesen auf K. Deichgräber, Das
griechische Geschichtsbild in seiner Entwicklung zur wissenschaftlichen
Historiographie, in: ders., Der listensinnende Trug des Gottes. Vier Themen des griechischen Denkens, Göttingen 1952, 7-56; E. Schwartz, Über das
Verhalten der Hellenen zur Geschichte (1920), in: ders., Vergangene Gegenwärtigkeiten, Ges. Schriften I, 2. Aufl., Berlin 1963, 47-66; ders., Ge-

c)   Der alte Orient

α) Ägypten

Mit den griechischen Historikern Herodot und Thukydides, die
in der Mitte des 1. vorchr. Jt.s gelebt haben, ist ein Zeitraum
erreicht, an den sich rückwärts zweieinhalb Jahrtausende anschließen, aus denen der größte Teil der altorientalischen Zeugnisse
stammt. Was sind im alten Orient Charakteristika der Geschichtsvorstellungen, unterscheiden sich etwa grundsätzlich Orient und
Okzident?[93]

Am Anfang einige Hinweise zu Ägypten. Noch einmal sei das
Griechenland des 5. vorchr. Jh.s erwähnt. Hier wurde Geschichte
als multisubjektiv vermittelte Ereignisgeschichte verstanden;
die Ereignisse wurden verknüpft, aber nicht einer Einheit unterworfen. "Das heißt, das Ganze solcher Geschichten von Städten,
Völkern, Reichen oder auch der allgemeinen Geschichte mehrerer

---

schichtsschreibung und Geschichte bei den Hellenen (1928), in: Vergangene
Gegenwärtigkeiten, 67-87; W. Hoffmann, Betrachtungen über das Verhältnis
von Mensch und Geschichte in der antiken Geschichtsschreibung, Der Evangelische Erzieher 19 (1967) 171-182; C. Bradford Welles, The Hellenistic
Orient, in: The Idea of History in the Ancient Near East, 133-165; B. Snell,
Die Entdeckung des Geistes. Studien zur Entstehung des europäischen Denkens
bei den Griechen, 5. durchges. Aufl., Hamburg 1980. Ein Vergleich mit neuzeitlichen Vorstellungen bei H. Holborn, Greek and Modern Concepts of History, Journal of the History of Ideas 10 (1949) 3-13; ein weiter Überblick
bei O. Brunner, Abendländisches Geschichtsdenken, Hamburg 1954, wieder abgedr. in: Geschichtsdenken und Geschichtsbild im Mittelalter, 434-459.

93   Das behauptet R. Laqueur (Formen geschichtlichen Denkens im Alten Orient
und Okzident, Neue Jahrbücher für Wissenschaft und Jugendbildung 7, 1931,
489-506), der aber Israel und Ägypten ganz aus der Betrachtung heraushält
und die übrigen Kulturen summarisch beurteilt. Danach haben nur die Griechen mit ihrem "Geschichtsbegriff" eine "zweckfreie Wissenschaft" (sic!)
geschaffen; die Römer hätten Geschichte als Antrieb zum Handeln, die Babylonier als Legitimation ihres Handelns und die Assyrer als Kriegsschau-
platz verstanden. Auf diese knappen "Formeln" gebracht, sind die Urteile
unzutreffend.
Ein grundsätzlicher Versuch, griechisches und hebräisches Denken voneinander zu unterscheiden, liegt mit Th. Boman, Das hebräische Denken im Vergleich mit dem griechischen (1952), 7. Aufl., Göttingen 1981, vor, der mit
dynamischem (Israel) und statischem (Griechenland) Denken rechnet (vor allem 18ff.). Das ist vor allem in den Arbeiten J. Barrs (Alt und neu in der
biblischen Überlieferung, München 1967, 34ff.; Bibelexegese und moderne Semantik, München 1965) in seiner Grundsätzlichkeit bestritten worden. Zu weiteren Untersuchungen und anderen Gegensatzpaaren s. H. Graf Reventlow, Hauptprobleme der alttestamentlichen Theologie im 20. Jahrhundert (Erträge der
Forschung, Bd. 173), Darmstadt 1982, 130f.; neuerdings auch S. Hidal, Israel och Hellas - trä världar eller en endd verklighet, Svensk teolisk
Kvartalskrift 61 (1985) 49-58.

Völker war kaum mehr als die Summe seiner Teile."[94] Zugespitzt formuliert liegt für die Geschichtsvorstellung in Ägypten[95] die Summe in jedem Teil vor. Die ägyptische Geschichtsvorstellung läßt sich im wesentlichen rituell verankern, d.h. Geschichte wurde als wiederholtes bzw. erneuertes Urgeschehen verstanden, das wie ein Ritual zelebriert wurde[96] und dabei den persönlich-konkreten Erfahrungsbereich überschritt, mit wenig Interesse an ereignisgeschichtlicher Darstellung. Des Ägypters "Interesse an früherer Zeit war gering, ein Historiker hätte am Nil kein Publikum gefunden, er mußte es dem Märchenerzähler überlassen ... Geschichtliche Abläufe sind für den Ägypter so vorprogrammiert, wie es der tägliche Sonnenlauf ist - und wer wollte schon eine Geschichte aller Sonnenaufgänge schreiben."[97]

Der König, der das Ritual zelebrierte, sorgte für die Aufrechterhaltung der m3ᶜt (nur annähernd als "Ordnung" zu verstehen); ihre Störung durch Niederlagen, Aufstände und anderes mehr teilt die Geschichtsschreibung gewöhnlich nicht mit.[98] Die aufeinander folgenden Könige etwa sind zweifellos "einmalige" Gestalten. "Für das Geschichtsbild der alten Ägypter ist jedoch nicht diese Einmaligkeit bestimmend geworden, sondern das Wiederkehrende und Typische; mit anderen Worten die Rolle, welche Personen und Dinge in der Welt spielen."[99]

Diese Beständigkeit begründete die Identifikation von Geschichte und Kult. "Seit dem alten Reich treffen wir in ägypti-

---

94 Chr. Meier, in: Geschichtliche Grundbegriffe, Bd. 2, 602.

95 Zu den Geschichtsvorstellungen in Ägypten vgl. vor allem H. Ranke, Vom Geschichtsbilde der alten Aegypter (Chronique d'Égypte, Bd. 6), Brüssel 1931; S. Schott, Mythe und Geschichte (Jahrbuch der Akademie der Wissenschaften), Mainz 1954, 243-266; G. Björnman, Egyptology and Historical Method, Orientalia Suecana 13 (1964) 9-33; E. Otto, Geschichtsbild und Geschichtsschreibung in Ägypten, WO 3 (1966) 161-176; E. Hornung, Geschichte als Fest. Zwei Vorträge zum Geschichtsbild der frühen Menschheit, Darmstadt 1966, 9-29; L. Bull, Ancient Egypt, in: The Idea of History in the Ancient Near East, 3-34; J. von Beckerath, Geschichtsüberlieferung im Alten Ägypten, Saeculum 29 (1978) 11-17; E. Hornung, Zum altägyptischen Geschichtsbewußtsein, in: Archäologie und Geschichtsbewußtsein, 13-30; nach Gattungen differenziert J. van Seters, In Search of History, 127-187.

96 Dazu E. Hornung, Geschichte als Fest, 9ff.

97 E. Hornung, in: Archäologie und Geschichtsbewußtsein, 20.

98 D. Wildung, Art. Geschichtsschreibung, LdÄ, Bd. 2, 566ff.

99 E. Hornung, Geschichte als Fest, 14.

schen Tempeln in engster Nachbarschaft, oft geradezu vertausch-
bar, kultische und geschichtliche Szenen"[100], der König vollzog
ein gleichsam vorgezeichnetes Ritual. So ist es nicht verwun-
derlich, wenn Darstellungen von Schlachten, die der Vergangenheit angehören, kopiert wurden.[101] Der Sinn der bildlichen Darstellung ist freilich nicht eindeutig, sie könnte möglicherweise
Kontinuität und Konsistenz beabsichtigt haben. "Wenn der Glaube
an die sofortige Wirkung des gesprochenen Wortes ins Wanken gerät, stützt er sich auf die bleibende Bewahrung im gemeißelten
Bild"[102], das noch dazu die Möglichkeit einer ununterbrochenen
Folge bot und den Nachweis dafür lieferte, daß der König die
Rolle gut gespielt hat. Der Nachfolger mußte das, was feststeht,
als solches erhalten, insofern gab es keine Vergangenheit und
keine Zukunft. Dieses statische Bild konnte nur soweit in Bewegung gesetzt werden wie das Ritual erweitert wurde. "Daß die
Typik allen Geschehens vorgegeben ist, bedeutet daher keine
strenge Determinierung der Geschichte"[103]. Ihre Einheit re-
präsentierte der König, der das alleinige Subjekt war, Priester und Beamte handelten nur, sofern sie vom König beauftragt
waren, deshalb brauchten sie in der Darstellung auch nicht berücksichtigt zu werden. Erst in der späteren Zeit änderte sich
das. In den Beamteninschriften tritt der König zurück,[104] die
Geschichte, deren Kenntnis für Priester unentbehrlich war, die
mit Genealogien Tempelpfründen legitimierten,[105] wurde differenzierter betrachtet.

   Auf die gesamte Geschichte bezogen ist allerdings eine Ge-
schichtsschau wesentlich, bei der die Einheit geschichtlicher

---

100 E. Hornung, Geschichte als Fest, 15.

101 Für die Zeit der folgenden Untersuchung sei auf den der 26. Dynastie
angehörenden Taharka verwiesen, der alte Szenen kopieren ließ, s. E. Wolf,
Die Kunst Ägyptens, Stuttgart 1957, 212.

102 E. Hornung, Geschichte als Fest, 19.

103 E. Hornung, Geschichte als Fest, 20; typische Szenen sind 21 aufgelistet.

104 E. Hornung, Geschichte als Fest, 59f., Anm. 46; in: Archäologie und
Geschichtsbewußtsein, 26, bewertet er die Besucherinschriften auch als
Zeichen des Interesses an der Vergangenheit, das ebenfalls der Turiner
Königspapyrus mit einem Geschichtsüberblick und die Kopien, die in der
25. und 26. Dynastie von alten Texten angefertigt wurden, auf ihre Weise
zeigten.

105 D. Wildung, LdÄ, Bd. 2, 566ff.

und ritueller Vorgänge, in denen der König allen Arten von Bedrohungen standzuhalten hatte, ungeteilt blieb. Er allein war
es, der seine Feinde zurückdrängte, er war es schließlich, der
die Schöpfungswelt auf Erden schuf, aufrechterhielt und erneuerte.[106] Die Ordnung der Schöpfung galt es zu wahren. "Ein Teil
dieses Kampfes spielt sich als zeitloser Mythos in der Welt der
Götter ab; ein anderer ist auf Erden aktualisiert, ist Kult, ist
Fest, ist Geschichte."[107]

Soweit die beständigen Elemente der ägyptischen Geschichtsvorstellung. Ansätze zur Erfahrung von Kontinuität und kausalen
Verknüpfungen hat es in der Frühzeit gegeben,[108] aber sie wurden nicht geschichtsbildend und auch das Interesse an der Vergangenheit in der 18. Dynastie[109] blieb ohne Nachwirkung. Die
Ereignisgeschichte war nie ein Ziel der Geschichtsdarstellung.
"Nicht aus Ereignissen erwachsen Vorstellungen, sondern die
Vorstellungen waren das Primäre und die Ereignisse wurden nach
ihnen gewertet und geordnet."[110] Diese Geschichtswahrnehmung
brachte nur scheinbar den neuzeitlichen Gedanken einer geschichtlichen Einheit hervor, denn sie gab für ihre Idee eine differen-
zierende Dynamik preis. Weder Erstmaliges noch Einmaliges gab es,
weder Irreversibilität noch Multisubjektivität; Erinnerung und
Erwartung trafen in der Gegenwart zusammen, die in ritueller
Vergegenwärtigung die Erfahrung der Gleichzeitigkeit des Ungleichzeitigen hervorbrachte, ohne daß das theoretisch reflektiert wurde. Eine begrifflich erfaßte Geschichtsvorstellung hat
es im alten Ägypten nicht gegeben.[111] Überraschen kann das nur
jemanden, der damit rechnet, daß die altorientalischen Völker
d i e Geschichte gekannt und durchdacht haben. Weder bei den
Ägyptern noch bei den anderen Völkern ist "die Geschichte"
auf den Begriff gebracht worden.

---

106 E. Hornung, Geschichte als Fest, 26ff.

107 E. Hornung, Geschichte als Fest, 29.

108 Dazu E. Otto, Altägyptische Zeitvorstellungen und Zeitbegriffe, Die
Welt als Geschichte 14 (1954) 135ff.

109 W. Helck/E. Otto, Art. Geschichtsauffassung, in: Kleines Wörterbuch
der Ägyptologie, 2. Aufl., Wiesbaden 1970, 120.

110 W. Helck/E. Otto, in: Kleines Wörterbuch der Ägyptologie, 120.

111 S. Morenz (Prestige-Wirtschaft im alten Ägypten, München 1969, 11,
Anm. 13) nennt ỉrw = "das (immer wieder) zu Tuende".
Das rituell geprägte Handeln dürfte aber eher politische als geschicht-
liche Bedeutung haben.

Daß auch in der akkadischen Sprache ein Begriff für Geschichte fehlt, ist schon deshalb bemerkenswert, weil diese
Sprache reich an abstrakten Begriffen ist, aber weder ein Wort
für Geschichte kennt noch eins für Zeit[112]. Bevor die mesopotamischen Anschauungen ein wenig ausführlicher vorgestellt werden, sei ein anderes Volk genannt, das ein besonderes Interesse an der Vergangenheit besaß: die Hetiter.

β) Hetiter

Das wichtigste Subjekt des geschichtlichen Handelns war
auch bei den Hetitern[113] der König, dessen Tätigkeit wie in
Ägypten und in Mesopotamien vor allem im Zusammenhang des Krie-
ges, der Jagd, des Kultes und der Bautätigkeit gesehen wird.[114]
In der hetitischen Literatur sind vielfältige, das historische
Material berücksichtigende Gattungen wie Annalen, Vertrag, Grün-

---

112 S. dazu W. von Soden, Sprache, Denken und Begriffsbildung im Alten
Orient, 37. Er nennt dort Termini, die im wesentlichen den Zeitpunkt benennen, wie adānu/edānu/adannu und simānu/simannu. Um die Dimension der Vergangenheit und Zukunft aspektual zu erfassen, konnten die Plurale ūmū und
šanātu benutzt werden. Charakteristisch für den fehlenden Zeitbegriff sei
es auch, daß ein Terminus für "Hoffnung" fehle, Zukunft sei u.a. nur für
"das Weiterleben der Familie oder das Weiterleben des Totenruhms von Bedeutung" (ebenda).

113 Als wichtige Arbeiten zur Historiographie der Hetiter und zu ihren
Geschichtsvorstellungen seien genannt: H.G. Güterbock, Die historische
Tradition und ihre literarische Gestaltung bei Babyloniern und Hethitern,
ZA 44 (1938) 45-149; A. Kammenhuber, Die hethitische Geschichtsschreibung,
Saeculum 9 (1958) 136-155; A. Archi, La storiografia ittia, Athenaeum N.S.
47 (1969) 7-20; H. Cancik, Mythische und historische Wahrheit (Stuttgarter
Bibelstudien 48), Stuttgart 1970; M. Liverani, Storiografia politica hit-
tita-I, OA 12 (1973) 267-297; H. Cancik, Grundzüge der hethitischen und
alttestamentlichen Geschichtsschreibung, Wiesbaden 1976; H.A. Hoffner jr.,
Histories and Historians of the Ancient Near East: The Hittites, Orientalia 49 (1980) 283-332; H.G. Güterbock, Hittite Historiography: A Survey,
in: History, Historiography and Interpretation. Studies in Biblical and
Cuneiform Literatures, ed. by H. Tadmor and M. Weinfeld, Jerusalem 1983,
21-35; nach Gattungen differenziert J. van Seters, In Search of History,
100-126.

114 S. dazu H.A. Hoffner, Orientalia 49 (1980) 284f. Nach H.A. Hoffner
sind die Themen nicht gleichmäßig auf die literarische und bildliche Überlieferung verteilt. Anders als in Ägypten wird der König nie dargestellt,
wie er einen Feind schlägt; dominierend ist seine kultische Funktion. Die
eingeschränkte Typik mag damit zusammenhängen, daß die Statik des Bildes
keine Möglichkeiten bietet, die in der hetitischen Historiographie komplexen Ereignisabläufe adäquat zu berücksichtigen.

dungsinschrift, Biographie, Gebet und anderes mehr repräsentiert. Forschungen der neueren Zeit haben gezeigt, daß die Hetiter schon seit der ersten Hälfte des 2. Jt.s ihren Texten
einen klaren Aufbau mit thematischer Geschlossenheit gaben. Vor
allem in späten Geschichtswerken weist ein komplexes Verweis-
system mit komplizierten Kausalzusammenhängen auf eine beträcht-
liche literarische Potenz,[115] die in vergleichbarer Zeit für
Mesopotamien und Syrien-Palästina unbekannt ist. "Hethitische,
mesopotamische und israelitische Historiographie repräsentieren
drei verschiedene, selbständige Typen. Hethitische und israelitische Historiographie gehören insofern enger zusammen, als beide in relativ früher Zeit komplexe Handlungsgefüge darstellen.
Die hethitische Historiographie unterscheidet sich von der mesopotamischen und israelitischen vor allem dadurch, daß die
'logischen' Strukturen dieser Gefüge häufiger und deutlicher
syntaktisch-stilistisch expliziert werden."[116] Aber trotz dieser anspruchsvollen literarischen Leistung, die übergreifende
Zusammenhänge erfaßt, sind auch hier multisubjektive und prozessuale Handlungsabläufe unbekannt. Handlungsträger ist allein
der König, allenfalls sind es einige führende Repräsentanten[117].
Die Handlungen selbst werden summiert und beschränken sich auf
ruhmreiche Mannestaten, so verstehen sich jedenfalls die Annalen, die in ihren Kolophonen den Terminus LU-natar (pišnatar)
aufweisen.[118]

Mit Nachdruck wurde auf die Relation von Ursache und Wirkung
im Geschichtsdenken hingewiesen. Um die bei Hetitern und Israeliten vergleichbare Kausalitätsvorstellung zu illustrieren,
ist das sog. Pestgebet Mursilis' mit der Erzählung 2.Sam. 21,1ff.
verglichen worden, denen mit Vertragsschluß, Vertragsbruch und
anschließendernationaler Katastrophe eine strukturelle Äquiva-

---

115 S. H. Cancik, Mythische und historische Wahrheit, vor allem 46ff., und
ders., Grundzüge, vor allem 18ff. und 102ff.

116 H. Cancik, Grundzüge, 46.

117 H. Cancik, Mythische und historische Wahrheit, 70.
Selten taucht die 1. p. pl. auf, s. H.A. Hoffner, Orientalia 49 (1980) 304
und 331.

118 S. dazu H.A. Hoffner, JBL 86 (1966) 327 mit Anm. 4,und ders., Orientalia 49 (1980) 324 (mit Belegen); H.G. Güterbock, in: History, Historiography
and Interpretation, 30ff.

lenz zugrunde liegt.[119] Der Kausalnexus ist allerdings nicht immanent verstanden, die göttliche Intervention (Zorn) setzt das Geschehen frei. Es ist aber auffällig, daß in einigen Texten kein Gott in das irdische Geschehen eingreift; es läuft immanent, während "die Götter" in eine Zuschauerrolle gedrängt sind.[120]

Die Beschäftigung mit der Vergangenheit konnte auch bei den Hetitern didaktische Zwecke haben.[121] Im Grunde genommen wird auch dort eine didaktische Absicht verfolgt, wo die Zukunft in historischen Texten als göttlich präfigurierte Zeit erscheint, weil bei aller lobenswerten Geschichtsdarstellung die politische Propaganda das Wort führt. Deshalb berichtet in der Apologie Hattušilis III. der König, er habe durch seine Frau eine im Traum erlebte Weissagung für sein Königtum erhalten, die sich erfüllt habe.[122] Das erinnert an prophetische Texte des Alten Testaments, die aber sind bei den Hetitern unbekannt. Mit der "Geschichte" beschäftigen sich die Texte wohl weniger wegen des "historischen Interesses", anders ist kaum zu erklären, daß Königs- und Eponymenlisten, wie sie in Mesopotamien bezeugt sind, fehlen. So mag das Urteil zutreffen, "that many historical works (among them the Telepinu Proclamation and the Apology of Hattušili III) were primarily works of royal propaganda. This does not utterly preclude their use in reconstructing the actual course of event, but it was clearly their chief intent ..."[123] Wie in Ägypten trägt also die konzeptuelle Vorstellung geschichtlicher Wahrnehmung das entscheidende Gewicht. Für Mesopotamien gilt das nicht in derselben Grundsätzlichkeit.

---

119 A. Malamat, Doctrines of Causality in Hittite and Biblical Historiography: A Parallel, VT 5 (1955) 1-12.

120 H.A. Hoffner, Orientalia 49 (1980) 307f. und 328 mit Belegen.

121 H.A. Hoffner, Orientalia 49 (1980) 327f. und 331.

122 Dazu H.A. Hoffner, Orientalia 49 (1980) 329; zum propagandistischen Charakter der Apologie s. H.G. Güterbock, in: History, Historiography and Interpretation, 30 mit Lit.; G. Schmid, Religiöse Geschichtsdeutung und politische Propaganda im Großen Text des Ḫattušiliš III., Zeitschrift für Religions- und Geistesgeschichte 37 (1985) 1-21.

123 H.A. Hoffner, Orientalia 49 (1980) 331.

γ) Mesopotamien

Auch im mesopotamischen Raum kann der Umgang mit der Vergangenheit aus anderen Motiven resultieren als das - freilich ebenfalls interessegeleitete - Erkenntnisziel neuzeitlichen Bewußtseins es erwarten mag. Anders als die Hetiter verfügten die Sumerer über eine reichhaltige Listensammlung. Aber selbst der
Zweck der Dynastielisten war "nicht so sehr die Wiedergabe der
geschichtlichen Wirklichkeit als vielmehr die Gestaltung be-
stimmter Ordnungsgedanken"[124], die über die Listen hinaus das
Geschichtsdenken prägten. "Eine Zusammenarbeit der chronologischen Listen und der Legenden zu einer fortlaufenden Ge-
schichtserzählung haben die Sumerer nie versucht; ebenso lag
ihnen bei ihrem von der Ordnungsidee bestimmten Wirklichkeits-
begriff eine kritische Scheidung von Sage und Geschichte ganz
fern ... sie beschäftigten sich mit der Geschichte nur so weit,
als sich an ihr t y p i s c h e E r s c h e i n u n g e n
wie der Wechsel von Segens- und Unheilszeiten, der Kampf von
Ordnung und Unordnung und andere mit den theologischen Ord-
nungslehren in Zusammenhang stehende Gedanken aufzeigen ließen."[125] Im Grunde genommen war die Welt für den Sumerer schon
immer fertig: "Bound by his particular world-view, the Sumerian
thinker saw historical events as coming ready-made and 'full-
grown, full-blown' on the world scene and not as the slow pro-
duct of man's interaction with his environment."[126]
    Es bleibe dahingestellt, inwieweit assyrische und babylo-
nische Gedanken[127] im Rahmen der Geschichtsvorstellungen an

---

124 W. von Soden, Leistung und Grenze sumerischer und babylonischer Wissenschaft, Die Welt als Geschichte 2 (1936) 411-466. 509-557, wieder abgedruckt in der Reihe "Libelli", Bd. 142, Darmstadt 1965 und 1974, 21-123,
mit Nachträgen 125-133.

125 W. von Soden, in: Libelli, Bd. 142, 62f., s. auch S.N. Kramer, Sumerian
Historiography, IEJ 3 (1953) 217-232; B. Hruška, Das Verhältnis zur Vergangenheit im alten Mesopotamien, ArOr 47 (1979) 4-14; mehr Vertrauen in die
historische Glaubwürdigkeit sumerischer Texte hat W.W. Hallo, Sumerian Historiography in: History, Historiography and Interpretation, 9-20.

126 S.N. Kramer, IEJ 3 (1953) 217.

127 Einen Überblick über die Arbeiten zum Geschichtsverständnis und zur
Historiographie gibt A.K. Grayson, Assyria and Babylonia, Orientalia 49
(1980) 143ff. Abgesehen von den Texteditionen und den Arbeiten, die de-
skriptiv angelegt sind und sich den für weitere Arbeiten grundlegenden
Formproblemen widmen, seien einige wichtige Veröffentlichungen genannt:

ihre sumerischen Vorbilder anknüpfen.[128] Auch hier gibt es jedenfalls chronographische Texte[129],deren bekannteste Vertreter
Königs- und Eponymenlisten und vor allem Annalen bzw. Chroniken
sind, die für jedes Regierungsjahr eines Königs ein Ereignis,
im Höchstfall einige wenige Ereignisse auflisten. Schon entsprechende Listen in altmesopotamischer Zeit hatten die Jahre
nach einem einschneidenden Ereignis datiert und so dem Jahr
einen Namen gegeben.[130]

Ausführlicher als jene Textgruppen sind die astronomischen
Tagebücher[131], die astronomische und meteorologische Daten
nennen, neben ihren nach Monaten eingeteilten Eintragungen
aber auch militärisches und politisches Tagesgeschehen zusammen mit Angaben über die Wasserstandshöhe des Euphrat und über
die Preise für Lebensmittel und Wolle referieren. Das Bild wird
bunter, aber trotz der kontinuierlichen Fortschreibung fehlt
den Texten Konsistenz, Hinweise auf sachliche Gründe fehlen
ebenso wie Gedanken über mögliche Zusammenhänge.

A.T.E.Olmstead, Assyrian Historiography. A Source Study, Columbia 1916;
H.G. Güterbock, Die historische Tradition und ihre literarische Gestaltung
bei Babyloniern und Hethitern bis 1200, ZA 42 (1934) 1-91 (zu Babylonien);
G. Goossens, La Philosophie de l'Histoire dans l'Ancient Orient, Biblio-
theca Ephemeridum Theologicarum Lovaniensium 12-13 (1959) 242-252; E.A.
Speiser, Ancient Mesopotamia, in: The Idea of History in the Ancient Near
East, 35-76, auch in: Oriental and Biblical Studies, collected Writings of
E.A. Speiser, Philadelphia 1967, 270-312; J.J. Finkelstein, Mesopotamian
Historiography, Proceedings of the American Philosophical Society 107
(1963) 461-472; W.G. Lambert in einer Rezension zu B. Albrektson (History
and the Gods, Lund 1967) in Orientalia 39 (1970) 170-177; ders., Destiny
and Divine Intervention in Babylon and Israel, OTS 17 (1972) 65-72; H.
Gese, Geschichtliches Denken im Alten Orient und im Alten Testament, ZThK
55 (1958) 127-145, abgedr. in: ders., Vom Sinai zum Zion. Alttestamentliche Beiträge zur biblischen Theologie (Beiträge zur Evang. Theologie, Bd.
64), München 1974, 81-98; J. Krecher/H.-P. Müller, Vergangenheitsinteresse
in Mesopotamien und Israel, Saeculum 26 (1975) 13-44 (J. Krecher zu Mesopotamien: 14-30); W.W. Hallo, Assyrian Historiography revisited, ErIs 14
(H.L. Ginsberg Volume), 1978, 1*-7*; A.K. Grayson, Assyria and Babylonia,
Orientalia 49 (1980) 140-194 ("Ideas of the Past" 188-194); nach Gattungen
differenziert J. van Seters, In Search of History, 55-99.

128 Das ist die zentrale These E.A. Speisers, in: The Idea of History in
the Ancient Near East, 35ff.; differenzierter A.K. Grayson, Orientalia 49
(1980) 142 und 147f.

129 Eine zusammenfassende Beschreibung bei A.K. Grayson, Orientalia 49
(1980) 171ff., der die einzelnen Gattungen kategorial je nach literarischen "patterns" zusammenfaßt.

130 J. Krecher, Saeculum 26 (1975) 16f.

131 S. dazu J. Krecher, Saeculum 26 (1975) 30 mit Anm. 58.

Das Ziel dieser Textgruppe ist nicht recht deutlich; ob es aber nur darin bestand "zu notieren, was es gegeben hat und wie es gewesen ist"[132], scheint recht fraglich, wird doch damit kaum die Zusammenstellung erklärt, die astronomische mit ökonomisch-sozial-militärischen Hinweisen kombiniert, unter denen auch die Tierkreiszeichen genannt werden, in denen jeweils die Planeten standen. Das spricht zumindest partiell für eine futurische Komponente, die in prognostischen Ableitungsmöglichkeiten gesehen werden kann.[133] Immerhin waren auch die sogenannten "historischen" Omina, die in der ersten Hälfte des 2. Jt.s und im 7. Jh. verfaßt wurden - in dem Glauben, daß etwa eine Himmelserscheinung nicht zufällig mit Ereignissen in der Menschenwelt zusammentrifft - , damit beschäftigt, die Zeitdimensionen "erkenntniskritisch" zu verschränken, "der Versuch, Vergangenes als ein solches zu würdigen, dem Gegenwärtiges und Zukünftiges unter bestimmten Bedingungen zu entsprechen haben."[134]

Zu einem anderen Zweck wurden Vergangenheit und Zukunft in den als akkadische Prophetien bezeichneten Texten aufeinander bezogen, die Erinnerungen enthalten, gleichsam als Legitimation für Erwartungen, die daran geknüpft wurden. Man benutzt " v a t i c i n i a   e x   e v e n t u to establish his credibility and then proceeds to his real purpose which might be to justify a current idea or institution or the forecast future doom for a hated enemy."[135] Nicht so detailliert wie die Erwartungen der Propheten sind am Ende der sogenannten narû-Texte[136] die zeitlich nicht festgelegten, auf ihre Lebensbeschreibungen folgenden Aufforderungen der Könige Sargon bzw. Naramsin, aus den genannten Beispielen bzw. Ermahnungen zu lernen, Geschichte also auch hier als historia magistra vitae.

Die Hinwendung zur Vergangenheit in den soeben genannten

---

132 J. Krecher, Saeculum 26 (1975) 30.

133 S. A.K. Grayson, Orientalia 49 (1980) 175.

134 J. Krecher, Saeculum 26 (1975) 18.

135 A.K. Grayson, Orientalia 49 (1980) 183, ebenda 183f. zu den akkadischen Prophetien; vgl. J. Krecher, Saeculum 26 (1975) 22. Zum Problem s. M. Dietrich, Prophetie in den Keilschrifttexten, Jahrbuch für Anthropologie und Religionsgeschichte I (1973) 15-44.

136 S. in diesem Zusammenhang J. Krecher, Saeculum 26 (1975) 20f.

Textgruppen geht über ein archivarisch-registrierendes Interesse, das die Listen und babylonischen Chroniken[137] kennzeichnet, deutlich hinaus. Daß dieses Interesse auch vorhanden war, zeigen nicht zuletzt die in späterer Zeit angefertigten Kopien älterer Texte, die nicht rundweg mit paläographischen Übungen erklärt werden können, schließlich auch die Existenz von "Museumsräumen", die aus dem archäologischen Befund geschlossen werden kann, nach dem im Palast Nebukadnezzars II. Monumente aus verschiedenen Zeiten versammelt waren.[138] Nun schließen sich freilich nüchterne Registratur und gezielte politische Abzweckung nicht aus, denn die genannten Beispiele bezeichnen zwar offensichtlich eine tendenziöse Absicht,[139] aber auch eine "Liste" wie die astronomischen Tagebücher kann zukunftsbezogenes Handeln bezweckt und freigesetzt haben.

Nur ganz selten wird man mit einer tendenzlosen Einstellung zur Vergangenheit rechnen können, selbst die historischen Epen sind tendenziöse Schriften, die ein propagandistisches Ziel verfolgen können, wie etwa die babylonischen Epen, die die Vormachtstellung des Gottes Marduk und das Schicksal dessen, der sich gegen ihn stellt, begründen sollen.[140] Der Glaube an die göttliche Intervention im irdischen Geschehen behauptete sich ungebrochen. Ihm folgten die Sumerer ebenso wie die Assyrer und Babylonier, die von ihren Göttern meinten, "daß sie ihre Herr-

---

137 Es ist immer aufgefallen, daß die babylonischen Chroniken gegenüber den assyrischen Annalen vertrauenswürdiger wirken, weil sie auch Niederlagen und Mißerfolge eingestehen. Inwieweit freilich chauvinistische bzw. propagandistische Motive auch hinter den babylonischen Chroniken liegen, mag man sich fragen, greifbarer werden diese Motive jedenfalls in der assyrischen "synchronistischen Chronik" (s. A.K. Grayson, Assyrian and Babylonian Chronicles, Chronicle 21, ders., Orientalia 49, 1980, 181f.), die proassyrisch eingestellt ist.
In diesem Zusammenhang sind auch die sogenannten Gottesbriefe (s. dazu den Überblick bei A.K. Grayson, Orientalia 49, 1980, 157ff.) zu erwähnen. Der bekannteste "Brief" dieser Art ist der Feldzugsbericht Sargons II. über seinen 8. Feldzug nach Urartu. Es wäre denkbar, daß sich der assyrische König bei seinem Rechenschaftsbericht gegenüber seinem Gott nicht zu Übertreibungen veranlaßt sah. Freilich könnte auch das Gegenteil der Fall sein, dann wäre der überwältigende Erfolg sichtbares Indiz "theokratischer" Machtfülle.

138 Aufmerksam machen darauf: C. Wilcke, in: Archäologie und Geschichtsbewußtsein, 37ff.; E.A. Speiser, in: The Idea of History in the Ancient Near East, 45ff.

139 J. Krecher, Saeculum 26 (1975) 13ff. klassifiziert die Textgattungen nach ihren Einstellungen zur Vergangenheit.

140 S. dazu A.K. Grayson, Orientalia 49 (1980) 184ff.

schaft ohne Unterbrechung ausübten und daß in ihrem Auftrag die
von ihnen dazu bestimmten Könige das Land regierten, die Ordnung aufrecht erhielten und das Gedeihen beförderten. Alles
Geschehen ist somit letztlich im göttlichen Wollen begründet;
die zentrale Gestalt, an der das Wirken des göttlichen Segens
oder des göttlichen Zornes sichtbar wird, ist im Alten Mesopotamien nicht das Volk, nicht der je einzelne Mensch, sondern
der König. Die Tradition über Geschehnisse und Personen, die
zu ihrer Zeit bedeutsam waren, bleibt eo ipso als Nachricht
über verwirklichte göttliche Herrschaft auch für spätere Zeiten signifikant. Damit ist gleichzeitig ausgedrückt, daß es im
Letzten nur e i n e Ordnung, e i n Glück gibt, das sich je
und je wiederverwirklicht, das man aber nicht ändern oder 'ent-
wickeln' kann."[141] Mit dieser Feststellung sind wesentliche
Punkte der Geschichtsvorstellung genannt. Die Ereignisse, etwa
der Chroniken, gerinnen, zumal sie zumeist nicht oder nur lok-
ker verknüpft werden, zu einer Bewegungslosigkeit,[142] die sich
gegen eine prozessuale Erfassung immanenter Geschehensabläufe
sperrt. Die von den Ägyptern erfahrene Gleichzeitigkeit des
Ungleichzeitigen ist auch in Mesopotamien erfahren worden. Die
Zeitdimensionen wurden nicht aufgrund möglicher Qualitätsdif-
ferenzen miteinander verknüpft, denn es waren grundsätzlich
nur die typischen Erscheinungen von Ordnung und Unordnung als
unüberholbare Erfahrungen,[143] die ihrerseits die Selektion und
das Verständnis der "Ereignisse" beförderten.[144] Von der neuzeitlichen Geschichtsauffassung ist das weit entfernt.

---

141 J. Krecher, Saeculum 26 (1975) 17f.

142 Vgl. W. von Soden, Sprache, Denken und Begriffsbildung im Alten Orient,
Akademie der Wissenschaften und der Literatur. Abhandlungen der geistes- und
sozialwissenschaftlichen Klasse, Jg. 1973, Nr. 6, Mainz/Wiesbaden 1974, 65f.;
W.G. Lambert, OTS 17 (1972) 71.

143 Die polaren Erfahrungen spiegeln sich nicht zuletzt in den Typen des
überwältigend Handelnden und des überwältigt Leidenden wider, deren Proto-
typen Sargon von Akkad und Naramsin sind, s. dazu A.K. Grayson, Orientalia
49 (1980) 189.

144 Nach H. Winckler (Altorientalische Geschichts-Auffassung, Ex Oriente
Lux 2, 1906, 29f.) hat der Mesopotamier "nicht allgemein gültige Sätze aus
beobachteten E i n z e l t a t s a c h e n (entwickelt), sondern er hat
die G e s e t z e erkannt und beurteilt die E i n z e l t a t s a c h e n
danach." Zwar ist die strenge Gesetzesaussage mißverständlich, zutreffend
ist aber die Beobachtung der übermäßigen ideellen Gewichtung in der Geschichtswahrnehmung der Mesopotamier, die darin mit den Ägyptern und Hetitern überein-
stimmten. Vielleicht liegt die Ursache dafür in astrologischen Überlegungen,

δ) Israel

Am Ende[145] des Überblicks über die altorientalische Geschichtsauffassung steht das alte Israel. Auch seine Vorstellungen können nur gerafft aufgezeigt werden, obwohl es eine
überwältigende Fülle von Literatur zum Thema gibt. Die er-
staunliche Zahl von Arbeiten mag ein einfacher Aussagesatz
wie der folgende, der freilich wie alles, was mit dem unge-
schützten Modus des Indikativs formuliert wird, nicht unbestritten geblieben ist, cum grano salis erklären: "Das Alte
Testament ist ein Geschichtsbuch."[146] Dieses Urteil, das Anfang der 50er Jahre formuliert wurde, steht mitten in einer
Denktradition, der der Althistoriker E. Meyer mit seiner
Stellungnahme zur altisraelitischen Geschichtsschreibung ein
bisher unerloschenes Licht aufgesetzt hat. So häufig wie der
soeben genannte Satz wird das alte Urteil E. Meyers nachge-
sprochen, der die sog. Erzählung von der Thronnachfolge in
2.Sam. (7)9-20; 1.Kön. 1-2[147] als "wirkliche Geschichtsschreib-
bung" bezeichnet: "Kein anderes Kulturvolk des alten Orients
hat das vermocht; auch die Griechen sind erst auf der Höhe ih-

---

s. W. von Soden, in: Libelli, Bd. 142, 47.

145 Nur die israelitischen Texte sind auf das 1. vorchr. Jt. beschränkt.
Die ägyptischen und mesopotamischen Texte reichen bis in das 3. vorchr. Jt.,
die hetitischen sind alle vor dem 1. vorchr. Jt. verfaßt. Das alte Israel
hatte also gegebenenfalls die Möglichkeit, sich mit alten Erfahrungen aus-
einanderzusetzen. Freilich muß man sich vor Augen halten, daß sich die geschichtlichen Veränderungen nicht rasch vollzogen, so daß das zeitliche
"Gefälle" nicht sonderlich hoch veranschlagt werden kann.

146 G. von Rad, Typologische Auslegung des Alten Testaments, in: Ges. Studien zum AT, Bd. II (ThB 48), München 1973, 278; der gleiche Satz als Titel
in: Probleme alttestamentlicher Hermeneutik. Aufsätze zum Verstehen des Alten Testaments, hg. von C. Westermann (ThB 11), 3. Aufl., München 1968,
11-17.

147 Zu diesem Komplex s. L. Rost, Die Überlieferung von der Thronnachfolge
Davids (BWANT 42), Stuttgart 1926, abgedr. in: Das kleine Credo und andere
Studien zum Alten Testament, Heidelberg 1965, 119-253; G. von Rad, Der Anfang der Geschichtsschreibung im alten Israel (1944), in: Gesammelte Studien (ThB 8), 3. Aufl., München 1965, 148-188; E. Würthwein, Die Erzählung
von der Thronnachfolge Davids - theologische oder politische Geschichtsschreibung? (Theol. Studien 15), Zürich 1974; J. Kegler, Politisches Geschehen und theologisches Verstehen. Zum Geschichtsverständnis in der frühen israelitischen Königszeit (Calwer Theol. Monographien A,8), Stuttgart
1977, 139-196, zum Geschichtsverständnis: 183-196; gegenüber der traditio-
nellen Frühdatierung rechnet neuerdings J. van Seters (In Search of History,
277-291) mit einer nachexilischen Entstehung. Ob damit die Historiographie
des alten Israel vom Kopf auf die Füße gestellt ist, bleibt abzuwarten.

rer Entwicklung im 5. Jahrhundert dazu gelangt ..." Das Kenn-
zeichen sei eine rationale, auf den Bereich der Immanenz beschränkte Darstellung, die die Ereignisse miteinander zu verbinden weiß; "in den Zeiten Davids und Salomos zeigt der Erzähler eine ganz intime Kenntnis der Vorgänge am Hofe und muß
mit diesen Kreisen in engster Verbindung gestanden haben. Dabei fehlt jede politische oder apologetische Tendenz; mit küh-
ler Objektivität, ja mit überlegener Ironie schaut der Erzähler
auf die Vorgänge herab, die er eben darum mit unvergleichlicher
Anschaulichkeit berichten kann. Gänzlich fern liegt jede religiöse Färbung, jeder Gedanke an eine übernatürliche Leitung;
der Lauf der Welt und die in der Verkettung der Ereignisse sich
durch eigene Schuld vollziehende Nemesis werden dargestellt in
voller Sachlichkeit, wie sie dem Beschauer erscheinen."[148]

Inzwischen ist längst der tendenziöse Charakter jenes Textkomplexes erkannt,[149] seine Geschichtsdarstellung im Vergleich
mit den griechischen Historikern des 5. Jh.s nötigt aber auch
noch dem zeitgenössischen Althistoriker Anerkennung ab: "In der
Tat erinnert manches in ihm (d.h. in dem Werk der Thronnachfolge) an Herodot und Thukydides, und in manchem ist es den beiden
Griechen durchaus überlegen gewesen. Gleichwohl bleibt es ...
hinter ihnen zurück. Zwar hat es vermocht, die Kontingenz einer beachtlichen Geschehensabfolge zu erfassen und darzustellen
(und wohl mehr, als das für orientalische Hoftagebücher sonst
anzunehmen ist). Aber dabei bleibt der zeitliche Rahmen auf wenige Jahre begrenzt, das Thema beschränkt, und vor allem ist
eben der Nachvollzug des Geschehens in seiner Kontingenz nicht
das eigentliche Medium seines Verständnisses. Anders gesagt:
der Autor setzt sich dieser Kontingenz nicht voll aus. Indem
er ihr folgt, suspendiert er sie zugleich. Denn was er in ihr
hauptsächlich sucht und findet, sind die Anhaltspunkte für das
Wirken Gottes. Die Kontingenz wird also aufgehoben (im dreifachen Sinne des Wortes) im - ganz neu verstandenen - Handeln
Jahwes mit seinem Volk."[150]

Der Gedanke, daß göttliches Einwirken das immanente Gesche-

---

148 E. Meyer, Geschichte des Altertums, Bd. 2,2, 2. Aufl., Stuttgart/Ber-
lin 1931, 285, vgl. Bd. 1,1 (5. Aufl. 1925) 227.

149 Vgl. die in Anm. 147 genannten Arbeiten.

150 Chr. Meier, Die Entstehung des Politischen, 332.

hen verursacht, ist in einer redaktionskritischen Analyse, die
die theologischen Deutungen als sekundäre Eintragungen nachzuweisen versucht hat, nicht unbestritten geblieben.[151] Träfe
diese Beobachtung zu, dann hätte ursprünglich eine ausschließlich immanente Interdependenz der Ereignisse und Intersubjektivität der Handlungsabläufe jenen Erzählkomplex ausgezeichnet.
Wie dem auch sei, hier liegt eine Darstellung vor, die das komplexe Beziehungsgeflecht multisubjektiver Geschehensabläufe für
eine kurze Zeit berücksichtigt und dabei in der jetzt vorliegenden Gestalt die Spannung von Notwendigkeit und Freiheit recht
eigentlich und plastisch vor Augen führt: "die Menschen sinken
nicht zu Marionetten herab und der Hinweis auf Gott ist nicht
im letzten unernst, d.h. also, daß dem Leser diese Spannung zu-
gemutet wurde, der ja kein lebendiger Glaube entgeht ..."[152]

Es braucht hier nicht im einzelnen erörtert zu werden, wie
die Geschichtsschreibung[153] im Alten Testament entstanden ist,

---

151 So E. Würthwein, Die Erzählung von der Thronnachfolge Davids; Würth-
weins Analyse ist kritisiert worden von F. Crüsemann, Der Widerstand gegen
das Königtum (WMANT 49), Neukirchen 1978, 183f. Bei den theologischen Deutungen handelt es sich um 2.Sam. 11,27;12,24; 17,14.
152 G. von Rad, Der Anfang der Geschichtsschreibung im alten Israel, in:
Gesammelte Studien (ThB 8) 186.

153 Aus der Fülle der Literatur seien genannt:
H. Duhm, Zur Geschichte der alttestamentlichen Geschichtsschreibung, in: FS
Th. Plüss, Basel 1905, 118-163; H. Gunkel, Art. "Geschichtsschreibung: I. Im
AT", RGG 1. Aufl., Bd. 2, 1910, 1348-1354; H. Schmidt, Die Geschichtsschreibung im Alten Testament, Tübingen 1911; H. Gressmann, Die älteste Geschichtsschreibung und Prophetie Israels (SAT 2,1), 2. Aufl., Göttingen 1921; H. Gunkel, Art. "Geschichtsschreibung: I. Im AT", RGG 2. Aufl., Bd. 2, 1928, 1112-
1115; G. von Rad, Der Anfang der Geschichtsschreibung im alten Israel (1944),
in: Ges. Studien (ThB 8) 148-188; U. Cassuto, The Beginning of Historiography
among the Israelites (1951), in: ders., Biblical and Oriental Studies, I, Jerusalem 1973, 7-16; G. Hölscher, Geschichtsschreibung in Israel: Untersuchungen zum Jahwisten und Elohisten (SHVL 50), Lund 1952; B. Maisler (Mazar),An-
cient Hebrew Historiography, IEJ 2 (1952) 82-88; M. Noth, Art. "Geschichtsschreibung, biblische.I. Im AT", RGG 3. Aufl., Bd. 2, 1958, 1498-1501; S. Mowinckel, Israelite Historiography, ASTI 2 (1963) 4-26; J. Schildenberger, Literarische Arten der Geschichtsschreibung im Alten Testament (Bibl. Beiträge
5), Einsiedeln u.a. 1964; V. Hamp, Geschichtsschreibung im Alten Testament,
in: Speculum Historiale, FS J. Spörl, Freiburg/München 1965, 134-142; S. Zeit-
lin, A Survey of Jewish Historiography: From the Biblical Books to the S e -
f e r   H a - K a b a l l a h with special emphasis on Josephus, Jewish Quar-
terly Review 59 (1968/69) 171-214; S. Amsler, Les deux sources de la théologie
de l'histoire dans l'Ancien Testament, Revue de Théologie et de Philosophie 19
(1969) 235-246; R. Rendtorff, Beobachtungen zur altisraelitischen Geschichtsschreibung anhand der Geschichte vom Aufstieg Davids, in: Probleme biblischer
Theologie, G. von Rad zum 70. Geb., hg. von H.W. Wolff, München 1971, 428-439;
H. Schulte, Die Entstehung der Geschichtsschreibung im Alten Israel (BZAW 128),

ob sie sich unabhängig von fremden Einflüssen aus den zunächst in mündlicher Überlieferung tradierten Sagen und Legenden entwickelt hat oder aber sich im wesentlichen historiographischen Mustern verdankt, die in der Umwelt benutzt wurden.[154]

Weder das eine noch das andere Modell wird wohl ausschließlich zutreffen. Daß die außerhalb Israels bezeugten historiographischen Gattungen wie Königsliste, Annalen und Chroniken im Alten Testament nicht belegt sind, mag mit seinem fragmentarischen Charakter zusammenhängen, der nicht zuletzt damit zu erklären ist, daß er sub specie religionis zustande kam; andererseits existieren in der Umwelt ungeschichtliche und geschichtliche Abhandlungen durchaus nebeneinander, eine genetische Erklärung drängt sich von dort nicht auf.

Diese Probleme berühren auch die Geschichtsvorstellungen[155]

Berlin/New York 1972; H. Cancik, Grundzüge der hethitischen und alttestamentlichen Geschichtsschreibung, Wiesbaden 1976; J.R. Porter, Old Testament Historiography, in: Tradition and Interpretation, ed. by G.W. Anderson, Oxford 1979, 125-162; J. van Seters, Histories and Historians of the Ancient Near East: The Israelites, Orientalia 50 (1981) 137-185; ders., In Search of History, 209-362; K. Koch, Art. "Geschichte/Geschichtsschreibung/Geschichtsphilosophie II. Altes Testament",TRE, Bd. 12, 1984, 569-586.

154 Einen evolutionären Ansatz vertreten prononciert H. Gunkel, H. Gressmann und G. von Rad (s. Anm. 153); mit eigenständigen historiographischen Gattungen rechnet J. van Seters, Orientalia 50 (1981) 137-185; ders., In Search of History, 209-362.

155 Die folgende Literaturübersicht strebt keine Vollständigkeit an. Nicht auf einzelne biblische Schriften beschränkt sind: J. Hempel, Altes Testament und Geschichte, Göttingen 1930; A. Weiser, Glaube und Geschichte im Alten Testament (1931), in: Glaube und Geschichte im Alten Testament und andere ausgewählte Schriften, Göttingen 1961, 99-182; H. Wh. Robinson, Israels Contribution to the Philosophy of History, Oxford Society of Historical Theology, Abstracts of Proceedings for the Year 1932, 5-23; W. Vischer, Das Alte Testament und die Geschichte, Zwischen den Zeiten 10 (1932) 22-42; M. Noth, Geschichte und Gotteswort im Alten Testament (1950), in: Ges. Studien zum AT (ThB 6), 3. Aufl., München 1966, 230-247; J. Hempel, Wort Gottes und Schicksal, in: FS A. Bertholet, hg. von W. Baumgartner u.a., Tübingen 1950, 222-232; R.H. Pfeiffer, Facts and Faith in Biblical History, JBL 70 (1951) 1-14; J. Hempel, Glaube, Mythos und Geschichte im Alten Testament, ZAW 65 (1953) 109-167; G. Östborn, Yahwe's Words and Deeds. A Preliminary Study into the Old Testament Presentation of History, Uppsala/Wiesbaden 1951; M. Noth, Das Geschichtsverständnis der alttestamentlichen Apokalyptik (1954) in: Ges. Studien (ThB 6), 248-273); E. Jacob, Histoire et Historiens dans l'Ancien Testament, Revue d'Histoire et de Philosophie Religieuses 35 (1955) 26-34; A. Malamat, Doctrines of Causality in Hittite and Biblical Historiography: A Parallel, VT 5 (1955) 1-12; E.A. Speiser, The Biblical Idea of History in its Common Near Eastern Setting (1957), in: ders., Oriental and Biblical Studies, ed. by J.J. Finkelstein and M. Greenberg, Philadelphia 1967, 187-210; F. Hesse, Die Erforschung der Geschichte Israels als theologische Aufgabe, KuD 4 (1958) 1-19; H. Gese, Geschichtliches Denken im

des Alten Testaments, denn es ist eine immer wieder diskutierte

---

Alten Orient und im Alten Testament (1958), in: Vom Sinai zum Zion, 81-98;
A. Alt, Die Deutung der Weltgeschichte im Alten Testament (1959), in: Grundfragen der Geschichte des Volkes Israel, hg. von S. Herrmann, München 1970,
440-448; F. Hesse, Kerygma oder geschichtliche Wirklichkeit? Kritische Fragen zu G. von Rads 'Theologie des AT I. Teil', ZThK 57 (1960) 17-26; J. Hempel, Die Faktizität der Geschichte im biblischen Denken, in: Biblical Studies
in Memory of H.C. Alleman, ed. by J.M. Myers u.a., New York 1960, 67-88; G.
von Rad, Les idées sur le temps et l'histoire en Israël et l'eschatologie des
prophètes, in: maqqél shâqédh. La Branche d'Amandier, Hommage à W. Vischer,
Montpellier 1960, 198-209; R. Rendtorff, Hermeneutik des Alten Testaments als
Frage nach der Geschichte (1960), in: Ges. Studien (ThB 57), München 1975,
11-24; M. Adinolfi, Storiografia biblica e storiografia classica, RivBib 9
(1961) 42-58; H.U. von Balthasar, Vom Sinn der Geschichte in der Bibel, in:
Der Sinn der Geschichte, Sieben Essays, hg. von L. Reinisch, 2. Aufl., München 1961, 117-131; G. Schneider, Neuschöpfung oder Wiederkehr. Zum Geschichtsbild der Bibel, Darmstadt 1961; V. Maag, Eschatologie als Funktion des Geschichtserlebnisses (1961), in: ders., Kultur, Kulturkontakt und Religion,
Ges. Studien zur allgemeinen und alttestamentlichen Religionsgeschichte,
Zum 70. Geb. hg. von H.H. Schmid/O.H. Steck, Göttingen/Zürich 1980, 170-180;
H. Graf Reventlow, Grundfragen der alttestamentlichen Theologie im Lichte der
neueren deutschen Forschung, ThZ 17 (1961) 81-98; J.A. Soggin, Alttestamentliche Glaubenszeugnisse und geschichtliche Wirklichkeit, ThZ 17 (1961) 385-
398; J.B. Curtis, A suggested Interpretation of the Biblical Philosophy of
History, HUCA 34 (1963) 115-123; R.A.F. MacKenzie, Faith and History in the
Old Testament, Minnesota/Minneapolis 1963; I.L. Seeligmann, Menschliches Heldentum und göttliche Hilfe. Die doppelte Kausalität im alttestamentlichen Geschichtsdenken, ThZ 19 (1963) 385-411 ; J. Hempel, Geschichten und Geschichte
im Alten Testemant bis zur persischen Zeit, Gütersloh 1964; N. Lohfink, Freiheit und Wiederholung. Zum Geschichtsverständnis des Alten Testaments, in: Die
religiöse und theologische Bedeutung des Alten Testaments (Studien und Berichte der Katholischen Akademie in Bayern, 33), Würzburg 1964, 79-103; J.A. Soggin, Geschichte, Historie und Heilsgeschichte im Alten Testament, ThLZ 89
(1964) 721-736; J. Barr, Bibelexegese und moderne Semantik. Theologische und
linguistische Methode in der Bibelwissenschaft, München 1965; R. Davidson,
Faith and History in the Old Testament, Expository Times 77 (1965/66) 100-104;
E. Oßwald, Geschehene und geglaubte Geschichte in der alttestamentlichen Theologie, Wiss. Zeitschr. d. Fr.-Schiller-Univers. Jena, Geist.- und Sprachw. Reihe 14 (1965) 705-715; M. Burrows, Ancient Israel, in: The Idea of History in
the Ancient Near East, 99-131; J. Barr, Alt und Neu in der biblischen Überlieferung. Eine Studie zu den beiden Testamenten, München 1967; B. Albrektson,
History and the Gods. An Essay on the Idea of Historical Events as Divine Manifestations in the Ancient Near East, Lund 1967; D.N. Freedman, The Biblical Idea
of History, Interpretation 21 (1967) 32-49; H.J. Stoebe, Geprägte Form und geschichtlich individuelle Erfahrung im alten Testament, VTS 17 (1969) 212-219;
F. Hesse, Bewährt sich eine "Theologie der Heilstatsachen" am Alten Testament?
Zum Verhältnis von Faktum und Deutung, ZAW 81 (1969) 1-17; H. Cancik, Mythische
und historische Wahrheit. Interpretationen zu Texten der hethitischen, biblischen und griechischen Historiographie (Stuttg. Bibelstudien 48), Stuttgart
1970; H.-J. Kraus, Geschichte als Erziehung (1971), in: ders., Biblisch-theologische Aufsätze, Neukirchen 1972, 66-83; H.J. Hermisson, Weisheit und Geschichte, in: Probleme biblischer Theologie, 136-154; C. Westermann, Zum Geschichtsverständnis des Alten Testaments, in: Probleme biblischer Theologie,
611-619; N.W. Porteous, Old Testament and History, ASTI 8 (1972) 22-77; W.G.
Lambert, Destiny and Divine Intervention in Babylon and Israel, OTS 17 (1972)

Frage, ob und wie sich die israelitischen Geschichtsvorstellun-

---

65-72; M. Weippert, Fragen des israelitischen Geschichtsbewußtseins, VT 23 (1973) 415-442; F. Hesse, Zur Profanität der Geschichte Israels, ZThK 71 (1974) 262-290; S.J. de Vries, Yesterday, Today and Tomorrow. Time and History in the Old Testament, London 1975; H.H. Schmid, Das alttestamentliche Verständnis von Geschichte in seinem Verhältnis zum gemeinorientalischen Denken, WuD NF 13 (1975) 9-21; J. Krecher/H.P. Müller, Vergangenheitsinteresse in Mesopotamien und Israel, Saeculum 26 (1975) 13-44; G. Wallis, Die geschichtliche Erfahrung und das Bekenntis zu Jahwe im Alten Testament, ThLZ 101 (1976) 801-816; J. Kegler, Politisches Geschehen und theologisches Verstehen in der frühen israelitischen Königszeit (Calwer Theologische Monographien A,8), Stuttgart 1977; R. Rendtorff, Geschichtliches und weisheitliches Denken im Alten Testament, in: Beiträge zur alttestamentlichen Theologie, FS W. Zimmerli zum 70 Geb., hg. von H. Donner u.a., Göttingen 1977, 344-353; I.L. Seeligmann, Erkenntnis Gottes und historisches Bewußtsein im alten Israel, in: Beiträge zur alttestamentlichen Theologie, 414-445; S. Herrmann, Zeit und Geschichte (Kohlhammer Taschenbücher: Biblische Konfrontationen), Stuttgart u.a. 1977; R. Rendtorff,Weisheit und Geschichte im Alten Testament. Zu einer offenen Frage im Werk G. von Rads, Ev. Kommentare 9 (1976) 216-218; W. Zimmerli, Wahrheit und Geschichte in der alttestamentlichen Schriftprophetie, VTS 29, Leiden 1978, 1-15; J. Jeremias, Gott und Geschichte im Alten Testament. Überlegungen zum Geschichtsverständnis im Nord- und Südreich, EvTh 40 (1980) 381-396; N. Wyatt, Some Observations on the Idea of History among the West Semitic Peoples, UF 11 (1982) 825-832; H. Graf Reventlow, Hauptprobleme der alttestamentlichen Theologie, 65-137; S. Herrmann, Geschichtsbild und Gotteserkenntnis. Zum Problem altorientalischen und alttestamentlichen Geschichtsdenkens, in: Isaac Leo Seeligmann Volume, Jerusalem 1983, 15-38; J. Licht, Biblical Historicism, in: History, Historiography and Interpretation,107-120; J. van Seters, In Search of History, 237-248; K. Koch, Art. "Geschichte/Geschichtsschreibung/Geschichtsphilosophie. II. Altes Testament", TRE, Bd. 12, 1984, 569-586; J.A. Soggin, Geschichte als Glaubensbekenntnis - Geschichte als Gegenstand wissenschaftlicher Forschung, ThLZ 110 (1985) 161-169.
Auf die Prophetenschriften und andere biblische Bücher beziehen sich: O. Procksch, Geschichtsbetrachtung und geschichtliche Überlieferung bei den vorexilischen Propheten, Leipzig 1902; E. Sellin, Die geschichtliche Orientierung der Prophetie des Hosea, NKZ 36 (1925) 607-658; K. Galling, Die Geschichte als Wort Gottes bei den Propheten, Theol. Blätter 8 (1929) 169-172; J. Rieger, Die Bedeutung der Geschichte für die Verkündigung des Amos und Hosea, Gießen 1929; A. Lauha, Die Geschichtsauffassung der Propheten Israels, Theologia Fennica 1 (1936) 1-6; ders., Die Geschichtsmotive in den alttestamentlichen Psalmen, Helsinki 1945; H.-J. Kraus, Gesetz und Geschichte. Zum Geschichtsbild des Deuteronomisten (1952), in: ders., Biblisch-theologische Aufsätze,50-65; K. Elliger, Der Begriff "Geschichte" bei Deuterojesaja (1953), in: Kl. Schriften zum AT, zu seinem 65. Geb. hg. von H. Gese/O. Kaiser (ThB 32), München 1966, 199-210; H.W. Wolff, Das Geschichtsverständnis der alttestamentlichen Prophetie (1960), in: Ges. Studien zum AT (ThB 22), München 1964, 286-307; K. Koch, Spätisraelitisches Geschichtsdenken am Beispiel des Buches Daniel, HZ 193 (1961) 1-32; H. Wildberger, Jesajas Verständnis der Geschichte (1963), in: ders., Jahwe und sein Volk. Ges. Aufsätze zum AT, zum 70. Geb. am 2. Januar hg. von H.H. Schmid/O.H. Steck (ThB 66), München 1979, 75-109; G. Fohrer, Prophetie und Geschichte (1964), in: ders., Studien zur alttestamentlichen Prophetie, 1949-1965 (BZAW 99), Berlin 1967, 265-293; E. Jacob, Der Prophet Hosea und die Geschichte, EvTh 24 (1964) 281-290; O. Mury, Ésaïe et l'histoire, Diss. Lausanne 1965; H.H. Schmid, Das Verständnis der Geschichte im Deuteronomium, ZThK 64 (1967) 1-15; P.R. Ackroyd, Historians and Prophets,

gen von denen seiner Umwelt unterscheiden und worin gegebenenfalls die Gemeinsamkeiten bestehen.

Im Alten Testament sind in den Geschichtswerken ganz unterschiedliche Gattungen zusammengearbeitet,[156] die in der orientalischen Umwelt ihr literarisches Eigenleben bewahrt haben. Die
unverzichtbare Aufgabe bei der Untersuchung alttestamentlicher
Texte liegt deshalb in einer form- und gattungskritischen Analyse. Allein, daß geschichtliche und ungeschichtliche Materiali-
en eine Symbiose eingehen können, ist für die Geschichtswahrnehmung des alten Israel durchaus von Bedeutung, denn wenn beispielsweise im dtr. Geschichtswerk Erzählungen mit geschichtlicher Zeit
und listenartige Zusammenstellungen mit naturaler Zeit aneinandergereiht sind, dann deutet sich hier eine komplexere Geschichtswahrnehmung an.

Die exegetische Forschung setzt zuweilen recht unbefangen Israel von seiner historiographischen Umwelt ab: "Das alte Mesopotamien, das alte Ägypten und das alte Griechenland, wo sich alle
äußeren Faktoren reichlich entwickelt hatten, brachten den Willen
zur Geschichtsschreibung entweder nie (im Zweistromland und in
Ägypten) oder sonst verhältnismäßig spät (in Griechenland ...)
hervor und wuchsen sonst nie über die Chronik heraus."[157]

Ganz anders wird dagegen Israel beurteilt: "Auch bei Israel
treffen wir anfänglich Sagen und Legenden, Chroniken und Annalen; aber bald, und schon in ältester Zeit, wahre Geschichtsschreibung ..."[158] Als Beurteilungsgrundlage dient immer wieder
die Erzählung von der Thronnachfolge Davids, aber im dtr. Geschichtswerk steht nicht nur diese Erzählung. Und außerdem: Was

---

Svensk Exegetisk Årsbok 33 (1968) 18-54; R. Smend, Elemente alttestamentlichen Geschichtsdenkens (Theol. Studien 95), Zürich 1968; J. Vollmer, Geschichtliche Rückblicke und Motive in der Prophetie des Amos, Hosea und Jesaja (BZAW 119), Berlin 1971; K.-H. Bernhardt, Prophetie und Geschichte, VTS
22, Leiden 1972, 20-46; J. Kühlewein, Geschichte in den Psalmen (Calwer Theologische Monographien A,2), Stuttgart 1973; F. Stolz, Der Streit um die Wirklichkeit in der Südreichsprophetie des 8. Jahrhunderts, WuD NF 12 (1973) 9-30;
P. Welten, Geschichte und Geschichtsdarstellung in den Chronikbüchern (WMANT
42), Neukirchen 1973; A. Lauha, Kohelets Verhältnis zur Geschichte, in: Die
Botschaft und die Boten, FS H.W. Wolff zum 70. Geb., hg. von J. Jeremias/L.
Perlitt, München 1981, 392-401.

156 S. den Überblick bei R. Smend, Die Entstehung des Alten Testaments,
86ff. bzw. 111ff. zum jahwistischen bzw. dtr. Werk.

157 J.A. Soggin, ThLZ 89 (1964) 725.

158 J.A. Soggin, ThLZ 89 (1964) 726.

besagt jene kunstvolle, d.h. komplexe, mit Verwicklungen teleo-
logisch ausgerichtete Erzählung für die Vorstellung von "Geschichte"? Der Begriff "Geschichte", der für neuzeitliches Verständnis Bewegungs- und Interpretationsbegriff zugleich ist,
darf nicht der Darstellungsform aufgezwungen werden, ohne danach zu fragen, was denn eigentlich an "Geschichte" mitgeteilt
wird. So kann man bei der Thronfolgeerzählung kaum davon absehen, daß hier die für die Vätergeschichten (Pl. !) des Pentateuch charakteristische Familien"geschichte" grundsätzlich noch
nicht überschritten ist.[159]

Bei der Beschreibung und Erklärung der altorientalischen Geschichtsvorstellungen ist die Forschung inzwischen gegenüber
pauschalen Kennzeichnungen skeptischer geworden, nicht nur im
Rahmen kulturübergreifender Denkschemata, auch bei den einzelnen Kulturen selbst. Die einst so beliebten, mit Gegensatzpaaren
wie "statisch und dynamisch" bzw. "zyklisch und linear" arbeiten-
den Kategorien sind weitgehend zugunsten einer differenzierten
Beurteilung aufgegeben, die synchrone und diachrone Beobachtungen voraussetzen. Hinreichend gesicherte Ergebnisse sind nur zu
erwarten, wenn methodisch geleitete Analysen in ausreichendem
Maße für die einen großen Zeitraum füllenden Literaturen der
einzelnen Kulturen vorhanden sind, bevor ein nachmaliger Vergleich Gemeinsamkeiten und Differenzen, auch unter Berücksichtigung der archäologischen Zeugnisse, besser herauszuarbeiten
in der Lage wäre. Dieses Programm ist bisher nicht eingelöst,
oder besser gesagt, noch kaum angegangen. Abgeschlossen werden
kann es ohnehin nicht, denn eine sich konsequent geschichtlich
verstehende Arbeit nimmt kein Ende.

Für die alttestamentliche Wissenschaft hat H. Gese erste
wertvolle Beobachtungen gemacht, die Mesopotamien und Israel
betreffen. Er erschloß aus der Listenwissenschaft in Mesopotamien eine Systematisierung in heilvolle und unheilvolle Zeiten, "Geschichte als unbestimmbare A b f o l g e von Zeiten,
die sich beliebig nach dem Willen der Götter wiederholen"[160].

159 S. dazu C. Westermann, Zum Geschichtsverständnis des Alten Testaments,
in: Probleme biblischer Theologie, 611ff. Diese von C. Westermann herausge-
arbeitete Beziehung spricht gerade nicht für das Phänomen der Politisierung,
das er in jener Erzählung entdeckt haben will.

160 H. Gese, Geschichtliches Denken im Alten Orient und im Alten Testament,
in: Vom Sinai zum Zion, 87. Solche Zeitrhythmen kennt auch das Alte Testament,
s. etwa Ri. 2,10ff., sie werden dort aber nicht festgelegt, sondern resultie-

Anders später die babylonischen Chroniken: "Geschichte ist nicht mehr eine Abfolge von Heilszeit, Unheilszeit nach dem unergründlichen Ratschluß der Götter; Geschichte ist nicht mehr Abfolge, sondern F o l g e , Folge menschlichen Tuns und Handelns"[161], eine Erfahrung, die aber nicht auf Mesopotamien beschränkt sei: "Dieses Denken im Tun-Ergehen-Zusammenhang oder die sog. synthetische Lebensauffassung finden wir auch weithin im Alten Testament bezeugt."[162] Den eigentlichen Unterschied zwischen Mesopotamien und Israel verdeutlicht H. Gese mit der Vorstellung des Bundes, dessen Mißachtung für mesopotamisches Verständnis gänzliches Unheil bedeute, für Israel aber Züchtigung: "Gott tilgt sein Eigentumsvolk nicht einfach aus und annulliert den Bund, der in großen geschichtlichen Taten ja schon Wirklichkeit geworden ist. Gott straft Israel und zögert die Erfüllung hinaus, aber seine Verheißungen werden nicht hinfällig. Gott reagiert also nicht einfach auf den menschlichen Frevel mit Unheil, sondern vergilt Israel in einem aktiven, richterlichen Akt. Damit ist die altorientalische Konzeption der Geschichte als Folge verwandelt in die Konzeption der Geschichte als G e r i c h t ."[163] Das bedeute: "Der Geschichte Israels liegt ... ein göttlicher H e i l s p l a n zugrunde, der in den Verheißungen Israel je und je kundgetan wird."[164]

Trotz der Differenzierung war damit eine Gemeinsamkeit festgestellt, die mit dem Konzept der göttlichen Intervention entfaltet wurde, die Israel mit dem alten Orient teile[165]. Aber diese These blieb nicht unbestritten,[166] zumindest wurde sie modifiziert. "Israel conceived of itself as a chosen nation,

---

ren aus der wiederholten Apostasie des Volkes, die Jahwes Eingreifen erfordert, dazu H.-J. Kraus, Gesetz und Geschichte, in: Bibl.-theol. Aufsätze, 60ff.

161 H. Gese, in: Vom Zion zum Sinai, 89.

162 H. Gese, in: Vom Zion zum Sinai, 89. Er beansprucht dieses Verständnis auch für die Hetiter.

163 H. Gese, in: Vom Zion zum Sinai, 95.

164 H. Gese, in: Vom Zion zum Sinai, 96.

165 B. Albrektson, History and the Gods, Lund 1967; H.W.F. Saggs, The Encounter with the Divine in Mesopotamien and Israel, London 1978, 64-92; vgl. das Referat bei H. Graf Reventlow, Hauptprobleme der alttestamentlichen Theologie, 126ff.

166 S. die Rezension von C.J. Bleeker, BiOr 26 (1969) 228-229; W.G. Lambert, Orientalia 39 (1970) 170-177, und ders., OTS 17 (1972) 65-72.

and that God worked among the nation to create and sustain
this nation with future purposes in view. No similar idea is
known from ancient Mesopotamia, where it was held that the gods
had taught all the arts of civilization at the beginning, and
nothing further was to be expected."[167] In Israel dagegen sei
eine "idea of a divine plan in history"[168] entwickelt worden,
in deren Rahmen der Mensch nicht wie in Mesopotamien zu einer
Marionette der Gottheit degradiert wurde, weil nicht alles auf
göttlicher Verursachung beruhe.[169] Dieser Unterschied ist höchst
bemerkenswert. Wenn in Israel im Gegensatz zu Mesopotamien die
providentielle Grundlage nicht als die einzige geschichtswirk-
same Kraft erfahren wurde, dann sind Prinzipien "entdeckt" worden, die im Rahmen von Kausalität und Kontingenz einen wesentlichen Beitrag zum Verstehen geschichtlicher Wirklichkeit leisten konnten.

Die Beobachtung, die in der Wissenschaftsgeschichte die ab-
solute Gültigkeit des Kausalitätsprinzips anzweifeln ließ,[170]
weil historische Gegebenheiten mit seiner Hilfe nicht restlos
erklärt werden können, hat Israel vorgezeichnet, freilich in
umgekehrter Richtung. Monokausalität war für das alte Israel
kein axiomatisches Gesetz; die Gesetzlichkeit, die es im göttlichen Wirken erkannte, hob nicht die Möglichkeit indetermi-
nierten menschlichen Handelns auf. Diese synthetische Auffassung prägte israelitisches Verständnis; sie als "Spannung" zu
verstehen, wie es im erwähnten Rad-Zitat ausgedrückt ist, hat
inzwischen überholte naturwissenschaftliche Axiomatik zum
Grund.[171] Im übrigen trifft die Synthese göttlichen und menschlichen Handelns, wie bereits erwähnt, auch für das Werk Hero-

---

167 W.G. Lambert, OTS 17 (1972) 72.

168 W.G. Lambert, OTS 17 (1972) 71. Zweifel an der Konzeption W.G. Lamberts
hegt J. van Seters, In Search of History, 241.

169 W.G. Lambert, OTS 17 (1972) 67ff.

170 Die Gründe sind unterschiedlich: für R. Wittram (Das Interesse an der
Geschichte, 3. Aufl., Göttingen 1968, 12f.) ist es das Unberechenbare, für
H.-G. Gadamer (Kausalität in der Geschichte, in: Kl. Schr. I., Tübingen 1967,
195f.) ist es die Unvergleichbarkeit naturhafter und historischer Zusammenhänge, für J. Huizinga (Im Bann der Geschichte. Betrachtungen und Gestaltungen, Amsterdam 1942, 40ff.) die Relativierung des Kausalitätsprinzips in der
Naturwissenschaft selbst.

171 Zur Gegenüberstellung von Kausalität und Zufall s. K.-G. Faber, Theorie
der Geschichtswissenschaft, 4. Aufl., München 1978, 66ff.

dots zu, wenn er faktische und metafaktische Voraussetzungen
nebeneinander zuließ. Israel machte da keinen Unterschied; es
ist möglich, "daß sich die göttliche und die menschliche Moti-
vation manchmal auf d a s   g l e i c h e   E r e i g n i s
beziehen. Das kann so geschehen, daß das betreffende Ereignis
an einer Stelle als Eingreifen Gottes vorgestellt wird, an einer anderen als menschliches Handeln: man kann da von einem
a l t e r n i e r e n d e n   A u f t r e t e n der Motivatio-
nen reden. Viel öfter finden sich der göttliche und der menschliche Faktor nebeneinander und sogar ineinander verschlungen
an ein und derselben Stelle, so daß man von einer doppelten
Kausalität des Geschehens reden kann"[172], die auch Israels Umwelt erlebte.[173]

Noch ein anderes Problem hängt mit dem ganzheitlichen Wirk-
lichkeitsverständnis des alten Israel zusammen: Die Trennung
dessen, was neuzeitliches Verständnis auf historische und
ahistorische Phänomene verteilen würde, kannte das alte Israel
nicht. Es erfuhr mit dem geschichtlichen auch das ungeschichtliche Handeln[174] Jahwes in der Natur, beides konnte koinzidie-
ren[175]. Das ist das eine. Das andere ist das für nachaufkläre-
risches Bewußtsein als Gegensatz erscheinende Begriffspaar Mythos und Geschichte, das die exegetische Diskussion als klassische Diastase geschichtlicher und ungeschichtlicher Lebensbe-
wältigung behandelt hat. Mythos kann, eng gefaßt, "Götterge-
schichte"[176] oder, weiter gefaßt, die in der Ur- bzw. Frühzeit

---

172 I.L. Seeligmann, Menschliches Heldentum und göttliche Hilfe. Die doppelte Kausalität im alttestamentlichen Geschichtsdenken, ThZ 19 (1963) 385f.
Er verweist z.B. auf Ps. 105,25 im Vergleich mit Ex. 1,8-10.

173 I.L. Seeligmann, ThZ 19 (1963) 388ff. Für die Prophetie schließt I.L.
Seeligmann (ebenda, 408) die Vorstellung einer doppelten Kausalität aus.
Gott gelte als alleiniger Verursacher.

174 Die Kritik an dem Ansatz, der das Alte Testament in "Geschichte" aufgehen zu lassen droht, nennt neben der "Geschichte" noch andere Bereiche,
programmatisch R. Smend, Elemente alttestamentlichen Geschichtsdenkens, 4:
"die Geschichte ist durchaus nicht d i e Denkform des alttestamentlichen
Glaubens, sondern eine unter mehreren; neben ihr stehen Kultus, Recht und
Weisheit." Die Natur fehlt hier.

175 Vgl. Jer. 14 und zum vorliegenden Zusammenhang C. Westermann, Der Segen
in der Bibel und im Handeln der Kirche, München 1968, 14ff.

176 So schon H. Gunkel, Genesis (HK III/1),Göttingen 1902,XVII; differenzierter neuerdings C. Petersen, Mythos im Alten Testament (BZAW 157), Ber-
lin/New York 1982, 21;H.-P. Müller, Mythos - Anpassung - Wahrheit. Vom Recht

agierenden "Väter"[177] thematisieren. In jedem Falle war das im
Mythos reflektierte urzeitliche Geschehen Paradigma[178] und darin Geborgenheit stiftend[179] für alle weiteren unüberholbaren
Erfahrungen, verweigerte damit aber zugleich unbekannte Erfahrungen, die mit dem immer schon Gesetzten nicht kompatibel waren.
Geborgenheit und Ungeborgenheit rivalisierten miteinander, die
Behauptung des einen bedeutete die Preisgabe des anderen. Wollte man beides nicht aufgeben, erforderte das eine Historisierung
des Mythos[180] und eine Mythisierung der Geschichte[181]. Damit wird
nicht der Versuch unternommen, die Erfahrungen einer Spannung zu
mildern oder gar aufzulösen, sondern die Spannungen der Erfahrung werden so synthetisiert, "daß Mythos und Geschichte wie für
alle anderen vorderorientalischen Kulturvölker so auch für das
alte Israel in einem Verhältnis gegenseitiger Bedingung stehen.
Nicht als wäre der Mythos die einzige Sprachform religiösen Verstehens oder gar speziell der religiösen Geschichtserfahrung!
Vielmehr führen gerade die Geschichtserlebnisse Israels das Mythische in eine Krise, in der es nur in vermittelter Weise wieder ersteht. Dies aber setzt bereits voraus, daß Mythos und Geschichte auch nicht einfach diastatisch begriffen werden können."[182]

Das Problem ihres Verhältnisses ist nicht allein ein Phänomen
der Rationalität. In einer Schrift wie in dem "jahwistischen Ge-

---

mythischer Rede und deren Aufhebung, ZThK 80 (1983) 1-25, vor allem 3ff.;
R. Lux, "Die Rache des Mythos". Überlegungen zur Rezeption des Mythischen
im Alten Testament, Die Zeichen der Zeit 38 (1984) 157-170, vor allem 157ff.
R. Lux, ebenda, 158ff. unterscheidet zwischen dem Mythos als Text und dem
Mythischen als Denkform.

177 H. Cancik, Mythische und historische Wahrheit, 21ff.

178 Zur Funktion des Mythos als Paradigma s. R. Smend, Elemente alttestamentlichen Geschichtsdenkens, 10ff.

179 S. dazu N. Lohfink, Freiheit und Wiederholung. Zum Geschichtsverständnis des Alten Testaments, in: Die religiöse und theologische Bedeutung des
Alten Testaments (Studien und Berichte der katholischen Akademie in Bayern,
33), Würzburg 1964, 79ff., und H.-P.Müller, Saeculum 26 (1975) 30ff.

180 S. dazu S. Mowinckel, Psalmenstudien II, Kristiania 1922, passim; M.
Noth, Die Historisierung des Mythos im Alten Testament, in: Ges. Studien II
(ThB 39), München 1969, 29-47; A.Weiser, in: Glaube und Geschichte im Alten
Testament und andere ausgewählte Schriften, 117ff.

181 J. Hempel, ZAW 65 (1953) 109-167.

182 H.-P. Müller, Saeculum 26 (1975) 30f.; vgl. auch R. Lux, Die Zeichen
der Zeit 38 (1984) 162ff.

schichtswerk", das in einer Epoche der "Aufklärung"[183] konzipiert
wurde, oder auch in der Prophetie Jesajas, die die realpolitischen
Umwälzungen des 8. Jh.s erlebt hat, sind mythische Elemente verarbeitet.[184] Das Problem liegt eher in der Empirie, die das im Mythos lebendige Heilsgeschehen[185] nicht mehr zu identifizieren in
der Lage ist.[186]

Israel unterscheidet sich in diesem Zusammenhang nicht von
seiner altorientalischen Umwelt, in der ebenfalls nicht "Myth
versus History"[187] gesetzt werden kann. "One must be aware of
the possible mythological use of history as well as the historical use of myth."[188]

Die Verschränkung des "Mythos der ewigen Wiederkehr"[189] und
der Geschichte neuer Erfahrungen ist als Problem auch bei der
Frage nach der "Geschichte" im Kult von Bedeutung.

Auch wenn etwa das "Kleine geschichtliche Credo" (Dtn. 26,5-9)
nicht am Ernte- bzw. Wochenfest vom Israeliten bei der Abliefe-
rung seiner Erstlingsfrüchte gesprochen wurde, sondern erst von
einem dtr. Verfasser nachträglich in eine vorgegebene Darbringungs-
formel eingefügt wurde,[190] so zeigt doch der kultische Zusammen-

---

183 S. etwa G. von Rad, Theologie des Alten Testaments, Bd. I, 62ff. Am Ergebnis ändert sich kaum etwas, wenn das jahwistische Werk spät datiert wird,
dann wäre es entsprechend aus einer politischen Umbruchsituation heraus zu
verstehen, die zu einer rationalen Bewältigung herausgefordert hat.

184 Zu Jesaja s. H.-P. Müller, Zur Funktion des Mythischen in der Prophetie Jesajas, Kairos 13 (1971) 266-281; vgl. H. Wildberger, BK X/3, 1697ff.

185 H.-P. Müller (Saeculum 26, 1975, 33) spricht, in Anführungszeichen gesetzt, von der Heilsgeschichte, zu der die Geschichte Israels im Mythos wird.

186 H.-P. Müller, Saeculum 26 (1975) 44 zum dtr. Geschichtswerk, in dem ein
Heilsgeschehen nicht mehr bzw. noch nicht wieder wahrgenommen wird. Unter dieser Voraussetzung kann gegenwärtige Erfahrung das Mythische an die Vergangenheit und an die Zukunft abgeben: "Das Wesen des Lebens ist Gegenwart und nur
mythischer Weise stellt sein Geheimnis sich in den Zeitformen der Vergangenheit und Zukunft dar." So Th. Mann in seinem Josephsroman (Ges. Werke, Frank-
furter Ausgabe, Bd. IV, 1960, 53).

187 So der Titel des Aufsatzes von J.J.M. Roberts in CBQ 38 (1976) 1-13,
in dem er die Verschränkung des Mythischen und Historischen aufweist, s.
schon F.M.Th. de Liagre Böhl, Mythos und Geschichte in der altbabylonischen
Dichtung, in: Opera Minora, Groningen 1953, 217-233.

188 J.J.M. Roberts, CBQ 38 (1976) 13.

189 So der Titel des Buches von M. Eliade, Düsseldorf 1953.

190 Zur These G. von Rads und ihrer Kritik durch L. Rost und W. Richter
s. R. Smend, Die Entstehung des Alten Testaments, 89f.

hang die Möglichkeit der Geschichtsrekapitulation im Kult, der durch die Erinnerung wirksame Manifestation schuf.[191] Für Geschichtswahrnehmungen im Kult sprechen schließlich auch Geschichtsüberlieferungen in der Kultlyrik (etwa Ps. 78; 105; 136) und die kultischen Wiederholungen historischer Erfahrungen an den jährlich wiederkehrenden Festen.[192] Daß auch in diesem Rahmen die Mythisierung der Geschichte möglich ist, wie etwa ein Blick auf das Kultlied Ps. 114 zeigt,[193] ist ein nochmaliger Beweis ungeteilter Wirklichkeitsaneignung im alten Israel.

In der Verbindung von Kult, Mythos und Geschichte drückt sich gewissermaßen eine Spielart des "rastlosen Streben(s) nach Zuständlichkeit" aus, mit dem der Historiker J.G. Droysen[194] den Wunsch des Menschen ausdrückte, "sich in möglichst feste, bindende Formen umzusetzen".

Mit dichotomischen Kategorien können also die israelitischen Geschichtsvorstellungen nicht auf den Begriff gebracht werden, weil jene Kategorien theoretische Konstrukte sind, die der Wirklichkeit des alten Israel nicht entsprechen. Erst die neuzeitliche Trennung von Natur und Geschichte setzt naturale und geschichtliche Zeit voneinander ab, Israel kannte diese Diastase nicht: Nach Jos. 10,23 standen die Sonne und der Mond still, bis die Schlacht geschlagen war.[195]

---

191 K. Koch, in: Reclams Bibellexikon, hg. von K. Koch u.a., Stuttgart, 1978, 290.

192 S. Mowinckel, Psalmenstudien II, Kristiania 1922; H.-J. Kraus, Gottesdienst in Israel, 2. Aufl., München 1962; E. Otto/T.Schramm, Fest und Freude (Kohlhammer Taschenbücher 1003), Stuttgart u.a. 1977.

193 Vgl. in diesem Zusammenhang N. Lohfink, in: Die religiöse und theologische Bedeutung des Alten Testaments, 96f.

194 J.G. Droysen, Historik, 242.

195 Zur Zeitvorstellung des alten Israel vgl. W. Vollborn, Studien zum Zeitverständnis des Alten Testaments, Göttingen 1951; G. Pidoux, La notion biblique du temps, Revue de Théologie et de Philosophie 3 (1952) 120-123; W. Eichrodt, Heilserfahrung und Zeitverständnis im Alten Testament, ThZ 12 (1956) 103-125; J. Muilenburg, The Biblical View of Time, Harvard Theological Review 54 (1961) 225-255; J. Barr, Biblical Words for Time, London 1962; M. Sekine, Erwägungen zur hebräischen Zeitauffassung, VTS 9, Leiden 1963, 66-82; J.R. Wilch, Time and Event. An Exegetical Study of the Use of ᶜeth in the Old Testament in comparison to other temporal Expressions in Clarification of the Concept of Time, Leiden 1969; A.Y. Tesfai, This is my Resting Place: An Inquiry into the Role of Time and Space in the Old Testament, S.T.D. Diss., Lutheran School of Theology at Chicago, 1975; S.J. de Vries, Yesterday, Today and Tomorrow. Time and History in the Old Testament, London 1975; S. Herrmann,

Israel erfuhr Bekanntes und Unbekanntes, Geborgenheit und Ungeborgenheit, "Freiheit und Wiederholung"[196] zusammen, die Erfahrungen wurden nicht segmentiert. Erst kritische Rationalität, die
den Kollektivsingular Geschichte als Reflexions- und Bewegungsbegriff mit allen erwähnten Implikationen voraussetzt, trennt,
was "ursprünglich" zusammengehörte. Der bisherige Überblick hat
zeigen sollen, daß alttestamentliches bzw. altorientalisches Denken die temporalen Erfahrungsmodi der Irreversibilität und der
Einmaligkeit von Ereignissen im strengen Sinne nicht gekannt und
aus Vollzugsweise und Ergebnis menschlichen Handelns nicht die
Möglichkeit einer planbaren Zukunft abgeleitet hat. Trotz einer
im mesopotamischen Raum ansatzweisen Geschichtssystematisierung
blieb "Geschichte" Aggregat; plan- und machbar war bis zu einem
gewissen Grad die Gegenwart, um deretwillen die Vergangenheit als
Exempelarsenal benutzt werden konnte, wie es auch in der griechischen und römischen Antike der Fall war.[197]

Bei dem Rekurs in die Vergangenheit war "nicht historisches
Interesse im modernen Sinne am Werke, nicht das Bemühen um eine
Art von aktenkundiger archivarischer Perfektion"[198], aber auch
nicht ein ausschließlich polemisches, apologetisches und didakti-
sches Ziel.[199] Man konnte die Vergangenheit auch bewußt machen,
um mit ihr abzurechnen,[200] sie wurde aber nie in dem Sinne zweck-
rational verstanden, daß ihr Zweck rationalisiert worden wäre.
Es ist beobachtet worden, "daß in Babylonien weder der Begriff

---

Zeit und Geschichte, Stuttgart u.a. 1977, 96ff.; C. Westermann, Erfahrung
der Zeit im Alten Testament, in: Die Erfahrung der Zeit. Gedenkschrift für
Georg Picht, hg. von Chr. Link, Stuttgart 1984, 113-118.

196 So der gleichnamige Titel von N. Lohfink in: Die religiöse und theologische Bedeutung des Alten Testaments, 79-103.

197 Die pädagogische Funktion betont A. Lauha, Die Geschichtsmotive in den
alttestamentlichen Psalmen, Helsinki 1945, 141ff.; M. Adinolfi, Storiografia
biblica e storiografia classica, RivBib 9 (1961) 42-58; H.-J. Kraus (Geschichte als Erziehung, 1971, in: Bibl.-theol. Aufsätze, 66-83, vor allem 75ff.) betrachtet die Geschichtsvorstellung unter dem Blickwinkel des Erziehungswirkens
Jahwes im Rahmen von Gericht und Gehorsam. S. neuerdings mit Nachdruck: J.A.
Soggin, ThLZ 110 (1985) 161-172.

198 S. Herrmann, Die Bewältigung der Krise Israels. Bemerkungen zur Interpretation des Buches Jeremia, in: Beiträge zur alttestamentlichen Theologie,
165.

199 So M. Burrows, in: The Idea of History in the Ancient Near East, 110.

200 Zum Problem s. S. Herrmann, in: Beiträge zur alttestamentlichen Theologie, 164ff.

des intellektuellen Irrtums als Folge fehlender oder unzurei-
chender Einsicht geprägt wurde noch der des Zweifels an Sach-
aussagen oder auch theologischen Sätzen."[201] Das gilt ebenso
für Israel. Ideologiekritik und historische Kritik beschäftigte den Israeliten nicht,[202] weil er die eigene Standortgebun-
denheit nicht reflektierte, auch wenn er nach dem Buche Deuteronomium zu urteilen einen Unterschied zwischen den Augenzeugen eines Geschehens und späteren Generationen gemacht zu
haben scheint.[203] Im Vergleich mit der Zukunft war vergangenes Geschehen "einsehbar", sofern die Vergangenheit, für die
das Hebräische keinen eigenen abstrakten Begriff hat – ebensowenig wie für die Gegenwart und Zukunft – die Zeit war, die
v o r dem Israeliten lag.[204] Hatte er die Vergangenheit vor
Augen, so lag entsprechend die Zukunft hinter ihm.[205] Für die
"fernste Zeit" war die Möglichkeit "visueller" Erkenntis ausgeschlossen, so daß sich eine räumliche Differenz erübrigte,
ganz gleich, ob es sich um die Vergangenheit oder die Zukunft
handelte.[206]

Daß überhaupt die Zukunft in die Geschichtsvorstellungen
einbezogen wurde, ist ein bemerkenswertes Verdienst, das sich

---

201 W. von Soden, Sprache, Denken und Begriffsbildung, 39, so auch ders.,
Alter Orient und Altes Testament, WO 4(1967) 44f.

202 So auch H. Cancik, Mythische und historische Wahrheit, 91ff., im Unterschied zur hetitischen Historiographie. Vgl. W. Zimmerli, VTS 29, Leiden 1978, 3.

203 S. I.L. Seeligmann, Erkenntnis Gottes und historisches Bewußtsein im
alten Israel, in: Beiträge zur alttestamentlichen Theologie, 414-445, 444:
"Unter 'Erkenntnis Gottes' versteht das Buch (d.h. das Deuteronomium) in
erster Linie das Schauen der Taten Gottes; diese Auffassung impliziert im
Geschichtsdenken eine Scheidung zwischen dem Geschlecht, das Auszug, Sinai-
offenbarung und Wüstenwanderung miterlebt hat, und dem Geschlecht der Nach-
geborenen." Aufgenommen und weitergeführt sind Seeligmanns Gedanken von S.
Herrmann, Geschichtsbild und Gotteserkenntnis. Zum Problem altorientalischen und alttestamentlichen Geschichtsdenkens, in: Leo Isaac Seeligmann
Volume, Jerusalem 1983, 15-38.

204 קֶדֶם ist einer der Termini , das auszudrücken, s. E. Jenni, in: THAT
II, 587ff.; S.J. de Vries, Yesterday, Today and Tomorrow, 40.

205 Ausgedrückt wird diese räumliche Vorstellung durch אחרית , im Grunde
genommen die abgewandelte Zeit, vgl. E. Jenni, in: THAT I, 111. Genauso
können im sum. eᵤer (Rücken) und im akk. (w)arkītu (Späteres) bzw. (w)arkû
(hinterer, späterer, künftiger) verwendet werden, s. C. Wilcke, in: Archäologie und Geschichtsbewußtsein, 31ff. zu sum. und akk. Bezeichnungen der
Vergangenheit und Zukunft; vgl. auch ug. uḫryt, WUS Nr. 150.

206 עולם bezeichnet jene zeitliche Ferne unterschiedslos in der Vergangenheit und in der Zukunft, dazu E. Jenni, in: THAT II, 228ff.

im alten Israel zunächst die Prophetie erworben hat. Es waren
die "in den drohenden Komplikationen der Weltgeschichte"[207]
auftretenden Propheten Israels, die Zukünftiges, das "hinter"
ihnen lag, v o r stellten und damit sichtbar machten. Das ermöglichte Einsicht in einen umfassenden Geschehensablauf, den
der Prophet Jesaja mit den Begriffen "Werk" und "Ratschluß Jahwes" erfaßte und auf die letztgültige Bedeutung des göttlichen
Handelns zurückführte.[208]

Bedeutet das auch, daß die "prophetische Geschichtserkenntnis zunächst verstanden werden (muß) als E r k e n n t n i s
d e r   G e s c h i c h t e   v o n   i h r e r   Z u k u n f t   h e r"[209]?
Wohl kaum. Die erkenntnisstiftenden Mittel werden die vor dem
Propheten liegenden Beispiele ebenso gewesen sein wie das hinter ihm sich konkretisierende "Werk Jahwes", Erwartung war ohne Erfahrung kaum möglich.[210] Nur wenn unableitbar wäre, was

---

207 G. von Rad, Theologie des Alten Testaments, Bd. I, 80.

208 Vgl. H. Wildberger, in: Jahwe und sein Volk, 75-109. Als entsprechende
Begriffe nennt Jesaja פעל , מעשה , עצה und יעץ. Dtjes. ergänzt durch:
ארח משפט und דרך תבונות, s. K. Elliger, Der Begriff "Geschichte" bei
Deuterojesaja (1953) in: Kl. Schr. zum AT (ThB 32), München 1966, 199-210.

209 H.W. Wolff, Das Geschichtsverständnis der alttestamentlichen Prophetie,
in: Ges. Studien zum AT, 290. S. auch W.H. Schmidt, Zukunftsgewißheit und Gegenwartskritik, Grundzüge prophetischer Verkündigung (Bibl. Studien 64), Neukirchen 1973. Vgl. dagegen G. Fohrer, Prophetie und Geschichte, in: BZAW 99,
Berlin 1967, 286f. Auf das Problem des "eschatologischen" Geschichtsverständnisses soll hier nicht eingegangen werden. Sofern den Propheten nicht "letzte
Dinge" vor Augen stehen, sollte der Begriff behutsam verwendet werden, vgl.
H. Wildberger, in: Jahwe und sein Volk, 103ff.

210 K. Koch (Die Profeten, Bd. II, 77ff.) hat für Jeremias "Überzeugung des
Verhältnisses von Gegenwart, Vergangenheit und Zukunft" (78) den Terminus
"Metahistorie" geprägt. "Unter Metahistorie soll eine Theorie verstanden wer-
den, die die Kenntnis politisch-militärischer Geschichte (und ihre Wiedergabe
im erzählenden Bericht) voraussetzt und das Gefälle der Geschichte so interpretiert, daß menschliches (kollektives) Leben in seinem Ablauf wie in seiner
Zukunft sinnvoll erscheint"(78). K. Koch meint weiter, "daß Metahistorie als
Theoriebereich nirgends von einem Profeten diskursiv entfaltet und von vorder-
gründiger Historie abgehoben wird"(78), sie schlüssele aber so etwas wie eine
Tiefenstruktur auf; dazu gehöre a) der Tun-Ergehen-Zusammenhang, b) die Notwendigkeit des an die Menschen ergehenden moralischen Imperativs, der in der
auf Jahwe zurückgeführten Kontingenz begründet sei und c) die Verschränkung
von Natur und Geschichte(79). Trotz der theoretischen Absicherung muß bezweifelt werden, daß die Metaschicht, die exegetisch herausgearbeitet werden sollte, vom Propheten sub specie historiae, etwa unter dem Blickwinkel von Kenntnis und Darstellung, reflektiert wurde. Die im strengen Sinne nicht einheitlich und universal gedachten Geschehnisabfolgen und -folgen sind eigentlich
der Gegenbeweis dafür, "daß die Propheten ein Gesamtbild des Wirklichen als
Prozeßgeschehen vor Augen haben"(78).

verheißen und erwartet, erhofft und befürchtet wurde, müßten
vergangene und gegenwärtige Erfahrungen als Erkenntnishilfen
suspendiert werden. Ist das aber nicht der Fall, dann muß mit
der Möglichkeit gerechnet werden, daß die Zukunft wegen der
Gegenwart zu Worte kam, nicht umgekehrt. Als Motive für das
historische Interesse können, wie schon erwähnt, mit einem ab-
gegriffenen Begriff ausgedrückt, die Bewältigung der Vergangenheit und die Bewältigung der Gegenwart genannt werden. Wenn beides nicht mehr gelang, wurde eine neue Perspektive fällig, durch
die der Prophet seine Zeitgenossen existentielle Bedrohungen sehen ließ.

Bevor die einzelnen Fragen anhand der Analyse von Texten des
Jeremiabuches konkretisiert werden, soll am Ende der erkenntniskritischen Orientierung noch einmal ein Theorieproblem aufgegriffen werden, das schon am Anfang genannt wurde. Es sind die
Fragen nach der Faktizität und Fiktion von Geschichtserkenntnis
und -vorstellung, die im Zusammenhang des Alten Testaments, leider ohne die geschichtswissenschaftliche Diskussion angemessen
zu berücksichtigen, leidenschaftlich erörtert wurden und werden,
nachdem durch G. von Rads "Theologie des Alten Testaments" das
Verständnis des faktischen Geschehens und seiner Deutung zum
Problem geworden war.[211] Man fragte sich, was theologisch wichtig sei, die "Geschichte", die sich der kritischen Erforschung
erschließt oder die "Geschichte", die das Alte Testament entwirft, dessen Darstellung in vielen Punkten nicht mit der kritischen Rekonstruktion kongruiert. Die Lösung des Problems, die
G. von Rad selber anbot, war eine erste Vermittlung: "Die historische Forschung sucht ein kritisch gesichertes Minimum; das
kerygmatische Bild tendiert nach einem theologischen Maximum",[212]
das er der Darstellung seiner "Theologie" anvertraute. Ein immer
wieder in der Diskussion genanntes Argument konzentrierte sich
auf den von Radschen Satz vom Alten Testament als Geschichtsbuch.
Man meinte, wenn Gott in der Geschichte handele, dann doch wohl
in der geschehenen "Geschichte": "F ü r   u n s   c h r i s t l i -
c h e   T h e o l o g e n   i s t   d e r   w i r k l i c h e   A b -

---

211 Für Einzelheiten sei auf die instruktive Darstellung von H. Graf Reventlow (Hauptprobleme der alttestamentlichen Theologie, 65ff.) verwiesen.

212 G. von Rad, Theologie des Alten Testaments, Bd. I, 120.

l a u f d e r G e s c h i c h t e I s r a e l s - die ja
die Geschichte Gottes in besonderer Weise in sich trägt -
v i e l e r h e b l i c h e r a l s d i e V o r s t e l -
l u n g e n , d i e I s r a e l s i c h v o m A b l a u f
s e i n e r G e s c h i c h t e m a c h t e "[213]. Wer die
Heilsgeschichte suche, finde sie nur im tatsächlichen Verlauf
des Geschehens: "Es ist die Geschichte des Volkes Israel von
seinen Anfängen bis hin zur Zeitenwende; von ihr können wir
sagen: In, mit und unter dieser Geschichte Israels - und zwar
in ihrem tatsächlichen Verlauf! - vollzieht sich die Geschichte des Heilshandelns Gottes, die in Jesus Christus ihr Ziel
erreicht hat."[214] Faktizität sollte das alleingültige Kriterium sein; ohnehin sei "das Kerygma auf weite Strecken ohne
die Fakten, die es scheinbar bezeugt, es ist wie ein ungedeck-
ter Scheck."[215]

Zwischen den Extremen ist vermittelt worden, so von G. von
Rad selbst, der die Schwierigkeit betonte, Fakten und Deutung
voneinander zu trennen.[216] Dieser Einwand wurde wiederholt:
"Die Trennung von Geschichte auf der einen und Zeugnis auf der
anderen Seite erweist sich nicht als stichhaltig, denn beide
begegnen uns nur als Überlieferung. Diese Überlieferung ist
also nicht Überlieferung v o n Geschichte, die der Geschichte gegenüber etwas Zweites, von ihr Ablösbares wäre, sondern
ist selbst Geschichte."[217] Mit dieser Synthese wird freilich die

---

213 F. Hesse, ZThK 57 (1960) 24; vgl. ders., KuD 4 (1958) 1-19.

214 F. Hesse, Zur Frage der Wertung und der Geltung alttestamentlicher
Texte, in: FS Fr. Baumgärtel zum 70. Geb., hg. von L. Rost, Erlangen 1959,
81, so auch ders., KuD 4 (1958) 19. Für J.A. Soggin (Geschichte als Glaubensbekenntnis - Geschichte als Gegenstand wissenschaftlicher Forschung,
ThLZ 110, 1985, 161-172) sind beide Geschichtsbilder gleichberechtigt. Die
erkennende Geschichte - so nennt er das vom AT gebotene Geschichtsbild -
sei bei allen Völkern nicht auf ein vorkritisches Stadium der Geschichtsvorstellung beschränkt; sie unterscheide sich von der historisch-kritisch
rekonstruierten Geschichte durch ihre erzieherische Funktion. Aber warum
sollte sich das eine Bild für die Erziehung besonders eignen, das andere
dagegen nicht?

215 F. Hesse, ZAW 81 (1969) 3.

216 G. von Rad, Theologie des Alten Testaments, Bd. I, 3. Aufl., 1961, 473.

217 R. Rendtorff, Hermeneutik des Alten Testaments, in: Ges. Studien zum AT
(ThB 57), München 1975, 23.
Weiter vermittelnd Chr. Barth, Grundprobleme einer Theologie des Alten Testaments, EvTh 23 (1963) 342-372, dazu J.A. Soggin, ThLZ 89 (1964) 721ff.,
und H. Graf Reventlow, Hauptprobleme der alttestamentlichen Theologie, 76.

Vermittlung zwischen dem Gegenstand der Erkenntnis und der Erkenntnis selbst ebenso unmöglich gemacht wie mit einer diasta-
tischen Gegenüberstellung von Fakten und Deutung. Beides kann
in einen historischen Relativismus führen, der sich in die Gefahr erkenntniskritischer Beliebigkeit begibt.[218] Die Fiktion
der Faktizität, von der am Anfang die Rede war, meint die Ver-
kürzung vergangener Realität in der geschichtlichen Perspektive,
nicht die prinzipielle Unerkennbarkeit von Geschehen und Deutung
in ihrer gegebenenfalls wechselseitigen Beziehung. Der Faktum-
begriff braucht nicht aufgegeben zu werden. In der geschichts-
wissenschaftlichen Diskussion wird dieser Begriff weiterhin
verwendet,[219] aber inklusiv: "Mit dem Wort 'Faktum' wird die
begriffliche Gegenüberstellung von Allgemeinem und Individu-
ellem vermieden. Es umfaßt beides ebenso wie es die Begriffe
des 'Konkreten' und des 'Abstrakten' umgreift. Damit wird gesagt, daß die Tatsache, wie sie in der wissenschaftlichen Aussage erscheint, kein 'factum brutum' ist. Schon in der Beschreibung eines Faktums steckt begriffliches Denken, Vergleichen, Ab-
strahieren."[220]

Selbstverständlich trifft dieses Urteil nicht nur für wis-
senschaftlich kontrolliertes Denken zu. Das Problem des neuzeitlichen Exegeten liegt weniger im nachmaligen kritischen Umgang mit der Vergangenheit, der sich heute nur graduell unterscheidet - er ist methodisch reflektierter und differenzierter
als etwa zur alttestamentlichen Zeit - , aber nicht prinzipiell: Die "Tatsachen" bleiben immer "theoretisch gedeutete Aspekte der Realität"[221]. Es liegt mehr in der Schwierigkeit verborgen, aus den fragmentarisch vermittelten literarischen und archäologischen Zeugnissen Geschichte werden zu lassen.[222] Der
Mensch des Altertums, auch im syrisch-palästinischen Raum, hat

---

218 Vgl. die Debatte zwischen E. Otto und N.P. Lemche in BN 15 (1981) 87-92;
21 (1983) 48-58; 23 (1984) 63-80. Eine Opposition von Faktizität und Fiktion
beansprucht für die alttestamentliche Geschichtsschreibung in neuester Zeit
N.P. Lemche, On the Problem of Studying Israelite History. Apropos Abraham
Malamat's View of Historical Research, BN 24 (1984) 94-124.

219 R. Wittram, Das Faktum und der Mensch, HZ 185 (1958) 55-87.

220 K.-G. Faber, Theorie der Geschichtswissenschaft, 63.

221 H. Albert, in: Der Positivismusstreit in der deutschen Soziologie, 2.
Aufl., Neuwied 1970, 232.

222 Vgl. A. Weiser, in: Glaube und Geschichte, 99ff., vor allem 115.

einen dem Kollektivsingular Geschichte entsprechenden Begriff
nicht gekannt und damit auch nicht einige der zuvor genannten
Erfahrungen, die sich erst mit ihm einstellten. Man kannte nur
Geschichten,keine Geschichte; insofern wußte man auch nichts
von der Heilsgeschichte[223], allenfalls etwas von einem Heilsgeschehen. Das bedeutet für die Beschäftigung mit dem Alten
Testament: Nicht das Faktum und bzw. oder seine Darstellung
oder gar ihre Synthese in der Überlieferung ist für die historisch ausgerichtete Theologie von Bedeutung, sondern das sich
aus allen Aspekten rekrutierende Geschehen, das sich zeitbe-
dingt-methodischer Befragung erschließt und dann mit seiner
Darstellung in die Geschichte, gegebenenfalls auch in die Heils-
g e s c h i c h t e überführt werden kann.

Das Geschehen, das im Jeremiabuch reflektiert ist, wird
grundlegend in den ersten drei Versen jenes Buches eingeleitet, die den Zeitraum festsetzen, in dem das unterlassen und
praktiziert wurde, geschah und geschehen sollte, was in den
folgenden Kapiteln mitgeteilt wird. Über diese ersten Verse
des Jeremiabuches handelt der nächste Abschnitt.

---

223 Zum "Problem der Heilsgeschichte" s. das Referat bei H. Graf Reventlow, Hauptprobleme der alttestamentlichen Theologie, 96ff.; zur Prophetie
s. vor allem G. Fohrer, in: BZAW 99, Berlin 1964, 288f.

II. Der Buchanfang Jer. 1,1-3: Jeremia im Kontext von Zeit und Geschichte

1. Syntax, Stil und Zeitangaben in Jer. 1,1-3

Das einleitende Kapitel hat in einigen grundsätzlichen Punkten zwischen dem neuzeitlichen und vorneuzeitlichen Geschichtsdenken unterschieden. Will man nicht fehlgeleitete Fragen an die antiken Texte herantragen, wird man die Eigenart der antiken Geschichtsvorstellungen bei der Textanalyse voraussetzen müssen und gegebenenfalls durch jeweils neue Beobachtungen präzisieren können. Für Texte, die sich mit der Geschichte auseinandersetzen, trifft diese heuristische Leitlinie unmittelbar zu; das gilt für die ersten sechs Kapitel des Jeremiabuches, einem Komplex, der sich mit einem dichten Gewebe von Erinnerung, gegenwärtiger Beobachtung und Erwartung immer wieder auf die Geschichte bezieht. Ganz am Anfang dieses Textkomplexes, in den ersten drei Versen des Buches, wird der Leser mit dem zeitlichen Rahmen und dem geschichtlichen Kontext vertraut gemacht.

Das Jeremiabuch beginnt mit den Worten דברי־ירמיהו. Eine Verbindung zwischen der Pluralform von דבר im Status constructus und einem Prophetennamen ist am Anfang eines Prophetenbuches ungewöhnlich, aber nicht einmalig, wie das Amosbuch in 1,1 zeigt. In Jer. 1,1 folgen wie bei anderen Prophetenbüchern eine Filiationsangabe[1] (Sohn des Hilkija) und ein Herkunftsvermerk, der die Verbindung zu einer Sozietät ("von den Priestern") und geographische Angaben ("Anatot im Lande Benjamin") beinhaltet.

An den Nominalsatz von V. 1 schließt sich mit V. 2a ein Verbalsatz an, der durch אשר eingeleitet wird. Ihn als Relativsatz zu bezeichnen,[2] ist mißverständlich: Zwar wird ein אשר-Satz häufig in der Übersetzung als Relativsatz wiedergegeben, אשר ist aber kein flektierbares Relativpronomen, sondern eine Nota relationis[3], die eine Beziehung zweier im parataktischen Verhältnis stehender

---

1 Vgl. Jes. 1,1; Ez. 1,3; Hos. 1,1; Joel 1,1; Jona 1,1. In Sach. 1,1 wird die Genealogie bis zum Großvater geführt, in Zef. 1,1 noch darüber hinaus.

2 S. z.B. W. Rudolph, Kommentar, 2; W. Thiel, Die dtr. Redaktion von Jer. 1-25, 49ff.; Chr. Levin, Noch einmal: die Anfänge des Propheten Jeremia, VT 31 (1981) 430.

3 Zum ersten Mal ausführlich begründet durch C. Gaenssle, The Hebrew Particle אשר, AJSL 31 (1914/15) 3-66.93-159 = The Hebrew Particle אשר, Diss. Chicago 1915.

Sätze bzw. Satzteile anzeigt, aber nicht herstellt.[4] In diesem
אשר -Satz, in dem eine suffigierte Präposition (אליו) einen
expliziten Bezug zu V. 1 ("Jeremia") herstellt, steht in Subjektposition דבר־יהוה. Das Wortgeschehen (היה), das der Verbalsatz V. 2a nennt, wird zunächst mit einer allgemeinen Zeitangabe verbunden: "in den TagenJoschijas, des Sohnes Amons, des
Königs von Juda", wobei die Pluralform von יום im Status constructus in Verbindung mit einem Königsnamen die Regierungszeit
des jeweiligen Königs im Blick hat.[5] Zur Verdeutlichung wird
dann in V. 2b appositionell eine speziellere Zeitangabe hinzugefügt ("im 13. Jahr seines Königtums"), deren Konsistenz im
Zusammenhang der gesamten Datierung durch das am Infinitiv an-
gefügte enklitische Personalpronomen gesichert wird.

Der Übergang von V. 1 zu V. 2 erfordert noch eine Erklärung, da das pa-
rataktische Satzgefüge den Modus der Verbindung unberücksichtigt läßt. Aus-
nahmslos und ohne eine andere Möglichkeit zu erwägen, wird in den Untersuchungen und Kommentaren V. 2a in der Übersetzung als Relativsatz wiedergegeben, dessen Beziehungswort das Nomen proprium "Jeremia" am Anfang von V.
1 ist, das durch einen pronominalen Rückverweis im אשר -Satz wieder aufgenommen wird. Zumindest für den vorliegenden Zusammenhang ist das keine "na-
heliegende" Lösung, weil das postulierte Beziehungswort weit vom אשר-Satz
entfernt steht.
Ein alternatives Verständnis kann von der Ambivalenz der Relativpartikel
אשר ausgehen. Ohne an dieser Stelle die etymologischen und semantischen
Probleme im einzelnen zu analysieren, wird man sagen können, daß die Partikel אשר kein ursprüngliches Demonstrativelement (6) ist, sondern mit der
akk. Subjunktion "ašar" zusammenhängt,(7) die im Akkadischen Lokalsätze einleitet,(8) während das in poetischen Texten und in jüngeren Prosatexten verstärkt auftretende proklitische Relativum ש dem determinativen akk. "ša"
bzw. "šu" entspricht.(9) Die Verwendungsweisen entsprechen sich ebenfalls:

---

4 R. Meyer, Grammatik III, § 115; R. Meyer schlägt für den אשר-Satz die
Bezeichnung "Attributsatz" vor.

5 E. Jenni, in: THAT I, 718.

6 So z.B. Ges.-K., § 36; § 138; § 155a. Vgl. dagegen C. Gaenssle, The Hebrew
Particle אשר.

7 Von ašru "Ort"; s. G. Bergsträßer, Das hebräische Präfix ש , ZAW 29 (1909)
40-56; C. Gaenssle, AJSL 31 (1914/15) 21ff.; AHw. I, 82ff.; R. Meyer, Grammatik II, § 31,3, Grammatik III, § 115,4a.

8 GAG, § 175a. Im Ugaritischen ist ảtr als Nomen ("Ort", "Stelle", WUS Nr.
476, UT Nr. 424) belegt, vielleicht auch als lokales Verbindungslexem ("wo")
in RS 18.38 = PRU 5,60, 34-35; vgl. dazu M. Dietrich/O. Loretz/J. Sanmartín,
Zur ugaritischen Lexikographie (VII), UF 5 (1973) 85.

9 J. Eitan, Hebrew and Semitic Particles. Comparative Studies in Semitic
Philology, AJSL 44 (1928) 177-205. 254-260; AHw. III, 1254; R. Meyer, Grammatik II, § 31,3, Grammatik III, § 115,4a.

Wie im Akkadischen "ša" in Analogie zu "ašar" auch bei Ortsbestimmungen stehen kann,(10) so im Hebräischen ‎שׁ‎.(11) Das hebräische ‎אשׁר‎, das entsprechend
dem akkadischen "ašar" als adverbieller Akkusativ im Status constructus verstanden werden kann,(12) fungiert wie das determinative ‎שׁ‎ (bzw. akk. "ša")
als Relationspartikel, ohne seine lokale Konnotation zu verlieren.(13) Kurzum: Im vorliegenden Zusammenhang kann für den ‎אשׁר‎-Satz V. 2a das Beziehungswort "Anatot" bzw. "Land Benjamin" sein: "... in Anatot, im Lande Benjamin,
wo an ihn das Wort Jahwes erging ...". Bei dieser Beziehung ist die Satzstruk-
tur so zu verstehen, daß der pronominale Rückverweis in V. 2a zwar einen Zusammenhang mit V. 1 herstellt, für den syntaktischen Bezug des attributiven
‎אשׁר‎-Satzes aber bedeutungslos ist.(14)

Die Zeitangabe von V. 2b wird in V. 3 erweitert, aber nicht
so, daß Hos 1,1 und Am. 1,1 entsprechend eine weitere Constructus-Verbindung syndetisch an die vorhergehende Zeitangabe ange-
reiht wird. Um die anschließende Wirksamkeit des Jahwewortes zu
betonen, wird vielmehr noch einmal das Verbum ‎היה‎ aufgenommen,
das in V. 3a infolge der Consecutio temporum im Imperfectum consecutivum steht. Die Zeitangabe, die in V. 2a zunächst generell
formuliert und in V. 2b dann präzisiert wird, bezieht sich auch
in V. 3 zunächst auf eine Zeitdauer (V. 3aα) und dann auf einen
Zeitpunkt (V. 3aβ). Der parallele Aufbau von V. 2 und V. 3 dürfte somit nahelegen, die spezielle Zeitangabe von V. 2b als Aus-
gangspunkt des Jahwewortes zu interpretieren. Im anschließenden
V. 4 ist noch einmal vom Wortgeschehen die Rede, jetzt aber ohne
Zeitbezug und mit Wechsel der p.

Die Beschreibung der syntaktischen Struktur läßt nicht erkennen, wo der Text 1,1-3 einheitlich ist oder nicht. Da aber
jede literarkritische Entscheidung Auswirkungen auf das Verständnis des Textes hat, der an die Situation(en) seiner Entstehung, die über seine Bedeutung mitentscheidet, gebunden ist,

---

10 GAG, § 165d.

11 S. z.B. Koh. 1,7; 11,3; Ps. 122,4.

12 Vgl. GAG, § 114t; R. Meyer, Grammatik II, § 31,3; Grammatik III, § 115,
4a.

13 Die lokale Grundbedeutung scheint bei den Übersetzungshilfen durch, die
für ‎אשׁר‎ angegeben werden, s. z.B. R. Meyer, Grammatik III, § 115,4a (98):
"wo(von gilt)".
Zu ‎אשׁר‎ im Rahmen von Ortsbestimmungen s. z.B. Gen. 13,3; Dtn. 1,31; 8,15;
2.Sam. 15,21; 1.Kön. 8,9; Jes. 64,10; Ps. 84,4; 95,8f.; 2. Chr. 6,11.

14 Ein adverbielles ‎שׁם‎ kann den Rückbezug herstellen, s. etwa Gen. 13,3;
2.Sam. 15,21; 1.Kön. 8,9; 2.Chr. 6,11; die Verbindung kann auch fehlen, s.
etwa Dtn. 1,31; 8,15; Jes. 64,10; Ps. 95,8f.; s. Ges.-K., § 138f.

muß ein Blick auf die Genesis von 1,1-3 geworfen werden. Es ist
zu fragen, ob die Hinweise zu Geschehen und Geschichte aus einer
"einmaligen" Situation resultieren oder sich einer geschichtlichen Fortschreibung verdanken, die etwa einer sukzessiven Entstehung des Jeremiabuches entsprechen könnte. Es ist weiter zu
fragen, worauf sich die Hinweise beziehen und welche zeitliche
Grenze sie meinen. Wenn dann Kap. 2-6 analysiert sind, sollen
die Antworten im Zusammenhang mit jenen Kapiteln noch einmal
aufgenommen werden.[15]

In der Regel wird eine literarkritische Trennung[16] bei den
Übergängen von V. 1 zu V. 2 und von V. 2 zu V. 3 vorgenommen,
ohne eine hinreichende literarkritische und formkritische Begründung. Anders als beim Anschluß von V. 3 an V. 2 wird man
bei der Folge von V. 1 und 2 keine Bedenken gegen die Ursprünglichkeit haben müssen. In die Diskussion um 1,2 lassen sich einige z.T. analoge Formulierungen einbeziehen, die für die Eigenständigkeit von 1,2 herhalten müssen. Es handelt sich dabei um
Jer. 14,1; 46,1; 47,1; 49,34. Alle Stellen beginnen genauso wie
1,2aβ, werden aber anders weitergeführt. Was aber noch wichtiger ist: 1,2 schließt an einen vorhergehenden Vers an, die übrigen Stellen nicht. Der Wortlaut ist von 1,2 abgesehen recht einheitlich: Das "Wort Jahwes" ergeht an "Jeremia", der in 46,1;
47,1 und 49,34, jeweils in Überschriften zu Sprüchen über fremde Völker, als "Prophet" bezeichnet wird.[17] Die einheitliche
Formulierungsstruktur, der einheitliche Kontext und die ana-
logielose Stellung des אשר -Satzes schließen 46,1; 47,1 und
49,34 in einer grammatischen Realisierung enger zusammen, die
zwar "ganz eigentümlich"[18] ist, die sich aber mit ähnlichen
Konstruktionen vergleichen läßt, in denen das Beziehungswort
in den אשר-Satz eingeflochten wird.[19] Von einer formkritischen

---

15 Dazu unten S. 306ff.

16 P. Volz (Kommentar, 1) wehrt den Verdacht der Uneinheitlichkeit mit dem
lapidaren Satz ab: "Stilunebenheiten sind bei Buchtiteln Regel ..."; vgl.
schon ders., Studien zum Text des Jeremia (BWAT 25), Leipzig 1920, 1f.

17 14,1 steht in einem anderen Kontext und hat für Jeremia nicht die Bezeichnung "Prophet". Diese Überschrift dürfte 46,1; 47,1 und 49,34 nachgebildet sein, vgl. W. Rudolph, Kommentar, 98.

18 Ges.-K., § 138e, Anm. 1.

19 E. König (Historisch-Comparative Syntax, § 414q) spricht von einer re-
gressiven Satzverflechtung; vgl. als Beispiele Num.33,4; 1.Sam. 24,19; 25,30;
2.Kön. 8,12; Ez. 12,25.28.

Parallele zu jenen Stellen kann in 1,2 keine Rede sein.[20] Der
אשר-Satz von 1,2 ist ganz und gar nicht eigentümlich.[21] Weil
der Leser am Ende von V. 1 mit einer Ortsangabe konfrontiert
wird, muß für ihn eine lokale Konnotation bei der Satzverbin-
dung am wahrscheinlichsten sein.

Über die formale Struktur hinaus existieren weitere Bedenken gegen eine ursprüngliche Verbindung von V. 1 und 2: Das
Argument, mit "Jeremia" stehe das Beziehungswort ungewöhnlich
weit vom אשר-Satz entfernt, wird durch ein Beziehungsgefüge,
wie es soeben vorgeschlagen wurde, relativiert.[22] Schwieriger
steht es um die Subjekte von V. 1 und 2, die konkurrierend wirken: V. 1 דברי־ירמיהו - V. 2 דבר־יהוה. Es hat wenig für sich,
wenn für V. 1 die Lesung der Septuaginta vorgezogen wird,[23] die
Τὸ ῥῆμα τοῦ θεοῦ, ὅ ἐγένετο ἐπὶ Ιερεμιαν κτλ.liest, mit V. 2a
aber (ὅς ἐγενήθη λόγος τοῦ θεοῦ πρὸς αὐτὸν κτλ.) eine unverständliche Wiederholung von V. 1 bringt. So dürfte gleichsam
die Lectio difficilior des MT vorgezogen werden, die Septuaginta-
Lesart aber als Angleichung an andere Prophetenbücher wie Hos. 1,1;
Joel 1,1; Micha 1,1; Zef. 1,1 erklärt werden.[24] Ebensowenig überzeugt die Meinung, die die Entstehung von V. 2 als nachträglichen Ausgleich mit V. 1 in Anlehnung an die gerade genannten
Prophetenbücher erklärt.[25] Ihre Harmonisierung resultiere "aus

---

20 P.K.D. Neumann (Das Wort, das geschehen ist ... Zum Problem der Wortemp-
fangsterminologie in Jer. I-XXV, VT 23, 1973, 171-217) isoliert 1,2 und "Parallelen" (172 und 193ff.) und bestimmt die Stellen als Formel, die Teilkompo-
sitionen einleiten sollen. Die Sprachgestalt vergleicht er mit Jer. 29,1 (ואלה
דברי הספר) und Dtn. 1,1 (אלה הדברים אשר). Das ist grammatisch möglich, steht aber nicht da.

21 Eine mit 1,2 vergleichbare Formulierungsstruktur liegt in 1.Kön. 18,31
vor; dort steht allerdings keine Ortsbestimmung.

22 Das Problem erledigt sich ebenfalls, wenn man die Herkunftsbezeichnung in
V. 1b als Glossierung versteht, so z.B. K.Budde, Über das erste Kapitel des
Buches Jeremia, JBL 40 (1921)23ff.; B. Duhm, Kommentar, 2; W. Thiel, Die dtr.
Redaktion von Jer. 1-25, 50. Als Nachtrag läßt sich aber V. 1b weder literar-
kritisch noch formkritisch begründen. Wenn der Wortlaut nachgetragen "wirkt"
(W.Thiel, Die dtr. Redaktion von Jer. 1-25, 50), so kann das auf stilistischer
Ungeschicklichkeit beruhen, ein literarkritisches Kriterium ist das jedenfalls
nicht. Das Verfahren, die Herkunft des Propheten zu kennzeichnen, ist nicht
singulär, wie Micha 1,1 und Am. 1,1 zeigen.

23 So z.B. K. Budde, JBL 40 (1921) 23; C.H. Cornill, Kommentar, 2f.; F.
Horst, Die Anfänge des Propheten Jeremia, ZAW 41 (1923) 97f.

24 So schon P. Volz, Studien zum Text des Jeremia, 1f.; ders., Kommentar, 1;
W. Rudolph, Kommentar, 2; W. Thiel, Die dtr. Redaktion von Jer. 1-25, 43 Anm. 3.

25 W. Thiel, Die dtr. Redaktion von Jer. 1-25, 51. Dabei schreibt er V. 2 auf
das Konto der dtr. Redaktion des Jeremiabuches (ebenda).

einem theologischen Anliegen: Die in 1 genannten Prophetenworte
sollen unmißverständlich als Jahwewort gekennzeichnet werden.
Ein gleiches Interesse verrät sich in der Formulierung aller
Überschriften dieses Typs (Hos. 1,1 etc.). Hier zeigt sich eine
verstärkte Reflexion, die das Phänomen der falschen, d.h. nicht
jahwegewirkten Prophetie kennt und ihm Rechnung trägt. Die ursprüngliche Unbefangenheit, mit der ein Prophetenname an die
Spitze der Sammlung seiner Sprüche gestellt werden konnte, scheint
geschwunden."[26]

Woran ist gedacht? Sicher an Jes. 1,1 (חזון ישעיהו) und an
Am. 1,1 (דברי עמוס). Nun ist aber das Amosbuch, das einen dem
Jeremiabuch entsprechenden "profanen" Anfang aufweist, offenbar
in dtr. Kreisen redigiert worden,[27] die ein fundamentales Interesse am דבר־יהוה hatten,[28] am Anfang des Amosbuches sich aber
offenbar nicht zu einer "Korrektur" veranlaßt sahen,[29] die im
übrigen auch der Übersetzer der Septuaginta an dieser Stelle
nicht vornahm: Die דברי עמוס werden weder eliminiert noch durch
Formulierungen harmonisiert, die anderen Prophetenbucheingängen
entsprechen, sondern durch die Übersetzung λόγοι Ἀμῶς in ihrem
ursprünglichen Kontext belassen.

Das Urteil einer nachträglichen Verknüpfung von V. 1 und 2
kann sich also weder auf Überlegungen zur Syntax berufen noch
auf traditionskritische Hinweise. Wenn Jer. 1,2 mit einem dtr.
Verfasser in Beziehung gebracht wird, weil der "Typ" der Formulierung von Hos. 1,1 (parr.) auftrete, bei jenen Büchern aber
eine dtr. Verfasserschaft sicher scheint,[30] dann ist zum einen
die Typik überstrapaziert, weil die konkrete Datierung von Jer.
1,2b ohne Parallele ist;[31] zum anderen aber ist die dtr. Ver-

---

26 W. Thiel, Die dtr. Redaktion von Jer. 1-25, 51.

27 H.W. Wolff, BK XIV/2, 137f. und passim; W.H. Schmidt, Die deuteronomistische Redaktion des Amosbuches, ZAW 77 (1965) 168-192; neuerdings auch
P. Weimar, Der Schluß des Amos-Buches. Ein Beitrag zur Redaktionsgeschichte
des Amos-Buches, BN 16 (1981) 60-100, s. 88f.

28 G. von Rad, Theologie des Alten Testaments, Bd. I, 346ff., Bd. II, 103f.

29 W.H. Schmidt (ZAW 77, 1965, 169ff.) rechnet auch mit einer dtr. Bearbeitung von Am. 1,1.

30 So W. Thiel, Die dtr. Redaktion von Jer. 1-25, 51 und Anm. 12 mit Verweis auf H.W. Wolff, BK XIV/1, 1ff.

31 Ein weiterer Unterschied sei genannt: In Hos. 1,1 und Micha 1,1 werden

fasserschaft nicht zuletzt deshalb unsicher, weil sich zwar
das Denken dtr. Kreise wesentlich auf den דבר־יהוה konzentrierte, darin aber prophetisches Erbe antrat.[32] Es liegt ebenso nahe, die einführenden Verse des Jeremiabuches auf prophetische Kreise zurückzuführen, die nicht mit dtr. Ideen sympa-
thisiert haben müssen.

Soweit zu dem Zusammenhang von Vers 1 und Vers 2. Bedenken
hat schließlich auch der Übergang von V. 2 zu V. 3 hervorgerufen. Das ist ernst zu nehmen, auch wenn die Argumente nicht
zwingend sind. Die Begründung beruft sich auch an dieser Stelle auf die Ästhetik sprachlicher Form: "Die chronologischen
Angaben in 2 3 sind nicht geschickt stilisiert ..."[33]

Freilich, in V. 2 wird ausschließlich e i n Jahr aus der
Regierungszeit Joschijas genannt, in V. 3 aber ohne nähere Angabe
die gesamte Regierungszeit Jojakims und Zidkijas, deren Ende
auf den Monat genau festgesetzt wird. Mit anderen Worten: Es
fehlen 18 Jahre aus der Regierung Joschijas, die Zeit des Joahas,
des Jojachin und schließlich die Zeit der exilischen Wirksamkeit Jeremias.

Das 13. Jahr Joschijas, von dem in V. 2 die Rede ist, wird noch
einmal in 25,3 erwähnt, in einer Formulierung, die unmißverständlich ist. Vom (מן) 13. Jahr Joschijas... bis zu diesem Tag.[34]
Die Präposition מן steht aber nicht in 1,2, das Verständnis
"s e i t seinem 13. Jahr"[35] ist ohne Textgrundlage. So ist der
Anschluß von V. 3, der umständlich mit ויהי einsetzt und dann
schließlich die Präposition עד bringt, unter der Voraussetzung,
daß der Verfasser von V. 1f. seine Aussageabsicht fortsetzt, stilistisch bedenklich. Die "Lectio difficilior" könnte allerdings
beabsichtigt sein, aller Nachdruck läge dann auf dem e r s t e n

---

in asyndetischer Aufzählung die "Könige Judas" genannt, die im Jeremiabuch
auf 1,2 und 1,3 aufgeteilt sind, wobei jeder einzelne das Attribut "König
von Juda" erhält. Die Datierung des Zefanjabuches hat keine Beweiskraft,
weil nur e i n König genannt wird (1,1); in Joel 1,1 fehlt eine zeitliche
Einordnung.

32 G. von Rad, Theologie des Alten Testaments, Bd. II, 89ff., vor allem
103f.

33 B. Duhm, Kommentar, 3; schon K.H. Graf (Kommentar, 4) spricht von dem
"nur lose angehängten V. 3".

34 Vgl. auch 36,2: Seit (מן) den Tagen Joschijas bis zu diesem Tag.

35 Chr. Levin, VT 31 (1981) 431.

Wortgeschehen, das nicht ohne weiteres mit weiteren Wortgeschehen verrechnet wird, weil nicht eine lückenlose Folge do-
kumentiert werden soll, die gleichsam durch regelmäßige Ein-
schnitte auf einer Zeitgeraden repräsentiert würden. Die Datierung von V. 2 bezieht sich auf den sogenannten Berufungsbericht von 1,4ff,[36] dessen zeitliche Fixierung aber nicht auf
einer Zeitlinie verortet wird, im vorliegenden Zusammenhang
also weniger einen "A u s g a n g s punkt"[37] darstellt als einen Eingang in die prophetische Tätigkeit. Paraphrasierend ließe sich V. 2b übersetzen: " ... zum ersten Mal im 13. Jahr seiner Königsherrschaft". Das schließt weitere Wortgeschehnisse
zur Zeit Joschijas und seiner Nachfolger nicht aus.

Es bleiben aber Zweifel. Die Exklusivität von V. 2b ist so
dominant, daß die "Ergänzungen" in ihrer stilistisch gezwunge-
nen Form eher als Nachtrag verstanden werden müssen, auch wenn
man davon ausgeht, daß sich die "bruta facta" historischer Daten nicht in das Prokrustesbett literarischer Kunstprosa zwingen lassen müssen. Kurzum: Die punktuelle Orientierung von V.
1f. ist wohl nachträglich durch V. 3 in einen größeren historischen Zusammenhang gestellt worden, der allerdings nicht unmittelbar verständlich ist.

Nach V. 3 ist das Jahwewort an Jeremia (auch) zur Zeit Jojakims ergangen, bis ins 11. Jahr der Regierung Zidkijas, und
zwar genau bis zum תם des 11. Jahrs Zidkijas, was durch eine
Apposition in V. 3b anscheinend präzisiert wird: "bis zur Wegführung Jerusalems im 5. Monat".

Die Frage ist, ob der Verfasser von V. 3b wirklich eine zeitliche Präzisierung bzw. Umschreibung von V. 3a bietet oder vielmehr V. 3b im wahrsten Sinne des Wortes eine Beifügung ist, die
die Datierung von V. 3a, vielleicht ungewollt, korrigiert.

Der hebräische Text weist in V. 3a einen Infinitiv der Wurzel
תמם auf, die im Qal die Bedeutung "vollständig, zu Ende sein/
kommen" trägt.[38] Das bedeutet - auch im Hinblick auf entsprechende Kontexte, in denen תמם und שנה zusammen auftreten - [39]

---

36 Daß das konkrete Datum ursprünglich über dem "Berufungsbericht" gestanden hat, machen die Parallelen Jes. 6,1 und Ez. 1,1 sehr wahrscheinlich.

37 Chr. Levin, VT 31 (1981) 431.

38 Ges.-B., 882; KBL, 1032.

39 Dieselbe Formulierung (עד-תם) liegt in Lev. 25,29 vor, s. auch Gen.
47,18; Ps. 102,28, mit ימים Dtn. 34,8.

für die Wendung "bis zum קם des 11. Jahres", an das Ende des
11. Jahres Zidkijas zu denken. Dabei sind zwei Verständnismöglichkeiten zu erwägen, vielleicht sogar drei.

Entweder meint קם das a b g e l a u f e n e 11. J a h r
Zidkijas; dann ergibt sich ein Widerspruch zu Jer. 39,2; 52,5f.,
weil zwar im 11. Jahr Zidkijas, aber schon im 4. Monat eine Bre-
sche in die Stadtmauer geschlagen wurde. Oder aber קם reflektiert die a b g e l a u f e n e R e g i e r u n g s z e i t ,
die nicht mit dem Jahresende zusammenfallen muß. Diese Lösung
kann sich auf Überlegungen zu den Datierungsprinzipien[40] am Ende der Königszeit berufen, in der mit der sogenannten Vordatierung gerechnet werden könnte,[41] bei der dem Herrscher sein letztes Regierungsjahr in jedem Falle als v o l l e s Jahr zuge-
wiesen wird. Dann wäre zunächst noch offen, wann das E n d e
des 11. Regierungsjahrs Zidkijas anzusetzen ist. Denkbar ist
auch eine Vermittlung zwischen jenen beiden Positionen: Man geht
zwar von dem babylonischen Usus einer nachdatierenden Chronologie aus - das letzte Jahr des Herrschers wird als volles Jahr
gerechnet; als erstes volles Jahr des Nachfolgers gilt erst das
Jahr, das nach dem Thronwechsel mit dem Jahreswechsel beginnt, -
man rechnet also mit einer Nachdatierung und mit einem in Israel
zumindest für die frühe Königszeit üblichen Jahresbeginn im Herbst,
behauptet aber für die letzten Kapitel des 2.Königsbuches und die
entsprechenden Passagen im Jeremiabuch einen bürgerlichen Kalen-
der mit einem vordatierenden System und einen Jahresbeginn im

---

40 S. zu den kalendarischen und chronologischen Problemen die Erläuterungen
bei S. Herrmann, Geschichte Israels, 235 mit Literatur, und die Bemerkungen
in: Israelite and Judaean History, 678ff. mit Literatur.

41 Während für den assyrisch-babylonischen Bereich die Vordatierung ausgeschlossen ist, hat Ägypten offenbar zur Zeit der 26. Dynastie (wie schon in
früherer Zeit) vordatiert, s. A. Jepsen, Zur israelitisch-jüdischen Chronologie, VT 18 (1968) 35. In der späten judäischen Königszeit ist eine Vordatierung unwahrscheinlich; andernfalls kämen Jojakim und Zidkija auf 12 Re-
gierungsjahre und nicht auf 11 Jahre, wie 2.Kön. 23,36 bzw. 2.Kön. 24,18
richtig voraussetzen, s. im einzelnen A. Jepsen/R. Hanhart, Untersuchungen
zur israelitisch-jüdischen Chronologie,BZAW 88,Berlin 1964, 21ff.; K.T. Andersen, Die Chronologie der Könige von Israel und Juda, Studia Theologica
23 (1969) 108ff.; K.S. Freedy/D.B. Redford, The Dates in Ezekiel in Relation to Biblical, Babylonian and Egyptian Sources, JAOS 90 (1970) 426ff.
bes. 464f. und Anm. 17; zu den chronologischen Problemen am Ende der Königszeit s. neuerdings E. Kutsch, Die chronologischen Daten des Ezechielbuches
(OBO 62), Freiburg,Schweiz/Göttingen 1985, bes. 10ff.

Frühjahr und sieht darin "an astute scribal compromise between the calendrics of the victor and the chronology of the vanquished"[42]. In Jer. 1,3 fiele dann das Ende des 11. Jahrs Zidkijas in der Tat mit dem Jahresende zusammen, falls dem Verfasser der traditionelle Jahresbeginn im Herbst vorschwebte.

Eine sichere Entscheidung ist kaum möglich, nur soviel wird man sagen können: Es geht um das E n d e   d e r   R e g i e - r u n g s z e i t   Z i d k i j a s , תם wird also nicht bedeuten können: "die volle Regierungszeit Sedekias hindurch oder als Endtermin der Wirksamkeit Jeremias"[43]; ebensowenig ist תם "Epitheton ornans" und damit für den Sinnzusammenhang entbehrlich.[44]

Die Frage ist dann aber, wie sich diese Zeitbestimmung zu V. 3b verhält. Wenn sie nur eine Variante ist, bietet V. 3b eine "Umschreibung", die die allgemeine Aussage von V. 3a konkretisiert und veranschaulicht. Aber was ist, wenn die "Ereignisse" von V. 3a und V. 3b konkurrieren?

Ein Vergleich der beiden Zeitangaben ergibt folgendes: Das "Ende" Zidkijas kann nach dem 25. Kapitel des 2.Königsbuches mit der Ergreifung des Königs im Gebiet von Jericho und mit seiner Blendung vor Nebukadnezzar in Ribla und seiner Verschleppung nach Babylonien identifiziert werden (V. 4-7). Das geschieht im 4. Monat des 11. Jahres Zidkijas, so Jer. 39,2(ff.) und Jer. 52,5.6(ff.). Weitere Ereignisse schließen sich an: Der Tempel wird geplündert und zusammen mit dem Königspalast und anderen Gebäuden in Asche gelegt, die Stadtmauern abgetragen, Teile der Bevölkerung deportiert.

Nach Jer. 39,8f. folgt das alles offenbar unmittelbar den Ereignissen um Zidkija, nach 2.Kön. 25,8 und Jer. 52,12 aber erst einen Monat später, also im 5. Monat. Mit anderen Worten: Einen Widerspruch[45] zwischen Jer. 1,3a und 1,3b empfindet nur der, für den das Ende des 11. Regierungsjahrs Zidkijas mit seiner Gefangennahme im 4. Monat identisch ist. Wer einen Dissenz zwischen V. 3a und V. 3b aufgedeckt zu haben glaubt, muß V. 3b aus dem

---

42 So K.S. Freedy/D.B. Redford, JAOS 90 (1970) 467.

43 P. Volz, Kommentar, 2.

44 So etwa K.H. Graf, Kommentar, 3.

45 S. z.B. B. Duhm, Kommentar, 4; F. Giesebrecht, Kommentar, 2; W. Eichrodt, Kommentar, 3.

ursprünglichen Text herausnehmen. Aber ist hier nicht eher die
Deportation der Bewohner Jerusalems als entscheidender Schluß-
punkt der Zeit Zidkijas verstanden worden, obwohl Zidkija selbst
schon einen Monat früher gefangen genommen wurde? Der Gedankengang von 2.Kön. 25 bestätigt das: Nach der Belagerung (V. 1-3)
und Eroberung Jerusalems (V. 4)werden dieGefangennahme Zidkijas,
das Schicksal seiner Söhne und sein eigenes weiteres Schicksal
geschildert (V. 5-7), danach die Einäscherung von Tempel und Palast und anderer Gebäude, die Abtragung der Stadtmauer (V. 8-10),
die Wegführung eines Teils der Bevölkerung (V. 11f.), die Erbeu-
tung der Tempelgeräte (V. 13-17) und schließlich die Wegführung
und Tötung von Angehörigen der Oberschicht und Angehörigen des
עם הארץ , die in Jerusalem angetroffen wurden (V. 18-21). Abgeschlossen wird der Bericht, der das E n d e Zidkijas, seiner
Stadt, seines Palastes, seines Tempels und eines Teils der Be-
wohnerschaft schildert, in V. 21b durch einen Satz, der in nüch-
ternem Stil das Wesentliche zusammenfaßt: ויגל יהודה מעל אדמתו[46].
Die Deportation wurde offenbar als "offizieller " Abschluß bzw.
Beginn einer Epoche[47] empfunden. Das ist die Meinung des Verfassers von 2.Kön. 25 und wohl auch das Verständnis des Verfassers
von Jer. 1,3, der die Deportation des Volkes und des Königs zeitlich zusammenzieht, weil sie sachlich zusammengehören. Zweifellos bleibt so eine Differenz von einem Monat.

Die einzelnen Daten stehen im 2.Königsbuch und im Jeremiabuch.
Es scheint nicht so, daß der Verfasser von Jer. 1,3 sie gekannt
hat; zumindest ist er nicht von ihnen abhängig: In Jer. 1,3 wird
die Deportation durch einen Infinitivus constructus von גלה bezeichnet. Das ist ungewöhnlich, weil in entsprechenden Zusammenhängen als nominale Form[48] durchweg גָּלוּת vorgezogen wird, so in
2.Kön. 25,27; Jer. 24,5; 28,4; 29,22; 40,1; 52,31; Ez. 1,2; Ob.
20. Ein denkbarer Irrtum der Masoreten bei der Punktation von
גלות ist unwahrscheinlich, denn die Lesung der Septuaginta ent-

---

46 Subjekt ist Nebukadnezzar.Mit V. 22 setzt ein neuer Abschnitt ein, der
die Ereignisse um Gedalja erzählt.

47 Mit der Deportation wird die Zeit gleichsam angehalten (ἐπέχειν).
Die epochale Bedeutung der Deportation zeigt sich in der Bezeichnung der
ihr folgenden Jahre als Exilszeit.

48 Finite Formen der Wurzel גלה im Zusammenhang einer Deportation sind
vorherrschend, s. z.B. 2.Sam. 15,9; 2.Kön. 17,23; 24,14; 25,21; Jes. 5,13;
49,21 u.a.m.

spricht dem masoretischen Verständnis:

1,3	αἰχμαλωσίας Ιερουσαλημ
24,5	ἀποικισθέντας Ιουδα
35,4 (= MT 28,4)	τὴν ἀποικίαν Ιουδα
36,22 (= MT 29,22)	ἐν πάσῃ ἀποικίᾳ Ιουδα
47,1 (= MT 40,1)	ἐν μέσῳ ἀποικίας Ιουδα
52,31	ἔτει ἀποικισθέντος τοῦ Ιωακιμ

Die Septuaginta hat also dem MT entsprechend in 1,3 eine von
allen übrigen Stellen abweichende Übersetzung. Noch etwas anderes fällt auf: Nach 24,5; 28,4; 29,22 wird "Juda" in die Ver-
bannung geführt, nach 40,1 "Jerusalem und Juda", also nie "Jerusalem" allein, obwohl gerade diese Formulierung den historischen Gegebenheiten am nächsten kommen könnte, wenn man die
Überlieferung 52,31 heranzieht, die wegen der geringen Zahl
der Deportierten vertrauenswürdig erscheint.[49] Schließlich
scheinen auch V. 11f. und V. 18-21 in 2.Kön. 25 ausdrücken zu
wollen, daß im wesentlichen Bewohner Jerusalems exiliert wurden.

Der Chronograph, der 1,3 mit 1,1f. verbunden hat, orien-
tiert sich also an Jerusalemer Verhältnissen. Er informiert
den Leser über die Wirksamkeit Jeremias, die für ihn nicht
nur einen präzisen Anfang, sondern auch ein genau bestimmbares
Ende hat. Sie hat aber nicht nur eine ereignisgeschichtliche,
sondern auch eine geographische und kollektiv - institutionelle
Dimension, die jene Wirksamkeit bedingt und ermöglicht. Alle
Faktoren zusammen sind eine erste "umfassende" Information,
in der sich die Erfahrung unterschiedlicher Zeitformen widerspiegelt.

2. Die Zeitebenen von Jer. 1,1-3: Jeremias geographischer, sozialer und ereignisgeschichtlicher Ort

Der Mensch erlebt sich und seine Umwelt auf unterschiedlichen Zeitebenen.[50] Die verschiedenen Tempi des Wandels prägen

---

49 S. dazu S. Herrmann, Geschichte Israels, 348.

50 S. dazu das grundlegende Werk von F. Braudel, La Méditerranée et le
monde méditerranéen à l'époque de Philippe II, 2 Bde., 2. Aufl., Paris
1966. Eine theoretische Begründung der unterschiedlichen Zeiterfahrungen

auch Jer. 1,1-3. Da steht Jeremia zunächst einmal in seiner Beziehung zur geographischen (und klimatischen) Umwelt, die eine gleichsam unbewegliche Geschichte repräsentiert; benannt wird sein Heimatort Anatot zusammen mit dem Stammesgebiet, in dem der Ort liegt, ebenso Jerusalem, die Hauptstadt des judäischen Territoriums. Weiter wird Jeremia in den Rahmen kollektiver Verhältnisse gestellt, die sich in langsamen Rhythmen bewegen: Angesprochen werden soziale und administrative Faktoren, die in Jeremias priesterlicher Abstammung und in der Erwähnung der Könige zum Ausdruck kommen. Und schließlich wird Jeremia in die raschen Schwingungen der Ereignisgeschichte gestellt: Erwähnt werden sein auf das Jahr genaue Berufungsdatum und die ebenfalls auf das Jahr genaue Beendigung seiner Tätigkeit, die mit der "Wegführung Jerusalems" verbunden wird.

In nuce sind also die unterschiedlichen Tempi des Wandels am Anfang des Buches berührt. Das braucht nicht beabsichtigt zu sein, denn die Wechselwirkungen von Dauer und Wandel können zwar als bewußte Formen des Geschehens, aber auch als unbewußte Faktoren der Geschichte verstanden werden.

Zunächst zur geographischen Zeit: Wie bei den Propheten Amos (1,1) und Micha (1,1) wird bei Jeremia der Herkunftsort am Anfang des Buches (1,1) genannt: Anatot.

Wenig angefochten wurde bisher die Identifizierung der Ortslage durch A. Alt im Jahre 1926 anläßlich eines Berichts über den Lehrkurs des "Deutschen Evangelischen Instituts für Altertumswissenschaft des Heiligen Landes zu Jerusalem" im Jahre 1925. (51) A.Alt legte den Namen Anatot (52) bei seinem

---

liefert er in dem programmatischen Aufsatz: Histoire et Sciences sociales: la longue durée, Erstabdruck in: Annales. Economies, sociétés, civilisations 13 (1958) 725-753, häufig wieder abgedruckt.

51 PJ 22 (1926) 23f. Neuerdings wird von israelischen Forschern die chirbet der es-sidd, ungefähr 1 1/2 km ö von ʿanata gelegen (Karte: Israel 1:100000, Sheet 11-12:1762.1354), vorgeschlagen, s. Y. Hoffmann, Das Buch Jeremia, Enzyklopädie ʿOlam Hattanach 11 (1983) 20-23 (hebr.); A. Biran, Zum Problem der Identität von Anatot, ErIs 18 (1985) 209-214 (hebr.).

52 Hebr. עֲנָתוֹת, Septuaginta: Αναθωθ, Vulgata: Anathoth. Der Name, der mit der westsemitischen Liebes- und Kriegsgöttin Anat zusammenhängt, die vor allem aus dem Baal-Anat-Zyklus aus Ugarit bekannt ist, bereitet Schwierigkeiten, denn scheinbar ist an die feminine Endung noch ein femininer Plural angefügt. W. Borée (Die alten Ortsnamen Palästinas, 49) hält die Endung ות für das Substitut des Nomens בַּיִת (vgl. בֵּית עֲנָת); vgl. auch M. Noth, HAT 7, 149: Extensiv-Plural (vgl. Ges.-K., § 124a). Nimmt man die kanaanäische Herkunft des Namens ernst, wird man ein ursprüngliches -ut ansetzen können (zur Aussprache von u als o im Kanaanäischen s. S. Moscati, Introduction, 49). Dann wäre in Analogie zum Akkadischen, wo das feminine

Identifizierungsvorschlag zugrunde, fand aber bei der den alten Namen tragenden Ortschaft ᶜanata nö von Jerusalem keinen entsprechenden Siedlungsschutt, dafür aber einen von der Eisen- bis zur byzantinischen Zeit reichenden Scherbenbelag auf dem 55 m höher und 800 m ssw von ᶜanata gelegenen ras el-charrube (53).

10 Jahre später startete ein Unternehmen der "American Schools of Archaeology" und prüfte den Lokalisierungsvorschlag A. Alts. Eine Gruppe führte Probegrabungen in ᶜanata durch, eine andere auf dem ras el-charrube, mit dem Ergebnis, daß man in ᶜanata eine einzige Scherbe, ein Randfragment einer größeren Schale, aus der Eisen II - Zeit(54) fand, - die Masse des Scherbenbelags wies auf die hellenistische, römische und byzantinische Zeit(55) - während man in den zahlreichen Höhlen des ras el-charrube Scherben fand, die von der Eisen I - Zeit bis zur persisch-hellenistischen Zeit reichten, in Ausnahmen sogar bis in die römische Zeit. In zwei Zisternen wies der Keramikbefund auf eine Zeitspanne vom Ende der Eisen I - Zeit bis zur byzantinischen Zeit, mit einem offensichtlichen Schwerpunkt zum Ende der Eisen II - Zeit hin. Bei den Probegrabungen auf dem ras el-charrube wurden keine stratigraphischen Ergebnisse erzielt. Die Besiedlungsgeschichte, durch den Scherbenbefund erhoben, reicht offenbar von der Eisen I - Zeit bis mindestens zur persisch-hellenistischen Zeit mit eindeutigem Schwerpunkt zwischen 800 und 600 v. Chr.(56)

Die Archäologen, die ras el-charrube überprüften, zeigten Zurückhaltung bei der Identifizierung der Ortslage,(57) W.F. Albright jedoch sah sich aufgrund des Befundes gedrängt, in einer "Additional Note"(58) zur Publikation der Probegrabungsergebnisse A. Alts Identifizierungsvorschlag zu bestätigen. Er stellte den positiven Keramikbefund heraus und verwies auf weitere Besuche der Ortslage durch die "American School", die das Ergebnis durch Oberflächenuntersuchungen im wesentlichen bestätigten, allerdings den dichtesten Keramikbefund für die persisch-hellenistische Zeit feststellten. Nicht nachgewiesene Gebäudereste erklärte W.F. Albright mit einer an den tell el-ful anknüpfenden Erosionshypothese,(59) die er im konkreten Falle mit der unbefestigten Lage des Ortes an der Wasserscheide begründete.

---

t vor der Endung ūt zuweilen erhalten bleibt (s. GAG, § 56s, vielleicht ohne ח in כרית ענות Jos. 15,59 = chirbet bet ᶜenun sö Ḥalhul), an ein insbesondere bei Namen vorkommendes Zärtlichkeitsafformativ zu denken, s. J. Stamm, Die akkadische Namengebung, MVAeG 44, Leipzig 1939, Nachdruck Darmstadt 1968, 113; GAG, § 56s. Anat ist ja nicht nur Kriegsgöttin, sondern auch die Geliebte Baals, deren attraktive Schönheit gerühmt wird und die oft in ihrer Jugendlichkeit als btl (Jungfrau) bezeichnet wird, s. mit Stellennachweisen H. Gese u.a., Die Religionen Altsyriens, 157; U. Winter, Frau und Göttin, 235ff.543f.

53 Karte: Israel 1:100000, Sheet 11-12: 1745.1349. Der Name bedeutet "Die Spitze des Johannisbrotbaums (Ceratonia siliqua, arab. charrub). Einen Johannisbrotbaum hat A. Alt (PJ 22, 1926, 23f.) offenbar nicht mehr gesehen, jedenfalls sagt er davon nichts.

54 S. den Überblick zu den Kulturperioden bei H. Donner, Einführung in die biblische Landes- und Altertumskunde, 48ff. und V. Fritz, Einführung in die biblische Archäologie, Darmstadt 1985, 69ff. Die Eisen II - Zeit reicht von etwa 1000 bzw. 900 bis 600 v. Chr.

55 E.P. Blair, Soundings at ᶜAnâtā (Roman Anathoth), BASOR 62 (1936) 18-21.

56 A. Bergman, Soundings at the Supposed Site of Old Testament Anathoth, BASOR 62 (1936) 22ff.

57 A. Bergman, BASOR 62 (1936) 24; ders., The Identification of Anathoth, Bulletin of the Jewish Palestine Exploration Society 4 (1936/37) 11ff. (hebr.).

58 BASOR 62 (1936) 25ff.

Für die Identifizierung des alten Anatot ist die Namensent-
sprechung zwischen Anatot und ʿanata hilfreich. Wenn aber für
ʿanata keine eisenzeitlichen Indizien vorhanden sind, dann wird
man in seiner Nähe suchen dürfen und da bietet sich der ras el-
charrube mit seinen eisenzeitlichen Siedlungshinweisen an. Daß
hier keine bronzezeitliche Keramik gefunden wurde, obwohl doch
der Name Anatot auf eine voreisenzeitliche kanaanäische Bewoh-
nerschaft hinzuweisen scheint, ist kein unüberwindliches Problem, wenn man einen ursprünglich anderen Namen annimmt,[60] bzw.,
wenn in "Anatot" kanaanäische Religionsformen angedeutet sind. Auf
die Göttin Anat kann in 2.Kön. 17,31 angespielt sein; sie ist
im Alten Testament sonst allenfalls in Gestalt der "Himmelskö-
nigin" bezeugt, sofern sich die Grenzen zwischen den Gottheiten
Anat und Astarte in späterer Zeit verwischen. Bekannt ist sie
in der Gottesbezeichnung ʿAnatbetʾel u.a. bei den Juden von
Elephantine.[61]

Nach dem Keramikbefund zu urteilen, scheint der ras el-charrube nach der persisch-hellenistischen Zeit von dem größten Teil
der Bevölkerung verlassen worden zu sein und partizipiert damit
offenbar an der zur Zeit der Pax Romana häufig zu beobachtenden
Wanderung der Siedlungen von der Schutz versprechenden Berg-
kuppe[62] in niedere Lagen, eine Wanderung, die der Name mitge-
macht hätte.

Die Ortslage, die das heutige ʿanata repräsentiert, könnten die antiken
Autoren vor Augen gehabt haben, die Anatot erwähnen. Eusebius setzt in sei-

---

59 Vgl. A Bergman, BASOR 62 (1936) 22, Anm. 5. Die neueste Untersuchung
(Probegrabungen und Survey) des ras el-charrube im Jahr 1983 (Excavations
and Surveys in Israel 1983, Vol. 2, 89) hat einen Schwerpunkt des Scherbenbelags in der persischen und hellenistischen Zeit festgestellt. Für die
späte Eisenzeit nimmt sie eine recht kleine Siedlung an.

60 So W.F. Albright (American Journal for Sem. Lang. 41, 73ff. und ders.,
BASOR 62, 1936, 26), der annimmt, daß Anatot für Beth-Antothia steht.

61 Zur ʿAnamelek s. H. Gese, Die Religionen Altsyriens, 157, Anm. 413; J.
Ebach/U. Rüterswörden, ADRMLK, "Moloch" und BAʿAL ADR, UF 1 (1979) 225, Anm.
35; zur Verschmelzung von Anat und Astarte s. M. Hörig, Dea Syria. Studien
zur religiösen Tradition der Fruchtbarkeitsgöttin in Vorderasien (AOAT 208)
Neukirchen 1979, 119ff.251ff. Zu ענתביתאל neben אשמביתאל und יהו s. A.
Cowley, Aramaic Papyri of the Fifth Century B.C., Osnabrück 1967 (Nachdruck
der Ausgabe 1923), 70 (Nr. 22, Col. VII, 123-125), zum ganzen auch P. Gre-
lot, Documents Araméens d'Égypte, Paris 1972, 365.

62 S. zur Lage des ras el-charrube A. Alt, PJ 22 (1926) 23f. Jerusalem und
sein nordöstliches Gelände mit ʿanata ist abgebildet in: G. Dalman, Jerusalem und sein Gelände, 304: Fliegerbild Nr. 8.

nem im ersten Drittel des 4. Jh.s n. Chr. verfaßten Onomastikon 3 Meilen von
Jerusalem an,(63) die Hieronymus in seiner lateinischen Bearbeitung des Werkes übernommen hat.(64) Davon abweichend nennt im 6. Jh. n. Chr. der Archdiakon Theodosius(65) 6 Meilen Distanz zwischen der Hauptstadt und dem ben-
jaminitschen Ort, liegt damit aber zu hoch, bedenkt man, daß ʿanata ungefähr
3/4 bis 1 Stunde Fußweg bzw. 4 1/2 km nö von Jerusalem liegt. Die Angabe des
Eusebius trifft ziemlich genau zu.

In christlicher Zeit, als die Reden Jeremias längst Geschichte geworden
waren, hat man in Anatot, oder besser gesagt, in ʿanata Erinnerungen an den be-
rühmten Propheten gesucht: Petrus Diaconus, ein Bibliothekar des Klosters von
Monte Cassino, der im Jahre 1137 das Werk "Liber de locis sanctis" (8. Jh.)
des Beda unter Berücksichtigung einer weiteren älteren Quelle bearbeitete,
(66) bemerkt, daß in Anatot ein Turm stehe, in dem der Prophet Jeremia seine
Klagelieder gesungen habe.(67) Davon weiß sonst kein Pilger, wie auch nur der
schon erwähnte Archdiakon Theodosius erzählt, daß Jeremia in Anatot gestorben
sei.,(68) damit aber im Widerspruch zur verbreiteten Tradition steht, die Jeremias Grab in Ägypten sucht.(69) Überliefert ist schließlich auch für die
byzantinische Zeit, daß jährlich am 1. Mai zu Ehren des Propheten ein Fest
gefeiert wurde;(70) Überreste einer byzantinischen Kirche sind in der Tat bekannt.(71) für spätere Zeiten versiegen die Nachrichten über eine christliche
Prätention jeremianischer Überlieferung in ʿanata.

Vielleicht hat die Nähe Anatots zu Jerusalem ebenso auf die
jeremianischen Worte gewirkt wie das trennende Element der Öl-
bergkette, die sich einem Sperriegel gleich zwischen Jerusalem

---

63 S. die Ausgabe von E. Klostermann, Leipzig 1904, Nachdruck Hildesheim
1966, 26 (Zeile 27-29).

64 E. Klostermann, 27 (Zeile 28f.). Dieselbe Distanz nennt Hieronymus auch
in seinem Vorwort zum Propheten Hosea (S. Eusebii Hieronymi Commentariorum
in Osee Prophetam Prologus, in: J.-P. Migne, Patrologiae Latinae, Bd. 25,
818, und in seinem Kommentar zu Jeremia 11,21ff. (S. Eusebii Hieronymi Commentariorum in Jeremiam Prophetam, s. J.-P. Migne, Patrologiae Latinae, Bd.
24, 758).

65 Theodosius, De situ terrae sanctae, s. die kritische Ausgabe P. Geyers
in CSEL 39, Wien 1898, 137-150, und zwar 140, Zeile 6-8.

66 S. dazu H. Donner, Pilgerfahrt ins Heilige Land, 79f.; s. die Ausgabe
P. Geyer, CSEL 49 (1898) 105-121, auch CCSL 175 (1965) 95-103. Die parallelen Passagen von Petrus Diaconus bei I. Fraipont, CCSL 175 (1965) 252-280.

67 Bedae VII bei P. Geyer, CSEL 39 (1898) 110, Zeile 4f. Jener Turm steht
in Konkurrenz zur sogenannten Grotte des Jeremia, die vor der heutigen Alt-
stadt von Jerusalem in der Nähe des Damaskustores liegt und von der Tradition ebenfalls für den Gesang der Klagelieder durch Jeremia beansprucht wird.

68 Bei P. Geyer, CSEL 39 (1898) 140, Zeile 6-8.

69 In Taphnai (Daphne) und Alexandria (Vitae Prophetarum bzw. Johannes
Moschus), s. J. Jeremias, Heiligengräber in Jesu Umwelt (Mt. 23,29; Lk.
11,47). Eine Untersuchung zur Volksreligion der Zeit Jesu, Göttingen 1958,
108ff.

70 So das "Georgische Lektionar" und das "Armenische Lektionar", s. J. Wilkinson, Jerusalem befor the Crusades, Jerusalem 1977, 150.

71 S. "Corpus of the Byzantine Churches in the Holy Land" von A. Ovadiah,
Bonn 1970, 8 und Map 20. Noch 1914 schreibt die RB (Bd. 23) 461: "Les ruines
du sanctuaire de Jérémie au hameau de ʿA n a t a sont aujourd'hui la pro-
priété de la Société russe de Palestine".

und den ras el-charrube schiebt, von dem aus man einen weiten
Blick gegen Osten über den östlichen Abhang des benjaminiti-
schen Gebirges zum Jordan hin ebenso wie zum tell el-ful und
zur Gegend von Ramallah (el-bire) im Nordwesten und Geba und
Der Dubwan im Westen hat, während Jerusalem hinter der Ölberg-
kette verborgen bleibt.

Über die Geschichte Benjamins, in die auch die Grenzver-
schiebungen gehören, soll hier nicht gehandelt werden,[72] denn
Anatot ist davon unberührt geblieben. Nur einmal bemerkt das
Alte Testament, daß ein feindlicher Angriff für Bewegung auch
in Anatot gesorgt hat, unter der Voraussetzung, daß in Jes.
10,27b-34 keine Visionsschilderung, sondern ein realer, aus
dem Norden vorgetragener Zug auf Jerusalem zu verstehen ist,[73]
der nicht die übliche Nord-Süd-Verbindung von Sichem nach Jerusalem nahm, sondern östlich der Hauptstraße verlief. So mußte auch Anatot in Schrecken geraten, ohne daß erkennbar ist,
ob der Feind über Geba hinaus kam (V. 30). Dies mag die einzige Situation gewesen sein, in der die Bewohner des wohl unbefestigten Ortes Anatot in große Angst versetzt wurden. Jeremia kann davon gehört haben, er selbst hat ähnliches nicht erlebt.

Neben Jeremias geographischer Herkunft steht seine soziale.
Jeremia selbst (ירמיהו /ירמיה/ ירמיה) ist außerhalb des Jeremiabuches
im Alten Testament noch in 2.Chr. 35,25; 36,12.21f.; Dan. 9,2;
Esra 1,1 (vgl. Sir. 49,7) erwähnt, während der Name "Jeremia"
auch andere Träger hat.[74]

---

72 S. die Untersuchung von K.-D. Schunck, Benjamin. Untersuchungen zur
Entstehung und Geschichte eines israelitischen Stammes (BZAW 86), Berlin
1963.

73 S. zu den Problemen G. Dalman, Palästinische Wege und die Bedrohung
Jerusalems nach Jes. 10, PJ 12 (1916) 34-57; H. Donner, Der Feind aus dem
Norden. Topographische und archäologische Erwägungen zu Jes. 10,27b-34,
ZDPV 84 (1968) 46-54; H. Wildberger, BK X/1, 423ff.

74 1.Chr. 5,24; 12,5.11.13; Neh. 10,3; 12,1.12.34; zur Zeit Jeremias ist
der Name bezeugt durch 2.Kön. 23,31; Jer. 35,3; 52,1 und vor allem durch in-
schriftliches Material (Belege bei R. Lawton, Israelite Personal Names on
Pre-Exilic Hebrew Inscriptions, Bib 65, 1984, 340). Der älteste Beleg ist
ein Siegel aus dem 8. Jh. (N. Avigad, ErIs 9, 1969, 6, hebr., mit engl.
Zusammenfassung 134). Neuerdings hat E. Oren (Ziglag - A biblical city on
the edge of the Negev, BA 45, 1982, 160) die Legende eines auf dem tell
esch-scheri a (Tel Seraʿ) gefundenen"jug"aus der ausgehenden Königszeit
mit den Konsonanten לירמ (mit Fragezeichen) auf den Namen Jeremia bezogen.

Die Bedeutung des Namens ist nicht sicher zu ermitteln. Es ist unwahrscheinlich, daß dem Namen die Wurzel רמה mit den Bedeutungen "werfen"
und "täuschen" zugrunde liegt.(75) Ebensowenig kommt die jüdische Tradition zur Namensbedeutung infrage, die den Namen onomatopoetisch mit
אירימיאה(Verwüstung) erklärt und dabei griechisches ἐρεμία wiedergibt. (76)

Ernsthafter zu erwägen sind zwei andere Erklärungen, die jeweils die
Wurzel רום ansetzen und entweder eine Qal-Kurzform (*jarō/åmjāhū) ver-
muten(77) (Gott möge sich erheben/überlegen sein) oder aber eine Hif'il-
Kurzform (*j^{e}rē/åmjāhū) (78), die die Wiedergabe der Septuaginta (Ιερε-
μιας)vorauszusetzen scheint, wobei wegen der Kurzform an einen Wunsch-
namen(79) zu denken ist. So könnte der Jussiv יָרֵם zugrunde liegen: Gott
möge ihn erhöhen.(80)

Die Angabe מן הכהנים läßt zunächst nur erkennen, daß Jere-

mia im priesterlichen Milieu aufgewachsen ist. Man wird vermu-

ten könne, daß Jeremia durch seine Verbindung mit Priestern,

die mit Jerusalem Kontakt gehabt haben können und aufgrund der

Lage Anatots nicht eine Schicht ungebildeter Landpriester ge-

wesen sein müssen, frühzeitig in Erfahrungen einbezogen gewesen

ist, die über die Weltaneignung eines ländlichen Lebens hinaus-

gingen. Wenn A. Alts Vermutung zutrifft, daß in den Levitenor-

ten in der Nähe von Jerusalem zur Zeit Joschijas Priester aus

Juda angesiedelt wurden,[81] dann mag mit dem neuen Personenkreis

ein zusätzlich stimulierendes Element in den Ort eingezogen sein.

Neben dem geographischen und sozialen Bezug kommt in Jer.

1,1-3 die Ereignisgeschichte zu Wort, zunächst durch das Datum

---

75 So P. Volz, Kommentar, 1. Schon eher möglich wäre רמה , wenn es mit
akk. ramû in der Bedeutung (Kultsitz, Heiligtum) bewohnen (AHw. II, 952f.)
zusammenhinge, was aber nach Dtn. 12,5; 1.Kön. 8,16ff. u.ö. für die ausgehende Königszeit theologisch unwahrscheinlich ist.

76 S. Midrasch Rabba zu Koh. 1,1 § 2; zu אירימיאה s. M. Jastrow, Dictionary I, 60.

77 So S.A. Loewenstamm, Thesaurus Rerum Biblicarum (Jerusalem 1950ff.,
hebr.) s.v. Yirmeyahu. Zu rīm s. W. von Soden, UF 2 (1970) 272.

78 So M.Noth, Die israelitischen Personennamen, 195ff.

79 Zu Wunschnamen s. M. Noth, Die israelitischen Personennamen, 195ff.

80 Eine eventuelle Identifizierung mit dem Jeremia der Lachisch-Ostraka
(so H. Torczyner in Lachish I,27) ist nach Jer. 16,11ff. - Jeremia hat
keinen Sohn gehabt - nicht möglich.
Ebenso spekulativ ist eine Identifizierung von Jeremias Vater Hilkija und
dem Oberpriester gleichen Namens von 2.Kön. 22,4 u.ö. Gleiches gilt von
einer etwaigen Verbindung Jeremias mit dem von Salomo nach Anatot verbannten Priester Abjatar (1.Kön. 2,26ff.).

81 A. Alt, Bemerkungen zu einigen judäischen Ortslisten des Alten Testaments, Kleine Schriften II, 289ff.

der Berufung Jeremias.[82] Es ist selbstverständlich, daß die
Korrektheit des Datums von 1,2 mit einer primär werkimmanen-
ten Evidenz zu erarbeiten ist. Das ist auch in jüngerer[83] und
jüngster Zeit geschehen[84]. Aber selbst wenn das Datum in 1,2
nicht dem Sachverhalt genau entspricht, der Chronograph von
Jer. 1,1-3 wird dieses konkrete Datum nicht grundlos eingesetzt haben. Um mehr Klarheit zu gewinnen, muß auch nach der
äußeren Evidenz, nach Nachrichten, die nicht aus dem Jeremiabuch zu beziehen sind, gefragt werden, um Bedingungen und Möglichkeiten des Auftretens Jeremias zu ergründen.

1,2 nennt das 13. Jahr Joschijas,dessen Regierungszeit 640/39-
609/08 angesetzt werden kann.[85] Das Berufungsjahr wäre demnach
627/26. Welche geschichtliche Konstellation bestand zu jener
Zeit?

Leider fließen die assyrisch-babylonischen Quellen für die
Zeit, in der Jeremia seine Jugendzeit verbrachte, nicht so
reichlich wie für frühere und spätere Jahre. Aufgrund der Quel-
lenlage ist nicht auszumachen, ob schon zu Lebzeiten Assurbanipals, der 669 Asarhaddon (681-669) auf dem Thron folgte,
mit einem Niedergang des assyrischen Reiches gerechnet werden
muß oder erst unter seinen Nachfolgern. Nicht einmal das Jahr

---

82 Seit F. Horsts Aufsatz über "Die Anfänge des Propheten Jeremia", ZAW 41
(1923) 94ff. ist das Datum von Jer. 1,2 immer wieder angezweifelt worden,
mit unterschiedlichen Substitutionen. Mit 615 rechnet W. Holladay, The Years
of Jeremiah's Preaching, Interp. 37 (1983) 146-159, mit 614-612 J.Ph. Hyatt,
The Peril from the North in Jeremiah,JBL 59 (1940) 499ff., mit 609/08 rechnen H.G. May, The Chronology of Jeremiah's Oracles, JNES 4 (1945) 217ff.;
J.Ph. Hyatt, The Beginning of Jeremiah's Prophecy, ZAW 78 (1966) 204ff.;
auch in: IntB V, 779f. 798; W.L. Holladay in mehreren Aufsätzen, alle genannt in: A Coherent Chronology of Jeremiah's Early Career, in: Le Livre de
Jérémie. Le Prophète et son Milieu. Les Oracles et leur transmission, Bi-
bliotheca Ephemeridum Theologicarum Lovaniensium 54, 58ff.; Chr. Levin, Die
Anfänge des Propheten Jeremia, VT 31 (1981) 428ff., mit 605 rechnet C.F.
Whitley, The Date of Jeremiah's Call, VT 14 (1964) 467ff. Weitere Literatur
bei W. Thiel, Die dtr. Redaktion von Jer. 1-25, 57, Anm. 33.

83 So W. Thiel, Die dtr. Redaktion von Jer. 1-25, 57ff. bei der Widerlegung
einiger Argumente, die gegen eine "Frühdatierung" gerichtet werden.

84 R. Albertz, Jer. 2-6 und die Frühzeitverkündigung Jeremias, ZAW 94 (1982)
20ff.

85 S. etwa S. Herrmann, Geschichte Israels, 323ff. im Anschluß an K.T. Andersen, Die Chronologie der Könige von Israel und Juda, Studia Theologica
23 (1969) 109-112.

seines Todes ist sicher; als(spätestes) Datum wird man jedenfalls 627 annehmen können.[86] Nachfolger wurde sein Sohn Aschur-etil-ilani.

627 starb in Babylonien der Nachfolger Schamasch-schum-ukins, Kandalanu, den Assurbanipal eingesetzt hatte. In den Städten, in denen sich assyrische Truppen befanden, erhielt der Feldherr Sin-schum-lischir die Königswürde, bald darauf Schin-schar-ischkun. Die Chronik sagt, in Babylon selbst "gab es ein Jahr lang keinen König"[87].

In dieses Vakuum stieß Nabopolassar. Aus der babylonischen Chronik wissen wir, daß es in jenen Jahren zwischen Assyrern und Babyloniern zu militärischen Auseinandersetzungen gekommen ist.[88] Offenbar nach einem Rückschlag - Schin-schar-ischkun war nach Assyrien zurückgezogen - marschierten die Assyrer nach Nip-pur, Nabopolassar wich zurück. Die Assyrer, mit Unterstützung aus Nippur, folgten ihm bis Uruk. Dort wurden sie in einer Schlacht gezwungen, sich ihrerseits zurückzuziehen, eine weitere Niederlage folgte.

Dieser babylonische Erfolg verhalf Nabopolassar auf den Thron. Das war das Jahr 626[89].

Nabopolassar wird allgemein als Begründer des neubabyloni-schen Reiches verstanden und das sicher zu Recht, denn mit ihm begann eine neue Macht im altorientalischen Raum ein Weltreich nach damaligen Verhältnissen aufzubauen, in dem das nomadische Verständnis des unbegrenzten Raumes lebendig und wirksam war.

Mit dem unaufhaltsamen Aufstieg des neubabylonischen Reiches war der nicht mehr aufzuhaltende Abstieg des assyrischen Reiches verknüpft.[90]

Es ist genau dieser "Augenblick", in dem die verschiedenen

---

86 Vgl. R. Borger, WZKM 55 (1955) 62-76, JCS 19 (1965) 59-77; J. van Dijk, AfO 20 (1963) 217; J. Oates, Iraq 27 (1965) 135-159; R. Labat, in: Fischer Weltgeschichte Bd. 4, 93.

87 B.M. 25 127 bei D.J. Wiseman, Chronicles of Chaldaean Kings, 50, Zeile 14; Chronicle 2 bei A.K. Grayson, Assyrian and Babylonian Chronicles, 88, Zeile 14.

88 Über die Ereignisse jener Zeit berichtet der Text B.M. 25 127, D.J. Wiseman, Chronicles of Chaldaean Kings, 50ff. (Chronicle 2 bei A.K. Grayson, Assyrian and Babylonian Chronicles, 87ff.).

89 D.J. Wiseman, Chronicles of Chaldaean Kings, 7f.89f.

90 Dazu S. Herrmann, Geschichte Israels, 324.

Zeitebenen Veränderungen erfuhren - das geographische Zentrum
verlagerte sich vom Oberlauf des Tigris in den südmesopotami-
schen Bereich, die längerfristigen Strukturen von Herrschaft,
Religion, Wirtschaft, Gesellschaft fanden ein Ende bzw. neue
Träger, die Ereignisgeschichte, die für einen Moment zur Ruhe
kam, setzte mit neuen Akzenten ein - , als Jeremia aus der
Verborgenheit Anatots in die Öffentlichkeit trat.

Die Frage, ob das Datum in Jer. 1,2 authentisch ist oder
von späterer Redaktion fingiert, kann an dieser Stelle nicht
geklärt werden. Es markiert jedenfalls eine hervorragende Ge-
schichtskonstellation, denn es zeigt Jeremia an einem der zentralen Wendepunkte der Geschichte des alten Orients im 1. Jt.
v. Chr. Das läßt eine Auseinandersetzung mit dem Geschehen der
Zeit erwarten. Ob allerdings dem Leser schon mit dem ersten
Wort des Jeremiabuches ein geschichtsbezogenes Anliegen vermittelt werden soll, hängt davon ab, wie das Nomen דָּבָר zu
verstehen ist.

3.   Das erste Wort des Jeremiabuches

Was ist mit דברי ירמיהו gemeint? Man findet in der Regel
zwei Übersetzungsvorschläge: Bevorzugt wird die Wiedergabe jener Wendung durch "Worte Jeremias", das gilt für die neueren
Übersetzungen ebenso wie für die älteren. W. Neumann betont,
"dass die G e s c h i c h t e hier (d.h. im Jeremiabuch) doch
auch nur ein untergeordnetes und völlig nebensächliches Element
ist, indem sie dazu dient, die Reden in ihrem historischen Rahmen zu befassen, aus dem sie als Gotteszeugnisse klarer und
leuchtender heraustreten, und dass eben deshalb G e s c h i c h -
t e des Jeremias die am wenigsten geeignete Bezeichnung des ganzen Buches sein würde."[91] Ausdrücklich nennt W. Neumann also die
alternative Übersetzung "Geschichte Jeremias", grenzt sich dabei
aber von jüdischen Exegeten ab, die nach seiner Meinung die Abweichung in Jer. 1,1 (דברי ירמיהו) von anderen "gewöhnlichen
Ueberschriften prophetischer Bücher" (דבר־יהוה) "erklären wollen. Kimchi und Abarbanel glaubten sie zu begreifen, wenn sie

---

91 W. Neumann, Kommentar, 96.

unter דברי ירמיהו nicht sowohl Worte, Reden Jeremias, als seine L e b e n s g e s c h i c h t e verstanden."[92]

Auch E. Naegelsbach geht von einer Alternative aus: "Der
Wortbedeutung nach könnte דברי י' allerdings heißen historia
Jeremiae", weil aber "unser Buch kein Geschichtsbuch ist, sondern ein prophetisches ..." und weil "die im Buche enthaltenen
Geschichten als Erzählungen doch auch Worte des Jeremia sind
...", entscheidet er sich für die Übersetzung "Worte Jeremia's".[93]
Wieder wird die Vermittlung des "historischen Rahmens", von dem
W. Neumann sprach, auf das Wort Jeremias zurückgeführt und dessen aktive Rolle verstärkt. So auch bei F. Giesebrecht, der zwar
aus semantischen Gründen "Worte Jeremias" ansetzt, als Überset-
zungsalternative aber "Taten" Jeremias erwägt.[94]

Dieser Vorschlag fand kaum Anhänger, es wurde weiterhin um
die Übersetzung "Worte" oder "Geschichte" gerungen.[95] Im Grunde
genommen auch von J.Ph. Hyatt, der zum Stichwort "words" schreibt:
"The Hebrew (dibhrê) can also mean 'acts' or 'history' ... and
it appears frequently in the sense of 'chronicle' or 'history'
in Kings and Chronicles. Since the book of Jeremiah includes
both words of the prophet and records of events in his life,
it may have the meaning 'history' here."[96] Dieses Sowohl-als-
auch versteht A. Gelin nicht im Sinne der Ersetzbarkeit der
"Worte" durch "Geschichte" und "Geschichte" durch "Worte", er
bündelt vielmehr beides in den דברים, bringt das aber nicht
auf einen neuen Begriff, sondern übersetzt jene Wendung mit
"paroles de Jérémie" und erläutert: "'Paroles' est à entendre

---

92 W. Neumann, Kommentar, 95. Ähnlich K.H. Graf, Kommentar, 1. Noch W.
Rudolph (Kommentar, 3) beruft sich bei seiner Übersetzung "Geschichte
Jeremias" auf Kimchi.

93 E. Naegelsbach, Kommentar, 1.

94 F. Giesebrecht, Kommentar, 1.

95 Die Auslegungsgeschichte ist im wesentlichen von dieser Alternative
geprägt. So schreibt K. Budde (JBL 40, 1921, 23f.), als er den Kommentar
von P. Volz erwartete: "Man darf gespannt sein, wie Volz die Anfangsworte
in MT דברי ירמיהו faßt, ob 'Die Worte Jeremia's' oder 'Die Geschichte Jeremia's, das Buch von Jeremia', wie schon Kimchi auslegt." P. Volz (Kommentar, 1) entschied sich übrigens ohne Begründung für "Aussprüche des Jeremia".

96 J.Ph. Hyatt, Kommentar, 794. Dieselbe Begründung veranlaßt W. Rudolph
(Kommentar, 3) zur Übersetzung "Geschichte Jeremias". Vgl. die harmonisie-
rende Übersetzung von W. McKane, Kommentar, 1: "This is a record of the
words spoken by Jeremiah."

dans le sens de 'discours et gestes', c'est-à-dire d'histoire'."[97]
A. Gelins Vorschlag, "discours et gestes" zusammenzudenken, hat
das Schicksal erfahren, das so oft Anmerkungen zum Text wider-
fährt. Er ist wirkungslos geblieben, vielleicht auch deshalb,
weil die Dialektik nicht begrifflich wurde.

Es bleibt dabei: Die Alternative "Worte" oder "Geschichte"
wird in der Übersetzung zur Entscheidung gebracht, wenn man einmal davon absieht, daß im deutschsprachigen Raum nicht immer
"Worte", sondern zuweilen auch "Reden", "Aussprüche" oder "Weissagungen" eingesetzt wird.[98]

Auf sicherem Boden wissen sich die Übersetzer dabei nicht:
"Den Ausdruck דברי י, der freilich auch bedeuten kann: 'Geschichte des Jeremia', darf man hier wohl mit 'Worte Jeremias'
übersetzen"[99], sagt B. Duhm und verweist für das Jeremiabuch
auf 36,4.10.27ff. W. Thiel votiert im Anschluß an B. Duhm für
eine redaktionskritische Zweiteilung des Jeremiabuches, "in 1-25,
die man 'Worte Jeremias' überschreiben kann, da hier fast ausschließlich Sprüche und Reden Jeremias, aber kaum Berichte (aus-
genommen Selbstberichte) enthalten sind, und in 26-45, die man
als 'Geschichte Jeremias' zusammenfassen kann, da hier überwie-
gend Berichte über Jeremia vorliegen ..."; "da die Überschrift
1,1-3 sich infolge der Übernahme des Wortlauts der vorgegebenen
Überschrift auf דברי ירמיהו bezieht, liegt es nahe, sie nur
mit 1-25 zu verbinden" und den Anfang mit "Worte Jeremias" zu
übersetzen.[100]

Der Vorschlag, die im hebr. דָּבָר vermutete Dichotomie "Worte"
und "Geschichte" auf Komplexe des Jeremiabuches zu verteilen, in
denen entweder Reden oder Berichte dominieren, ruft nur solange
keinen Widerspruch hervor, wie man "Geschichte" nur dann entfal-

---

97 A. Gelin, Kommentar, 27. Dieselbe Übersetzung mit Erklärung bietet er
auch in: La Sainte Bible, traduite en français sous la direction de l'École
Biblique de Jérusalem, Paris 1956, 1056, sie fehlt in der neuen Ausgabe: La
Bible de Jérusalem, La Sainte Bible traduite ..., Nouvelle édition, Paris
1974, 1161.

98 S. z.B. E. Reuss, Kommentar, 256: "Reden"; C.F. Keil, Kommentar, 26: "Reden" = "Aussprüche"; F. Nötscher, HS VII/2,28: "Reden"; W.M.L. de Wette, Die
Heilige Schrift des Alten und Neuen Testaments, Zweiter Theil, 3. Aufl., Heidelberg 1839, 179: "Weissagungen".

99 B. Duhm, Kommentar, 2.

100 W. Thiel, Die dtr. Redaktion von Jer. 1-25, 55; vgl. auch 49, Anm. 2.

tet sieht, wenn über Ereignisse b e r i c h t e t wird, vordergründig also mehr geschieht als bei S p r ü c h e n oder R e d e n unmittelbar wahrzunehmen ist.

Die Übersetzungsprobleme sind in der Tradition schon vorgebildet.

Wenn man die Reformatoren M. Luther, H. Zwingli und J. Calvin befragt, gewinnt man den Eindruck, spätere Jahrhunderte hätten an dieser Stelle reformatorisches Erbe angetreten. H. Zwingli übersetzt דברי ירמיהו mit "Sermones Jeremiae"[101] , J. Calvin mit "Verba Ieremiae"[102]; die "Reden" bzw. "Worte" Jeremias finden sich hier wieder. Was macht M. Luther? Er übersetzt in der letzten zu seinen Lebzeiten erschienenen Bibelausgabe: "DJS SIND DIE GESCHICHTE JEREMIA"[103] und liefert in seiner "Vorrede über den Propheten Jeremia" implizit seine Erläuterung: "DEN PROPHE⊣ TEN JEREMIA ZUUERSTEHEN/DARFFS nicht viel glosens/Wo man nur die Geschicht ansihet/die sich begeben haben/vnter den Königen/zu welcher zeiten er gepredigt hat/Denn wie es da zu mal im Lande gestanden ist/so gehen auch seine Predigt."[104]

Bei der Übersetzung "Geschichte" ist weder die Berufung auf Kimchi noch auf Luther ohne weiteres möglich. Wie Kimchi kannte auch M. Luther noch nicht den Kollektivsingular Geschichte und das, was in ihm auf den Begriff gebracht wurde, wie an der Übersetzung und der Vorrede deutlich wird, wo er die Pluralformen "die Geschichte" bzw. "die Geschicht" (s. die Verben!) benutzt, die nicht einen Ereigniszusammenhang reflektieren, sondern, wie schon referiert wurde,[105] nur die Summe einzelner Geschichten bezeichnen. Das bedeutet: Wenn Luther und die Exegeten seit dem Ende des 18. Jh.s "Geschichte" sagen, meinen sie nicht dasselbe; eine Berufung auf Luther bei der Übersetzung von דברי ירמיהו mit "Geschichte Jeremias" würde die epistomologischen Unterschiede ni-

---

101 H. Zwingli, Sämtliche Werke, hg. von E. Egli u.a., Bd. XIV, CR 101, Zürich 1959, 426.

102 I. Calvini Opera quae supersunt omnia, Bd. 37, hg. von G. Baum u.a., Brunsvigae 1888, s. CR 65, 472 (Praelectiones in Ieremiam: 470–706).

103 D. Martin Luther, Die gantze Heilige Schrifft Deudsch 1545/Auffs new zugericht. Unter Mitarbeit von H. Blanke hg. von H. Volz, München 1972, Bd. 2, 1272.

104 D. Martin Luther, Die gantze Heilige Schrifft Deudsch, Ausgabe H. Volz, 1269.

105 S. oben S. 11.

vellieren, ihr Recht könnte sich allenfalls partiell aus der
Bedeutung herleiten, die den geschichtlichen Bedingungen für
das Auftreten Jeremias zukommt, aber das sind eben die Geschichten Jeremias, nicht seine Geschichte.

Hinzuweisen ist schließlich auf die alten Übersetzungen.

Die Septuaginta bietet einen Text, in dem kein Äquivalent
für דברי ירמיהו vorkommt.[106] Anders die Peschitta: Sie hat
pethgāmā᾽, ein aus persisch patgām entlehntes Nomen im Plural
mit Suffix der 3. m.sg. mit der Bedeutung "Wort" und "Sache".[107]

Von besonderem Interesse ist das Verständnis einer Textüberlieferung, die ihre Vorlage weniger übersetzt als erklärend paraphrasiert, wie das bei den Targumim der Fall ist[108]: Das Targum Jonathan[109] erläutert דברי ירמיהו mit פתגמי נבואת ירמיה,
umschreibt also דברים mit פתגמי נבואה. Daß das, was dem Jeremia zugeschrieben wird, als נבואה bezeichnet ist, als "Weissagung", "Prophetie"[110], hängt mit dem Verständnis des Propheten und seines Buches zusammen, aber warum wird noch eine weitere Bezugsgröße genannt und wie ist sie zu verstehen?

פתגמ(א) kann mit "Wort" oder "Sache, Angelegenheit" übersetzt werden.[111] Beide Übersetzungen sind in der Tat im Hinblick
auf den Kontext möglich: Sowohl "die Worte der Weissagung Jeremias" als auch "die Angelegenheiten der Weissagung Jeremias"
mögen gemeint sein, die Frage ist nur, was der Hörer bzw. Leser assoziiert hat, etwa beides? Das jedenfalls ist sicher: Der
Autor benutzt nicht die Lexeme ד(י)בור, ד(י)בורא,דבירא, denen
zwar jeweils die Wurzel דבר zugrunde liegt, die aber nur die
Bedeutung "Wort, Rede" u.ä. tragen können, also keine Dichoto-

---

106 S. oben S. 62.

107 C. Brockelmann, Lexicon Syriacum, 2. Aufl., Halle 1928, 616.

108 S. dazu E. Würthwein, Der Text des Alten Testaments. Eine Einführung
in die Biblia Hebraica, 4. Aufl., Stuttgart 1973, 80ff.; J. Bowker, The
Targums and Rabbinic Literature. An Introduction to Jewish Interpretations
of Scripture, Cambridge 1969, 3ff.

109 Text nach A. Sperber, The Bible in Aramaic based on Old Manuscripts
and Printed Texts, Vol. III: The latter Prophets, Leiden 1962, 133.

110 G. Dalman, Aramäisch-neuhebräisches Handwörterbuch, 260; s. auch M.
Jastrow, Dictionary II, 867.

111 G. Dalman, Handwörterbuch, 355; s. auch M. Jastrow, Dictionary II, 867;
beide setzen auch "Ereignis"/"event" an.

tomie erkennen lassen.[112] Anscheinend vertritt hier das auch im
biblischen Hebräisch und Aramäisch belegte[113] (א)פתגמ hebräisches דכר [114], während נכואה ein erläuternder "Zusatz" ist,
mit der Funktion, von vornherein die wesentlichste Aufgabe des
Propheten zu kennzeichnen. Bemerkenswert ist bei alledem, daß
dem biblisch-hebräischen und biblisch-aramäischen פתגמ - wie
im Reichsaramäischen - die Ambiguität Wort/Sache unbekannt ist.[115]
Sie tritt erst im Targum in Erscheinung, das damit ein begriffliches Äquivalent für das dichotomische דכר zur Verfügung hat.
Das ist zwar der talmudischen Literatur geläufig,[116] spielt aber
in den Targumim keine Rolle. Kurzum: Im Targum wird ein Begriff
sozusagen aufgefüllt und deckt damit das Bedeutungsspektrum der
Vorlage ab.

Die alten Übersetzungen kennen offenbar für דָּבָר nicht die
Bedeutung "Geschichte", sie setzen jedenfalls eine Entsprechung
an, die mit den Begriffen "Wort" und "Sache" umschrieben werden
kann. Um mehr Klarheit zu gewinnen, sollen in einem Exkurs die
bisher genannten Verständnismöglichkeiten in den Horizont lexi-
kalischer Beobachtungen gestellt und mit dem Befund im Jeremiabuch abgestimmt werden.

Exkurs: Die Bedeutungen von דָּבָר

a) Forschungsergebnisse

Bisher ist die Dichotomie von דָּבָר nur durch Übersetzungen
in den Blick gekommen. Ist sie überhaupt lexikalisch vertretbar und hält sie semantischen Überlegungen stand?
Zunächst sollen die Lexikographen befragt werden. W. Gese-

---

112 M. Jastrow, Dictionary I, 294f.

113 In späten hebräischen Texten, so in Koh. 8,11 und Ester 1,20, in aramäischen Texten in Dan. 3,16; 4,14; Esra 4,17; 5,7.11; 6,11: "Wort", "Entscheidung", "Bericht (erstatten)".

114 So auch M. Jastrow, Dictionary II, 1250.

115 S. Anm. 113. Zwei reichsaramäische Belege bei G.R. Driver, Aramaic
Documents of the fifth Century B.C., Oxford 1957 (Nachdruck 1965), 25
(IV,3) und 29 (VIII,9).

116 S. M. Jastrow, Dictionary I, 278f.; Ch.J. Kasowski, Thesaurus Talmu-
dis concordantiae Verborum quae in Talmude Babylonico Reperiuntur, Tom.
VII, Jerusalem 1961, 6ff.

84

nius/F. Buhl definieren דָּבָר als das,"was gesprochen wird" ("Wort,
Rede"), und als das, "was geschehen, passiert ist" ("Sache"). Bei
der zweiten Möglichkeit heben sie den Singular vom Plural ab, der
für "Begebenheiten", "Geschichten" stehen könne und nehmen als
Beispiel 1.Kön. 11,41, wo sie דברי שלמה mit "Salomos Erlebnisse,
Geschichte" (nicht Geschichten !) übersetzen.[117]

Während W. Gesenius/F. Buhl "Wort und Sache" gleichermaßen im
Wortfeld von דָּבָר verankert sehen, läßt E. König zunächst einmal
nur die Bedeutung "Wort", "Ausspruch" gelten, "Angelegenheiten",
"Begebenheit", "Ereignis", "Geschichte" (Sg.!), "Sache", "etwas"
versteht er metonymisch[118].

Gefolgt wird E. König von F. Zorell, der zunächst für דָּבָר
die Bedeutungen "locutio, sermo, verbum, dictum, effatio, narratio" nennt und nach der Aufzählung paradigmatischer Stellen wei-
terführt: "metonymice, id de quo dictum, quod narratum seu lo-
quendo tractatum est, i.e. r e s , n e g o t i u m , r e s g e -
s t a , e v e n t u s ets. (item usuvenit nomen correspondens
ass. a w a t u , ar. ᵓ a m r , aeth. n a g a r , arm. מֶלְתָא)"[119].
Im einzelnen zitiert F. Zorell u.a. דברי שלמה (1.Kön. 11,41 u.ö.)
als "res gestae, historia Salomonis"[120].

Ohne eine Erläuterung des Bedeutungsspektrums teilt L. Köhler
das Wortfeld von דָּבָר in "Wort" einerseits und "Angelegenheit,Sa-
che" andererseits auf. Auch er erwähnt beispielhaft דברי שלמה,
schlägt aber "Angelegenheiten" als Übersetzung vor.[121]

In der neuen Bearbeitung des Lexicon in Veteris Testamenti
Libros unter der Federführung W. Baumgartners ist diese Aftei-
lung unverändert geblieben, nur die wieder beispielhaft genannten
דברי שלמה bedeuten jetzt "d(ie) Geschichte S(alomo)s"; als weiteres Beispiel für "Geschichte" dient Jer. 1,1, zugleich aber erwägt das Lexikon für Jer. 1,1 die Übersetzung "Aussprüche" mit

---

117 Ges.-B., 154, ohne an dieser Stelle Jer. 1,1 zu verbuchen, weil die
דברי ירמיהו mit den schon in anderen Zusammenhängen genannten "Überschriften" Am. 1,1 und Koh. 1,1 unter der Rubrik "Worte eines ... Redners oder
Schriftstellers" zusammengestellt sind.

118 E. König, Hebräisches und aramäisches Wörterbuch zum Alten Testament,
7. Aufl., Wiesbaden 1936 (Nachdruck Wiesbaden 1969), 65.

119 F. Zorell, Lexicon Hebraicum et Aramaicum Veteris Testamenti quod aliis
collaborantibus ed. F. Zorell, S.J., Rom 1956, 165.

120 F. Zorell, Lexicon, 165.

121 KBL, 201.

jeweiligem Verweis auf die alternative Übersetzungsmöglichkeit.[122]

Es ist sicher nicht die Aufgabe von Wörterbüchern, die Konsistenz von Wortfeldern zu erläutern, auch wenn im Falle von
דְּבָרִים / דָּבָר der Benutzer gerne einige heuristische Hinweise
besäße, die das disparat erscheinende Material zu erklären
vermögen.

Genauere Auskunft ist insbesondere in den Theologischen Wörterbüchern zu erwarten, die nicht nur die Lexeme notieren, sondern sie auch in ihren paradigmatischen und syntagmatischen Beziehungen[123] sichtbar machen.

Wie ist es also zu erklären, daß דָּבָר gleichermaßen "Wort"
und "Sache" sein kann, und in welchem Verhältnis stehen dann
die beiden Bedeutungen zueinander?

Für Th. Boman[124] ist die grundlegende Verstehenskategorie
der dynamische Charakter von דָּבָר : "Das Wort ist die höchste
und edelste Funktion des Menschen und ist deshalb identisch mit
seiner Tat. Wort und Tat sind also nicht zwei verschiedene Bedeutungen des d å b å r, sondern Tat ist die Konsequenz der
in d å b å r liegenden Grundbedeutung." Bei Boman werden nota
bene nicht "Wort" und "Sache" in Beziehung zueinander gebracht,
sondern "Wort" und "Tat": "weil das Wort mit seiner Verwirkli-
chung zusammenhängt, könnte man d å b å r mit Tatwort wiedergeben. Unser Begriff 'Wort' gibt deshalb den hebräischen Begriff
d å b å r schlecht wieder, weil für uns Wort an sich nie die Tat
einschließt. Goethes Übersetzung von Joh. 1,1 in der Pudelszene
im 'Faust': 'Im Anfang war die Tat'" ist "auch sprachlich in seinem guten Recht, weil er zu der hebräischen (aramäischen) Vorlage
zurückgeht und ihren tiefsten Sinn übersetzt; denn wenn d å b å r
eine Einheit von Wort und Tat bildet, dann ist nach unserer Auffassung die Tat das Höchste darin."

Von den psychologisierenden Prätentionen einmal ganz abgesehen,
die "Pudelszene" vermag die Last des Beweises nicht zu tragen, zumal im Neuen Testament λόγος kaum mit "Tat" übersetzt werden kann,

---

122 HAL, Lfg. I, 203.

123 S. dazu B. Kedar, Biblische Semantik, 46f.

124 Th. Boman, Das hebräische Denken im Vergleich mit dem griechischen, 52.

wohl aber an einigen Stellen mit "Sache" (über die gesprochen wird), so daß eine Äquivalenz zu דָּבָר zu bestehen scheint.[125]

Auch O. Procksch betont den dynamischen Charakter von דָּבָר und weist auf seinen Einfluß auf (λόγος und) ῥῆμα der Septuaginta hin. "Nur im hebräischen דָּבָר ist der Dingbegriff mit seiner Energie im Wortbegriff so lebendig empfunden, daß das Wort als dingliche Macht erscheint, die da kräftig ist und bleibt, die da läuft und Kraft hat, lebendig zu machen. Für ῥῆμα gehört hierher auch der Begriff דְּבָרִים = ῥῆματα G e s c h i c h t e "; Geschichte sei "das im Wort festgehaltene und erzählte Ereignis, so daß das Ding und sein Sinn darin zutagetreten, was durch das hebräische דְּבָרִים im Plural einheitlich ausgedrückt wird."[126]

Diese Überlegungen sind nicht ohne weiteres nachvollziehbar. Wenn דָּבָר (und ῥῆμα der Septuaginta) eine Dynamik eignet, die außersprachliche Wirklichkeiten freisetzt, das τὸ ῥῆμα τοῦ θεοῦ (Septuaginta) von Jer. 1,1 z.B. nicht nur das Wort Gottes im Blick hat, sondern auch das, was es bewirkt, so bleibt der zusätzliche Sprung in den Plural unverständlich, der solange als Surplus erscheint, wie "Geschichte" das "im W o r t festgehaltene und erzählte Ereignis" ist, das doch schon durch /דָּבָר ῥῆμα buchstäblich hervorgerufen worden sein kann und somit auch selbst דָּבָר / ῥῆμα ist, also als zitierte "Macht erscheint, die da kräftig ist und bleibt, die da läuft und Kraft hat, lebendig zu machen".

Die von O. Procksch herausgestellte energetische Komponente von דָּבָר sieht W.H. Schmidt[127] zumindest im Rahmen der (דכר(י)-יהוה- Vorstellungen bestätigt: "Daß Wort und Ereignis nicht als zwei je selbständige Phänomene erscheinen müssen, sondern als Einheit gedacht werden können, wird daran ersichtlich, daß d ā - b ā r bei gleichbleibendem Sinngehalt auch als Subjekt auftritt." Als Kronzeugen benennt er die Verben יצא (Gen. 24,50), בוא(Dtn. 18,22; Jos. 23,15 u.a.) u.a.

Die Hypothese wirkt überzeugend; verführerisch sind die Bewe-

---

125 Vgl. Mt. 5,32; Mk. 9,10; Apg. 8,21; 15,6; 19,38; evtl. auch Mk. 8,32.

126 O. Procksch, Art. "Wort Gottes" im AT: in: Theologisches Wörterbuch zum NT, hg. von G. Kittel, Bd. IV, 91.

127 W.H. Schmidt, in: ThWAT I, 123.

gungsverben, die aber nur scheinbar die Polysemie von דָּבָר auf-
heben, weil eben doch z.T. jenem Wort zwei verschiedene (lexi-
kalische) Inhalte zugeordnet werden können.

   Von den bei W.H. Schmidt zitierten Belegen seien zunächst die genannt,
bei denen דָּבָר suffigiert bzw. in einer Constructus-Verbindung erscheint:
In Ri. 13 wird zum מלאך־יהוה, nachdem er eine Verheißung überbracht hat,
in V. 12 gesagt: "Wenn dein Wort eintrifft (בוא) ..." (s. auch V. 17).
Eine Substitution durch "Sache" ist nicht möglich, ganz zu schweigen von
"Ereignis" anstelle von "Wort". Dasselbe Verständnis gilt bei der suffi-
gierten Form in Num.11,23 (קרה) und in Ps. 147,15 (רוץ), wo im Parallelismus ausdrücklich שלח)אמרה(steht, es trifft ebenfalls für Jer.
28,9 zu, wo das Eintreffen (בוא) von דבר־הנביא den Propheten als Boten
Jahwes erweist. Die Constructus-Verbindungen mit דָּבָר zeigen dasselbe
Verständnis. In Jer. 17,15 wird der דבר־יהוה herbeigewünscht, doch wohl
das Wort, d.h. die Verheißung Jahwes, nicht etwa die "Sache Jahwes"; in
Jer. 44,28 fragt Jahwe, (דבר מי) wessen Wort (nicht Sache) sich bewahrheitet. Antwort von V. 29: דְּבָרַי . Genauso eindeutig wie die bisherigen
Belege erweist sich Gen. 24,50 mit seiner Bemerkung, daß das, was in den
vorhergehenden Versen berichtet worden sei, von Jahwe bewirkt wurde; der
דָּבָר ist die (soeben) verhandelte Sache, eine Übersetzung mit "Wort" wäre unverständlich. Mit Ausnahme der zuletzt erwähnten Stelle ist דָּבָר jeweils eine "Voraussage", deren Einlösung die jeweiligen Verben reflektieren.
   Schwieriger sind die übrigen Belege zu bewerten. In Dtn. 18,22 wird wie
in Jer. 28,9 die Möglichkeit erwogen, daß der דָּבָר , den ein Prophet redet (דבר pi.), nicht ein דָּבָר ist, den Jahwe ausgesprochen hat (דבר
pi.); die Folge ist, daß er nicht eintreffen (בוא) wird. Aufgrund der
Figura etymologica wird hier das Denotat "Wort" vorliegen, wegen des Kontextes V. 17ff., vor allem V. 18, ist das sicher. Komplizierter ist Jos.
23,15: Es wird gesagt, daß כל־הדבר הטוב , den Jahwe geredet hat (דבר
pi.), eingetroffen ist (בוא) und Jahwe somit auch כל־הדבר הרע her-
beiführen wird (בוא hif.). Schon in V. 14 wird resümiert: לא־נפל דבר
אחד מכל־הדברים. Was hat der hebräisch sprechende Hörer oder Leser verstanden? Die syntagmatische Beziehung (דבר pi.) wird in Jos. 23,15 die
Bedeutung "Wort" assoziieren, vielleicht im Sinne einer Ankündigung bzw.
Verheißung, die aufgerichtet (בוא hif.), also realisiert, und nicht hinfällig (נפל Jos. 23,14), d.h. gegenstandslos wird.
   Jes. 9,7 schließlich sagt: דָּבָר שלח אדני ביעקב ונפל בישראל Der דָּבָר
wird materialisiert vorgestellt, dennoch trifft eine Übersetzung durch ein
abstraktes "eine Sache" den konkreten Vorgang (שלח, נפל) nicht. Es wird
mithin das Wort sein, das mit seinen sachlichen Implikationen buchstäblich
auffällt (s. V. 8).

   Die Koinzidenz der Bedeutungen "Wort" und "Ereignis", die
W.H. Schmidt für die genannten Stellen annimmt, läßt sich nicht
bewahrheiten. "Ereignis" allein ließe sich allenfalls für Jes.
8,9 suggerieren, allerdings werden in der folgenden Geschichtsbetrachtung v i e l e "Ereignisse" erwähnt, die auf den e i -
n e n דָּבָר zurückgehen; er ist "nicht ein Wort als Träger einer Botschaft, die man h ö r e n soll, sondern eines Geschehens,
das man zu s p ü r e n bekommt, ein Wort, das Geschichte schafft,

und also die Zukunft gestaltet"[128]. Gegen die Identifizierung
jener Bedeutungen polemisiert übrigens vehement J. Barr mit dem
Vorwurf, "zwei Wortbedeutungen - wo vorhanden - verschmelzen zu
wollen, und diese Tendenz wirkt sich bei d a b a r voll aus.
Die Bedeutungen dieses Wortes sind 'Wort' und 'Sache', der Sinn
wechselt mit dem Kontext"[129]. Mit welchem Kontext?

J. Barr denkt offenbar an den Textzusammenhang, in den ein
Wort eingebettet ist und von dem her seine Funktion mitbestimmt
wird. Aber, beeinflussen nicht auch die pragmatischen Bedingungen die Wortverwendungen, d.h. der außersprachliche bzw. situative Kontext? Der Verfasser von Jer. 1,1-3 stand unter dem Eindruck der Katastrophe um Jerusalem (V. 3), in die auch Jeremia
verstrickt war. Wenn diese Erfahrung die erste sprachliche
Äußerung des Jeremiabuches mitkonstituiert, dann muß die Bedeutung "Worte Jeremias" in Frage gestellt werden, eben weil im
Jeremiabuch auch Erfahrungen, Wirkungen und Auswirkungen beschrieben werden, die mit den Worten Jeremias in Zusammenhang
gebracht werden können. Der literarische Kontext allein hilft
nicht weiter, es sei denn, die auffällige Kontrastierung ד ב ר
ירמיהו – ד ב ר י יהוה. In jenem situativen Kontext könnte
die Berechtigung liegen, in Jer. 1,1 nicht "Worte", zumindest
nicht nur "Worte" zu vermuten. Die unhaltbaren Hinweise Bomans
auf die "Tat" können unberücksichtigt bleiben, es ist auch noch
niemand auf die Idee gekommen, den Anfang von Jer. 1,1 mit "Taten Jeremias" zu übersetzen.

W.H. Schmidt[130] bedenkt die Übersetzung "Geschichte Jeremias",
verwirft sie aber wieder, weil in der Weisheitsliteratur Spruch-
sammlungen mit analogen Überschriften versehen sind: so die
W o r t e der Weisen (Spr. 22,17; Koh. 9,16f.; 12,11; 2.Sam.
20,16f.), bzw. die W o r t e Agurs (Spr. 30,1), Lemuels (Spr.
31,1) und Kohelets (Koh. 1,1). Mit diesem Argument wird man die
"Geschichte" aber nicht extrapolieren können, denn über einer
S p r u c h sammlung ist der Constructus von דָּבָר im Plural mit
dem Namen des "Sprechers" nur als Denotat "Wort" zu begreifen,

---

128 H. Wildberger, BK X/1, 213.

129 J. Barr, Bibelexegese und moderne Semantik, 133ff. (Zitat: 136).

130 W.H. Schmidt, in: ThWAT I, 116, s. auch 112, wo er mit den דברי עמוס
argumentiert, die "die Worte des Amos" kennzeichneten.

das als konventionell festgelegter und in jenen Kontexten und Situationen genereller Inhalt von דָּבָר zu verstehen ist, im Gegensatz zu Jer. 1,1 (und auch Am. 1,1), wo das Sem "Wort" allenfalls als Konnotat zu begreifen ist, das nicht für alle Kontexte und Situationen gültig ist.

Aufgrund der bisherigen Überlegungen ist bei דָּבָר nicht mit einem Bewegungsbegriff zu rechnen. Die Frage ist, ob der Befund im Jeremiabuch, um das es hier geht, dieses Urteil bestätigen kann.

b)   דָּבָר im Jeremiabuch

Das Jeremiabuch, in dem die Wurzel דבר häufig belegt ist,[131] läßt schon in Kap. 1 aufleuchten, welche Sinnstreckung[132] דבר pi. erfahren kann. Die mangelnde Redeerfahrung, Jeremias Antwort auf Jahwes Pläne von V. 6, entspricht noch dem üblichen Verständnis, Jahwes Entgegnung (V. 7) nicht mehr: Jeremia soll das, was Jahwe ihm aufträgt, seine דברים ,weitergeben (V. 9). Es zeigt sich schon hier, daß דבר pi. "zwar den Akt des Redens bedeutet, aber nicht im Sinne eines Plauderns oder Diskutierens, sondern in der Bedeutung einer Wiedergabe und Weitergabe eines Befehls"[133].

Bemerkenswert ist in diesem Zusammenhang die häufige Verbindung von Nomen und Verbum wie in 7,27; 34,6; 38,1.4; 43,1; 44,16; 45,1 mit Jeremia als Sprechendem, in 10,1; 19,2; 25,13; 30,2.4; 34,5; 36,2.4; 37,2; 46,13 mit Jahwe als Sprechendem.[134] Dadurch erhält das Verbum die "prägnante Bedeutung 'ein Wort worten', das in der überwiegenden Mehrzahl der Fälle ein durch den Propheten weiterzugebendes und weitergegebenes Jahwewort ist, also ein gewichtiges, meist mit brisantem Inhalt gefülltes Wort, das kein Verschweigen oder Manipulieren verträgt, also mehr oder

---

131 L. Rost (Bemerkungen zu dibbär, in: ders., Studien zum Alten Testament, BWANT 101 , Stuttgart u.a. 1974, 50) nennt 116 Belege für דבר pi. und (51 Anm. 5) 147 Belege für דָּבָר.

132 S. zu diesem Terminus H. Kronasser, Handbuch der Semasiologie, Heidelberg 1952, 93f.

133 L. Rost, Studien zum AT, 50.

134 Auf diese Kombination macht L. Rost (Studien zum AT, 51) aufmerksam.

minder der Verfügung des Propheten und ohne Zweifel erst recht der der Adressaten entzogen ist."[135]

Die Kombination von Nomen und Verbum mit Jeremia als Subjekt kennzeichnet ganz allgemein die folgende Verkündigung (הדברים in 38,1, הדבר in 45,1), deren Wortlaut eigens durch eine Form von אמר eingeführt wird. Ebenso kann sie, nachdem der Verkündigungsinhalt genannt ist, resümierend eingesetzt werden (כל דברי יהוה in 7,27 und 34,6, כדברים האלה in 38,4, הדברים האלה in 43,1 und הדבר in 44,16). Der Befund bei den Stellen mit Jahwe als Subjekt entspricht den bisherigen Beobachtungen: Auch hier kann die Verbindung von nominal- und Verbalform überschriftartig der folgenden Verkündigung voranstehen (הדבר in 10,1, [כל] הדברים in 19,2; 30,2.4), auch hier führt אמר den eigentlichen Wortlaut ein. Das Voranstehende kann in diesem Zusammenhang jene Verbindung ebenso resümieren (דבר in 34,5, הדבר in 46,13, כל־דְּבָרַי in 25,13) wie sie ohne direkten Bezug auf vergangene Verkündigungen rückblicken kann (כל־הדברים in 36,2, [כל] דברי יהוה in 36,4; 37,2).

Zusammengefaßt: דָּבָר mit דבר pi. dient als Abstraktion konkreten Verkündigungsgeschehens, bringt es also gleichsam auf den Begriff und impliziert dabei ein bestimmtes geschehenes oder noch ausstehendes Geschehen.[136]

Warum Plural- und Singularform des Nomens דָּבָר miteinander wechseln, läßt sich aus dem vorliegenden Material kaum schließen, es sei denn, man versteht in der singularischen Verwendung eine gegenüber dem Plural intensivere Abstraktion, vielleicht die Absicht, die Einheitlichkeit des Geschehens deutlich auszudrücken. Es ist eine weitere Frage, ob der Singular bzw. der Plural des Nomens im Jeremiabuch immer "Wort" respektive "Worte" meint, oder ob nicht auch mit dem Sem "Sache" zu rechnen ist, vielleicht im Sinne der klassischen Rhetorik, in der "mit

---

135 L. Rost, Studien zum AT, 52; weitere Belege zum Jeremiabuch bei L. Rost, Studien zum AT, 50ff.

136 Die Untersuchung über "Das hebräische Piʿel. Syntaktisch-semasiologische Untersuchung einer Verbalform im Alten Testament, Zürich 1968" von E. Jenni ist hier zu nennen, in der in Anlehnung an die akkadische Grammatik von W. von Soden als wesentlichste Funktion des Piʿel seine gegenüber dem Grundstamm resultative Komponente hervorgehoben wird (123ff.).

dem Oszillieren von Wortkörper und Wortbedeutung gespielt"[137]
wird, wie das entsprechend für Jer. 1,1 angenommen werden könnte.

Zunächst zu den Stellen im Jeremiabuch, bei denen eindeutig
die Bedeutung "Wort" auszuschließen ist: Für den Singular gilt
das für 32,17. In einem Gebet preist Jeremia Jahwe, der Himmel
und Erde gemacht hat, und schließt daraus: לא־יפלא ממך כל־דבר,
דָּבָר bezeichnet also in äußerster Abstraktion alles Denkbare,
irgendeine Sache, irgend etwas, d.h. mit Negation: nichts (s.
auch 38,5 und 38,14). Beim pluralischen Gebrauch des Nomens
fällt die Verwendung in 14,1 auf, in einer Überschrift, die den
Anlaß einer Wortübermittlung nennt: על־דברי הכצרות. Die דברים
verstärken entweder das hier kausal zu verstehende על oder
aber, was wahrscheinlicher ist, sie weisen generell auf das
hin, was mit der Dürre im Zusammenhang steht ("was ... betrifft")[138] und dann in V. 2ff. im einzelnen genannt wird.

Schließlich sei Kap. 42 genannt: Israeliten, die nach der
Ermordung Gedaljas durch Ismael, den Sohn Netanjas, aus Furcht
vor Repressionen durch die Babylonier nach Ägypten fliehen wollen (V. 16-18), bitten Jeremia, Jahwe möge sie wissen lassen
את־הדרך אשר נלך בה ואת־הדבר אשר נעשה. דָּבָר ist hier zweifellos nicht "Wort", das es zu befolgen gilt; dagegen spricht das
zugeordnete דרך, das andernfalls n a c h דָּבָר zu erwarten
wäre (Wort und Wandel!).

Mit diesen wenigen Hinweisen sind schon die eindeutigen Stellen genannt,[139] sie gehören alle zu den Prosatexten.

In Kap. 40 belehrt der Babylonier Nebusaradan den Propheten,

---

137 H. Lausberg, Handbuch der literarischen Rhetorik, §§ 657ff., Zitat: 332.

138 Eine entsprechende Formulierung liegt in 7,22 vor, nach der Jahwe den
Israeliten beim Auszug aus Ägypten nichts על דברי עולה וזבח gesagt bzw.
angeordnet hat (צוה und דבר pi.). Das Verbum דבר pi. erinnert daran, daß
es sich um eine wortgemäße bzw. nicht wortgemäße Sache handelt.

139 Der Textbefund von 5,28 ist schwierig. Das Volk wird angeklagt: גם עברו
דברי רע. Offenbar ist etwas gemeint, was mit Unrecht im Zusammenhang
steht (parallel: דין לא דנו). Die Septuaginta hat jene Phrase nicht, Aqui-
la, Symmachus und Theodotion z.B. lesen τοὺς λόγους μου ἐις πονηρόν, was
ein דְּבָרַי לָרָע voraussetzen könnte. W. Rudolph (Kommentar, 40) hält MT
("sie überschreiten die Dinge des Bösen [= jedes Maß von Bosheit] ") für
"sprachlich und sachlich zweifelhaft" und ändert ab in "dabei 'unterstützen sie' den Bösewicht 'in seiner Sache'".

daß Jahwe das Unheil gebracht hat, weil das Volk den Gehorsam
aufgekündigt habe (V. 2.3a.bα). An diese Begründung schließt
sich die Bemerkung הדבר הזה (Q) והיה לכם(V. 3bβ) an, die
noch einmal die Erfüllung dessen betont, was Jahwe angesagt
(דבר pi., V. 2f.) hatte. Auch hier dürfte somit דָּבָר ganz allgemein das bedeuten, was in V. 2 weniger generell mit הרעה הזאת
genannt wird, zugleich aber das "reflexive" Verhältnis zu דבר
pi. beinhalten.

Eine entsprechende Verwendung, die das Oszillieren der Bedeutungen von דבר widerspiegelt, könnte auch in 38,27 vorliegen: In 38,14ff. spricht Zidkija mit Jeremia, bittet aber den
Propheten, den Gesprächsinhalt gegenüber nachfragenden Beamten
zu "verfremden". Das tut Jeremia auch, wie der Erzähler berichtet, כל־הדברים האלה, daraufhin verhalten sich die Beamten
ruhig, כי לא נשמע הדבר.

Hier wird der Singular dem Plural entgegengestellt, er faßt
den Inhalt der Verabredung (דברים) generell und abschließend
zusammen: die Sache wurde nicht ruchbar (נשמע)[140].

Eine weitere Stelle aus dem 40. Kapitel, das u.a. die Ereignisse um den in Mizpa residierenden Gedalja schildert, bestätigt
die bisherigen Beobachtungen: Ein gewisser Johanan teilt dem Gedalja gegen ihn gerichtete Mordabsichten eines Mannes namens Ismael mit und erklärt sich bereit, den potentiellen Mörder, bevor
er großes Unheil anrichten kann, zu liquidieren (V. 13-15); Gedalja aber antwortet lapidar (V. 16aβ.b):את־הדבר הזה(Q)אל תעשה
כי שקר אתה דבר אל ישמעאל . Wiederum wird also referiert,
summarisch bündelt דָּבָר abstrahierend[141] die vorgeführte "Sache",
die der Leser mit Hilfe des Verbums עשה entschlüsselt. Der Zusammenhang mit dem "Wort" wird ausdrücklich betont, die "Sache"
resultiert aus dem Bericht (דֹּבֵר).

Das bisherige Ergebnis läßt sich kurz skizzieren: Die genannten Stellen, die für דָּבָר das Sem "Wort" voraussetzen, konzentrieren den Redevorgang auf einen Punkt; dieser Abstraktionsvor-

---

140 Für das Verständnis eines Dialogs (die Zürcher Bibel übersetzt "Gespräch", W. Rudolph, Kommentar, 38: "Unterredung") gibt es keinen alttestamentlichen Beweis. Zu beachten ist die eher einen Sachverhalt konsta-
tierende Funktion des Singular דָּבָר gegenüber dem differenzierenden Plural,
der auf das Gespräch verweist, V. 24 macht das deutlich.

141 Die Übersetzung "du darfst d a s nicht tun" verdeutlicht den Abstrak-
tionsgrad.

gang ist bei dem Sem "Sache" noch intensiver. Das jeweilige
Verständnis konnte der Leser durch den Kontext erschließen,
d.h. durch das semantische Feld, das durch Wortverbindungen
geprägt wird und so zu verstehen gibt, ob ein "Wort" vorliegt,
weil geredet wird (דבר) oder eine "Sache", weil gehandelt wird
(עשה).

Bei keinem Beleg kann eine Identität vorausgesetzt werden,
weil nicht alle Eigenschaften des Sem "Sache" auf das Sem "Wort"
zutreffen und umgekehrt, auch keine Inklusion, weil nicht einfach die Merkmale der "Sache" in denen des "Wortes" enthalten
sind oder gar umgekehrt. Dagegen weisen die meisten Belege eine
Beziehung der beiden Seme auf, die sich mit der Begrifflichkeit
der formalen Logik als asymmetrische Relation bezeichnen läßt,[142]
weil jeweils das Wort die Voraussetzung ist, auf die sich die
Sache bezieht. Daß diese "konsequente" Beziehung wie ein Wortspiel eingesetzt wird, indem das reflexive Verhältnis von דָּבָר =
Sache durch eine Verbform von דבר zum Ausdruck kommt, ohne daß
wie bei einigen Beispielen eine intensivierende Figura etymologica die Bedeutung unzweifelhaft macht, weist auf den von vornherein schriftlichen Charakter jener Texte hin, die allesamt zu
den Prosatexten gehören, in denen von Jeremia in der 3. p. gesprochen wird.

Nichts deutete in den bisherigen Beispielen auf eine spezi-
fischere Bedeutung des Lexems דָּבָר hin, die über die ganz allgemeine Bedeutung "Sache" hinausginge. Da das aber für die Wendung דברי ירמיהו in 1,1 immer wieder postuliert wird, muß noch
nach dem Verständnis von דָּבָר gefragt werden, wenn das Nomen
regens im Plural vor allem mit einer Person verbunden wird:

In 23,16 sind zweifellos die Worte der "falschen" Propheten
gemeint, auf die das Volk nicht hören (שמע) soll, weil sie bei
der Verkündigung (דבר pi.) ihren eigenen Vorstellungen folgen,
wie auch in 27,14 falsche Versprechungen die Forderung nach Ver-
weigerung begründen. Entsprechend beklagt 26,5, daß das Volk
nicht auf die Worte der Propheten gehört habe. Auch in der Einheit 23,33-40, in der mit dem polysemen Charakter von משא יהוה
(Ausspruch - Last) gespielt wird, sind die vom Volk verfälschten

---

142 P. Lorenzen, Formale Logik (Sammlung Göschen, Bd. 1176/1176a), 2. Aufl.,
Berlin 1962, 17.

דברים , die auf den "lebendigen Gott" bezogen sind, als Worte
zu verstehen, das zeigen in V. 35 und 37 die Verben ענה und
דבר pi.

Mit Jahwes permanentem Reden (דבר pi.) und dem ständigen
Ungehorsam seines Volkes wird in 35,14 der Gehorsam der Recha-
biter gegenüber den Worten ihres Ahnherrn Jonadab verglichen,
die synonym zu seinen Anordnungen (צוה pi., מצוה , s. auch V.
6: צוה pi. und V. 8: שמע בקול יהונדב) stehen.

Die דברי ירמיהו kommen außer im 1. Kap. noch einmal in 26,20
vor. Dort wird festgestellt, daß auch Urija,der Sohn Semajas,
von Kirjat-Jearim gegen Jerusalem und das Land geweissagt habe
(נבא nif.), und zwar כל דברי ירמיהו . Wegen der Vergleichspartikel wird eine Ankündigung o.ä. gemeint sein. Dieses Verständnis legt sich im übrigen auch durch den folgenden Vers nahe, in dem der Erzähler die verbal ausgedrückte Handlung (נבא
nif.) nominal wiedergibt und von den דברים Urijas spricht,
von denen der König Jojakim und seine Umgebung hören. Der Befund von Kap. 36 bestätigt die bisherigen Beobachtungen: Baruch
soll nach V. 4 die Worte, die Jahwe geredet hat (דברי יהוה mit
דבר pi.)[143] nach Diktat Jeremias auf eine Schriftrolle schreiben und sie während eines Festtages verlesen (קרא V. 6.8).
Diese Worte, die in den folgenden Versen immer wieder genannt
und wegen ihrer Verschriftung in V. 32 zusammenfassend als דברי
הספר bezeichnet werden, sind in V. 10 mit dem Namen Jeremias
verbunden: דברי ירמיהו. Wie immer die literarische Gestaltung
von Kap. 36 zu bewerten sein mag,[144] für die vorliegende Frage-
stellung ist das Verständnis eindeutig: Es geht um die Worte
Jeremias, die Baruch nach V. 10 im Tempel verliest. Sie sind
es, die den König Jojakim zu seiner Reaktion von V. 23ff. veranlassen.

Auch an dieser Stelle läßt sich wieder ein Zwischenergebnis
formulieren: In den Plural-Constructus-Verbindungen des Jeremiabuches ist das kollokative Verhältnis, die Kombinierbarkeit
von Wörtern, recht einfach. Das assoziative Umfeld des Nomens
ist vor allem durch die beiden Verben דבר pi. und שמע gekenn-

---

143 Diese Verbindung von דברי יהוה und דבר pi. auch in Jer. 37,2 und
43,1.

144 Dazu C. Rietzschel, Das Problem der Urrolle, 106ff.; G. Wanke, Untersuchungen zur sog. Baruchschrift, 59ff.

zeichnet, zusätzlich noch durch das Verbum dicendi צוה pi.
שמע mit dem acc. der Sache zielt im alttestamentlichen Sprachgebrauch insbesondere auf die akustische Wahrnehmung. So kann
man etwa eine Stimme hören (Gen. 3,10; 21,17; u.ö.), ein Murren
(Ex. 16,9) oder auch den Klang von Harfen (Am. 5,23); und selbst
wenn ein Gehorsamsakt impliziert ist, geht jener Hintergrund
nicht verloren, wie z.B. die Wendungen שמע בקול (Gen. 22,18;
27,13; u.ö.) bzw. שמע על / אל מצוה (Jer. 35,18; Neh. 9,16.29)
beweisen.[145] In Verbindung mit שמע wäre zwar "Sache" als resultative Folgerung aus dem Redevorgang in den Übersetzungs-
varianten "von etwas Kenntnis erhalten" bzw. "etwas in Erfahrung bringen" nach unserem Verständnis ("ich höre von der Sache" o.ä.) angelegt, ist aber wegen des hebräischen Sprachge-
brauchs nicht sinnvoll, weil an den entsprechenden Stellen,
zumindest im Jeremiabuch, die direkte Beziehung zu einem Verbum dicendi vorhanden ist.[146]

Noch einmal werden die דברי ירמיהו genannt, und zwar in
51,64 als Schlußformulierung , an die dann noch der geschichtliche Anhang Kap. 52 angefügt wurde. Die gesammte Sammlung der
Worte gegen Babel (50,1-51,64) trägt die Überschrift הדבר אשר
דבר יהוה...ביד ירמיהו הנביא . Beide Formulierungen sind offenbar nicht von gleicher Hand und mit derselben Intention verfaßt,
denn bei der Schlußbemerkung fehlt הנביא, ebenso דבר יהוה.
Auch nicht auf einer Linie mit der Schlußbemerkung steht die
Überschrift הדבר אשר צוה ירמיהו הנביא (51,59), die wieder die
Bezeichnung "der Prophet" hat, von dem ein Wort (sg.) ausgeht
(צוה). Dieses Wort wird mit den דברים von V. 60a in Verbindung gebracht, denen am ehesten die abstrakte Bedeutung "Sache"
zugrunde liegt, das zeigt der parallele Ausdruck כל־הרעה in V.
60b.[147] Liegt nicht in dieser Abstraktion eine vielleicht bewußte Verbindung zum Ausdruck דברי ירמיהו in V. 64b vor, mit
dem dann im umfassenden Sinn auf das verwiesen wird, was Jere-

---

145 Hier ist auch das Verstehen (שמע) einer fremden Sprache zu nennen,
wobei die Redesituation vorausgesetzt ist, mit שפה Gen. 11,7; Jes. 33,19
(vgl. auch Gen. 42,23; Jes. 36,11), mit לשון Jer. 5,15.

146 H. Schult (THAT II, 976) nennt jene Übersetzungsmöglichkeiten.

147 Die דברים in V. 60 haben sicher eine verbindende Funktion, indem
sie 50,1-51,58 und 51,59-64 sekundär miteinander verklammern (so W. Rudolph,
Kommentar, 316f.).

mia betrifft, ohne Einschränkung auf seine Wortverkündigung?

Genauso kann auch 1,1 verstanden werden. Die דברים sind nicht mit einem spezifizierenden Verbum versehen, also semantisch unbestimmt;[148] der Leser wird nicht auf einen von vornherein fixierten Weg mitgenommen, ihm werden allenfalls Perspektiven aufgezeigt, unter denen er das weitere Buch zu lesen hat. Daß es in erster Linie um einen Leser geht, sagt in dem soeben erwähnten V. 60 des 51. Kap. der Text indirekt, wenn er die דברים nennt, die in ein "Buch" geschrieben sind. 1,1-3 setzt als Rückblick auf die gesamte Wirksamkeit des Propheten ohnehin einen Leser voraus.

Noch etwas sei hinzugefügt: Was sich an vielen Stellen des Jeremiabuches erst durch das paradigmatische bzw. kollokative Beziehungsgeflecht verdeutlicht, wenn mit den oszillierenden Bedeutungen von דָּבָר gearbeitet wird, ist in 1,1 gleichsam durch ein Wortspiel bzw. Sinnspiel bewirkt,[149] wenn die דברים Jeremias und der דבר Jahwes zusammen genannt und die semantischen Kategorien der Polysemie und Monosemie sozusagen in einem Zug verarbeitet werden: Die konventionierte Verwendung von דבר יהוה als W o r t Jahwes, die hier noch durch den Zusammenhang (היה אל + PN) gestützt wird, steht neben einer syntagmatisch leeren Verwendung des Plurals דברים, der mit seiner Unbestimmtheit auf den Begriff bringt, was alles von und über Jeremia von Anatot anschließend gesagt wird: seine Worte an andere, seine Reflexionen, seine Erlebnisse inmitten seines Volkes.

Alle bisherigen Beobachtungen, nicht zuletzt die Verwendung von דבר / דברים im Jeremiabuch, machen es unmöglich, die beiden ersten Worte des Buches mit "Geschichte Jeremias" zu übersetzen. Das Nomen דָּבָר ist im Jeremiabuch kein Ereignisbegriff, es hat keine dynamische Komponente. An den wenigen Stellen, an

---

148 Zu Recht macht die neuere rezeptionsgeschichtlich orientierte Literaturwissenschaft auf die Bedeutung des Lesevorgangs aufmerksam, bei dem der Leser aufgrund von Leer- und Unbestimmtheitsstellen Bedeutungen im Vollzug generiert, s. z.B. R. Ingarden, Das literarische Kunstwerk, 2. Aufl., Tübingen 1960, 261ff.; W. Iser, Die Appellstruktur der Texte. Unbestimmtheit als Wirkungsbedingung literarischer Prosa, in: R. Warning (Hg.), Rezeptionsästhetik. Theorie und Praxis (UTB 303), München 1975, 228ff.

149 Biblische Beispiele bei F.M. Th. de Liagre Böhl, Wortspiele im Alten Testament, JPOS 6 (1926) 196ff.; J. Schmidt, Das Wortspiel im Alten Testament, BZ 24 (1938/39) 1ff.

denen es nicht für "Wort" bzw. "Rede" steht, ist es ausschließlich im allgemeinsten Sinne Indikator für einen Sachverhalt,
der mitteilenswert erscheint.[150] Als Übersetzung von דברי
ירמיהו in Jer. 1,1 legt sich: "die Angelegenheiten Jeremias" bzw.
noch deutlicher: "was Jeremia betrifft" nahe. Diese Übersetzung
ist offen für das Wort u n d die Sache Jeremias. דבר bezeichnet das Wort als komprimierte Mitteilungseinheit und die Sache
als entsprechend komprimierte Inhaltsbezeichnung.[151] דָּבָר drückt
weder eine Bewegung aus noch deutet es eine Bewegung noch bringt
es die Erkundung eines Ereignisses auf den Begriff, entspricht
also nicht dem Historia-Begriff. M.a.W.: Wer in 1,1 am Anfang
des Jeremiabuches דברי ירמיהו las, hat nicht an die "Geschichte
Jeremias" gedacht; erst die Fortsetzung in 1,2.3 drückt aus, daß
der Leser mit einem Geschehen konfrontiert werden wird, in das
der Prophet Jeremia einbezogen ist.

4.   Die Funktion von Jer. 1,1-3

Bevor einige historische Probleme erörtert werden, die in
den von Jer. 1,1-3 gesteckten Zeitrahmen gehören, soll noch
nach der Funktion von Jer. 1,1-3 gefragt werden.

Der Vergleich mit dem Anfang anderer Prophetenbücher zeigt,
daß es nicht gerechtfertigt ist, alle Buchanfänge auf einen
Verfasser bzw. Verfasserkreis zurückzuführen, dafür bieten sie
zu unterschiedliche Elemente.[152] Auch eine genetische Sicht ist
nicht angemessen. Gewiß, einige vorexilische Prophetenbücher
beginnen mit Formulierungen, die z.T. eine Formulierungsstruk-

---

150 Das gilt schließlich auch für 44,4 und 52,34, wo דָּבָר ein iteratives Er-
fordernis bzw. Bedürfnis bezeichnet. Hiermit sind alle entsprechenden Stellen
genannt.

151 Dieser Befund läßt sich durch einen Blick über das Jeremiabuch hinaus
bestätigen; das zeigt die Verwendung von דָּבָר in den anderen Büchern des
Alten Testaments und in Inschriften sowie die Bedeutung der Synonyme und der
Etymologie von דָּבָר, s. dazu die Habil.-Schrift des Verfassers (Paradigma
und Syntagma. Eine Untersuchung zu Geschehen und Geschichte in der späten
Königszeit unter besonderer Berücksichtigung des Jeremiabuches, Bochum 1984,
66-89 und 275-286).

152 Vgl. G.M. Tucker, Prophetic Superscriptions and the Growth of a Canon,
in: Canon and Authority. Essays in Old Testament Religion and Theology, ed.
by G.W. Coats and B.O. Long, Philadelphia 1977, 59ff.

tur haben wie sie bei exilischen Büchern nicht zu finden ist
(‏דבר־יהוה אשר היה אל‎, Hos. 1,1; Micha 1,1; Zef. 1,1).
Allerdings entdeckt man bei den vorexilischen Werken immer wieder Elemente, die nur für den einen oder anderen Text charakteristisch sind, so die überreiche Filiationsangabe in Zef. 1,1,
die Nennung der Herkunft des Propheten in Micha 1,1 (wie in Jer.
1,1), die Erwähnung eines Adressaten in Am. 1,1 und Micha 1,1,
und nicht zuletzt die im Plural stehende Constructus-Verbindung
des Amosbuches (‏דברי עמוס‎), die im Rahmen eines Prophetenbuches nur noch in Jer. 1,1 zu finden ist und daneben ausschließlich
das Buch Kohelet (1,1) einleitet (‏דברי קהלת‎). Die Elemente
bleiben also vereinzelt, sie werden nicht im Laufe der Zeit zu
umfassenderen Informationen für den Leser gebündelt.[153]

Zwar wird ein zunehmendes Interesse am Geschichtsbezug deutlich, wenn in Jer. 1,2.3 eine gegenüber anderen vorexilischen
Prophetenbüchern präzisere Datierung erscheint, nur: Schule gemacht hat auch das nicht. Die auf den Monat und Tag genaue Datierung in Ez. 1,1-3 nennt nur die Zeit für die folgende Vision
des Propheten,[154] bezieht sich also nicht wie Jer. 1,1-3 auf
einen größeren Zusammenhang. Ebenso setzt Hag. 1,1 das auf den
Tag genaue Datum nur für e i n e n Wortempfang fest, weitere
Wortempfänge werden mit anderen Daten versehen (2,1.10.20); ein
entsprechendes Verfahren ist im Sacharjabuch zu beobachten (1,1.
7; 7,1). Eine übergreifende konkrete Datierung, die mehr als eine Regierungsperiode umspannt, kennt nur das Jeremiabuch, sie
wird auch in späteren Prophetenbüchern nicht mehr verwendet.

Welche Absicht wird mit Jer. 1,1-3 verfolgt? Die exegetische
Literatur spricht durchweg von einer "Überschrift"[155]. Dabei
werden Überlegungen vorgetragen, wie weit die "Überschrift"
reicht, denn es ist ganz offenkundig, daß in Jer. 40ff Gescheh-

---

153 Daß in den Überschriften zum Amos- und Ezechielbuch sekundäre Elemente
anzunehmen sind (s. die einschlägigen Kommentare z. St.), berührt die grundsätzlichen Hinweise nicht.

154 Vgl. W. Zimmerli, BK XIII/1, 21ff. und R. Liwak, Überlieferungsgeschichtliche Probleme des Ezechielbuches, 44ff.

155 S. z.B. K.H. Graf, Kommentar, 1; C.F. Keil, Kommentar, 26; E. Naegelsbach, Kommentar, 1; F. Giesebrecht, Kommentar, 1; H. Schmidt, Kommentar, 203;
A. Weiser, Kommentar, 2; W. Rudolph, Kommentar, 2; W. Thiel, Die dtr. Redaktion von Jer. 1-25, 49ff. P. Volz (Kommentar, 1) nennt Jer. 1,1-3 eine "bio-
graphische Einleitung".

nisse, auch "Wortgeschehnisse" berichtet werden, die in die Zeit
nach dem Fall Jerusalems und nach der Exilierung gehören, also
durch Jer. 1,1-3 nicht gedeckt werden.

Die naheliegendste Lösung schien, den "Geltungsbereich" von
1,1-3 für Kap. 1-39 festzusetzen, denn in 40,1 könnte mit einer
neuen Überschrift ein neuer Zeitabschnitt eingeleitet sein.[156]
Ein anderer Vorschlag berücksichtigt stärker die literarischen
Eigenarten der Textmaterialien und bezieht Jer. 1,1-3 auf die
Kap. 1-25,[157] in denen im wesentlichen die Sprüche (und Eigen-
berichte) Jeremias konzentriert sind. Beide Lösungsvorschläge
sind kaum akzeptabel.

Zum ersten: Die literarische Geschichte des Jeremiabuches
ist nicht so verlaufen, daß ein Kap. 1-39 umfassender Bestand
um die Kap. 40ff. erweitert wurde, die dann eine neue "Überschrift" erforderten, weil sich die in ihnen berichteten Ereignisse z.T. nach der Einnahme Jerusalems durch die Babylonier abspielen; 40,1 unterbricht einen Zusammenhang, der 38,28b-
40,12 umfaßt haben könnte.[158] Eine andere Möglichkeit bestände
darin, eine gewollte Dichotomie anzunehmen: "der letzte Redak-
tor des Jer-Buches zerlegte die Wirksamkeit Jer's in die Zeit
bis zur Eroberung Jerusalems (Kap. 1-39; Einleitung: 1,1-3) und
in die Zeit danach (Kap. 40-45; Einleitung: 40,1a)."[159] Dabei
wird aber die Formulierungsstruktur übersehen. Die Formulierung
von 40,1aα (הדבר אשר־היה אל־ירמיהו מאת יהוה) ist gegenüber 1,1-3
eigenständig, wiederholt sich aber ansonsten im Jeremiabuch häufig, so in 7,1; 11,1; 18,1; 21,1; (25,1); 30,1; 32,1; 34,1.8;
35,1; (44,1), wo sie jeweils als Einleitung in sprachlich und
sachlich zusammengehörenden Überlieferungen fungiert.[160] Dieselbe Hand hinter 40,1 und 1,1-3 zu sehen, ist ausgeschlossen.

Zum zweiten: Wird nicht auch bei jener Rekonstruktion, die

---

156 So etwa E. Naegelsbach, Kommentar, 1f.

157 So B. Duhm, Kommentar, XXI und 3; W. Thiel, Die dtr. Redaktion von Jer.
1-25, 54ff.; vgl. oben S. 80f.

158 So G. Wanke, Untersuchungen zur sogenannten Baruchschrift, 102ff., vor
allem 108.

159 W. Rudolph, Kommentar, 247, s. auch 3. Ihm angeschlossen hat sich G.
Wanke, Untersuchungen zur sogenannten Baruchschrift, 108 Anm. 112.

160 Es dürfte sich dabei um dtr. Partien handeln, deren Verfasser auch die
Einleitungsform gestaltet haben, s. dazu W. Thiel, Die dtr. Redaktion von
Jer. 1-25, 106ff.

1,1-3 nur auf die Kap. 1-25 bezieht, der Vorstellung einer Dichotomie Vorschub geleistet, die kaum mit dem Hinweis zu entkräften
ist, daß innerhalb der sogenannten Baruchbiographie bzw. in den
als dtr. bezeichneten Texten in Kap. 26ff. wiederholt ungefähre
Zeitangaben, zuweilen auch genauere Datierungen stehen, die den
Verfasser von 1,1-3 entlastet hätten, eine weitere "Überschrift"
über Kap. 26ff. zu setzen?[161] Denn die Zeitangaben in Kap. 26ff.
beziehen sich, von 40,1 abgesehen, auf die Zeit vor der Einnahme
Jerusalems, tragen also für die Zeit, die durch 1,1-3 nicht erfaßt ist, gar nichts aus. Im übrigen sind einzelne Daten für die
Zeit Joschijas und Jojakims ja auch in Kap. 1-25 verstreut.[162]

Der stärkste Einwand bezieht sich auf die Datierungsmethode.
Alle genannten Daten beziehen sich auf einen Zeit p u n k t,
1,1-3 aber markiert einen Zeit a b s c h n i t t [163], in dem
die einzelnen Zeitpunkte untergebracht werden können.

Mit anderen Worten: Auch wenn man die Geltung von Jer. 1,1-3
auf Kap. 1-25 festlegt, ist eine Zweiteilung des Buches nicht
zu vermeiden, die den Entstehungsverhältnissen kaum gerecht
werden dürfte.

Da strukturelle Erwägungen allein keinen Aufschluß geben,
soll das Problem hier nicht weiter verfolgt, sondern erst nach
der Analyse von Kap. 2-6 aufgegriffen werden.[164]

Das Problem der Funktion hat noch eine andere Seite. Die Bezeichnung "Überschrift" für Jer. 1,1-3 ist unscharf und mißverständlich. Eine Überschrift erwartet man nach konventionellem
Sprachgebrauch über Sinneinheiten, nicht über Komplexen, die
disparates Material integrieren.

Beispiele solcher Sinneinheiten sind im Jeremiabuch 14,1
(על־דברי הבצרות)[165], 21,11 (ולבית מלך יהודה)[166], 23,9 (לנבאים).

---

161 Diese Meinung vertritt W. Thiel, Die dtr. Redaktion von Jer. 1-25, 56f.

162 Für die Joschija-Zeit s. 3,6; 25,3, für die Jojakim-Zeit 25,1.3.

163 Nur noch die Datierung in 25,3 bezeichnet einen Zeitabschnitt, es handelt sich dort aber nicht um eine Einleitung, sondern um eine Rekapitulation.
Die Wendung עד־הנה דברי ירמיהו in 51,64b ist in ihrer Eigenschaft als
Schlußformulierung dem prototypischen 1,1 nachgebildet, hat also keine Beweiskraft für die ursprüngliche Geltung von 1,1-3.

164 S. unten S. 306ff.

165 Emendierter Text, s. W. Rudolph, Kommentar, 98.

166 Emendierter Text, s. dazu W. Rudolph, Kommentar, 138.

Sinneinheiten können eine Überschrift erhalten und noch durch
weitere Überschriften über einzelne Abschnitte untergliedert
werden; so steht über dem Komplex Kap. 46ff. die Überschrift
אשר היה דבר־יהוה אל־ירמיהו הנביא על־הגוים (46,1), während einzelne Teile z.B. durch למצרים (46,2) und אל־פלשתים (47,1)[167] ab-
gegrenzt werden. Wenn nähere Umstände genannt werden sollen,
können die Überschriften auch barocken Umfang annehmen wie etwa in 29,1-3; 40,1; 51,59.

Jer. 1,1-3 ist mit seiner umfassenden Datierung nicht nur im
Alten Testament singulär, sondern auch in seiner altorientalischen
Umwelt, in der sich in den Kolophonen[168] der Keilschrifttexte
unter anderem eine entsprechende Constructus-Verbindung findet,[169]
während Datierungen, die den Inhalt, nicht die Abfassungszeit betreffen, im Zusammenhang bibliographischer Notizen bei den der
מגלה von Jer. 36 entsprechenden Papyrusrollen in Ägypten begegnen,[170] aber eben nicht in dem extensiven Umfang von Jer. 1,1-3.

Handelt es sich auch bei den altorientalischen Texten, die
Texteinheiten darstellen, um "Titel", die das Werk kennzeichnen,
so ist Jer. 1,1-3 kaum als "Titel" oder gar als "Buchtitel"[171]

---

167 Emendierter Text, s. dazu W. Rudolph, Kommentar, 272. Weitere Beispiele
in 48,1; 49,1; 49,7; 49,34; 50,1.

168 S. dazu C. Wendel, Die griechisch-römische Buchbeschreibung verglichen
mit der des Vorderen Orients, Halle 1949, 1ff.; E. Leichty, The Colophon,
in: Studies presented to A.L. Oppenheim (The Oriental Institute of the University of Chicago), Chicago 1964, 147-154; H. Hunger, Babylonische und assyrische Kolophone (AOAT 2), Neukirchen 1968; vgl. H.M.I. Gevaryahu, Biblical Colophons: A Source for the "Biography"of Authors, Texts and Books, VTS
28 (Congress Volume, Edinburgh 1974), 1975, 42-59.

169 Aus dem babylonischen Bereich s. CT 36,38,33 bei H. Hunger, Babylonische und assyrische Kolophone, Nr. 28, und UET 1, 172 IV 1-10 bei H. Hunger,
Nr. 73; aus dem ugaritischen Bereich vgl. KTU 1.6 VI 54, bei spr ist allerdings nicht deutlich, ob es sich um eine Verbal- oder Nominalform handelt.

170 So ein demotischer Papyrus, der auf die Zeit des Königs Bokchoris (8.
Jh.) anspielt (J. Krall, Vom König Bokchoris, in: FS M. Büdinger, Innsbruck
1898, 1ff.). Der Titel lautet: "Die Verwünschungen über Ägypten seit dem
sechsten Jahre des Königs Bokchoris". Zu verweisen ist auch auf die "Lehre
des Ptahhotep" (auf dem sog. Papyrus Prisse, Prisse d'Arenne, Facsimile
d'un Papyrus égyptien en charactères hiératiques, Paris 1847). Ihr Titel:
"Die Unterweisung des Vorstehers der Hauptstadt und Veziers Ptahhotep unter
der Majestät des Königs Issi, der immer und ewig lebt" (Übersetzung nach A.
Erman, Die Literatur der Ägypter, Leipzig 1923, 87).

171 Die Bezeichnung Jeremia b u c h trifft cum grano salis zu, sofern die
Rolle (מגלה Jer. 36,2 u.ö.) als älteste Form des Buches bezeichnet wird;
im Grunde genommen ist sie freilich nur eine Vorform, die älteste F o r m
wäre eher der Codex, dessen einzelne Lagen mit dem Einband verbunden sind.
Im Neuen Testament jedenfalls wird die Bezeichnung βίβλος für alttestamentliche Schriften benutzt, s. Mk. 12,26; Lk. 20,42 u.ö.

zu bezeichnen, weil das Erwartungen weckt, die durch jene Verse
kaum gedeckt werden können, wenn nach gängigem Verständnis ein
Titel "Inhalt, Sinn und Bestimmung eines darauffolgenden Textes
kurz umreißen"[172] soll. Einem in der Neuzeit verwendeten Titel-
blatt entspricht Jer. 1,1-3 keineswegs, selbst wenn man V. 1 und
V. 2f. in einen Haupt- und Untertitel einteilte bzw. mit der Feststellung der nachträglichen Anfügung von V. 3 in Verbindung mit
Kap. 36 einen Hinweis auf eine "erweiterte Neuauflage" meint entdecken zu können. Bibliothekarisch wäre allenfalls die Bezeichnung "Kopftitel" vertretbar, der in frühen Drucken direkt über
dem Textanfang stand.[173] Aber auch hier gelten dieselben Bedenken: eine für die Titelinformation ungewöhnlich ausführliche und
eigengewichtige Datenreihung. Auch nicht treffender, nicht nur
heutiges Verständnis vorausgesetzt, ist der Terminus "Vorwort",
denn darin "setzt der Ver(fasser) die Ziele auseinander, die er
mit der Veröffentlichung seines Buches verfolgt"[174]. Das antike
Pendant, das Proömium, verfügt über zahlreiche geprägte Form-
merkmale, die in Jer. 1,1-3 keinen Niederschlag gefunden haben.[175]

Angemessener mag ein Terminus sein, der in der Regel für Handschriften und für Frühdrucke verwendet wird, bei denen noch keine
Titelblätter vorhanden waren. Gemeint ist das sogenannte Incipit[176],
das keine Formzwänge aufweist. Im Incipit wird dem Leser in wenigen Worten mitgeteilt, was er in der folgenden Schrift zu erwarten hat und wer ihr Urheber bzw. Verfasser ist.[177] Das ist auch
die Absicht von Jer. 1,1-3.

---

172 H. Hiller, Wörterbuch des Buches, 4. Aufl., Frankfurt 1980, 294.

173 S. dazu H. Hiller, Wörterbuch des Buches, 166.

174 H. Hiller, Wörterbuch des Buches, 320.

175 H. Lausberg, Handbuch der literarischen Rhetorik, passim, s. den Registerband desselben Titels, 787 zu "prooemium".

176 Einen ersten Überblick gibt H. Hiller, Wörterbuch des Buches, 148. Seinen Namen hat das Incipit von der oft zu beobachtenden Gewohnheit, die jeweilige mittelalterliche Handschrift mit den Worten ... Hic incipit ... zu beginnen. Zwar fehlt diese Eingangswendung im Jeremiabuch, eine ihr korrespon-
dierende Wendung schließt aber wie in mittelalterlichen Handschriften als
Explizit (Explicit liber) das Buch ab, dazu H. Hiller, Wörterbuch des Buches, 104. Zum Incipit als "einleitende Wendung", die "gewissermaßen Ersatz
für den Titel ist" s. auch: Lexikon des Buchwesens, hg. von J. Kirchner, Bd.
I: A-K, Stuttgart 1952, 345.

177 Weil der Urheber bzw. Verfasser genannt wird, ist auch die Kategorie
"Einleitung" unsachgemäß, in der gemeinhin Aufbau und Zweck der Schrift
vorgestellt werden, wie etwa in Lk. 1,1-4.

In der neueren Textforschung ist zu Recht auf die Bedeutung
hingewiesen worden, die dem Anfang eines Textes in besonderem
Maße eignet, weil ein Verfasser mit ihm eine erste Wirkung auf
den Leser ausüben kann, bei dem Erwartungen geweckt und dessen
Textverständnis grundlegend dirigiert werden kann.[178]

Was für einen einzelnen Text gilt, trifft auf ein ganzes
Textkorpus erst recht zu, weil bei seiner Einleitung die nicht
isotopischen Textteile von vornherein einem zentralen Verständnis von Erwartung und Erinnerung dienstbar gemacht werden können.

Bei allen Unterschieden in der Gestaltung, die das Incipit
des Jeremiabuches und das in der antiken Rede eröffnende Exordium[179] aufweisen, die Funktion der aus der rhetorischen Tradition bekannten Topoi benevolum, docilem und attentum parare,
die nicht exakt voneinander zu trennen sind, kennzeichnen auch
Jer. 1,1-3.

Wird das attentum u.a. in der Rede durch die Gewichtung des
Redegegenstands erreicht, so in Jer. 1,1-3 vor allem durch die
unübliche Constructus-Verbindung direkt am Anfang des Buches,
weiter durch den für Einleitungen ungewöhnlich großzügigen
Zeitrahmen, der betont durch das "Wort Jahwes" ausgefüllt wird.
Das docilem parare zielt in 1,1-3 mit den Wendungen דברי ירמיהו
und דבר-יהוה in ihren temporalen und lokalen Bezügen auf das
Informationsbedürfnis des Lesers. Schließlich das benevolum parare: Die wohlwollende Beurteilung des Sachverhalts der Rede
durch den Richter bzw. das Publikum setzt nicht zuletzt positive Affekte voraus, die der Redner bei seinem Vortrag ansprechen muß. In Jer. 1,1-3 kann im wahren Sinne des Wortes Sym-
pathie durch den Schluß der einleitenden Sätze bewirkt werden,
der beim Leser Anteilnahme hervorrufen wird.

C. Wendel (Die griechisch-römische Buchbeschreibung, 29ff. und 108f. Anm.
165.166) gibt Beispiele für ein Incipit aus den griechischen Historiographen und aus den Schriften des hippokratischen Corpus.

178 S. vor allem R. Harweg, Textanfänge in geschriebener und gesprochener
Sprache, Orbis 17 (1968) 343-383.

179 Zum folgenden s. H. Lausberg, Handbuch der literarischen Rhetorik, §§
263-288.

III. Archäologische, topographische und historische Überlegun-
      gen als Voraussetzung für das Verständnis von Jer. 2-6

1.   Expansion und Verteidigung in der späten Königszeit

Es ist nicht ganz einfach, wenn man aus Texten, deren historische Zuverlässigkeit umstritten ist, Schlußfolgerungen zu ziehen versucht, die historische Urteile einschließen. Das ist dann
besonders schwierig, wenn es sich um Rückschlüsse handelt, die
nicht die unmittelbare Aussageabsicht des Textes betreffen. Diese
Probleme bewußt zu halten, ist ein Regulativ kritischer Exegese,
sie entbinden aber nicht von der Aufgabe, die gegebenenfalls historisch verfremdeten Texte gleichsam noch einmal zu verfremden,
um ihnen eine arbeitshypothetische Bedeutung zu sichern, die
sich im Zusammenhang mit anderen Texten unter der Voraussetzung
einer grundsätzlichen Lückenhaftigkeit der überlieferten alttestamentlichen Literatur als tragfähig erweisen kann oder aufgegeben werden muß.

Um die Exegese von Jer. 2-6 von exkursartigen Gedankengängen
zur geschichtlichen Situation am Ende der Königszeit zu entla-
sten, sollen an dieser Stelle Überlegungen zu Expansions- und
Verteidigungsbemühungen Joschijas und zum Skythenproblem vorgetragen werden. Dies ist als Versuch zu verstehen, den Worten
Jeremias in Jer. 2-6 ihren jeweils konkret situativen Kontext
abzugewinnen, um damit die Stoßrichtung einiger z.T. vager Ankündigungen besser beschreiben zu können.

Die Schwierigkeiten, von denen soeben die Rede war, werden
konkret, wenn man sich dem Problem zuwendet, ob Joschija seinen Einflußbereich über Juda hinaus ausgeweitet hat. Gegenüber
einer maximalen Lösung, die nicht nur eine Wiedereinbeziehung
des gesamten ehemaligen Nordreichs, sondern auch eine Ausweitung auf weite Teile des transjordanischen Bereichs vorsieht,[1]

---

1 So H.L. Ginsberg, Judah and the Transjordan States from 734 to 582 BCE,
in: A. Marx Jubilee Volume, New York 1950, 347-368; M. Noth hat Joschijas
transjordanische Interessen aus der Ortsliste von Jos. 13 gefolgert (Studien
zu den historisch-geographischen Dokumenten des Josiabuches[1935], in: ABLAK,
Bd. 1, vor allem 279f.); s. auch A. Malamat (Josiah's Bid for Armageddon,
JANES 5, 1973, 267-278), der zwar Gilead ausschließt, aber Joschijas Herrschaft über die ehemalige assyrische Provinz Samaria behauptet, so schon
A. Alt, Judas Gaue unter Josia (1925), in: Kleine Schriften II, 281; Y. Aharoni (Das Land der Bibel, 413ff.) rechnet damit, daß Joschija auch die sich

sollte man ebenso zurückhaltend sein[2] wie gegenüber der Meinung,
es habe gar keinen Expansionsversuch Joschijas gegeben. Für diese letztere Behauptung werden vor allem literarkritische, aber
auch archäologische Gründe genannt. Der Bericht über die Reform
Joschijas in 2. Kön. 22f. nennt in 2. Kön. 23,4 und dann vor allem in 2.Kön. 23,15-20 Auswirkungen der Reformmaßnahmen auch für
das Nordreich. Das ist als Wunschdenken[3] oder als zuverlässige
Erinnerung[4] bezeichnet worden, immer bezogen auf den Zusammenhang
mit einer (zumindest literarisch bezeugten) Kultreform Joschijas.
Wenn man einmal in 2.Kön. 22f. stärker zwischen politischen und
kultischen Aktionen unterscheidet, dann ist der Hinweis auf Joschijas Verbindung zum Gebiet des ehemaligen Nordreichs, das unter assyrischer Hoheit stand, naheliegend und verständlich,[5]
denn die Assyrer waren in jener Zeit zur Kontrolle über dieses
Gebiet nicht mehr fähig. Ob man freilich über Betel hinausgehen will, ist sehr fraglich, denn die Erwähnung von Samaria in
2.Kön. 23,19f bzw. Manasse, Efraim, Simeon, Naftali in 2.Chr.
34,6 könnte Ausdruck einer sukzessiv-literarischen Steigerung
sein.[6]

Der archäologische Einwand, ein Übergriff Joschijas auf das
ehemalige Nordreich müsse"Spuren in Form von Königsstempeln"

----

im Norden von Samaria anschließende Provinz Megiddo beherrscht hat.

2 H.L. Ginsberg (in: A. Marx Jubilee Volume, 347ff.) nennt Jer. 49,1-6 und
Jes. 9,1-7, aber diese Stellen reflektieren keine judäischen Eroberungen,
vgl. die einschlägigen Kommentare.

3 Z.B. E. Würthwein, Die Josianische Reform und das Deuteronomium, ZThK 73
(1976) 395-423; H.-D. Hoffmann, Reform und Reformen, Zürich 1980, 218ff.;
H. Spieckermann, Juda unter Assur in der Sargonidenzeit, Göttigen 1982,
112ff.; E. Würthwein, Die Bücher der Könige. 1.Kön. 17 - 2.Kön. 25 (ATD
11,2), Göttingen 1984, 460.

4 Z.B. B. Oded, in: J.H. Hayes/J.M. Miller (Ed.s), Israelite and Judaean
History, 463ff.; M. Rose, Bemerkungen zum historischen Fundament des Josia-
Bildes in II Reg 22f., ZAW 89 (1977) 50-63; C.D. Evans, Judah's Foreign
Policy from Hezekiah to Josiah, in: Scripture in Context. Essays on the
Comparative Method, ed. by C.D. Evans et al., Pittsburgh 1980, 171; M.
Rehm, Das zweite Buch der Könige. Ein Kommentar, Würzburg 1982, 221; R.
Nelson, Realpolitik in Judah (687-609 BCE), in: Scripture in Context II,
ed. by W.W. Hallo et al., Winona Lake 1983, 185.

5 S. Herrmann, Geschichte Israels, 326.

6 M. Rose, ZAW 89 (1977) 61. Eine Karte mit minimaler Ausweitung der Nordgrenze in BHH II, 891 (Eine maximale Ausdehnung zeigt die Karte 33 bei Y.
Aharoni, Das Land der Bibel, 414).

hinterlassen haben,[7] ist nur dann berechtigt, wenn ein Teil der
Tonscherben von judäischen Vorratsgefäßen mit dem למלך -Stempel
("für den König" o.ä.) aus der Zeit Joschijas stammt.[8] Aber das
scheint nicht der Fall zu sein. Die Problematik der zeitlichen
Ansetzung ist vor allem mit der Frage verknüpft, wie das Stratum III vom tell ed-duwer zu datieren ist, denn in jener Schicht
ist eine große Anzahl von gestempelten Krughenkeln gefunden
worden. Da die neuen Ausgrabungen gezeigt haben, daß die Zerstörung der durch Stratum III repräsentierten Stadt auf die Eroberung Judas durch Sanherib im Jahre 701 v. Chr. zurückgeht,[9]
sind die Henkel mit den Stempelabdrücken, die einen stilisier-
ten vierflügeligen Skarabäus oder eine schematisierte geflügel-
te Sonnenscheibe zeigen, über denen למלך und unter denen ein
Ortsname (Hebron, Sif, Socho oder mmscht) steht, in der Zeit
Hiskijas anzusetzen.[10] Jenes archäologische Indiz ist also für
die Joschija-Zeit nicht beweiskräftig. Es bleibt die literarische Überlieferung in 2.Kön. 23 (und 2.Chr. 34); es bleiben
territorialgeschichtliche Überlegungen A. Alts, denn A. Alt
hat judäische Ortslisten (Jos. 15,21-62; 18,21-28; 19,2-7.41-46)
als Verwaltungsdokumente aus der Zeit Joschijas verstanden, der
nach Jos. 18,21ff. im Nordosten die Gegend um Betel seinem Einfluß unterstellt hätte.[11] Es bleibt allenfalls noch der Hinweis

---

7 H. Spieckermann, Juda unter Assur in der Sargoniden-Zeit, 152.

8 Zu den Argumenten vgl. P. Welten, Die Königs-Stempel, Wiesbaden 1969,
103ff; N. Na'aman, Sennacherib's Campaign to Judah and the Date of the
lmlk Stamps, VT 29 (1979) 61ff.

9 S. z.B. D. Ussishkin, The Destruction of Lachish by Sennacherib and the
Dating of the Royal Judean Storage Jars, Tel Aviv 4 (1977) 28-60; ders.,
Answers at Lachish, Biblical Archaeology Review 5/6 (1979) 16-38; ders.,
Lachish in the Days of the Kingdom of Judah - The Recent Archaeological Ex-
cavations, Qad. 15 (1982) 42-56; vgl. auch die Ausgrabungsberichte (Anm. 123).

10 Über Datierung, Paläographie und Verwendungszweck äußert sich grundsätzlich Y. Aharoni, Das Land der Bibel, 404ff. Die neuesten Stellungnahmen, vor
allem zur Herkunft und Funktion der entsprechenden Vorratskrüge, bei H. Momm-
sen/I. Perlman/J. Yellin, The Provenience of the lmlk Jars, IEJ 34 (1984)
89-113. N. Na'aman, Hezekiah's Fortified Cities and the LMLK Stamps, BASOR
261 (1986) 5-21, vor allem 11ff.

11 A. Alt, Judas Gaue unter Josia (1925), in: Kleine Schriften II, 276-288;
vgl. ders., Bemerkungen zu einigen judäischen Ortslisten des Alten Testaments (1951), in: Kleine Schriften II, 289-305; zur Territorialgeschichte
des Südreichs Juda s. A. Alt, in: Kleine Schriften II, 289ff., zum Gebiet
von Jos. 18,21ff. s. A. Alt, in: Kleine Schriften II, 281f. Ablehnend gegenüber der Datierung der Listen durch A.Alt ist neuerdings H. Spieckermann, Juda unter Assur in der Sargoniden-Zeit, 150f. Anm. 268 (24f. Anm.

auf die Heirat Joschijas mit einer gewissen Sebuda, der Mutter
Jojakims, die nach 2.Kön. 23,36 aus dem Bereich des Nordreichs,
aus Ruma in Galiläa stammt.[12]

Alle Hinweise auf eine nördliche Expansion zusammengefaßt,
ergibt sich eine nachlaufende Kombination von Wirklichkeit und
Wunsch. Für das erste sprechen die judäischen Ortslisten in Verbindung mit 2.Kön. 23,4.15: Gerade an dem Gebiet des ehemaligen
nordisraelitischen Staatsheiligtums Betel wird Joschijas politisches und kultisches Interesse verständlich.[13] Für das zweite
sprechen 2.Kön. 23,19f. und die Heirat Joschijas mit einer Frau
aus Galiläa, hier scheinen Anspruch und Wirklichkeit auseinan-
derzutreten. Daß freilich Joschijas Heiratspläne auch politische Überlegungen einschließen, legt seine Heirat mit Hamutal
(2.Kön. 23,31), der Mutter Joahas' und Zidkijas, nahe, die aus
Libna stammt, das im Grenzgebiet der Philister liegt.[14] Hier
wird Joschijas Interesse auch am Gebiet westlich des judäischen
Territoriums deutlich. Hat er diesen Wunsch verwirklichen können?

In diesem Zusammenhang ist die problematische Notiz Herodots
(II, 157) zu nennen, Psammetich I. habe Aschdod (῎Αζωτος) 29

---

33 ältere Literatur, die sich mit Alts Datierung auseinandersetzt). Zumindest sein territorialgeschichtliches Argument, wichtige "Neuerwerbungen"
der Joschijazeit fehlten, muß relativiert werden, denn die Listen können
irgendeinen konkreten Zeitpunkt der Regierungszeit Joschijas spiegeln, sie
müssen nicht als endgültiges Resultat machtpolitischer Erfolge verstanden
werden.

12 Ruma kann mit chirbet er-rume identifiziert werden, so Y. Aharoni, Das
Land der Bibel, 415, s. auch die Lage auf der Karte 33. Y. Aharonis Behauptung einer joschijanischen Kontrolle über das gesamte ehemalige Nordreich
aufgrund des Arad-Ostrakons 88 (Y. Aharoni, Arad Inscriptions, Jerusalem
1981, 103f.; ders., Das Land der Bibel, 415f.) ist spekulativ. Abgesehen
von der Unsicherheit bei der Datierung des Ostrakons läßt sich bei der
fraglichen Ergänzung in Z. 1 nur der Bestand א‎נ‎י‎ מ‎ל‎כ‎ת‎י‎ deutlich erheben.
Ein dem ‎כ‎ folgendes ‎כ‎ scheint äußerst unsicher, eine Ergänzung zu ‎כ‎ל‎
‎ל‎י‎ש‎ר‎א‎ל‎ ist also willkürlich.

13 Dazu M. Rose, ZAW 89 (1977) 61. Es ist nicht gerechtfertigt, dem Bericht in 2.Kön. 22f. jegliches Geschichtsinteresse abzusprechen und Betel
nur als Symbol für den "Hauptort der Sünde" zu verstehen (so H.-D. Hoffmann, Reform und Reformen, 221).

14 Libna ist wahrscheinlich mit dem tell bornaṭ (Tell Burna) gleichzusetzen, s. O. Keel/M. Küchler, Orte und Landschaften der Bibel, Bd. 2,
880. Zur Lage s. die Karte 32 bei Y. Aharoni, Das Land der Bibel, 398.
Neuerdings suchts G.W. Ahlström (s. Anm. 112) Libna auf dem tell ed-
duwer.

Jahre lang belagert und dann (erst) erobert.

Herodot hat kaum an den Hafen "Αζωτος παράλιος, sondern an das binnenländische "Αζωτος ἡ ἵππινος bzw. μεσόγειος [15] gedacht, denn Ausgrabungen auf dem im heutigen Stadtgebiet von Aschdod gelegenen tell el-chedar (Tel Mor) haben - von der hellenistischen Zeit abgesehen - eine Besiedlung in der späten Königszeit ausgeschlossen.[16] Die Stadt im Binnenland ist mit dem Tel Aschdod identifiziert worden.[17]

Die Ausgrabungsberichte sollen nicht im einzelnen diskutiert werden, auch nicht mögliche historische Implikationen jener Notiz, denn eine nicht nur partiell nachweisbare Zerstörungsschicht, die auf eine ägyptische Invasion schließen ließe, ist für den entsprechenden Zeitraum[18] nicht nachweisbar.

Auffällig ist für die späte Eisenzeit der Keramikbefund: Es wurden Töpferwaren gefunden, die für Aschdod ganz ungewöhnlich, in Juda aber verbreitet sind,[19] daneben auch Gewichte, die hebräisch beschriftet sind, selbst ein Henkel mit dem למלך-Stempel ist bezeugt.[20]

Das bedeutet zumindest, daß es Handelsbeziehungen zwischen Aschdod und Juda gab; vielleicht weist der Befund sogar auf eine judäische Präsenz in der Philisterstadt hin, möglicherweise unter Joschija, V. 47 in der judäischen Ortsliste Jos. 15,21-62 träfe dann das Richtige.[21]

---

15 Belege bei M. Avi-Yonah, Gazetteer of Roman Palestine, Jerusalem 1976, 34. Sargon II. nennt Asdūdu und Asdūdimmu (s. H. Tadmor, JCS 12, 1958, 79ff.).

16 M. Dothan, IEJ 9 (1959) 271-272; BIES 24 (1960) 120-132; IEJ 10 (1960) 123-125; 23 (1973) 1-17; EAE III, 889f.

17 Ausgrabungsberichte: M. Dothan/D.N. Freedman, Ashdod I. The First Season of Excavations. 1962, Jerusalem 1967; M. Dothan, Ashdod II-III. The Second and Third Seasons of Excavations 1963, 1965, Soundings in 1967, 2 Vol.s, Jerusalem 1971; M. Dothan/Y. Porath, Ashdod IV. Excavation of Area M. ʿAtiqot. English Series 15 (1982) 1-63.

18 E.A. Kitchen (The Third Intermediate Period in Egypt, 469) und W. Wolf (Das alte Ägypten, 249) geben Psammetich I. die Jahre 664-610.

19 Zur sog. Aschdod-Ware s. M. Dothan/D.N. Freedman, Ashdod I, 130f. und passim, M. Dothan, Ashdod II-III, 113 und passim. Als Beispiel judäischer Ware sei eine tiefe Schale genannt, die als Fig. 52:26 in Ashdod II-III abgebildet ist.

20 M. Dothan, Ashdod II-III, Pl. 95:4.

21 Vgl. Anm. 11. V. 47 scheint nachträglich in die Ortsliste eingefügt zu sein, s. M. Noth, HAT 7, 90.97.

An dieser Stelle ist der "Rest Aschdods" (Jer. 25,20) zu
erwähnen, der auf die Zerstörung durch Psammetich I. bezogen
wird,[22] aber zu Unrecht. Es handelt sich bei Jer. 25,20 um
einen Vers des Prosatextes 25,15-29, in dem Jeremia Aschkelon, Gaza, Ekron und שארית אשדוד nennt. Warum sollte nicht
der "Rest Aschdods" die "ruinierte" Stadt Aschdod bezeichnen?
Man könnte freilich, aber das wäre wohl zu spitzfindig, an das
um das "Aschdod am Meer" reduzierte Aschdod denken. Um Klarheit zu gewinnen, muß der Befund im Jeremiabuch befragt werden, denn von den 67 alttestamentlichen Belegen entfallen bei
שארית immerhin 25 auf das Jeremiabuch. Und da sind es quer
durch alle literarischen Komplexe immer Menschen, die übrig-
bleiben.[23] Eins ist demnach so gut wie ausgeschlossen, daß
nämlich in Jer. 25,20 das noch nicht vollständig zerstörte
Aschdod gemeint ist. Aber was dann? Eine Stelle wie Jer. 47,5
kann bei dieser Frage eine Schlüsselstellung einnehmen. Im
Zusammenhang einer Kriegsgefahr (47,2ff.) nennt Jeremia auch
Gaza, Aschdod und den "Rest der Enakiter"[24], ein Bevölkerungs-
element, das in Jos. 11,22 als Rest einer vorisraelitischen
Bevölkerung verstanden wird, die nach der israelitischen Landnahme in Israel selbst nicht mehr zu finden war, aber noch
(שאר) in Gaza, Gat und Aschdod. Wie immer diese Notiz zu beurteilen sein mag, sie rechnet jedenfalls mit einer ethnischen
Vermischung. Wendet man diesen Gedankengang auf Jer. 25,20 an,
ergeben sich folgende denkbare Schlußfolgerungen: Sach. 9,6
rechnet offenbar mit einer judäisch-aschdoditischen Mischbe-
völkerung.[25] Es gibt freilich für den deuterosacharjanischen
Text 9,1-8 verschiedene Datierungsmöglichkeiten[26]; eine Situ-

---

22 Daß eine Anspielung vorliegt, ist die allgemeine Meinung, s. z.B. W.
Rudolph, Kommentar, 165; M. Dothan, EAE I, 104; M. Dothan/D.N. Freedman,
Ashdod I, 10.

23 S. Jer. 6,9; 8,3; 11,23; 15,9 u.ö.

24 Zur Lesung s. W. Rudolph, Kommentar, 272.

25 Zum Verständnis des Begriffs ממזר vgl. B. Otzen, Studien zu Deuterosacharja, 111ff.

26 Drei Ansatzpunkte sind vorgeschlagen worden: die Zeit Tiglatpilesers
III., Joschijas und Alexanders des Großen (s. R. Smend, Die Entstehung
des Alten Testaments, 186). Selbst wenn 9,1-8 Reflex des Alexanderzuges
wäre, können die Verhältnisse, die 9,6 vor Augen hat, "urtümliche Zustän-
de" bewahrt haben.

ierung von 9,6 am Ende der vorexilischen Zeit ist nicht unwahrscheinlich, zumal einige archäologisch nachweisbare judäische
Artefakte im Aschdod jener Zeit diese Ansetzung stützen können.

Nehemia jedenfalls beobachtet zu seiner Zeit, daß die Kinder
der יהודים , die aschdoditische, moabitische und ammonitische
Frauen geheiratet hatten, z.T. יהודית [27] redeten und nicht mehr
אשדודית sprechen konnten. Die Frage ist, wann diese aschdodi-
tisch-judäische Beziehung eingesetzt haben mag. Von früher möglichen militärpolitischen Kontakten einmal abgesehen[28] legt sich
am ehesten die joschijanische Zeit nahe.

1960 wurde 1,7 km südlich von Jabne-Jam (minet rubin) eine
judäische Festung ausgegraben, die den Namen Meṣad Chaschavjahu
erhielt und in die Zeit Joschijas datiert wird.[29] Joschija hat
damit an strategisch wichtiger Stelle im Westen einen Zugang
zum Meer gefunden, eine Maßnahme, die im Gefolge des assyrischen Niedergangs verständlich ist und deren Antrieb im Wunsch
liegen kann, am Mittelmeerhandel teilzuhaben. Nun ist es freilich archäologisch nicht recht deutlich, inwieweit der Hafen
Aschdods in jener Zeit noch funktionstüchtig war. Aber selbst
wenn keine nachweisbare Siedlung zur Zeit Joschijas vorhanden
war, die Hafenanlage mag weiter benutzt worden sein.

Folgt man der wie an der Schnur gezogenen geradlinigen Küste
nach Norden, erreicht man die nächste natürliche Bucht in Jabne-
Jam (minet rubin), wo Oberflächenfunde eine Besiedlung von der
Mittelbronzezeit bis in die byzantinische Zeit nahelegen.[30]
Zwischen diesen beiden Hafenanlagen baute Joschija seine Fe-
stung, von der aus er beide Häfen kontrollieren konnte.

Denkt man über die strategische Lage nach, dann scheint es
wahrscheinlich, daß Joschija auch für das jeweilige Hinterland,

27 Nach M. Dothan, Ashdod II-III, 200f. wäre darunter ein aramäischer Dia-
lekt zu verstehen.

28 Man mag aus dem Fund des lmlk-Krughenkels (s. Anm. 20) folgern, daß Hiskija mit der aschdoditischen Aufstandsbewegung sympathisierte, so O. Keel/M.
Küchler, Orte und Landschaften der Bibel, Bd. 2, 45f.

29 J. Naveh, IEJ 12 (1962) 89-113; EAE III, 862-863. Der Name חשכיהו(vgl.
Gen. 15,6) wurde auf einem Ostrakon gefunden (s. J. Naveh, IEJ 10, 1960, 131,
Zeile 7); zu den anderen judäischen Namen auf den Ostraka s. J. Naveh, IEJ
10 (1960) 129-139; 12 (1962) 27-32.

30 M. Dothan, IEJ 2 (1952) 108; J. Kaplan, IEJ 19 (1969) 120f.; RB 77 (1970)
388f.; ZDPV 91 (1975) 4f.

im Falle des am Meer gelegenen Aschdod also das binnenländische
Aschdod, großes Interesse zeigte. Für den judäischen König mag
dabei ein ökonomisches Motiv ausschlaggebend gewesen sein, zumindest das nördliche Philisterland in das von ihm beherrschte
Territorium einzubeziehen.

Nur schwer zu beurteilen ist die Frage, welche historische
Erinnerung hinter der Notiz 2.Chr. 6 steht, nach der Usija/Asar-
ja gegen die Philister kämpft. Dabei wird präzisierend gesagt,
er habe die Mauern von Gat, Jabne und Aschdod geschleift und im
Gebiet von Aschdod (באשדוד) Städte gebaut. Da עיר ohne Attri-
butierung ist,[31] will die Bemerkung sicher nicht auf Befesti-
gungsmaßnahmen anspielen, andernfalls wäre es ohnehin zweck-
mäßiger, Aschdod selbst neu zu befestigen. Was also ist historisch denkbar?

In der Regierungszeit Usijas/Asarjas blieb der assyrische
Druck auf Syrien-Palästina aus, denn die Assyrer waren in jener Zeit hinreichend mit den Aramäern beschäftigt und das hatte
wiederum zur Folge, daß die Aramäer, die ihre Truppen dringend
an ihrer Ostgrenze benötigten, den palästinischen Raum nicht
bedrängten. In dieser Zeit spricht Amos etwa um 760/750 sein
Gerichtswort gegen die Philisterstädte (1,6-8), in deren Zusammenhang paradigmatisch die Verschuldung Gazas genannt wird:
Gaza soll Gefangene, vielleicht judäischer Herkunft, als Sklaven an die Edomiter verkauft haben. Die Philisterstädte scheinen also aktiv geworden zu sein, sobald ihre Hände für außenpolitische Aktivitäten frei waren. Das kann mit gleichem Recht
für Usija/Asarja in Anspruch genommen werden; aus jener Zeit
heraus ist sein Interesse für das nördliche Philisterland erklärbar.

Trotzdem bleiben Zweifel. Jabne wird einmal, und zwar in der
vollständigen Form יבנאל, in einer idealisierten Grenzbeschrei-
bung (Jos. 15,1-12.20) als äußerste an der Nordgrenze von Juda
beanspruchte Stadt genannt.

Nach 2.Chr. 26,2 ist Jabne eine Philisterstadt neben Aschdod und Gat; alle diese Städte soll Usija/Asarja geschleift haben. Aber wie ist er dann
weiter verfahren? Von einem Tribut (vgl. V. 8) o.ä. hören wir nichts. Übri-

---

31 Eine befestigte Stadt ist eine עיר מבצר (2.Kön. 10,2 u.a.), eine עיר
חומה (Lev. 25,29 u.a.) bzw. eine עיר בצורה (Jes. 27,10 u.a.).

gens ist Jabne in assyrischen Dokumenten nicht belegt, während Aschdod und offensichtlich auch Gat erwähnt werden.(32)

Tiglatpileser III. erschien 734 im philistäischen Gebiet, ohne daß konkrete Nachrichten, von Gaza abgesehen, vorlägen.

Anders liegen die Dinge bei Sargon II., der in Aschdod nach einer Aufstandsbewegung entschieden eingriff, wie auch Jes. 20,1 zu berichten weiß, und möglicherweise bei dieser Gelegenheit neben Aschdod auch Gat erobert hat. Von einer judäischen Suprematie kann also zu dieser Zeit keine Rede sein; andererseits muß auch kaum für die Zeit um 760/750 mit Grenzstreitigkeiten zwischen Philistern und Judäern gerechnet werden.(33)

Wenn man nicht annehmen will, daß die Eroberungen des Usija/Asarja wirkungslos geblieben sind, dann sollte die unerfindliche Notiz in einen anderen historischen Zusammenhang gestellt werden. Dafür bietet sich die Zeit Joschijas am besten an.

Daß Jabne bei der Aufzählung der Städte des Gaus von Ekron in der nach A. Alt der Joschijazeit angehörenden Liste Jos. 19,41-46 nicht genannt wird, kann mit dem Zeitpunkt ihrer Entstehung zusammenhängen, der auf den noch "unfertigen Zustand des judäischen Landbesitzes in der Küstenebene"[34] hinweisen könnte.

Ob auch die Angaben über Befestigungs- und Verteidigungsmaßnahmen sowie über königseigene landwirtschaftliche Produktionsstätten (2.Chr. 26,9-15) eher in die Zeit Joschijas gehören,[35] kann hier nicht im einzelnen erörtert werden, ein Punkt aber sei herausgegriffen. Es heißt in 2.Chr. 26,10aɑ, Usija/Asarja habe im Wüsten- bzw. Steppengebiet (במדבר) Türme (מגדלים) anlegen lassen.[36] Nun gibt es zwar die Möglichkeit, mit מגדל ein turmähnliches Gebilde zu bezeichnen, das dazu dient, die Viehherden zu überwachen,[37] man wird aber in 2.Chr. 26,10 mit einem Festungsturm rechnen dürfen, denn die Notiz schließt sich assoziativ an eine Bemerkung über die Türme an einigen Toren der Stadtmauer von Jerusalem an, kann also kaum mit dem Hinweis, daß Usija/Asarja viel Vieh besaß (V. 10aɑ)

---

32 S. den Überblick bei O. Keel/M. Küchler, Orte und Landschaften der Bibel, Bd. 2, 45f. bzw. 841f.

33 So O. Keel/M. Küchler, Orte und Landschaften der Bibel, Bd. 2, 45.

34 A. Alt, in: Kleine Schriften II, 287; zum Gau von Ekron 287.

35 K. Galling, ATD 12, 147.

36 Vgl. z.St. P. Welten, Geschichte und Geschichtsdarstellung, 63ff. Zum מגדל s. neuerdings D. Kellermann, ThWAT IV, 641-646, bes. 643.

37 Jes. 5,2, vgl. Micha 4,8.

zusammengedacht werden; der Viehbesitz wird in der Niederung und in der Küstenebene angesiedelt, die Türme aber stehen in der Steppe bzw. Wüste. Präzisiert wird diese geographische Bezeichnung leider nicht. Man ist also auf Vermutungen angewiesen, ob damit die Gegend südlich des Kulturlands[38] gemeint ist, die Gegend am Ostabhang des judäischen Gebirges[39] oder das nördlich bis Betel sich erstreckende Gebiet[40].

In diesem Zusammenhang ist der Hinweis, daß Usija/Asarja Elat befestigt und wieder an Juda angegliedert habe (2.Chr. 26,2), die einzige außenpolitische Notiz, die das dtr. Geschichtswerk für jenen König mitteilt (2.Kön. 14,22)[41].

Der letzte judäische König, der das Gebiet von Elat beherrschte, war der etwa 100 Jahre vor Usija/Asarja regierende Joschafat (1.Kön. 22,49). Bis Usija/Asarja hört man nichts von judäischer Herrschaft bzw. judäischen Herrschaftsansprüchen, und auch die Zeit Usijas/Asarjas scheint nur ein Zwischenspiel gewesen zu sein, denn nach 2.Kön. 16,6 ging Elat zur Zeit des syrisch-ephraimitischen Krieges, also nur wenige Zeit später, wieder an die Edomiter. Die Judäer mußten das Gebiet verlassen, die Edomiter besiedelten es erneut und blieben dort "bis auf diesen Tag", d.h. für den Rest der judäischen Geschichte.(42)
Nur vereinzelt gelang es also judäischen Königen, Zugang zum Roten Meer zu finden, ein Zugang, der nicht über die nördliche Araba führte, in der offensichtlich edomitische Rechte galten, sondern über weiter westlich gelegene Wege.(43)

---

38 S. Gen. 14,6; Dtn. 2,7; 1.Kön. 9,18 u.ö. Für diese Gegend als Standort der מגדלים hat sich E. Sellin (ZDPV 66, 1943, 222) ausgesprochen.

39 S. Jos. 15,61 u.ö.

40 S. Jos. 16,1 u.ö. Die Gebiete östlich des Kulturlandes (Num. 21,11 u.ö.) liegen jenseits judäischen Territoriums und können somit ausgeschlossen werden.

41 Eisenzeitliche Spuren sind in der Gegend des heutigen Elat nur auf dem tell el-chulefi gefunden worden, der auf halber Strecke zwischen Elat und Aqaba, 300 m östlich der israel.-jordanischen Grenze, liegt. Vielleicht ist mit Usija/Asarja tell el-chulefi Stratum III zu verbinden, s. N. Glueck, in: EAE III, 713ff.

42 Archäologische Funde vom tell el-chulefi Stratum IV, also etwa aus dem 7./6. Jh., bestätigen das; so ist z.B. auf einen Krug zu verweisen, auf der Name qws'nl (mit dem theophoren Element qws) steht, s. N. Glueck, in: EAE III, 716. Im übrigen ist edomitische Keramik gefunden worden, s. N. Glueck, BASOR 188 (1967) 10-24; zur edomitischen Keramik neuerdings M.F. Oakeshott, The Edomite Pottery, in: Midian, Moab and Edom. The History and Archaeology of Late Bronze and Iron Age Jordan and North-West Arabia, ed. by J.F.A. Sawyer and D.J.A. Clines (JSOT Suppl. Ser. 24), Sheffield 1983, 53-63

43 O. Keel/M. Küchler, Orte und Landschaften der Bibel, Bd. 2, 261 und Abb. 115 (147); Y. Aharoni, Das Land der Bibel, 60 und Karte 3 (45). Das durch seine Inschriften bekannt gewordene Kuntillet Adschrud scheint eine der Weg-

Von edomitischen Übergriffen auf das judäische Territorium hören wir bis zum Ende der judäischen Königszeit nichts. Dann allerdings müssen die Edomiter aber eine ernste Gefahr für Juda gewesen sein, eine auf dem tell ᶜarad gefundene Inschrift (44) zeugt davon. Daß sie aber auch schon früher an der judäischen Peripherie auftauchten, läßt sich nicht nachweisen.(45)

Ob die Vernichtung der Festungsanlage des Stratum IX auf dem tell ᶜarad zur Zeit des syrisch-ephraimitischen Krieges auf die Edomiter weist,(46) die mithin die prekäre Situation, in die Ahas geriet, als er in ein Bündnis mit Pekach von Israel und Rezin von Damaskus gezwungen werden sollte, für hegemoniale Ziele ausgenutzt hätten, muß doch bezweifelt werden. In jener Zeit scheint ein edomitischer Expansionsdrang nicht akut gewesen zu sein. Daß er sich aber später vollzogen hat, steht außer Zweifel, fraglich ist nur, wann und warum das geschah.(47) Jedenfalls beleuchtet diesen Vorgang das erwähnte Ostrakon vom tellᶜarad; es ist etwa mit der Zeit um 600 zu rechnen.

In 2.Chr. 26 werden zwei in verschiedenen Zeiten anzusetzende Überlieferungen kontaminiert worden sein, indem zeitlich eineinhalb Jahrhunderte auseinander liegende, aber sachlich zusammenhängende Informationen verbunden wurden. Fragt man nach dem Verständnis eines מגדל im chronistischen Geschichtswerk, so

---

stationen gewesen zu sein, s. Z. Meshel, ErIs 15 (1981) 358-371. Zu Kuntillet Adschrud s. Z. Meshel, Kuntillet ᶜAjrud. Religious Center from the Time of the Judaean Monarchy to the Border of Sinai, Jerusalem 1978.

44 S. Inschrift Nr. 24 bei Y. Aharoni, Arad Inscriptions, 46ff.; dazu auch M. Weippert, Edom, 383ff.; A. Lemaire, Inscriptions hebraiques, 188ff.; D. Pardee, Handbook of Ancient Hebrew Letters, 58ff. Ein anderer Standpunkt bei J.R. Bartlett, Edom and the Fall of Jerusalem, 587 B.C., PEQ 114 (1982) 13-24. Erst mit dem 7./6. Jh. werden die Edomiter auf die Westseite der Araba übergegriffen haben, vgl. N. Glueck, AASOR 15 (1935) 112f. und M. Noth, HAT 7, 89. 2.Kön. 24,2 ist in diesem Zusammenhang nur dann zu nennen, wenn im MT ארם in אדום geändert wird (so A. Malamat, IEJ 18, 1968, 143; E. Würthwein, ATD 11,2, 468f.). Aber dazu besteht kein Anlaß (s. S. Herrmann, Geschichte Israels, 340;G. Hentschel, 2 Könige, 116f.).

45 Die Inschrift Nr. 40 der Arad-Inschriften (Y. Aharoni, Arad-Inscriptions, 70ff.) sollte nicht für eine Auswertung herangezogen werden, weder für das Ende des 8. Jh.s (so Y. Aharoni, Arad-Inscriptions, 74) noch für die Zeit um 600 (so A. Lemaire, Inscriptions hébraiques, 192ff.; D. Pardee, Handbook of Ancient Hebrew Letters, 65), denn in der fragmentarisch erhaltenen Inschrift Nr. 40 ist in Z. 15 von אדם allenfalls das א sichtbar; in Z.10 zwar das ganze Wort, da aber der Rest von Z. 9 nicht erhalten ist, könnte genausogut der Rest eines anderen Wortes vorliegen.

46 Y. Aharoni, EAE I, 84f.

47 Seit der persischen Zeit lassen sich im Süden Judas epigraphisch edomitische Personennamen nachweisen (M. Weippert, Edom und Israel, TRE Bd. 9, 1982, 295); schon für frühere Zeit ist edomitische Keramik im judäischen Raum belegt, und zwar an strategisch bedeutsamer Stelle (s. unten S. 118 und Anm. 70). Ob die Edomiter ihr Siedlungsgebiet aufgrund arabischen Druckes nach Westen ausdehnten (etwa A. Kammerer, Pétra et la Nabatène, Vol. I: Texte, Vol. II: Atlas, Paris 1929/30, Texte 111f.) ist fraglich (C.H.J. de Geus, Idumaea, Jaarbericht van het Voorraziatisch-Egyptisch Genootschap, Ex Oriente Lux 26 (1979/80) 53-74.

meint dieser Terminus die Türme im Zusammenhang der Stadtmauer Jerusalems[48] sowie Befestigungs- bzw. Beobachtungsanlagen, die in 1.Chr. 27,25 neben ערים und כפרים , in 2.Chr. 27,4 neben ערים und בירניות stehen. Genau diese Art von Anlagen hat Joschija in großer Zahl erbauen lassen, auch כמדכר[49], und zwar im Süden und Südosten seines Territoriums.[50] Sie müssen im wesentlichen die Funktion gehabt haben, Schutz gegen Übergriffe der Edomiter zu bieten. Offensichtlich hat man bei jenen Gebäuden an Forts gedacht, besonders wehrhafte Gebilde, die zuweilen noch durch Türme verstärkt wurden.[51]

Einige Beispiele:

Der soeben genannte Typ ist auf dem tell el-quderat (im Oasengebiet von Kadesch im nördlichen Sinai) gefunden worden, der ein Fort aus der zeit Joschijas aufweist.(52)

Eine ganz ähnliche Festung wurde auf der chirbet ghazze (chorbat ʿuza) freigelegt, die einige km sw vom tell ʿarad liegt, dort, wo das Gelände zur Araba abfällt. Diese Festung, die zur Absicherung der Südostgrenze diente, ist offenbar von Joschija angelegt worden(53). Möglich, daß von hier aus der Weg, der in 2.Kön. 3,8.20 genannt wird,(54) zur Araba, d.h. zu den Edomitern führte.

Ganz in der Nähe dieses Forts, etwa 2 km südlich, ist ein Turm entdeckt worden, der als Wachtum gedient haben muß.(55) Man erinnere sich der terminologischen Differenzierung: מגדל kann neben בירניות stehen.(56)

---

48 S. z.B. 2.Chr. 14,6; 32,5; Neh. 3,1.11.25.26.27 u.a.

49 Daneben hat Juda in der späten Königszeit vor allem in seinem Hügelland über ein dichtes Netz von Festungen und Beobachtungstürmen verfügt, s. dazu A. Mazar, BA 45 (1982) 167-178; ErIs 15 (1981) 229-249.

50 Zu entsprechenden Anlagen s. M. Gichon, in: The Military History of the Land of Israel in Biblical Times, ed. by. I. Liver, Maarachoth 1965, 410-425; Y. Aharoni, IEJ 17 (1967) 1-17; R. Cohen, RB 85 (1978) 427-429; Qad. 12 (1979) 38-50; Z. Meshel, Tel Aviv 4 (1977) 110-135; R. Cohen, BASOR 236 (1979) 61-79; ders., in: Drei Studien zur Archäologie und Topographie Altisraels (BTAVO B,44), Wiesbaden 1980, 7-31; A. Mazar, PEQ 114 (1982) 87-109; R. Cohen, MDB 39 (May-June-July 1985) 28-44.

51 Es ist sicher fraglich, ob immer idealtypisch zwischen בירניות und מגדל unterschieden wurde. Unterscheidungskriterien nennt A. Mazar, BA 45 (1982) 177.

52 M. Dothan, IEJ 15 (1965) 134-151; R. Cohen, IEJ 26 (1976) 201f.; IEJ 28 (1978) 197; EAE III, 697f.; V. Fritz/M. Görg/H.F. Fuhs, BN 9 (1979) 46f.; R. Cohen, BA 44 (1981) 93-107; IEJ 32 (1982) 266f.; Qad. 16 (1983) 2-14; MDB 39 (May-June-July 1985) 9-23.

53 S. R. Cohen, in: BTAVO B,44, 25f., vgl. Y. Aharoni, IEJ 8 (1958) 33ff.

54 S. auch 2.Sam. 8,13; zu diesem Weg Y. Aharoni, IEJ 8 (1958) 35; ders., Das Land der Bibel, 60.

55 Y. Aharoni, IEJ 8 (1958) 35 Anm. 18. Man fand allerdings nicht eine einzige Scherbe.

56 Die מגדל -Assoziation kann im übrigen für die Datierung wichtig sein.

Westlich von chirbet ghazze liegt die chirbet gharre (Tel ^cIra), die im
äußersten Süden des judäischen Gebirges liegt, mit einem unverstellten Blick
in den östlichen Negev. An dieser strategisch wichtigen Position hat ungefähr seit dem 8. Jh. eine Siedlung bestanden, auf deren Grundlage im 7. Jh.
ein Fort errichtet wurde,(57) das als weiteres Glied in der Kette der späteisenzeitlichen Festungen, die den Edomitern den Einzug in das judäische
Territorium verwehren sollte, zu deuten ist.

Es ist nicht ausgeschlossen, daß die Linie weiter in Richtung Westen ver-
lief, man fand jedenfalls auf dem tell es-seba^c(58) in der Nähe des heutigen
Beerscheba, nachdem das Stratum II vom Ende des 8. Jh.s zerstört(59) und die
Stadt nicht mehr wieder aufgebaut war, Teile des Zentrums und die Mauer der
Stadt wieder repariert(60): Wahrscheinlich hat Joschija auch den tell es-
seba^c in seine südliche Grenzsicherung einbezogen.

Man kann die Linie noch weiterführen bis zum Westrand des wadi ghazze (Nachal Besor), wo der tell el-far^ca (Süd), der für die Bronzezeit ägyptisches
Kolorit zeigt und in der Eisenzeit I von den Philistern besiedelt wurde, für
die Zeit vom 9.-7. Jh. keine Besiedlung mehr aufweist.(61) Um so erstaunli-
cher ist es, daß der Tell noch einmal in den letzten Jahrzehnten der judäischen Geschichte für kurze Zeit befestigt wurde.(62) Vielleicht darf man auch
hierin ein Werk Joschijas sehen, der damit ein Bollwerk gegen ägyptische Übergriffe konzipiert hätte. Manasse jedenfalls konnte sich bei der permanenten
Bedrohung durch die Assyrer kaum veranlaßt und imstande sehen, die Südwest-
grenze zu sichern. Einer der Joschija folgenden judäischen Könige kommt schließlich ebensowenig in Frage, weil er entweder zur ägyptischen Klientel gehörte
(Joahas) oder aber die Nord- und Westgrenze vor eventuellen babylonischen An-
griffen schützen mußte (Jojakim, Zidkija).

Ob auf die Linie bis chirbet ghazze weitere späteisenzeitliche Befestigungsanlagen standen, ist nicht sicher auszumachen. Zur Debatte steht das Gebiet von
el-mschasch. Auf der chirbet el-mschasch (Tel Masos) fand man unter einem ne-
storianischen Kloster Teile eines mit relativ breiten Mauern versehenen, aus
dem 7./6.Jh. stammenden Gebäudes, das als Festungsbestandteil interpretiert
wurde.(63)

Nachdem verschiedene Typen von Forts festgestellt wurden - oval, rechteckig,
quadratisch und rechteckig mit Türmen -, weist der Typus der rechteckigen Forts
mit Türmen aufgrund des Keramikbefunds auf die Zeit Joschijas, während die anderen Typen offenbar schon älterer Zeit angehören, s. R. Cohen, in: BTAVO B,44,
7ff.; ders., MDB 39 (May–June–July 1985) 28ff.

57 Y. Beit-Arieh, IEJ 31 (1981) 243–45; auch A. Biran/R. Cohen, IEJ 29 (1979)
124; A. Biran, Qad. 18 (1985) 25–28; Y. Beit-Arieh, Qad. 18 (1985) 17–25.

58 Das ist der Name, den die dort ansässigen Beduinen gebrauchen, zu anderen
Namensformen s. Y. Aharoni (Ed.), Beer-Sheba I, 1 und Anm. 2.

59 Beer-Sheba I, 107.

60 Beer-Sheba I, 6f.11f.; s. auch Y. Aharoni, IEJ 17 (1967) 9.

61 Zu den Ausgrabungen s. W.M.F. Petrie, Beth Pelet I, London 1930; J.G. Duncan, Corpus of Palestinian Pottery, London 1930; E. Macdonald/J.L. Starkey/L.
Harding, Beth Pelet II, London 1932; Y. Yisraeli, EAE IV, 1074–1082.

62 Y. Yisraeli, EAE IV, 1080.

63 Zu den Ausgrabungen s. Y. Aharoni/V. Fritz/A. Kempinski, ZDPV 89 (1973)
197–210; ZDPV 91 (1975) 109–130; V. Fritz/A. Kempinski, ZDPV 92 (1976) 83–104;
eine Zusammenfassung der Vorberichte (neben ZDPV noch Tel Aviv 1, 1974, 64–74;
2, 1975, 97–124; 4, 1977, 136–158) bei A. Kempinski/O. Zimchoni/E. Gilboa/H.
Rösel, ErIs 15 (1981) 154–180; V. Fritz/A. Kempinski, Ergebnisse der Ausgrabungen auf der Ḥirbet el-mšāš (Tēl Maśōś) 1972-1975, 3 Bde., Wiesbaden 1983;
mit einer Festung rechnen Y. Aharoni, IEJ 17 (1967) 9f.; Y. Aharoni/V. Fritz/
A. Kempinski, ZDPV 89 (1973) 204f.; ablehnend H.Rösel, in: Ergebnisse der Ausgrabungen auf der Ḥirbet el-mšāš, 126f.

In diesem Zusammenhang ist auch der gewaltige tell el-milḥ (Tel Malḥata) zu nennen, der u.a. eine eisenzeitliche Besiedlung aufweist, bei der die meisten Funde eine Konzentration in den letzten Jahrzehnten der vorexilischen Zeit zeigen, in denen eine ca. 3-3,5 m dicke Mauer mit einem 10 m hohen Turm die Stadt schützte.(64) Einen sicheren Befund bietet die einige km sw vom tell malḥata gelegene chorbat ʿaroʿer, die östlich des wadi ʿarʿara (Nachal Aroer) zu suchen ist. Bei Ausgrabungen auf dem Hügel in mehreren Arealen sind, von einer römischen Schicht abgesehen, späteisenzeitliche Anlagen aus dem 7./6. Jh. freigelegt worden(65), die eine starke, bis zu 4 m dicke Mauer mit Vor- und Rücksprüngen hatten und auch diesen Ort als Bestandteil joschijanischer Verteidigungsmaßnahmen erscheinen lassen.

Die Maßnahmen Joschijas sind im Rahmen strategischer Planungen gut verständlich. Zwischen dem Südabfall des judäischen Gebirges und der Bergkette, die durch den Negev von Nordost nach Südwest verläuft, liegt Arad, am Rande der Senke, die sich westlich nach Beerscheba hinzieht. In dieser Senke erstrecken sich die von Arad nach Beerscheba reichenden Festungen wie eine Schutzmauer vor dem judäischen Kernland. Dieser Linie hat dann Joschija noch einzelne Bastionen in südöstlicher Richtung zur Araba hin gleichsam als Glacis vorgelagert, um damit erste Angriffe aus südöstlicher Richtung brechen und gegebenenfalls Nachrichten zu den nördlicher gelegenen Festungen übermitteln zu können.(66)

Ein besonders gutes Beispiel ist chorbat ʿaroʿer, aber auch eine aus der späten Eisenzeit stammende Festung, die noch weiter in den Südosten hineinragt und nördlich des Machtesch Ramon zu suchen ist, nämlich Meṣad Mischor ha-Ruach,(67) daneben auch die schon genannte Festung im Bereich von Kadesch in einiger Entfernung westlich des "Großen Mörsers". Auf diese Stellungen scheint sich Joschija konzentriert zu haben; das zeigt negativ eine große Anzahl von freigelegten Festungen im zentralen Negev mit Besiedlungsrelikten, die in die Zeit Salomos gehören, von einer späteisenzeitlichen Nutzung aber nichts erkennen lassen.(68)

Mit jenen Forts hat Joschija, der mit großer Wahrscheinlichkeit der Initiator der späteisenzeitlichen Befestigungsanlagen ist, auf der Linie Mischor ha-Ruach – Kadesch Barnea eine erste Verteidigungslinie gezogen. Sie schützt all die Verbindungen, die von dem Weg ausgehen, der von Jotbata (ʿen el-ghadjan) in der Araba herkommt und beim Mount Ramon in nordöstlicher Richtung auf die nächste Verteidigungslinie hin bzw. in nordwestliche Richtung nach Kadesch Barnea abzweigt, von wo aus der דרך האתרים (Num. 21,1) nach Arad hin verlief.(69)

---

64 M. Kochavi, IEJ 17 (1967) 272f.; RB 75(1968) 392-395; Qad. 3 (1970) 22-24; EAE III, 772ff.

65 A. Biran/R. Cohen, IEJ 25 (1975) 171; 26 (1976) 139f.; 27 (1977) 250f.; 28 (1978) 197-199; RB 85 (1978) 425-427; IEJ 31 (1981) 131f.; ErIs 15 (1981) 250-273; RB 89 (1982) 240-242; A. Biran, RB 89 (1982) 243-245; IEJ 32 (1982) 161-163.

66 Zum Nachrichtensystem, das im wesentlichen auf Feuer- und Rauchsignalen basiert haben dürfte, die die einzelnen Beobachtungspunkte in nicht zu großer Entfernung voneinander voraussetzen, s. A. Mazar, BA 45 (1982) 176.

67 M. Evenari/Y. Aharoni/L. Shanan/N.H. Tadmor, IEJ 8 (1958) 239ff.; Y. Aharoni, IEJ 17 (1967) 6f.

68 R. Cohen in: BTAVO B,44, 7ff.; Y. Aharoni, IEJ 17 (1967) 1ff.

69 Vgl. zum ganzen Y. Aharoni, IEJ 17 (1967) 10ff.; ders., Das Land der Bibel, 60 und Karte 3 (45); M. du Buit, SDB X, 1020ff.; Z. Meshel, ErIs 15 (1981) 358-371. Auch die Festung vom tell ʿarad (Tel ʿArad), d.h. die Anlage von Stratum VI könnte durch Joschija wiederaufgebaut worden sein, s. Y. Aharoni, EAE I, 83ff., vor allem 86.

Es ist durchaus möglich, die Verteidigungsmaßnahmen auch
als Schutz gegenüber Beduinen, die als גדודים ins Kulturland
einfallen konnten, zu deuten, in erster Linie werden sie aber
als ein Riegel gegen Übergriffe der Edomiter konzipiert worden sein, die am Ende der Königszeit eine akute Gefahr für Juda wurden. Entsprechende Überlegungen waren ganz offensichtlich
begründet, denn der Ausgrabungsbefund vom tell el-milḥ (Tel Mal-
hata) weist bei 30 % der Keramik auf eine edomitische Herkunft,[70]
die kaum aus friedlichen Beziehungen resultieren kann, denn dieser Befund ist nur an diesem Ort zu verzeichnen, der strategisch
eine hervorragende Stelle einnimmt. Die Zeit wird etwa der Beginn des 6. Jh.s sein.

Es ist schon an anderer Stelle gesagt worden,[71] daß כמדבר,
in dem die מגדלים von 2.Chr. 26 liegen, unter anderem das Gebiet am Ostabhang des judäischen Gebirges sein kann. Auch dort
hat man sich in den letzten Jahrzehnten der judäischen Monarchie
gegen Angriffe aus der Araba besonders geschützt. Ob dabei Be-
festigungspunkte bis in die Araba hinein vorgeschoben wurden,
muß zumindest erwogen werden, denn bei der ᶜen el-ᶜaruṣ (ᶜen
tamar) ungefähr 10 km ssw des Toten Meeres sind auf einem Hügel
die Grundrisse von zwei kaum als einfache Wohnhäuser interpre-
tierbaren Gebäuden mit den Maßen 20x20 bzw. 14x14 m gefunden
worden, bei denen man neben hellenistischen und persischen auch
eisenzeitliche Scherben fand.[72]

Noch einmal muß in diesem Zusammenhang auf chirbet ghazze
(chorbat ᶜuza) hingewiesen werden, 8 km sö vom tell ᶜarad gelegen. Die an Kadesch Barnea erinnernde Größe der Anlage[73] läßt
auf einen Weg schließen, der durch das wadi ez-zuwera (Nachal
Zohar) in südöstlicher Richtung zum Toten Meer geführt haben
muß und möglicherweise mit dem "Weg nach Edom" (2.Kön. 3,8.20)[74]
identisch ist.

---

70 M. Kochavi, EAE III, 774; Y. Beit-Arieh/B. Cresson, An Edomite Ostracon
from Ḥorvat ᶜUza, Tel Aviv 12 (1985) 96-100, vor allem 100.

71 S. oben S. 112f.

72 B. Rothenberg, Negev. Archaeology in the Negev and the Arabah, Ramat
Gan 1967, 115f. (hebr.); S. Mittmann, ZDPV 93 (1977) 228f.

73 57x45 m, s. Y. Aharoni, IEJ 17 (1967) 3.

74 M. Harel, IEJ 17 (1967) 18 und 20; Y. Aharoni, Das Land der Bibel, 60
und Karte 3 (45).

Daneben war es sicher auch möglich, daß man von Edom aus
an der Westseite des Toten Meeres weiter nördlich zog und dann
oberhalb der "Meerenge" bei el-lisan nach Westen abbog, es findet sich nämlich auf dem Mount Chesron (rudschm el-baqara) westlich des Nachal Ṣeelim ein Fort aus der späten Königszeit,[75]
das jenen Weg zu schützen hatte. Oder man zog noch weiter nach
Norden, bis etwa zur Mitte des Toten Meeres bei En-Gedi. Von
dort konnte man dann, wenn man die schwierigen steilen Klippen
des Ostabhangs des judäischen Gebirges überwunden hatte, in
nordwestlicher Richtung Hebron bzw. in nordnordwestlicher Richtung Tekoa und Betlehem erreichen.[76]

Auch die Anlage von En-Gedi scheint auf Joschija zurückzu-
gehen, denn die ältesten Schichten des tell el-dschurn (Tel
Goren) sind in die ausgehende Königszeit datiert worden.[77] In
dieselbe Zeit gehört ein Fort, das 150 m höher als der tell el-
dschurn in der Nähe einer Quelle liegt.[78] Stieg man noch weiter
in das judäische Gebirge hinauf bis zum Plateau etwa 500 m über
dem tell el-dschurn,[79] traf man wieder auf eine Festung, die
erst aus der Spätzeit stammt und den Zugang zum Plateau blockieren sollte.[80]

Mit all diesen Bastionen sicherte Joschija die Wege ins judäische Gebirge. Einen Durchbruch zum Nordrand des Toten Meeres
wird er auszuschließen versucht haben, indem er von En-Gedi aus
bis hin zum Nordende des Toten Meeres eine Anzahl von befestigten Anlagen baute, die in der Nähe von Quellen, in Sichtweite
voneinander entfernt, gelegen waren.[81] Dazu gehören z.B. zwei
Gebäude und eine Mauer mit Wachräumen zwischen ʿen et-turabe
und ʿen el-ghuwer [82] sowie in chirbet qumran eine Befestigungs-

---

75 Y. Aharoni, IEJ 11 (1961) 15; IEJ 17 (1967) 9.

76 Y. Aharoni, Das Land der Bibel, 61 und Karte 3 (45); M. du Buit, SDB X,
1o25f.

77 Zu den Ausgrabungen s. B. Mazar/I. Dunayevsky, IEJ 14 (1964) 121-130;
17 (1967) 133-143; B. Mazar/T. Dothan/I. Dunayevsky, ʿAtiqot, Engl. Series
5, Jerusalem 1966, 1-136; D. Barag, EAE II, 370-380.

78 Y. Aharoni, BIES 22 (1958) 29f.

79 Zu diesem Weg M. Harel, IEJ 17 (1967) 22 und 24.

80 Y. Aharoni, BIES 22 (1958) 3Of., Fig. 3; IEJ 17 (1967) 9.

81 P. Bar-Adon, ErIs 15 (1981) 349-352.

82 P. Bar-Adon, RB 77 (1970) 399.

anlage, die einen Scherbenbelag aus der späten Königszeit aufweist und in ihrer Art an entsprechende Anlagen im Negev erinnert.[83]

Auch wenn der primäre Zweck dieser Anlagen zweifellos darin
zu suchen sein wird, daß sie die lebensnotwendigen Wasservor-
räte und die umliegenden Anbauflächen zu schützen hatten,[84] die
Größe eines der beiden Gebäude mit einer Länge von 32 m[85] läßt
eine Bedeutung über die unmittelbar lokale Sicherung hinaus er-
ahnen.

Die Beobachtungen zu den Befestigungsanlagen כמדבר legen es
nahe, bei 2.Chr. 26,10 mit einer versprengten Notiz zu rechnen.
Allem Anschein nach hat J o s c h i j a sich genötigt gesehen,
auch die Süd-, vor allem die Südostgrenze in sein Verteidigungssystem einzubeziehen. Nicht alle erwähnten Anlagen sind Neuschöpfungen Joschijas. Aber selbst die, die er übernahm, lassen
keine zeitlichen Kriterien erkennen, die sie als Bauwerke Usijas/
Asarjas ausweisen könnten. Mit diesen weit über das judäische
Kernland hinausgeschobenen Festungsanlagen hat Joschija gleichsam einen aggressiven Verteidigungswall aufgezogen.

Die Frage wäre, ob er außerdem noch das zentrale judäische
Gebirge durch weitere Anlagen geschützt hat. Ein umstrittenes
Dokument ist zu nennen: 2.Chr. 11,5-10(12), eine Liste mit Festungen, die der Chronist Rehabeam errichten läßt. Diese Datierung ist bestätigt[86], aber auch angezweifelt[87] und insbesondere
aufgrund territorialgeschichtlicher Überlegungen durch die Zeit
Joschijas ersetzt worden.[88]

Wenn man die Liste auf die Zeit Rehabeams zurückführen will,

---

83 R. de Vaux, EAE IV, 978.

84 P. Bar-Adon, RB 77 (1970) 399.

85 P. Bar-Adon, RB 77 (1970) 399.

86 S. vor allem G. Beyer, Beiträge zur Territorialgeschichte von Südwestpalästina im Altertum, ZDPV 54 (1931) 113-131 zum "Festungssytem Rehabeams";
W. Rudolph, HAT 21, 227ff.

87 S. vor allem E. Junge, Der Wiederaufbau des Heerwesens des Reiches Juda
unter Josia, Stuttgart 1937, 18, Anm. 1 und 73-80; A. Alt, in: Kleine Schriften II, 306-315; K. Galling, ATD 12, 104f.; V. Fritz, ErIs 15 (1981) 46*-53*;
N. Naʾaman, BASOR 261 (1986) 5-21.

88 A. Alt (in: Kleine Schriften II, 306ff.) nennt territorialgeschichtliche,
V. Fritz (ErIs 15, 1981, 46*ff.) archäologische, ereignisgeschichtliche und
redaktionskritische Gründe.

müßte man z.B. erklären können, wie es kam, daß das philistäische Gat an Juda angeschlossen wurde. Seine territoriale Nähe
allein ist kein hinreichender Erklärungsgrund, 1.Kön. 2,39f.
spricht jedenfalls für seine Selbständigkeit zumindest noch am
Anfang der Regierung Salomos.

Wesentlich ist nicht zuletzt die Beziehung jener Urkunde
zu der Liste von Levitenorten in Jos. 21,8-42 (und 1.Chr. 6,39-66),
die einen sachlichen Zusammenhang mit 2.Chr. 11,5ff. erkennen läßt,
der durch Berührung und Abgrenzung zugleich geprägt ist. Wenn
Überschneidungen wie im Falle Ajalons und Hebrons vorkommen, so
ist das verständlich: "Das eine System scheint ... dem anderen
gegenüber an einzelnen Randstellen im Vordringen begriffen zu
sein, und das Auftreten solcher Grenzpunkte in beiden Listen erklärt sich leicht durch die Annahme, daß die eine Aufzeichnung
den s t a t u s q u o einer etwas früheren Zeit festhält als
die andere"[89]. Weil diese Dokumente aufeinander bezogen sind,
die Liste der Levitenorte aber am besten aus der joschijanischen
Zeit heraus zu verstehen ist,[90] liegt eine Ansetzung von 2.Chr.
11,5ff. am Ende der Königszeit nahe; Überlegungen zur Geschichte
Judas bestätigen das.[91]

Im übrigen wird man in diesem Zusammenhang die Notiz 2.Chr.
14,6 erwähnen müssen, die offenbar erst unter Asa mit Befesti-
gungen judäischer Städte rechnet.

Wie steht es mit archäologischen Indizien? Die Reihenfolge
der Städte ist auffällig. Steckt man das Gebiet einmal ab und
beginnt mit Betlehem, so kann man die Linie zunächst zum Süden
ausziehen, dann zum Westen und danach zum Norden.[92]

Für B e t l e h e m ist bisher nur eisenzeitliche Keramik
nachgewiesen worden, die in Gräbern am Nordhang der Stadt gefunden wurde.[93]

In E t a m , das mit chirbet el-choch, am wadi el-choch
bzw. - mit Namensentsprechungen - am wadi ᶜen-ᶜatan gelegen,

89 A.Alt, in: Kleine Schriften II, 312.

90 A. Alt, in: Kleine Schriften II, 294ff.

91 V. Fritz, ErIs 15 (1981) 46*ff. N. Naʾaman (BASOR 261, 1986, 5-21) plä-
diert für die Zeit Hiskijas (vgl. aber Anm. 163 und 164).

92 S. dazu W. Rudolph, HAT 21, 228f.

93 S. Saller, SBFLA 18 (1968) 153-180.

identifiziert worden ist,[94] wurde bisher nicht gegraben. Oberflächenfunde, die 1956 im Rahmen der Lehrkurse des "Deutschen
Evangelischen Instituts für Altertumswissenschaft des Heiligen
Landes" gemacht wurden, sind rar: Man fand Fragmente einer Öl-
lampe bzw. einer Schüssel aus der Zeit zwischen 700 und 500 und
einen kleinen Tonkrug aus der Eisen-II-Zeit, ohne daß ein kon-
kreterer Zeitraum genannt werden könnte.[95]

Leider ist bisher auch in T e k o a (chirbet tequ'a) keine
Grabung, zumindest keine legitime, durchgeführt worden.[96]

Als nächsten Ort nennt die Liste B e t - Z u r , das nicht
mit der den Namen bewahrenden chirbet burdsch eṣ-ṣur identisch
ist,[97] sondern mit der einen halben Kilometer nordwestlich liegenden chirbet eṭ-ṭubeqa[98], die zunächst in der frühen und mitt-
leren Bronzezeit[99] und dann noch einmal im 11. Jh.[100] besiedelt
war. Während für die Zeit Rehabeams die 1957 durchgeführte Untersuchung keine Besiedlungsspuren nachweisen konnte,[101] spricht
der Keramikbefund deutlich für eine Besiedlung in den letzten
Jahrzehnten der judäischen Monarchie, wenn auch eine eigentliche Festungsanlage nicht sichtbar wurde.[102]

Auf dem dschebel er-rumede dürfte das antike H e b r o n
zu suchen sein.[103] Auch hier rechnen die Grabungsergebnisse,

---

94 V.H. Guérin, Description géographique III, 118; G. Dalman, PF 10 (1914)
19.

95 H.-J. Kraus, ZDPV 72 (1956) 158ff.

96 Allerdings ist Oberflächenforschung betrieben worden. Der 1967/68 durchgeführte Survey rechnet mit einer konsistenten Besiedlung in byzantinischer
und mittelalterlicher Zeit; die Eisenzeit ragt nicht besonders hervor, s. M.
Kochavi (Ed.), Archaeological Survey, 47 (Nr. 62). Das entspricht den Ergebnissen von J. Escobar, SBFLA 26 (1976) 5-26.

97 Nach F.M. Abel (RB 33, 1924, 208f.) nur in byzantinischer und arabischer
Zeit besiedelt.

98 M. Noth, HAT 7, 98f.

99 O.R. Sellers, The Citadel of Beth-Zur, Philadelphia 1933; ders./W.F. Albright, BASOR 43 (1931) 2-13.

100 R.W. Funk, AASOR 38 (1968) 6f.

101 R.W. Funk, AASOR 38 (1968) 8.

102 O.R. Sellers/W.F. Albright, BASOR 43 (1931) 8; R.W. Funk, AASOR 38
(1968) 8, EAE I, 265f.; vgl. aber N. Na'aman, BASOR 261 (1986) 6. Der von
M. Kochavi besorgte "Archaeological Survey" hat diese chirbe nicht untersucht, aber chirbet burdsch eṣ-ṣur, die er mit Bet-Zur gleichsetzt; dort hat
man aber erst von der byzantinischen Zeit an Besiedlungshinweise (Nr. 97),
vgl. Anm. 97.

103 M. Noth, HAT 7, 97.

von anderen Besiedlungszeiten einmal abgesehen, mit einer konsistenten Besiedlung in der Eisen-II-Zeit,[104] was im übrigen
auch für das alte Mamre (ramat el-chalil) gilt, das an der
Hauptstraße von Hebron nach Jerusalem liegt.[105]

Das nach Hebron genannte S i f ist mit dem tell ez-zif zu
identifizieren,[106] der eine verkehrsgeographisch und für ökonomische Zwecke günstige Lage hat.[107] Die Gipfelfläche ist zum
großen Teil bis auf den gewachsenen Fels frei; der Scherbenbelag an den Hängen des Tells ist im wesentlichen römisch-byzan-
tinisch, aber auch eisenzeitliches Material ist vorhanden.[108]
Zwar sind Gebäudefundamente entdeckt worden, ebenso zwei eventuell nicht als Terrassenmauern zu deutende Mauerzüge in halber
Höhe und auf der Höhe des Tells, die der Lehrkurs des "Deutschen Evangelischen Instituts für Altertumswissenschaft des
Heiligen Landes" 1962 festzustellen meinte, aber auch diese
Relikte sind nicht weiter untersucht worden. Bei der Begehung
des Tells durch den Lehrkurs 1982, an dem auch der Verfasser
teilnahm, wurden reichlich römisch-byzantinische Scherben gefunden, aber nur wenig eisenzeitliches Material, das sich allerdings vor allem auf die späte Eisen-II-Zeit konzentrierte.[109]
Indizien für eine bedeutende Festungsstadt des 10. Jh.s können
nicht genannt werden.

Mit A d o r a j i m ist die nach Süden ausgerichtete Linie, die von Sif aus nach Westen respektive Nordwesten verläuft,
verlassen. Die antike Ortslage ist im heutigen Dura zu suchen,[110]
wo der Scherbenbelag ebenfalls keine eindeutige Sprache spricht.
Der in den Jahren 1967-1968 durchgeführte Survey hat Besiedlungsspuren in der Eisen-I- und -II-Zeit nachgewiesen, die konzen-

---

104 S. die Grabungsberichte von Ph.C. Hammond, RB 72 (1965) 267-270; 73
(1966) 566-569; 75 (1968) 253-258.

105 A.E. Mader, Mambre, 2 Bde., Freiburg 1957, 146ff.

106 M. Noth, HAT 7, 98. So seit E. Robinson, Biblical Researches in Palestine and the Adjacent Regions, Vol. 1, 492.

107 A. Alt, PF 22 (1926) 77.

108 A. Alt, PJ 22 (1926) 77; H.-J. Stoebe, ZDPV 80 (1964) 9.

109 Der von M. Kochavi herausgegebene "Archaeological Survey" , 68 (Nr. 178)
hat schwerpunktmäßig eine hellenistische Besiedlung nachgewiesen.

110 S. schon E. Robinson, Biblical Researches in Palestine, Vol. 2, 215;
V. Guérin, Description géographique, III, 353ff.; F.-M. Abel, Géographie II,
239.

trierteste Besiedlung muß aber erst in hellenistischer Zeit
vermutet werden.[111]

Verfolgt man die Linie weiter nach Nordwesten, stößt man
auf L a c h i s c h , sofern man Lachisch auf dem tell ed-
duwer bei el-qubebe südwestlich von bet dschibrin sucht und
findet.[112] Allerdings ist dieser Tell nicht der einzige Kan-
didat für eine Identifizierung mit Lachisch.

Es wurde auch der sw vom tell ed-duwer gelegene tell el-ḥesi(113) vorgeschlagen und der sö gelegene tell ʿeṭun(114), für den die Liste der Festungen von 2.Chr. 11 die Argumente liefern soll: Lachisch wird die Funktion zugeschrieben, eine Lücke zwischen Maresha (s.u.) im Hügelland und
Adorajim auf dem Gebirge zu schließen. Immerhin wäre es Angreifern vom
Südwesten her ohne ein Bollwerk zwischen jenen beiden Städten recht leicht
möglich gewesen, durch eines der längsgerichteten Täler ins Landesinnere
vorzustoßen, denn bei einem plötzlichen Anrücken mag kaum die Zeit gereicht
haben, den Vorstoß von Maresha und Adorajim aus zu blockieren. Diese topographische Überlegung spricht zweifellos für den tell ʿeṭun, der Scherbenbelag widerspricht dem nicht.(115) Das immer wieder herangezogene Onomastikon des Eusebius (120,20ff.) hilft hier nicht recht weiter. Eusebius siedelt
sein Λαχεις 7 römische Meilen, also 10,5 km von Eleutheropolis (bet dschibrin) an,(116) der tell ed-duwer liegt aber etwa 4,3 Meilen, also 6,5 km und
der tell ʿeṭun immerhin 14 km ssö von bet dschibrin entfernt.(117) Nun läßt
sich diese Rechnung ohnehin schwerlich aufstellen, weil sowohl auf dem tell
ed-duwer als auch auf dem tell ʿeṭun keine römisch-byzantinische Siedlung

---

111 S. M. Kochavi (Ed.), Archaeological Survey, 62f. (Nr. 154).

112 So zuerst entschieden W.F. Albright, ZAW NF 6 (1929) 3 und Anm. 2. Neben den Ausgräbern hat in neuester Zeit G.I. Davies (PEQ 114, 1982, 25-28)
die Identifizierung gegenüber G.W. Ahlström (PEQ 112, 1980, 7-9; PEQ 115,
1983, 103-104) bekräftigt.

113 So zunächst vor allem W.M.F. Petrie (Tell el-Hesy, Lachish, 19f.) wegen
der in der Nähe liegenden chirbet umm laqis. Eine Chronologie der Identifi-
zierungsvorschläge in Lachish III, 38ff. Zur Kritik der Vorschläge vor W.F. Albright s. K. Elliger, in: Kleine Schriften, 27ff. Zu den laufenden Ausgrabungen s. O. Keel/M. Küchler, Orte und Landschaften der Bibel, Bd. 2, 928ff.;
K.G. O'Connell/D.G. Rose, IEJ 30 (1980) 221-223; L.E. Toombs, IEJ 32 (1982)
67-69; K.G. O'Connell/D.G. Rose, RB 91 (1984) 272-277.

114 G. Beyer, ZDPV 54 (1931) 145ff.; ihm schloß sich zunächst A. Alt (PJ
27, 1931, 20ff.) an. Die Identifizierung mit Lachisch ist wegen der geringen Größe (nur etwa 2 ha) und wegen der strategisch ungünstigen Lage sehr
unwahrscheinlich, vgl. O. Keel/M. Küchler, Orte und Landschaften der Bibel,
Bd. 2, 783ff.

115 W.F. Albright, ZAW NF 6 (1929) 2.

116 Eusebius nennt in diesem Zusammenhang mit "Darom" den Richtungsendpunkt,
der offenbar auf den Süden bzw. Südosten von Eleutheropolis aus zum Toten
Meer hindeutet, Onomastikon 26,10.12; 68,19 u.ö.

117 Das spricht ganz und gar nicht für den tell el-ḥesi, der fast zweimal
so weit von bet dschibrin entfernt liegt wie Eusebius es zugestehen kann,
vgl. W.F. Albright, ZAW NF 6 (1929) 3 Anm. 2.

nachgewiesen ist,(118) das Lachisch des Eusebius folglich mit keiner der
beiden Ortslagen übereinstimmt.

Beachtenswert für die Identifizierung des tell ed-duwer mit dem Ort Lachisch ist die Zeile 10 bzw. Zeile 10ff. des Lachisch-Ostrakon IV,(119)
wonach die Absender des "Briefes" auf die Rauchzeichen von Lachisch (לכש)
achten. Aber das muß nicht heißen, daß die Initiatoren von Ostrakon IV den
tell ed-duwer "vor Augen" hatten, wenn sie Lachisch meinten, Lachisch und
der tell ed-duwer, auf dem das Ostrakon gefunden wurde, könnten beide in
ein Signalsystem einbezogen gewesen sein.(120)

Auch die alttestamentlichen Belege, die Lachisch nennen, lassen keine
Rückschlüsse auf eine präzise topographische Ortung zu.(121) Eher schon
sprechen die Lage im Übergang von der Küstenebene zum judäischen Bergland
sowie der archäologische Befund für eine Gleichsetzung des tell ed-duwer
mit Lachisch, wenn auch nicht letzte Sicherheiten zu erreichen sind. Der
tell ed-duwer ist ein Hügel, "der sich einem wie ein geduckter Löwe in den
Weg stellt"(122). Dieses Bild ist treffend, weil man dem 7,3 ha großen ge-
waltigen Tell, der die anderen Hügel nicht wesentlich überragt, bei einer
Annäherung unvorbereitet und überrascht gegenübersteht. Trotz der umliegenden Hügel hatte man von der Akropolis aus eine gute Sicht nach allen
Richtungen, auch zur Küstenebene hin. Die Ausgrabungen haben die aus altorientalischen Quellen bekannte Eroberung von Lachisch hinreichend bestätigt.(123) Hier muß es sich um eine der bedeutendsten Städte Judas nach
Jerusalem handeln. Dazu gehörte jedenfalls Lachisch, das zusammen mit Aseka in den Wirren der babylonischen Okkupation des Landes als eine der letzten noch uneroberten   Städte übrigblieb (Jer. 34,7).

Lachisch wird schon früh in außeralttestamentlichen Quellen erwähnt. Zum
ersten Mal taucht die Stadt in dem Papyrus Petersburg 1116 rto. auf, der
eine Akte aus der königlichen Residenz Prw-nfr bei Memphis ist und die Ver-
sorgung palästinischer Boten mit Bier registriert. Einer der Boten kommt
aus la-ki-s‹á›.(124) In vorisraelitischer Zeit häufig erwähnt wird die Stadt
in den Amarnabriefen, und zwar als URU la-ki-ša/ši/si.(125) Daß ihr Alter

---

118 D. Ussishkin,EAE III, 735ff.

119 S. Lachish I, 76.

120 S. schon A. Parrot, Syria 16 (1935) 419f.; D.W.Thomas, PEQ 72 (1940)
148f.; N.R. Ganor, PEQ 99 (1967) 76f. Zu einer neuen Deutung der Lachisch-
Ostraka als Entwürfe bzw. Kopien von Schreiben, die v o n Lachisch aus
wahrscheinlich nach Jerusalem geschickt wurden, s. Y. Yadin, The Lachish
Letters - Originals or Copies and Drafts?, in: Recent Archaeology in the
Land of Israel, ed. by H. Shanks, Jerusalem 1985, 179-186.

121 Vgl. A. Alt, PJ 27 (1931) 21 Anm. 1.

122 O. Keel/M. Küchler, Orte und Landschaften der Bibel, Bd. 2, 881.

123 Zu den Ergebnissen der Ausgrabungen der letzten Jahre s. vor allem
D. Ussishkin, Tel Aviv 5 (1978) Heft 1-2; Tel Aviv 10 (1983) 97-175. Auch
die gewaltige Rampe, die die Assyrer 701 angelegt haben und die auf dem Relief aus dem Palast Sanheribs in Ninive zu sehen ist (s. ANEP 371-374); AOB
137f.141) könnte freigelegt sein, s. D. Ussishkin, Tel Aviv 5 (1978) 67ff.;
vgl. I. Eph‹al, Tel Aviv 11 (1984) 60-70. Inzwischen meint D. Ussishkin auch
eine Rampe der Verteidiger in der Stadt entdeckt zu haben (Biblical Archaeology Review 10, 1984, 66-73). Zum Relief s. D. Ussishkin, IEJ 30 (1980)
174-195; P. Albenda, BA 43 (1980) 222-229.

124 W. Helck, Die Beziehungen Ägyptens zu Vorderasien im 3. und 2. Jt. v.
Chr., 166.

125 Die El-Amarna-Tafeln, 287,15; 288,43; 328,5; 329,6; 335,10.16.

über die Eisen-I-Zeit hinausgeht, hat die archäologische Forschung im übrigen bestätigt.(126)

Man wird der Gleichsetzung des tell ed-duwer mit Lachisch vertrauen dürfen und die Lücke im Festungssystem in Kauf nehmen müssen; der Schutz gegenüber der Küstenebene muß offensichtlich vorrangig gewesen sein. Es bleibt ein Wort zur Besiedlung in dem Zeitraum zu sagen, der für die Liste 2.Chr. 11 von Bedeutung ist. In der Spätbronzezeit scheint die Stadt zerstört, aber nicht sogleich wieder aufgebaut worden zu sein, sondern erst nach einer etwa 200jährigen Besiedlungslücke, wie das Stratum V zeigt.[127] Eigentlich befestigt wurde die Stadt erst wieder mit dem Stratum IV im 9. Jh.[128] in ihrer Funktion als eine Art Garnisonsstadt mit einer komplexen Festung.[129] Die Anlage von Stratum IV ist noch weiter ausgebaut, aber 701 zerstört worden (Stratum III).[130] Nur unter der unsicheren Voraussetzung, daß Sanherib nach der Eroberung von Lachisch 701 die Stadt neben anderen judäischen Städten sich loyal verhaltenden Philisterfürsten übereignet hat,[131] könnte man im Rahmen der bisherigen Überlegungen zur Territorialpolitik Joschijas annehmen, jener König habe Lachisch wieder an Juda angeschlossen. Jos. 15,39 erscheint sie jedenfalls (wieder) als judäische Stadt, die von neuem, wenn auch nicht mehr so imposant, befestigt wurde (Stratum II), bevor sie endgültig durch

---

126 Eine Befestigung ist wie bei so vielen Orten seit der Mittelbronzezeit II B festzustellen, eine Siedlung bestand auf dem Tell schon seit der Frühbronzezeit III, s. zusammenfassend D.Ussishkin, EAE III, 735ff.; Tel Aviv 5 (1978) 91ff.; Tel Aviv 1o (1983) 104ff.

127 Lachish III, 52f.; D. Ussishkin, Tel Aviv 4 (1977), vor allem 50ff.; Tel Aviv 5 (1978) 28ff.45f.; Tel Aviv 10 (1983) 116; EAE III, 743f.

128 S. Lachish III, 53ff.; D. Ussishkin, EAE III, 744; D. Ussishkin, Tel Aviv 4 (1977) 50ff.; Tel Aviv 5 (1978) 32ff.46ff.58ff.; Tel Aviv 10 (1983) 127ff. Hier könnte sich der Hinweis des Chronisten (2.Chr. 14,7) auf Asa bestätigen.

129 S. D. Ussishkin, Tel Aviv 5 (1978) 93; IEJ 30 (1980) 191. Es ist kaum richtig, den Palast A von Stratum V mit der Notiz 2.Chr. 11,5 zu verbinden, wie das O. Tufnell in Lachish III, 53f. und D. Ussishkin in Tel Aviv 5 (1978) 93 tun. Nach dem Chroniktext baute Rehabeam ערים למצור, die Stadt war aber nicht befestigt.

130 S. Anm. 9.

131 Zu entsprechenden assyrischen Texten und ihrem Verständnis s. R. Liwak, ZThK 83 (1986) 137-166, vor allem 143f.

den Babylonier Nebukadnezzar zerstört worden ist.[132]

Alles in allem kann auch Lachisch nicht für eine Befestigung durch Rehabeam in Anspruch genommen werden; es spricht
aber nichts dagegen, daß Joschija die Stadt von Stratum II
befestigt hat, dem assurtreuen Manasse ist das nicht zuzutrauen.

Als nächster Ort wird M a r e s c h a genannt, das ebenso wie Lachisch den Zugang zum judäischen Bergland von der
Küstenebene aus zu sperren hatte. Marescha sucht man auf dem
tell sandaḥanne[133], der Name selbst haftet an der 1 km nordwestlich vom Tell liegenden chirbet merasch, die aber nur römisch-byzantinische Besiedlungsspuren hinterlassen hat. Auf
dem tell sandaḥanne ist in einer einzigen Kampagne 1900 gegraben worden und dabei ist vor allem eine bedeutende hellenistische Stadt nachgewiesen worden, aber auch eine eisenzeitliche Siedlung, die allerdings nur an einer Stelle angegraben
wurde.[134] Weitreichende Schlußfolgerungen erübrigen sich, aber
auch hier scheint der Befund nur auf die letzten Jahrzehnte
der judäischen Königszeit zu zielen.[135]

Es ist nicht ganz einfach zu entscheiden, wie sich G a t
in das bisherige Bild einfügt. Bei der Suche nach einem geeig-
neten Tell, der die antike Ortslage repräsentiert, hat sich inzwischen mit dem tell eṣ-ṣafi/ṣafije (Tel Ṣafit) am Nachal Ha-
ʾela ein weitgehender Konsens gebildet, nachdem vor allem auch
tell esch-schech aḥmed el-ᶜareni (Kurzform: tell ᶜareni, Tel
ᶜErani) und tell esch-scheriᶜa (Tel Seraᶜ) genannt worden
sind.[136] Die Lage des tell eṣ-ṣafi an der Verbindung von der
Küstenebene zum judäischen Bergland via "Terebinthental"
(עמק האלה) auf einem Hügel der Schefela ist strategisch
hervorragend. Die wenigen Ausgrabungen um die Jahrhun-

---

132 S. Lachish III, 56ff.; D. Ussishkin, EAE III, 744f.; Tel Aviv 4
(1977) 50ff.; Tel Aviv 5 (1978) 53f.; Tel Aviv 10 (1983) 134ff.

133 M. Noth, HAT 7, 95.

134 F.H. Bliss/R.A.S. Macalister, Excavations in Palestine during the
Years 1898-1900, London 1902, 58 und Pl. 16.

135 A. Kloner, EAE III, 786.

136 S. vor allem O. Keel/M. Küchler, Orte und Landschaften der Bibel,
Bd. 2, 836f. Zum Vorschlag tell esch-scheriᶜa s. G.E. Wright, BA 29 (1966)
78-86; zum Vorschlag tell esch-schech aḥmed el-ᶜareni s. P. Welten, Die
Königs-Stempel, 68ff.

dertwende[137], die auch reichlich philistäisches Material her-
vorgebracht haben,[138] lassen eine eisenzeitliche Stadtmauer
erkennen, die wohl recht spät,[139] vielleicht erst in assyrischer bzw. babylonischer Zeit entstanden ist.[140] Damit sind
auch schon alle archäologischen Hinweise genannt.

Gat ist in dem System die am weitesten in den Westen ragen-
de Festung. Die Linie, die von Marescha nordwestlich verläuft,
wendet sich von Gat aus direkt nach Osten bis A d u l l a m ,
das auf der chirbet esch-schech madhkur zu lokalisieren ist,[141]
die wie die anderen Festungsorte über eine vortreffliche Lage
am wadi es-ṣur (Nachal Haʾela) verfügt, auf dem Plateau eines
Hügels gelegen.[142]

An dieser Ortslage ist nie gegraben worden. Von Davids Aufenthalt in Adullam abgesehen (1.Sam. 22,1ff.), erscheint Adullam einmal im Michabuch in einer Reihe von Schefelaorten neben
Marescha (1,15) und einmal als judäischer Ort[143] zur Zeit Joschijas (Jos. 15,35) neben Socho und Aseka in einer geographisch
konsistenten Reihenfolge, die man 2.Chr. 11 nicht nachsagen kann.

Nordwestlich von Adullam liegt S o c h o , das mit chirbet
ʿabbad identifiziert worden ist.[144] Oberflächenforschungen haben hier neben römisch-byzantinischer Keramik eine große Menge

---

137 F.J. Bliss/R.A.S. Macalister, Excavations in Palestine, 30f., s. auch
35 zur Keramik, deren Typologie aber zu jener Zeit noch nicht im wünschens-
werten Maß entwickelt war.

138 S. zusammenfassend E. Stern, EAE IV, 1024ff.; T. Dothan, The Philistines
and their Material Culture, 48.50 und Abb. passim. Wenig philistäisches Material wurde auf dem tell esch-schech aḥmed el-ʿareni gefunden, eine Gleichsetzung mit Gat scheint nicht möglich, s. S. Yeivin, IEJ 10 (1960) 193, Anm. 1;
A. Ciasca, Oriens Antiquus 1 (1962) 24; S. Yeivin, EAE I, 89ff.; T. Dothan,
The Philistines, 88. Mehr philistäische Hinterlassenschaft wurde auf dem tell
esch-scheriʿa entdeckt (s. zusammenfassend T. Dothan, The Philistines, 87),
der von dem Ausgräber mit dem biblischen Ziklag identifiziert wird (s. E.D.
Oren, EAE IV, 1059).

139 Das legt eine ältere Schuttablagerung nahe, auf der die Mauer gebaut
wurde, s. P. Welten, Königs-Stempel, 68.

140 E. Stern, EAE IV, 1027.

141 M. Noth, HAT 7, 94.

142 Zur Lage s. F.M. Abel, RB 33 (1924) 206f.; K. Elliger, PJ 34 (1938) 58.

143 In Neh. 11,30 ziehen nach dem Exil wieder Judäer nach Adullam.

144 G. Dalman, PJ 5 (1909) 13; A. Alt, PJ 24 (1928) 26f.; M. Noth, HAT 7,
94; eine Ruine in einigen hundert Metern Entfernung östlich von chirbet
ʿabbad hat den Namen im Arabischen erhalten: chirbet esch-schuweke.

eisenzeitlicher Scherben erbracht, aber auch Rudimente einer
eisenzeitlichen Befestigungsanlage, deren Entstehung bisher
leider nicht geklärt ist.[145]

Die chirbe liegt in geschützter Lage etwa 60 m über dem
"Terebinthental" und hat Sichtverbindung zu dem ungefähr 4 km
nordwestlich von Socho liegenden A s e k a , das mit dem tell
ez-zakarije (Tel ʿAzeqah)[146] identisch ist und einen ausge-
zeichneten Beobachtungsposten darstellt, der die Küstenebene
kontrollieren konnte und dabei das an seiner Nord- und Ost-
seite sich hinziehende "Terebinthental" dominiert. Leider hat
auch hier die Ausgrabung[147] zu keinen stratigraphisch gesicherten
Ergebnissen geführt, so daß wiederum die aufgedeckte eisenzeitliche Festung nicht präzis genug eingeordnet werden kann.[148]
Möglich, daß Hiskija dieses den Zugang aus der Küstenebene ver-
sperrende Bollwerk errichtet hat,[149] denn vergleichbare Festungs-
typen wie z.B. in Kadesch Barnea und Arad sind alle später als
im 10. Jh. anzusetzen, Rehabeam scheidet sicher aus.[150] Man darf
annehmen, daß Sanherib 7o1 auch Aseka erobert hat als eine der
46 Städte, von denen er in seinem Feldzugsbericht spricht.[151]
Bei der Eroberung Judas und Jerusalems durch die Babylonier
spielt Aseka als Festungsstadt eine herausragende Rolle, Jer.
34,7 reiht sie bekanntlich zusammen mit Lachisch unter die zuletzt übriggebliebenen Städte (ערי מכצר).[152] Das heißt aber,

---

145 W.F. Albright, BASOR 15 (1924) 9; ders., BASOR 18 (1925) 10; A.Alt, PJ
24 (1928) 26f.

146 M. Noth, HAT 7, 64.94; F.M. Abel, Géographie II, 257.

147 S. F.J. Bliss/R.A.S. Macalister, Excavations in Palestine, 14ff.

148 Die Ausgräber (Anm. 147) haben Rehabeam genannt, sich dabei aber ganz
offensichtlich vom Chronisten leiten lassen.

149 Bei den Ausgrabungen wurden 17 Krughenkel mit lmlk-Stempeln gefunden,
s. dazu P. Welten, Die Königs-Stempel, 67f.

150 Vgl. E. Stern, EAE I, 143.

151 Aseka (URU a-za-qa-a) wird in einem assyrischen Textfragment genannt,
das mit Sanheribs Feldzug nach Juda im Jahr 701 in Verbindung gebracht wird,
aber das ist nicht sicher, Nachweise bei R. Liwak, ZThK 83 (1986) 138, Anm.
8, Übersetzungen des Fragments z.B. bei N. Naʾaman, VT 29 (1979) 61f.; Y.
Aharoni, Das Land der Bibel, 400f.

152 Daß, wie allgemein angenommen wird, die beiden Städte auf dem Lachisch-
Ostrakon IV, Zeile 10ff. (Photographie in Lachish I, 76) genau diese Situation widerspiegeln, ist nicht über jeden Zweifel erhaben, s. A. Lemaire, Inscriptions hébraiques, 110ff.

sie muß neu befestigt worden sein, eine Maßnahme, für die am ehesten Joschija in Frage kommt, weil erst nach Manasse der assyrische Druck spürbar nachließ.

Die beiden letzten in 2.Chr. 11 erwähnten Festungen ziehen sich weiter zum Norden hin und flankieren gleichsam den direkten Zugang nach Jerusalem von der Küstenebene her.

Z o r a ist mit dem einstigen arabischen Dorf ṣarʿa, ungefähr 2,5 km nordöstlich von dem modernen israelischen Zora (צרעה) im Sorektal, gleichzusetzen,[153] und A j a l o n mit jalo 20 km nordwestlich von Jerusalem. Da archäologische Indizien nicht vorhanden sind, ist die literarische Überlieferung zu befragen. Bei beiden Orten handelt es sich um alte Kanaanäerstädte[154], von denen zumindest Ajalon den Israeliten nach der Landnahme verwehrt blieb (Ri. 1,35). Entsprechende Schwierigkeiten müssen die Israeliten mit dem einige Kilometer südwestlich gelegenen Geser (tell dschezer bei abu schusche) gehabt haben (Jos. 16,10; Ri. 1,29), auch noch David am Anfang seiner Regierung (2.Sam. 5,25). Salomo erhielt die Stadt aus ägyptischer Hand, d.h. der Pharao gab sie seiner Tochter als Mitgift für die Ehe mit Salomo, nachdem er Geser erobert und eingeäschert hatte. Das Geschenk machte Arbeit, denn Salomo mußte die Stadt wieder aufbauen (1.Kön. 9,16f.). In genau diesem Gebiet war der nach Jerobeam auf den Thron gekommene Nadab damit beschäftigt, die Philisterstadt Gibbeton[155] zu belagern (1.Kön. 15,27), später vermutlich auch Ela, oder besser gesagt: sein Feldherr Omri (1.Kön. 16,15.17).

Mit anderen Worten: Die ersten israelitischen Könige lagen südlich von Ajalon in Grenzstreitigkeiten mit den Philistern, es dürfte also ausgeschlossen sein, daß jene Stadt im Machtbereich des judäischen Königs Rehabeam lag. Im übrigen waren nach 1.Kön. 14,30 Rehabeams Hände permanent durch Streitigkeiten mit Jerobeam gebunden. Es handelte sich offenbar um Auseinandersetzungen über den Grenzverlauf, denn nachdem 1.Kön. 15,16 einen entsprechenden lebenslangen Konflikt zwischen Asa und Bascha

---

153 M. Noth, HAT 7, 94.121.

154 Beide Orte werden auch zusammen in einem der Amarnabriefe (Die El-Amarna-Tafeln, 273,20f.) genannt (URU a-ia-lu-na und URU ṣa-ar-ḫa).

155 Wahrscheinlich tell el-melat (s. G. von Rad, PJ 29, 1933, 37ff.) oder ʿaqir (s. K. Elliger, BHH I, 566f.)

registrierthat, berichten die folgenden Verse von Grenzver-
schiebungen. Bascha muß zunächst bis zum 8 km nördlich von Jerusalem gelegenen Rama (er-ram) vorgerückt sein (1.Kön. 15,17),
während Asa bald darauf aufgrund syrischer Hilfe das östlich
von Rama gelegene Mizpa[156] befestigte (1.Kön. 15,22). Rehabeam
ist von diesem Expansionsdrang ganz offensichtlich nicht erfüllt gewesen.[157]

Kurzum: Territorialgeschichtliche Überlegungen schließen aus,
daß Rehabeam Ajalon befestigt hat.

Die Schlußfolgerungen aus der archäologischen Evidenz der
in der Liste 2.Chr. 11 genannten Festungsstädte sind mit aller
Vorsicht zu ziehen angesichts der nur partiellen Ausgrabungen
und der damit verbundenen Schwierigkeit, einen negativen Befund mit positiven Nachweisen zu verrechnen. Mit Zurückhaltung
wird man sagen können, daß für einige der 15 Orte Befestigungs-
maßnahmen schon im 10. Jh. äußerst unwahrscheinlich sind, während es bei keiner der befestigten Städte einen triftigen Grund
gibt, ihre Existenz in der späten Königszeit zu bezweifeln. Daß
es sich im letzteren Fall nicht immer um ganz neue Befestigun-
gen handeln muß, zeigt auf seine Weise das Verbum בנה, das
auch Aus- und Umbauten bezeichnen kann.[158]

Das Argument gegen eine Ableitung jener Liste aus der Zeit
Joschijas, eine befestigte Anlage wie Ramat Rahel[159] sei nicht
genannt und auch nicht die Reihe von Negev-Festungen, die mit
Joschijas Namen verbunden sind, vermag kaum zu überzeugen,[160]
weil die Liste keinen Anspruch erheben will, alle befestigten
Orte aufzuführen,[161] sondern aktuelle Baumaßnahmen (ויבן)
nennt, was freilich nicht ausschließt, daß ein System erkennbar wird, dessen Konsistenz zur bestimmten geschichtlichen
"Stunde" es aufrecht zu erhalten bzw. zu stärken galt. Die Li-

---

156 Wahrscheinlich tell en-naṣbe, s. zur Identifikation J. Muilenburg, in:
C.C. McCown, Tell en-Naṣbeh I, 13ff.; ders., StTh 8 (1954) 27ff.; A. Malamat, JNES 9 (1950) 222f.

157 S. Herrmann, Geschichte Israels, 249.

158 S. die Lexika s.v. בנה .

159 Die Ausgräber datieren die Festung der Schicht V B ins 8. bzw. 7. Jh.
und die der Schicht V A in die Zeit von 608-597 (587?), s. Y. Aharoni, EAE
IV, 1001.

160 So P. Welten, Königs-Stempel, 170.

161 K. Elliger, in: Kleine Schriften, 32f.

132

ste ist eine Momentaufnahme, die nicht, um im Bilde zu bleiben,
mit einem Weitwinkelobjektiv gemacht ist. Es wäre doch ganz
merkwürdig, wenn z.B. die nördliche Flanke überhaupt keine Festungsanlagen vor Jerusalem aufweise. Daß jenes Textstück fragmentarisch wiedergegeben wäre, läßt sich literarisch nicht nachweisen.[162] Wie ist es aber dann zu verstehen, wenn eine joschijanische Herkunft angenommen wird? Sucht man nach einer geome-
trischen Figur, auf deren Linie man ungefähr die Orte einzeich-
nen könnte, bietet sich die Hälfte einer Ellipse mit dem Aus-
gangspunkt Betlehem und dem Endpunkt Ajalon an, die sich schützend vor Jerusalem legt und dabei in südwestliche Richtung ausgerichtet ist.[163] Die Richtung ist ein Hinweis auf den in erster
Linie erwarteten Angreifer: die Ägypter[164], deren Zugriffe Joschija fürchten konnte, nachdem die Assyrer keine ernsthafte Gefahr mehr waren und eine babylonische Gefahr noch nicht erahnt
wurde.

Die Lage des Festungsgürtels macht deutlich, daß es sich um
den Schutz des judäischen Kernlandes handelt. Einige Seiten zuvor ist schon der weiter in den Süden vorgelagerte Festungsgürtel diskutiert worden, der schwerpunktmäßig gegen Südosten, d.h.
gegen die Edomiter ausgerichtet war, aber ebenso eine Linie bis
weit in den Westen verfolgt, als ein erster Sperriegel auch für
einen Angriff von Südwesten her.[165]

Alle Beobachtungen zusammengefaßt, muß auch in 2.Chr. 11 mit
einer versprengten Notiz gerechnet werden. Es ist die Zeit Joschijas, aus der ein erheblicher Teil des offenbar königlichen
Archivmaterials späteren "Historiographen" noch zur Verfügung

162 Vgl. P. Welten, Königs-Stempel, 167f.

163 Vgl. Abb. 381 bei O. Keel/M. Küchler, Orte und Landschaften der Bibel,
Bd. 2, 577. Da das Verteidigungssystem nicht nur gegen Westen bzw. Südwe-
sten Schutz bietet, sondern auch gegen Osten bzw. Südosten, muß auch an die
Gefahr edomitischer Angriffe gedacht worden sein.

164 Nach M. Noth (Geschichte Israels, 217f.) waren die Festungen gegen die
Philistergefahr gerichtet; warum waren dann Festungen wie Betlehem, Etam,
Tekoa und Bet-Zur nötig? Derselbe Einwand ist gegenüber der Meinung N.
Naʾamans (BASOR 261, 1986, 5-21) zu äußern, der in den Festungen vorberei-
tende Maßnahmen Hiskijas gegenüber einem Angriff der Assyrer von Westen her
versteht.

165 S. oben S. 115ff. Damit verliert der 124f. genannte Hinweis auf eine Lücke
zwischen Adorajim und Marescha, die mit einer neuen Lokalisierung von Lachisch
gefüllt werden sollte, deutlich an Gewicht.

stand. Wenn der Chronist in diesem Falle das Material anachronistisch aufbereitete, dann interpretierte er die Geschichte
nach seinem Verständnis. Daß sich die Größe eines Königs vor
allem auf dem Felde seiner politisch-militärischen Aktivitäten
zeigt, ist für die alttestamentliche Geschichtstradition nichts
besonderes. Weniger die Abstraktionsfähigkeit der Historiographen ist es als ihr auf Paradigmen bezogenes Geschichtsverständnis, das im dtr. und chr. Geschichtswerk die (politische) Wirksamkeit der Könige gleichsam in eine Formel gerinnen läßt, die
unspezifisch deren גבורה in den Schlußformulierungen zur jeweiligen Regierungszeit nennt. Wie Festungsbauten Rehabeams Bedeutung unterstreichen sollen, so militärische Erfolge Usijas/Asar-
jas Ansehen.[166]

Mit Usija/Asarja sei noch einmal abschließend zu der Eroberung der Städte bzw. korrekter: der Schleifung der Stadtmauern
von Gat, Jabne und Aschdod in 2.Chr. 26,6 zurückgekehrt, als
deren Initiator Joschija gelten kann. Wiederum wird man bedenken müssen, daß es sich um eine Momentaufnahme handelt, die
irgendeinen konkreten Zeitpunkt innerhalb seiner Regierungstä-
tigkeit wiedergibt. Die Aktionen sind unter der Voraussetzung
verständlich, daß Joschija einen Zugang zum Meer suchte, den
er mit der Festung Meṣad Chaschavjahu nachweisbar erreicht hat.
Die Eroberung jener drei Städte war ein wesentlicher Schritt
auf diesem Weg, der zu den Hafenanlagen von Jabne und Aschdod
führte. Die Frage ist naheliegend, warum dann Joschija auch Gat
erobern mußte, unter der Voraussetzung, daß es sich um den tell
es-ṣafi (Tel Ṣafit) handelt. Immerhin ist Gat als erste Stadt
erwähnt; es wäre durchaus möglich, daß Joschija zunächst die
dicht am judäischen Territorium liegende Philisterstadt über-
nehmen wollte, denn es bot sich ihm von der nur einige Kilometer westlich gelegenen Festung Aseka (tell ez-zakarije/Tel ʿAzeqah) als Stützpunkt dazu eine strategisch günstige Gelegenheit.

Merkwürdig ist bei der Notiz über die Schleifung der Mauern,

---

166 Zur Bewertung Usijas/Asarjas durch den Chronisten s. M. Augustin, Beobachtungen zur chronistischen Umgestaltung der deuteronomistischen Königschroniken nach der Reichsteilung, in: Das Alte Testament als geistige Heimat, FS H.W. Wolff zum 70. Geb., 27ff. Wenn kein paradigmatisches Archiv-
material vorhanden war, konnte die Überlieferung der eigenen Zeit zeigen,
wie es "eigentlich gewesen" ist, so V. 7 in 2.Chr. 26 im Blick auf Usija/
Asarja, s. P. Welten, Geschichte und Geschichtsüberlieferung, 158ff.

daß dreimal der Status constructus von חומה wiederholt wird.
Man kann das mit der Gewohnheit hebräischer Syntax erklären,
die nicht gerne ein Nomen regens mit mehreren Nomina recta verbindet;[167] dann wäre aber auch eine Auflösung der Constructus-
Verbindung durch ל möglich gewesen, die eine zweimalige Wiederholung von חומה verhindert hätte. Vielleicht sollte betont
werden, daß die Mauern niedergerissen wurden, ansonsten aber
keine tiefgreifenden Eingriffe erfolgten.[168] Von weiteren Maßnahmen weiß die Notiz 2.Chr. 26,6 nur im Zusammenhang mit Aschdod:
ויבנה ערים כאשדוד. Das könnte doch heißen, daß Joschija hier
Judäer angesiedelt hat, wenn man sich die Situation nach dem
Zusammenbruch des Nordreichs 722 vergegenwärtigt. Ein Flücht-
lingsstrom muß sich aus dem Norden nach Jerusalem ergossen haben,[169] mit der Folge, daß die Bevölkerungszahl in Jerusalem
deutlich zugenommen hat; die archäologischen Indizien, die eine
Ausweitung der Besiedlung Jerusalems von dem Südost-Hügel auf
den Südwest-Hügel zeigen,[170] sprechen eine deutliche Sprache.
Im Zuge dieser Bevölkerungszunahme wäre eine Ansiedlung von Judäern in der Gegend von Aschdod verständlich, zumal sie die ständige Präsenz judäischer Interessen garantieren konnte. Dann könnten die Relikte, die in Aschdod bei Ausgrabungen in späteisenzeitlichen Straten gefunden wurden,[171] ein Zeugnis jener Präsenz sein.

Noch einmal ist auf Jeremias Wort gegen die Philisterstädte
(25,20) hinzuweisen, das mit jener Notiz verbunden werden kann.
Wie gesagt, Jeremia spricht sein Gerichtswort gegen Aschkelon,
Gaza, Ekron und den "Rest" von Aschdod. Das kann exakt die Situation nach 2.Chr. 26,6 sein: Gat ist "judäisch" und wird nicht
mehr genannt, Aschdod, d.h. im Hinblick auf jene Stadtstaaten
Aschdod und sein Einflußgebiet, ist durch judäische Kolonisation
auf einen Rest reduziert.

Diese realen Verhältnisse konnten durch politische Hoffnungen noch weiter überboten werden, wie der Text Zef. 2,4ff. zeigt,

167 S. Ges.-K., § 128a.
168 K. Galling, ATD 12: "die Städte werden berannt, aber nicht besetzt!" (147)
169 M. Broshi, IEJ 24 (1974) 21ff.; E. Otto, Jerusalem, 69.
170 S. E. Otto, Jerusalem, 64ff.
171 S. oben S. 108.

der die Wünsche jener Zeit spiegelt.[172] Bei den Worten gegen
fremde Völker in 2,4ff. kommen   auch die Philister nicht
ungeschoren weg. Zerstört werden sollen Gaza, Aschkelon, Aschdod und Ekron (2,4). Wieder wird Gat nicht erwähnt, das schon
eine judäische Suprematie zu erleben scheint.[173] Eine Begründung, warum die Städte zerstört werden sollen, fehlt. Die entscheidende Aussage liegt in V. 5, in dem die Bewohner als ישבי
חבל הים bezeichnet werden; sie bewohnen also das Gebiet, das
gleichsam mit der Meßschnur am Meer abgemessen ist. Auf die
Möglichkeit, in den Besitz dieses Gebietes zu kommen, wird das
Wort gerichtet sein,[174] wenn auch die Metapher, daß jenes Gebiet zu Triften der Hirten und zu Hürden der Herden werde,[175]
den politischen Realismus scheinbar auf eine Idylle herunter-
spielt. Joschija hat zumindest im nördlichen Teil vom חבל הים
Erfolg gehabt, darauf spielt der nach der Katastrophe Judas und
Jerusalems zugefügte V. 7 an, der den Landstrich am Meer dem
"Rest Judas" in Aussicht stellt.[176]

Summa summarum ergibt sich zum Ende der Königszeit hin eine
neue territorialpolitische Konstellation: Joschija hat das in
der zweiten Hälfte des 7. vorchr. Jh.s auch Palästina einschlie-
ßende international-politische Machtvakuum genutzt, um seinen Einfluß
über den judäischen Kernbereich, wie immer der im einzelnen ein-
zugrenzen ist,[177] nach allen Richtungen auszuweiten. Mag auch nicht
alles erfaßt sein, die literarischen und archäologischen Nachweise

---

172 Vgl. D.L. Christensen, Zephaniah 2:4-15: A Theological Basis for Josiah's
Program of Political Expansion, CBQ 46 (1984) 669-682.

173 Daß Gat "schon längst zu einer asdodensischen Landstadt herabgesunken"
war (A. Weiser, ATD 25, 72) läßt sich aus den alttestamentlichen Texten nicht
folgern. 711 jedenfalls ist Gat noch selbständig und wird von Sargon II. zerstört, nachdem es am Aufstand teilgenommen hat, der von Aschdod initiiert war,
vgl. W. Rudolph, KAT XIII/3, 279.

174 Vgl. W. Rudolph, KAT XIII/3, 280.

175 Zum textkritischen Problem s. A. Weiser, ATD 25, 69; W. Rudolph, KAT
XIII/3, 277; F. Horst, HAT 14, 194.
Der Wechsel zur direkten Anrede in V. 5 nach der distanzierten Schilderung
in der 3. p. in V. 4 ist stilistisch-rhetorische Absicht und sollte deshalb
nicht literarkritisch ausgewertet werden, gegen A. Weiser, ATD 25,72 und
F. Horst, HAT 14, 195f.

176 Vgl. A. Weiser, ATD 25, 69 und W. Rudolph, KAT XIII/3, 280, auch O.
Eißfeldt, Einleitung, 573.

177 Dazu A.Alt, in: Kleine Schriften II, 279ff.

lassen mit einem schwerpunktmäßigen Schutz Judas an der südöst-
lichen und südwestlichen Flanke des Landes rechnen. Anders gewendet heißt das, Joschija hat sich auf edomitische und ägyptische Übergriffe vorbereitet. Freilich, nicht nur an diesen Stellen seines Reichs zeigt sich, wie er Expansion und Schutz miteinander verbunden hat und damit "Juda" eine neue Gestalt gab,
die auch Auswirkungen auf das zeitgenössische Verständnis von
"Israel" hatte, wie die Analyse von Jer. 2-6 beweist.

Im folgenden Abschnitt soll ein konkretes historisches Problem jener Zeit herausgegriffen werden, weil es für die Exegese
einiger Stellen aus Jer. 2-6 bedeutend sein kann. Die Rede ist
von einer mutmaßlichen skythischen Präsenz in Syrien-Palästina.

2. Das Skythenproblem

Bei den vorangehenden Überlegungen ist die in der Forschung
oft geäußerte Meinung genannt worden, Herodot habe eine historisch zuverlässige Nachricht mitgeteilt, wenn er von der Eroberung Aschdods durch Psammetich I. spricht.

Nun wird der angebliche Zug Psammetichs I. in den palästinischen Raum in der Regel nicht isoliert betrachtet. Folgende Möglichkeiten werden erwogen: Nach der ersten Version, die mit einer fiktiven Zahl der Belagerungsdauer rechnet, entzieht sich
Psammetich I. der assyrischen Herrschaft bzw. aus der Sicht des
Pharaos gesehen: er verfolgt die Assyrer bis Aschdod, das er belagert und erobert.[178] Die zweite Version baut auf die Notiz
Herodots in I,105, nach der die Skythen (Σκύθαι) bis in den
palästinischen Bereich gelangen, wo Psammetich I. sie mit Geschenken und Gebeten überzeugt , nicht weiterzuziehen. Wenn
dann sowohl diese Notiz wie die der 29jährigen Belagerung Aschdods (II,157) "rationalisiert" wird, ergibt sich folgender Geschehensablauf: Psammetich I. zieht um 650 in das Philisterland,
um assyrisches Potential zu zerstören, und kommt dabei bis Aschdod. Um 620 verfolgt Psammetichs Heer - von "Geschenken" keine
Rede mehr - die Skythen und erobert bei dieser Gelegenheit Asch-

---

178 So etwa E. Otto, Ägypten, 228.

dod.[179] Diese rationale Auswertung des Materials, bei dem mit einem "historischen Kern" gerechnet wird, der die 29 Jahre berücksichtigt, scheitert zumindest an der "Eroberung" Aschdods, die einer archäologischen und literarischen Grundlage entbehrt. Insofern ist die Annahme eines philistäischen Kriegsschauplatzes in der zweiten Hälfte des 7. Jh.s unberechtigt. Ist damit auch die Glaubwürdigkeit eines Zugs und Rückzugs von Skythen hinfällig?

Herodot teilt mit (I, 105), die Skythen hätten sich durch Geschenke und Gebete der Ägypter bewegen lassen, umzukehren, auf ihrem Rückweg aber, als sie zu der Stadt Aschkelon kamen, sei der größte Teil der Skythen weitergezogen, einige aber seien zurückgeblieben und hätten den Tempel der Aphrodite Urania geplündert.

Auch hier muß nach der Authentizität, d.h. nach dem Grad der Wahrscheinlichkeit gefragt werden. Der Bericht Herodots hat in der alttestamentlichen Wissenschaft das historische, aber auch das exegetische Interesse geweckt, denn immer wieder ist der Versuch gemacht worden, Worte Jeremias und seines Zeitgenossen Zefanja auf dem Hintergrund der von Herodot mitgeteilten "Invasion" der Skythen zu verstehen.[180]

Die folgenden Überlegungen sollen zunächst nicht mit dem Zefanja- und Jeremiabuch verklammert werden, in denen bekanntlich die Skythen namentlich nicht erwähnt werden, wie überhaupt das gesamte Alte Testament keine geschichtliche Situation ausdrücklich mit ihnen verknüpft.

So reich die Kunstschätze auch sind, die die Skythen der Nachwelt hinterlassen haben,[181] die für den Historiker so wichtigen

---

179 So F. Kienitz, Die politische Geschichte Ägyptens, 17, mutatis mutandis auch H.R. Hall in: Cambridge Ancient History III, 293ff. Nach A. Malamat, der Skythen und Umman Manda identifiziert, hält Psammetich I. die Skythen im Jahre 609 auf (IEJ 1, 1950/51, 156f.).

180 Für einen ersten Überblick vgl. E. Meyer, Geschichte des Altertums III, 141ff.; Cambridge Ancient History III, 145f.188f.295.394; J.Ph. Hyatt, JNES 7 (1948) 25ff.; F. Horst, HAT 14, 188ff.; W. Rudolph, Kommentar, 47ff.; L.G. Perdue, in: L.G. Perdue/B.W. Kovacs (Hg.), A Prophet to the Nations, 6ff. Daß es sich bei dem "Feind aus dem Norden" im Jeremiabuch um Skythen handele, ist schon im 18. Jh. (von Venema) geäußert worden (s. Anm. 338 zu Kap. IV) und dann später in den Kommentaren B. Duhms (1901) und C.H. Cornills (1905) entschieden vertreten worden. Einen Überblick über Zustimmungen und Ablehnungen gibt R.P. Vaggione, JBL 92 (1973) 523ff.

181 S. z.B. M.I. Artamanov, Goldschatz der Skythen in der Eremitage, Prag

Schriftdenkmäler aus erster Hand existieren nicht, er ist ganz
und gar auf literarische Mitteilungen angewiesen, die andere
über die Skythen überliefert haben.[182]

Wird die Entstehung des skythischen Reitervolkes in der Antike, altisraelitischer Gewohnheit entsprechend, in Form verschiedener Familiengeschichten erzählt,[183] so hat auch die neuere Forschung mehrere Versionen bereit, wenn sie die Herkunft
und das ethnische Proprium bestimmt.[184] Während Herodots Sky-
thenberichte bis ins 19. Jh. z.T. stark angezweifelt wurden,
lehrte in diesem Jahrhundert die Archäologie, die in den Kur-
ganen, den Skythengräbern, reichhaltige Funde machte,[185] jene
Berichte mit mehr Vertrauen zu lesen.

Das Gebiet, das mit jener Gruppe von Nomadenstämmen, die Herodot summierend Σκύθαι nannte, verbunden wird, erstreckt sich
innerhalb der Grenzen der ukrainischen Steppe zwischen Donau und
Don, nach der assyrischen und griechischen Überlieferung des 7.
und 6. Jh.s v. Chr. unter Einschluß des Kaukasus.[186] Die Skythen - wie immer man den Begriff im ethnischen Sinne eingrenzt -[187]

1969; A.M. Leskov, Treasures from the Ukrainian barrows: latest discoveries,
Leningrad 1972; C. Charrière, Von Sibirien bis zum Schwarzen Meer. Die Kunst
der Skythen. Mit einer Einführung von M.I. Artamanov, Köln 1974; Gold der
Skythen aus der Leningrader Eremitage. Ausstellung der Staatl. Antikensammlungen am Königsplatz in München 19. Sept. bis 9. Dez. 1984, München o.J.

182 Zu den griechischen und lateinischen Schriftquellen über die Skythen
s. B.N. Grakow, Die Skythen, Berlin 1978, 3ff. Über die aktuelle Forschung
informieren die in Fortsetzung erscheinenden Sammelbände: Skifskie drevnosti
(Skythische Altertümer), Kiew 1973; Skify i sarmaty (Skythen und Sarmaten),
Kiew 1977; Skify i Kavkaz (Skythen und der Kaukasus), Kiew 1980; über die wich-
tigsten, zum großen Teil in russischer Sprache verfaßten Publikationen der
letzten Jahrzehnte berichtet A. Häusler, Skythen und frühe eurasische Step-
penvölker, Das Altertum 27 (1981) 49-54.

183 Zu Einzelheiten s. H. Kretschmer, in: RE, 2. Reihe, 3. Halbband (II A.1)
926; E.H. Minns, Scythians and Greeks. A Survey of Ancient History and Archaeology on the North Coast of the Euxine from the Danube to the Caucasus,
(2 Bde.), New Work 1965, 43f.

184 H. Kretschmer, RE, 2. Reihe, 3. Halbband (II A.1), 926ff.; neuere Literatur zum Thema bespricht A. Häusler, Das Altertum 27 (1981) 49ff.

185 A.M. Leskov, Die skythischen Kurgane. Die Erforschung der Hügelgräber
Südrusslands, Antike Welt 5, 1974 (Sondernummer); B. Brentjes, Die Skythen
und ihre Kunst - der Tierstil, Das Altertum 27 (1981) 5-18.

186 Zur Geographie s. B.N. Grakow, Die Skythen, 10ff.

187 Zum Problem s. A. Häusler, Das Altertum 27 (1981) 49ff.

waren nicht das einzige Reitervolk, das in der ersten Hälfte
des 1. vorchr. Jt.s aus den Steppen nördlich des Kaukasus nach
Vorderasien einfiel.   Neben ihnen sind vor allem die Kimmerer[188]
zu nennen, die gegen Ende des 7. Jh.s von den Skythen aus den
Schwarzmeersteppen vertrieben wurden, nachdem sie im 8. und 7.
Jh. Erfolge (gegen Urartu) und Mißerfolge (gegen Assyrien und
Lydien) erlebt hatten. Die Skythen ihrerseits beherrschten von
der Mitte des 7. Jh.s an von den Steppen am Urmia-See aus die
Bergwelt Vorderasiens, bis sie sich im Zusammenhang des Untergangs der Assyrer, mit denen sie sich nach anfänglichen Auseinandersetzungen seit Asarhaddon verbündet hatten, mehrheitlich
in die Steppen jenseits des Kaukasus zurückzogen.[189]

Die Geschichte der Skythen, die auch durch die Keilschrifttexte Asarhaddons ein wenig erhellt wird, in denen sie als Iš/
Aškuzā(ja)[190] auftreten, soll an dieser Stelle nicht weiter vertieft werden. Das gilt nicht nur für die keilschriftliche Erwähnung, sondern auch für Herodots Bemerkung, nach der sie nach
ihrem Sieg über die Meder Asien für 28 Jahre nachhaltig beherrscht,
die Oberherrschaft aber nach einer Niederlage gegen Kyaxares wieder an die Meder abgegeben hätten (I,103ff.).

Einige Gedanken sollen aber über den von Herodot mitgeteilten
Skythenzug in den syrisch-palästinischen Raum vorgetragen werden.
Ist er überhaupt glaubhaft? Wenn man sich die von Herodot reali-
stisch gezeichneten Kräfteverhältnisse und -verschiebungen vor
Augen hält, könnte man die Frage durchaus bejahen.[191] Im Grunde
genommen sind es wesentlich die Unschärfen an den Rändern und an
den Nahtstellen, die zuweilen korrigiert werden müssen.

Den skythischen Zug nach Syrien-Palästina teilt ausschließlich Herodot mit, der ihn nach der erfolgreichen Infiltrierung

---

188 Die erste Monographie über die Kimmerier hat A.I. Terenožkin (Kimmerij-
cy, Kiew 1976) vorgelegt. Eine kurze Information bietet A. Kammenhuber, RLA
5, 594-596.

189 Vgl. zum ganzen M. Streck, Assurbanipal, Bd. 1, CCCLXIVf.CDXIV; B.N.
Garkow, Die Skythen, 15f.; B. Brentjes, Das Altertum 27 (1981) 7ff.

190 Belege bei S. Parpola, Neo-Assyrian Toponyms, s.v., vgl. Gen. 10,3,
wo גמר und אשכנז belegt sind, zur Schreibung von אשכנז s. C. Westermann, BK I/1, 676.

191 Die Notiz von II,157, daß Psammetich I. 29 Jahre lang Aschdod belagert habe, ist für Herodot selbst merkwürdig, denn er vermerkt, daß er noch
nie von einer so langwierigen Belagerung gehört habe. Es deutet sich schon
bei Herodot Ideologiekritik an.

der Skythen in Medien und vor der Eroberung Ninives durch die
Meder ansetzt. Das bedeutet, wenn man bei dieser Generalisie-
rung bleibt, daß der Zug eine zwar nicht konsequente, aber doch
mögliche Verlängerung der Wanderbewegung in den Südwesten darstellen kann. Die historische Forschung, aus der einige Hypothesen in chronologischer Reihenfolge genannt seien, stellt
sich das anders vor:

Unter der Voraussetzung, daß der Belagerungsbeginn in Aschdod durch Psammetich I. und die Ermordung Amons von Juda durch eine ägyptophile Partei zusammengehören, ist der Zug skythischer Verbände zusammen mit assyrischen
Truppen als Antwort auf jene Provokation verstanden worden.(192) Dagegen
spricht aber, daß nur Skythen erwähnt werden und daß sie weder nach Jerusalem noch nach Aschdod ziehen, sondern Richtung Ägypten, und auch nachdem
sie abgedreht sind, nur an Aschkelon Interesse zeigen.
Auch spätere Zeitpunkte wurden erwogen. So ist der Zug als Folge einer
Skythenvertreibung aus Medien durch Kyaxares verstanden worden.(193) Nimmt
man Herodot ernst, der das Ende der Skythenherrschaft in Medien mit der Eroberung Ninives in zeitlichen Zusammenhang bringt, käme man in die Zeit um
612.(194) Wenn man dann die Umman-Manda der babylonischen Chronik mit den
Skythen identifiziert,(195) kann man sie nach der Eroberung Harrans (610)
ins philistäische Gebiet ziehen lassen, wo sie 609 von Psammetich I. auf-
gehalten worden wären,(196) aber für diese Identifizierung liegt kein Grund
vor.(197)

---

192 So H. Cazelles, Sophonie, Jérémie et des Scythes au Palestine, RB 74
(1967) vor allem 39ff.

193 So R. Werner, Schwarzmeerreiche im Altertum, WG 17 (1957) 234.

194 R. Werner (WG 17, 1957, 234 und Anm. 83) allerdings nennt trotzdem
(ohne Begründung) das Jahr 625.

195 So J. Lewy, Forschungen zur alten Geschichte Vorderasiens, 1ff.; R.
Kittel, Geschichte des Volkes Israel II, 6. und 7. Aufl., 1925, 416 Anm.
1; A. Malamat, IEJ 1 (1950/51) 155ff.

196 So A. Malamat, IEJ 1 (1950/51) 156f.

197 Für das 14. Jahr Nabopolassars (612, Eroberung Ninives) nennt die babylonische Chronik (B.M. 25 127 Rev. 38, D.J. Wiseman, Chronicles of Chaldaean Kings, 59, A.K. Grayson, Assyrian and Babylonian Chronicles, 94) šàr
Ummān-man-da, daneben (in Zeile 40)[ᵐŪ-m] a-kiš-tar (Kyaxares), den Meder-
könig (s. Zeile 24ff.: KUR Ma-da-a-a): eine Identifizierung ist kaum möglich. In Zeile 38f. marschieren die Umman-Manda offenbar nicht mit den Babyloniern (ana tar-ṣi = ʾy); im 16. Jahr (Zeile 58ff.) sind sie dann die
Verbündeten der Babylonier gegen Assyrien; der šàr Ummān-man-da wird nicht
mehr erwähnt, verständlich, wenn er jetzt auf der Seite der Assyrer stand.
Man muß sich dabei allerdings fragen, ob der Schreiber immer genau wußte,
wer sich hinter dem Terminus Umman-Manda verbirgt, in Zeile 59 trägt der
Begriff das Determinativ KUR und auch in Zeile 65 wird kein König erwähnt.
In Zeile 38 könnte ein nicht näher bekannter "zahlreicher Heerhaufe" (Wurzel
mʾd, s. die Variante zum Text Nin A. II 143 bei R. Borger, die Inschriften
Asarhaddons, 51) gemeint sein, beim Zug auf Harran kann jener Terminus dann
die Meder (so später bei Nabonid und Kyros, Belege bei St. Langdon, Die
neubabylonischen Königsinschriften, VAB 4, Leipzig 1912, 327) bezeichnen,

Schließlich ist das Jahr 592 erwogen worden.(198) Auch diese Hypothese
steht und fällt mit der Gleichsetzung der Umman-Manda mit den Skythen. Im
übrigen ist es auch ein methodisch fragwürdiges Axiom, wenn behauptet wird,
"daß die Skythen in den Tieflandsgebieten Vorderasiens erst um 612 erschienen sind und daß die 28jährige 'Herrschaft' der Skythen über die ἄνω Ἀσίη
(Her. I,106; IV,1) ein Bundesverhältnis zwischen Babyloniern und Skythen bedeutet, das im Jahre 584 beendet wurde, als in dem unter Nebukadnezars Mit-
wirkung zwischen Astyages und Alyattes geschlossenen Frieden Assyrien den
Medern zufiel"(199). Dieser Beweisgang ist fragwürdig, weil ungefähre und
präzise Daten einander stützen; vor allem aber ist - von der Identifizie -
rung abgesehen - an dem methodischen Postulat festzuhalten, daß eine historische Quelle nicht gegen die Zeit, über die sie nichts berichtet, ausge-
spielt wird. Die babylonische Chronik setzt mit dem Jahre 616 ein, "Umman-
Manda" können auch schon vorher im betreffenden Gebiet operiert haben, oder
auch zwischen 616 und 612, ohne daß die Chronik es berichtet hätte.
    Auch andere Hinweise bleiben eine überzeugende Argumentation schuldig.
In der Tat wird nach Jer. 27,2ff. im Jahre 594(200) mit einer Aufstandsbewegung zu rechnen sein, an der Edom, Moab, Ammon, Tyrus und Sidon teilhat-
ten. Die historische Überlieferung, die die Ereignisse des Jahres 587/86
referiert, in dem Zidkija von Juda seinen Gehorsam gegenüber den Babyloniern aufkündigte, nennt keinen entsprechenden Widerstand jener Länder.
Aber daraus wird man nicht folgern können, "daß die Nachbarn Judas nach den
Aufstandsvorbereitungen vom Jahre 593 und vor dem Feldzuge Nebukadnezars
gegen Zedekia von einer Katastrophe betroffen worden sind, die sie kriegs-
müde machte bzw. die zu Babylon neigende Partei an die Regierung brachte",
eine Katastrophe, die "nur durch den Zug der Skythen bewirkt worden sein"
könne, der etwa eineinhalb Jahre nach dem Beginn des Aufstands die Länder
der Aufständischen erreicht habe (592).(201) Nicht die Skythen als Handlanger Nebukadnezzars zu verstehen, ist wenig überzeugend - das könnte ja
die Überlieferung verschwiegen haben - vielmehr ist es ihr angeblicher Ein-
satzort, der kein Vertrauen erweckt, denn die einzigen, die nach Jer. 27,2ff.
nicht am Aufstand teilnehmen, sind die Philister, aber gerade dorthin bzw.
durch deren Gebiet begeben sich die Skythen nach Herodot, der sie bis Ägypten ziehen läßt, das ebenfalls im Zusammenhang jenes Widerstands nicht genannt wird.

Alle Synchronisierungsversuche überzeugen nicht, und das
offenbar, weil gar keine politisch-militärische Ursache einen
Zug der Skythen veranlaßt hat. Herodots ἱστορίη kann man ge-

---

die auch nach anderem Zeugnis (so ein Brief des Kronprinzen Nebukadnezar,
s. F. Thureau-Dangin, RA 22, 1925, 27-29, vgl. Jos., Ant. XV,74) an der
Eroberung Harrans beteiligt waren. Bei dem "Heerhaufen" von Zeile 38 mögen
auch skythische Verbände gewesen sein, die zeitweilig guten Kontakt zu den
Assyrern hatten (s. E.Klauber, Politisch-religiöse Texte aus der Sargoniden-
zeit, LVIff.). Daß es nur Skythen waren, ist angesichts der vielen Völkerschaften, die in den Orakelanfragen an Schamasch (s. E. Klauber, Politisch-
religiöse Texte, LVIff. und passim) genannt werden, unwahrscheinlich.

198 So J. Lewy, Forschungen, 51ff.

199 J. Lewy, Forschungen, 51f., vgl. 14ff.

200 J. Lewy, Forschungen, 53: 593; s. zur Datierung von Jer. 27,1 W. Rudolph, Kommentar, 174.176 (in Anm. zum Text von Jer. 27,1).

201 J. Lewy, Forschungen, 54.

genüber nachmaliger historischer Erkundung den Vorzug geben,
denn er hat nur eine recht grobe historische Kontextualisie-
rung vorgenommen, die zutreffen kann, solange er übergreifende
Wanderbewegungen erfaßt.

Die Skythen können in der zweiten Hälfte des 7. Jh.s an den
Zusammenhängen des assyrisch-babylonischen Kräftevergleichs
partizipiert haben, nachdem sie selbst machtkonsolidierend Fuß
gefaßt hatten. Aber schon diese Skizzierung vereinfacht freilich den sicher komplexen Vorgang skythischer "Wanderungen".
Etwa vom Don bis zur Donau erstreckt sich nach Herodot das Wohn-
gebiet der Skythen, als Darius seinen Zug gegen sie unternimmt,
und Herodot zählt dabei eine ganze Reihe von Stämmen auf, die
z.T. mit Namen genannt werden.[202] Daß an jenen Zügen nicht eine
wie auch immer zu präzisierende Gesamtheit beteiligt gewesen
sein muß, versteht sich von selbst; es könnte also sein, daß
einige Clans, Sippen oder Stämme nach der Infiltration in Vorderasien Richtung Südwesten weiterzogen. Der Begriff Σκύθαι
οἱ νομάδες [203] träfe hier ebenso zu wie für die Wanderungen in
westliche Richtung, denn skythische Spuren haben sich bis nach
Südosteuropa erstreckt.[204]

Im letzteren Fall hat die Archäologie die These skythischer
Präsenz aufgestellt, für Syrien-Palästina ist es die literarische Überlieferung, vertreten durch Herodot. Mehr Aussagekraft
wäre zu erwarten, wenn archäologische Artefakte und literarische Überlieferung sich ergänzten und durchdrängen. Mit anderen Worten: Gibt es eine archäologische Begründung der Mitteilung Herodots? In zwei Bereichen wäre sie zu suchen. Zum einen
in der philistäischen Pentapolis, zum anderen in Bet-Schean,
das in hellenistischer Zeit Scythopolis genannt wurde, möglicherweise also eine Erinnerung an eine skythische Vergangenheit wachhielt.

Zum ersten: Archäologisch ist im Philisterland - das gilt
auch für Aschkelon - keine Zerstörungsschicht in der zweiten
Hälfte des 7. Jh.s aufgedeckt worden, die etwa einen verhee-

---

202 S. die Auflistung bei H. Kretschmer, in: RE, 2. Reihe, 3. Halbband (II
A.1) , 929ff.

203 S. z.B. Herodot IV, 11.

204 B. Brentjes, Das Altertum 27 (1981) 9ff.

renden Zug der Skythen belegen könnte. Wenn Anzeichen von Zerstörung vorhanden sind, dann hängen sie mit anderen geschichtlichen Bewegungen zusammen. Und auch im Hinblick auf mögliche
Artefakte gibt es kein beweiskräftiges Material, obwohl zwei
Funde interessant genug sind, hier referiert zu werden.

Bei Ausgrabungsarbeiten auf dem tell eş-ṣafi, der wie gesagt mit dem
philistäischen Gat identifiziert werden kann, wurden - ohne daß die stra-
tigraphische Herkunft des Fundes bekannt wäre - beim Durchsieben von Schutt
zwei Terrakotten entdeckt, die aus Kopf und Rumpf bzw. nur aus einem Kopf
bestehen.(205) Beide figürlichen Darstellungen entsprechen sich, Einzelheiten sind vor allem bei dem Kopfteil zu erkennen. Auffällig ist die hohe,
spitze Mütze, mit zwei Laschen versehen, die sich schützend über die Ohren
legen, auffällig ist auch der Spitzbart, den die dargestellte Person trägt.
Diese Darstellung mit der hochgezogenen Mütze und dem Spitzbart ist **auf skythi-**
schen Objekten gefunden worden, die Krieger (und Jäger) abbilden.(206)
Sie liegt ebenfalls auf persischen Reliefs vor(207) und nicht zuletzt in Gestalt von Terrakotten, die in Memphis gefunden wurden und eine frappierende
Übereinstimmung mit den Funden vom tell eş-ṣafi aufweisen.(208) Der Spitzbart ist symptomatisch, denn er beschränkt sich im wesentlichen auf skythische Krieger, während die Skythen sonst, sofern sie Bärte trugen, mit Voll-
bart gezeigt werden,(209) wie eben auch die spitzen, hochgezogenen Mützen,
die im übrigen unter der Bezeichnung "Baschlik" in manchen Gegenden Rußlands
noch heute von den Kindern getragen werden, typisch für die Kopfbedeckung
eines Kriegers sind.(210) Diese Art von Mützen hat auch Herodot beschrieben,
wenn er von den turbanähnlichen Gebilden redet,κυβασίη, die nach oben hin
spitz zulaufen und gerade stehen (VII, 64).

Welche historisch verantwortbare Aussage ist möglich? Als ein
archäologisches Indiz dafür, daß die Skythen im **palästinischen**
Raum waren, wird dieser singuläre Fund kaum gelten können, zumal sein stratigraphischer Ort unbekannt und so nicht einmal ei-

---

205 S. Abb. 8 bei H. Thiersch, in: Archäologischer Anzeiger, Beiheft zum
Jahrbuch des Kaiserlich Deutschen Archäologischen Instituts 23, 1908, 374.

206 Ein Beispiel möge stellvertretend für eine Vielzahl von entsprechenden
Funden stehen: ein griechisch-skythisch goldener Becher aus dem 4. Jh., ent-
deckt im Kulʾ-Oba-Kurgum bei Kerč auf der Halbinsel Krim. Er zeigt in einem
Bildfries u.a. skythische Krieger mit hochgezogener Mütze und Spitzbart, s.
Gold der Skythen aus der Leningrader Eremitage, Nr. 56, 111ff.

207 E.F. Schmidt, Persepolis I, Pl. 37, vgl. G. Walser, Die Völkerschaften
auf den Reliefs von Persepolis, 84ff und Tafeln 18.56-58.83.

208 W.M.F. Petrie/J.H. Walker, Memphis I, 17, Pl. XL.42.44 (3 und 4), II,
1909, 17, Pl. XXIX.78.79.80 (1,2,5); E.H. Minns, Scythians and Greeks, Fig.
0, Nr. 5: ein Beispiel, das den Terrakotten vom tell eş-ṣafi äußerst ähnlich
ist.

209 Vgl. z.B. R. Rolle, Die Welt der Skythen, 54ff.

210 T.T. Rice, Die Skythen, 65.

ne ungefähre Zeitangabe möglich ist. Es sei an die griechische
Kolonisation erinnert, in deren Aufwind auch griechische Söld-
ner und Kaufleute in das Ägypten Psammetichs I. und, wie nach
Ausgrabungen in Meṣad Chaschavjahu zu vermuten ist,[211] in das
Juda Joschijas kamen. Den Griechen, zumal den griechischen
Kunsthandwerkern der pontischen Städte des 7. Jh.s, waren die
Skythen durch einen blühenden Tauschhandel bekannt;[212] es wäre
keineswegs erstaunlich, wenn der skythische Habitus der Terra-
kotten mit griechischem Transfer Ägypten und dem syrisch-palästinischen Raum vermittelt worden wäre. Daß das "Exotische" zur
Darstellung stimulierte,erlebt jede Zeit; über seine Präsenz
ist damit noch nichts gesagt.

Als skythisches Markenzeichen schlechthin gelten die in der
Regel dreiflügeligen Pfeilspitzen.[213] Ihnen ist u.a. auch in
Syrien-Palästina nachgespürt worden mit dem Ergebnis, daß einige wenige über das ganze Gebiet verstreut nachgewiesen werden können,[214] von denen e i n e Pfeilspitze im entsprechenden Stil in Jerusalem gefunden wurde, die nach jüngster Meinung
die gesamte Beweislast für die Interpretation des "Feindes aus
dem Norden" im Jeremiabuch zu tragen hat: "It may hold the key
to a new interpretation of Jeremiah's prophecy"[215]. Es hat sich
aber längst die Meinung, wenn nicht durchgesetzt, so doch ge-
festigt, daß nur dann der skythische Pfeiltyp als Hinweis auf
eine skythische Präsenz verstanden werden kann, wenn die Pfeile

---

211 Im Zusammenhang des Forts Meṣad Chaschavjahu ist eine Fülle von griechischer Keramik, vor allem auch Haushaltsware, gefunden worden, die an die
Präsenz griechischer Söldner zur Zeit Joschijas denken läßt, die Keramik
verweist jedenfalls auf diese Zeit, s. zusammenfassend, J. Naveh, EAE III,
863, s. Abbildungen bei J. Naveh, IEJ 12 (1962) 104ff. (Fig. 6ff.).

212 R. Rolle, Der griechische Handel der Antike zu den osteuropäischen Reiternomaden aufgrund archäologischer Zeugnisse, in: Untersuchungen zu Handel
und Verkehr der vor- und frühgeschichtlichen Zeit in Mittel- und Nordeuropa,
Teil I, hg. von K. Düwel u.a., Göttingen 1985, 460ff.

213 Dazu R. Rolle, in: Reallexikon der germanischen Altertumskunde, Bd. II,
450ff., vor allem 451; dies., Urartu und die Reiternomaden, Saeculum 28
(1977) 291ff.; dies., Die Welt der Skythen, 72ff.; E. Yamauchi, The Scythians: Invading Hordes from the Russian Steppes, BA 46 (1983) 90ff.

214 T. Sulimirski, Scythian Antiquities in Western Asia, ArtAs 17 (1954)
296ff., vor allem 297.299.

215 E. Yamauchi, BA 46 (1983) 95. Eine entsprechende extreme Position ver-
trat früher H. Ewald (Geschichte des Volkes Israel bis Christus, Bd. 3.1,
388ff.), der mit einer regelrechten Belagerung des joschijanischen Jerusalem durch die Skythen rechnete.

in großer Anzahl an einer Ortslage auftauchen.[216]

Zum zweiten: Die hellenistische Stadt Scythopolis, das alt-testamentliche Bet-Schean (Beisan, tell el-ḥuṣn) wird für den Nachweis beansprucht, daß "einige S(cythen)-Reste sich im Lan-de gehalten haben"[217]. Die Ausgrabungen auf dem Tell haben ent-sprechende Hoffnungen zunichte gemacht.[218] Jene Hoffnungen wa-ren aber ohnehin unbegründet, wenn auch schon seit byzantini-scher Zeit der skythische Palästinazug und die Bezeichnung Scythopolis in einen Zusammenhang gebracht wurden.[219] Zu Recht ist die Frage gestellt worden: "How indeed could a city of foreign horsemen maintain itself in hostile surroundings for three hundred years until the arrival of the Greeks and still keep its identity? And what did this Scythian city call itself in pre-Hellenistic times?"[220] Es ist eine weit überzeugendere Erklärung des Namens gegeben worden, ohne eine Erinnerung an die Skythen als Fiktion beiseite zu schieben. Bekanntlich trug im 5. Jh. das athenische Polizeikorps aufgrund seiner Herkunft den Namen Σκύθαι [221], selbst in den Armeen Alexanders und der Ptolemäer waren noch skythische Soldaten.[222] Es ist nicht aus-geschlossen, daß in jener Stadt skythische Veteranen angesie-delt wurden, Weideland war ja in der Umgebung reichlich vor-handen.[223]

Wenn die Bezeichnung Scythopolis einen Beweis für die sky-thische Präsenz in der fraglichen Zeit nicht erbringen kann, bleibt noch ein überlieferungsgeschichtliches Motiv zu prüfen, das Herodot mitteilt.

---

216 S. R. Rolle, Saeculum 28 (1977) 295ff.

217 So H. Kretschmer, in: RE, 2. Reihe, 3. Halbband (II A.1) 940.

218 F. James, The Iron Age at Beth Shan, Philadelphia 1966 zu "Level IV", 139.

219 Nachweise bei M. Avi-Yonah, Scythopolis, IEJ 12 (1962) 124.

220 M. Avi-Yonah, IEJ 12 (1962) 125, s. schon V. Tscherikower, Die helle-nistischen Städtegründungen, 71f.

221 H. Bellen, in: Der kleine Pauly, Bd. 5, 242f.

222 M. Launey, Recherches sur les armées hellénistiques, II, 421ff.

223 So schon P. Abel, Histoire de la Palestine, I, 57; M. Avi-Yonah (IEJ 12, 1962, 127) nennt als Städtegründer Ptolemäus II. und gibt als Begrün-dung der Siedlungslage außerhalb Ägyptens die semi-barbarische Herkunft der Skythen an. S. auch Plinius V,74, der mit einer skythischen Kolonie rechnet, vgl. 2.Makk. 2,29f.; Jos., Ant. XII, 8,5.2.

Herodot berichtet in I, 105, daß marodierende Skythen den
Tempel der Aphrodite Urania in Aschkelon geplündert hätten.
Deshalb habe die Göttin sie und ihre Nachkommen mit einer "Frau-
enkrankheit" (θήλεα νοῦσος) gestraft, der Krankheitsursache
(διὰ τοῦτο) bei den Enareern , den "Unmännlichen", Wahrsagern
in Skythien (IV,67). Es ist zwar möglich, daß eine entsprechende Erzählung über die "Enareer" erst sekundär an ein Heiligtum
gebunden wurde, warum dann aber gerade an das Heiligtum von
Aschkelon? Leichter erklärbar wäre die Erzählung, wenn sie als
Lokaltradition von Aschkelon zu deuten ist, die Herodot bei seinem Aufenthalt in Ägypten bzw. bei seiner Fahrt an der phönizischen Küste entlang erfahren hätte.[224] Für die Skythen mag die
Erzählung von der Tempelplünderung von Aschkelon eine Ätiologie
gewesen sein,[225] die die Krankheit jener "Enareer" zu erklären
vermochte. Gegen die Historizität spricht das gewiß nicht.[226]

Damit sind die Argumente genannt, die die Faktizität eines
skythischen Zuges nach Syrien-Palästina untermauern könnten.
Eine tragfähige Basis sind allenfalls die überlieferungsge-
schichtlichen Indizien in der literarischen Tradition Herodots.
Die Archäologie hilft nicht recht weiter; sie kann es auch gar
nicht, wenn man Herodots Mitteilungen nicht pressen will, denn
Herodot läßt die Skythen in I,105 mit dem Ziel Ägypten durch
Syrien-Palästina ziehen, wo sie auf ihrem Rückzug   den Tempel in Aschkelon plündern. Von kriegerischen Auseinandersetzungen oder gar von einer "Invasion" sagt er nichts. Es könnte am
ehesten mit einer Art von Wanderbewegung gerechnet werden, wenn
das Phänomen der skythischen Präsenz im philistäischen Raum erklärt werden soll, die sich zeitlich nur schwer fixieren läßt[227]
und nicht unmittelbar mit dem politischen Kalkül des Expansions-
dranges der damaligen Großmächte verrechnet werden kann. Im übrigen können die Skythen keinen nachhaltigen Eindruck hinterlassen

---

224 Vgl. W. Baumgartner, Herodots babylonische und assyrische Nachrichten,
in: Zum Alten Testament und seiner Umwelt, 309f.

225 Herodot I, 105: ὥστε ἅμα λέγουσί τε οἱ Σκύθαι διὰ τοῦτο σφέας
νοσέειν.

226 S. auch R. Werner, WG 17 (1957) 234 Anm. 88.

227 A.R. Millard (The Scythian Problem, in: Glimpses of Ancient Egypt, ed.
J. Ruffle et al., Warminster 1979, 119-122) hat die skythische "Vorherrschaft"
auf die Jahre 645-625 (Herrschaft über das östliche Anatolien) und 625-617
(Herrschaft über Medien) aufgeteilt. Danach wären, sofern Jer. 1,2 zutrifft,
in der Anfangsphase jeremianischen Wirkens mit Skythen im philistäischen Raum
zu rechnen.

haben; das mag auch erklären, warum sie nicht als ethnische
Gruppe in der alttestamentlichen Geschichtstradition genannt
werden, zumal sie ohnehin nur an der Küste entlang gezogen sein
werden. Warum sie die syrisch-palästinische Landbrücke wieder
schnell verlassen haben, ist schwer zu sagen. Herodot (I,105)
nennt Bitten und Geschenke, mit denen sich Psammetich I. frei-
kaufte; Justin (II,3) rationalisiert, wenn er Sümpfe als unüberwindliches Hindernis für die Skythen nennt und damit einen
beinahe neuzeitlichen Standpunkt einnimmt. Als Paradigma im
Rahmen der altorientalischen Geschichte ist das "Geschenk",
das den Frieden sichert, verständlich und glaubhaft.

Für die Exegese von Jer. 2-6 bedeuten die Überlegungen dieses Abschnitts zunächst einmal,[228] daß man in Jerusalem zum Ende des 7. Jh.s hin bei einer auch sonst vorhandenen Kenntnis
der Zeitgeschichte über skythische Bewegungen informiert gewesen sein konnte. Sie bedeuten nicht eine Aufforderung, der
Prophetie jener Zeit einen sensibleren Umgang mit geschichtlichen Konfigurationen nachzusagen als der Geschichtsüberlieferung, unter der Voraussetzung, daß die Prophetie eine skythische Gefahr erahnt hat. Und sie bedeuten schließlich auch
nicht, daß sich für Jeremia die Gelegenheit aufdrängen mußte,
eine bis dahin unbekannte Macht in seine Geschichtskonzeption
einzubeziehen. Allerdings stellen sie eine Grundlage dar, auf
der weitere Beobachtungen aufgebaut werden können, die aber nur
im Zusammenhang der nun folgenden Analyse von Jer. 2-6 zu gewinnen und auf ihre Voraussetzungen zu beziehen sind.

---

228 Das "Skythenproblem" wird mit anderem Aspekt bei den exegetischen Überlegungen zu Jer. 2-6 passim wieder aufgenommen.

IV.   Jer. 2-6: Erinnerung, Erfahrung und Erwartung

Vorbemerkung

Bei der Analyse von Jer. 2-6 soll vor allem festgestellt
werden, welches Geschehen bzw. welche Ereignisse in den Texten genannt und gemeint sind und wie sie vermittelt werden.
Deshalb können nicht alle Sachfragen, die erwägenswert wären,
gleich ausführlich zur Sprache kommen; wenn möglich, soll aber
die Art der Darstellung hinreichend erörtert werden. Die Exegese prophetischer (und anderer) Literatur sieht sich Texten
gegenüber, die ihren Adressaten in der Regel nicht Zerstreuung und Unterhaltung bieten wollen. Prophetische Literatur
nimmt ihren Hörer und Leser in die Pflicht und versucht, ihn
für ihre Sache zu gewinnen und zu überzeugen. Das setzt einen
reflektierten Umgang mit den Themen voraus, die der Prophet
vor seinem Auditorium entfaltet, wenn man einmal voraussetzt,
daß viele Worte zunächst mündlich vorgetragen wurden, bevor
sie zur Literatur wurden. Wenn sich der Prophet Hörer wünsch-
te, die von seinen Worten beeindruckt werden sollten, dann
mußte er Zweck und Intention seiner Rede in überzeugender Weise, mit verständlichem Duktus und prägnanter Diktion erschließen. Dem will die Untersuchung Rechnung tragen, indem sie auch
die rhetorische Struktur beobachtet. Eine Theorie der Rhetorik
gibt es in der Antike erst etwa seit dem 5. vorchr. Jh.,[1] was
freilich nicht besagt, daß nicht schon früher und anderen Ortes als im griechischen und römischen Bereich über inventio,
dispositio und elocutio[2] nachgedacht worden ist, um den Hörer
gezielt dahin zu bringen, daß er dem Anliegen des Redners zu-
stimmt und die fälligen Konsequenzen zieht. Um die Argumentation und den Stil auf dem Hintergrund rhetorischer Aktivierung

---

1 S. z.B. den Überblick bei G. Ueding, Einführung in die Rhetorik, Geschichte, Technik, Methode. Unter Mitarbeit von Chr. Brüggemann u.a., Stuttgart 1976, 13ff.;W. Eisenhut, Einführung in die antike Rhetorik und ihre Geschichte, 3. Aufl., Darmstadt 1982.

2 Das sind die Oberbegriffe der partes artis, die die Findung des Stoffes,
seine Anordnung und seinen sprachlichen Ausdruck reflektieren, s. dazu vor
allem H. Lausberg, Handbuch der literarischen Rhetorik, München 1960, als
Kurzfassung ders., Elemente der literarischen Rhetorik, 5. Aufl., München
1976, s. auch G. Ueding, Einführung in die Rhetorik, 8ff.

zu begreifen, soll bei der Beschreibung der Begriffsapparat, den die antike Rhetorik zur Verfügung gestellt hat, terminologische und sachliche Stringenz sichern.[3]

Da wesentliche Teile von Jer. 2-6 in gebundener Sprache vorliegen, müssen die Kriterien poetischer Strukturen berücksichtigt werden. Hier liegt freilich ein Problem, denn es ist nicht unumstritten, was ein Text vorweisen muß, um ihn als einen poetischen Text einordnen und verstehen zu können; besonders schwierig ist die Frage, ob bei einem poetischen Text mit einem Metrum gerechnet werden kann und welche Merkmale dabei konstitutiv sind. In der vorliegenden Untersuchung wird ein akzentuierendes System vorgezogen, bei dem Wort- und Betonungsakzent in der Regel zusammenfallen.[4] Spezielle Fragen um Poesie und Prosa sollen dann im Verlauf der Analyse, die bei der Abgrenzung einzelner Abschnitte strukturelle und thematische Indizien berücksichtigt,[5] zu Wort kommen.

1. Jer. 2

a) 1,13-14.15-16

Nachdem der Leser im Incipit 1,1-3 nur sehr allgemein mit dem vertraut gemacht wurde, was ihn geschichtlich erwartet, erfährt er im Verlaufe des ersten Kapitels konkretere Hinweise in 1,13f. und 1,15f. Die folgenden Ankündigungen gleichsam verifizierend, wird Jeremia in 1,11f. visuell mit dem von Jahwe garantierten Zusammenhang von Wort und Geschehen konfron-

---

3 Im wesentlichen wird dabei Marcus Fabius Quintilianus gefolgt, der in seiner "institutio oratoria" eine systematische Darstellung geliefert - wenn auch nicht als "Handbuch der Rhetorik" gedacht - und dabei die Position seiner Vorgänger aufgearbeitet hat. Zugrunde gelegt wird die Ausgabe: Marcus Fabius Quintilianus, Ausbildung des Redners, Zwölf Bücher, hg. und übersetzt von H. Rahn, 1.Teil Buch I-VI (Texte zur Forschung, Bd. 2), Darmstadt 1972, 2.Teil Buch VII-XII (Texte zur Forschung, Bd. 3), Darmstadt 1975.

4 So z.B. auch W.G.E. Watson, Classical Hebrew Poetry. A Guide to its Techniques (JSOT Suppl. Ser. 26), Sheffield 1984, 87ff., der auch alternative Systeme bespricht, 103ff.; zu Funktion und Kriterien von poetischen Texten 11ff.

5 Dazu W.G.E. Watson, Classical Hebrew Poetry, 164f. und passim.

tiert. Danach sieht er einen erhitzten (Koch)Topf[6], dessen Vorderseite von Norden her auf ihn hin ausgerichtet ist (V. 13). V. 14 klärt über das Bild auf. Vom Norden wird das Unheil über alle Bewohner des Landes entfesselt. Für den Hörer/Leser muß die unpersönliche Konstruktion (תחפח הרעה) merkwürdig anmuten, läßt sie doch den Initiator unbekannt; und auch der Artikel überrascht, der eigentlich auf Vorinformation beruht, denn zunächst wird noch gar nicht gesagt, was für ein Unheil zu erwarten ist. Hier scheinen sich das abstrakte רעה und der konkretisierende Artikelgebrauch gegenseitig zu stützen. Es ist mit einem Unheil zu rechnen, wie es den Bewohnern aus ihrer Geschichte bekannt ist,[7] und zwar in absehbarer Zeit, so V. 15, der die in V. 14 in der Schwebe bleibende Konstruktion erläutert: J a h w e ruft die "Königreiche des Nordens" herbei, die dann ihren "Thron" vor den Toren Jerusalems und gegen (על) seine Mauern und gegen (על) alle Städte Judas aufstellen.

Möglicherweise sind in V. 15 Motive der Ziontradition in Gestalt des Völkerkampfes aufgenommen und abgewandelt,[8] denn Jahwe will in diesem Fall seinem Volk nicht zur Hilfe kommen. Vielleicht spielen auch mythische Assoziationen an einen unheilvollen Norden mit,[9] seit dem 2. Jt. war jedenfalls der Norden, nachdem die Ägypter ihre Macht zum großen Teil einbüßen mußten, zum Sitz konkret-geschichtlicher Gefahren geworden,[10] so daß im Rahmen des programmatischen Kapitel 1 hier durchaus mit einer Art Synopse geschichtlicher Ereignisse gerechnet werden kann, die gebündelt in die Zukunft verlegt werden. Wer oder was gemeint ist, wird nicht näher entfaltet, anders als in dem 1,15f.

---

6 סיר ist nicht eindeutig, das Nomen kann den Topf bezeichnen (z.B. Ex. 16,3), aber auch wannenähnliche Gefäße (s. z.B. Ps. 60,10). In den El-Amarna-Tafeln, 297,12 steht sīru als kanaanäische Glosse für ruqqu, der ein (Metall)Kessel bzw. eine Schale sein kann (s. AHw II, 995). Eine Emendation in כור ("Schmelzofen"), so L. Köhler, Kleine Lichter, 44, ist unnötig.

7 Die Vertrautheit mit der Geschichte sollte nicht unterschätzt werden, s. Jer. 26,17-19, wo beispielhaft die Zeit Hiskijas herangezogen wird, s. auch Jer. 7,12.

8 E. Rohland, Die Bedeutung der Erwählungstraditionen Israels für die Eschatologie der alttestamentlichen Propheten, Diss. Heidelberg 1956, 191.

9 A. Lauha, Zaphon. Der Norden und die Nordvölker im Alten Testament, Helsinki 1943.

10 S. Herrmann, Kommentar, 75.

entsprechenden Textstück 25,8ff., das der Gefahr auch einen
Namen gibt: Nebukadnezzar, der König von Babylon.

Entsprechend dem Grundsatz vom Handeln, das eine reflexive
Wirkung hat, nennt V. 16a als Grund (על) für הרעה eben die
רעה , die die Bewohner des Landes verübt haben, konkretisiert
das aber durch den doppelten Akt der Abweichung (עזב) von
Jahwe und der Hinwendung zu anderen Göttern (V. 16b). Mit V.
17 setzt dann ein neuer Gedanke ein.[11]

Das sind die ersten Informationen für den Leser des Buch-
anfangs, die über die personalen Bezüge hinausgehen. Die Leitworte sind צפון , in V. 14b betont vorangestellt, und רעה.

b) 2,1-3

Kap. 2 wird ohne Überleitung durch ein Impf. cons. an Kap.
1 angeschlossen, so daß der Leser den Eindruck gewinnt, sich
mit Jeremia noch im 13. Jahr Joschijas zu befinden. Der Übergang zu den metrisch geformten Versen hat wiederkehrende Elemente, die aber nicht durchgängig auf alle zusammenhängenden
Partien des Buches verteilt sind. Während die Formulierung
ויהי דבר־יהוה אלי לאמר im Ezechielbuch äußerst beliebt ist,[12]
geht das Jeremiabuch sparsam damit um und setzt sie außer in
2,1 nur in Prosa-Kontexten ein.[13] Ebenso ungewöhnlich ist die
weiterführende Aufforderung הלוך וקראת , die einen Redeauftrag
formuliert, der so nur noch in 3,16 steht und auch dort einen
poetisch geformten Spruch einleitet.

Zum ersten Mal im Jeremiabuch nennt 2,2f. ein regressives
Argument. Die wörtliche Rede wird mit dem Verbum זכר eröffnet, das nicht einfach die historische Erinnerung um ihrer
selbst willen bezeichnet, wie seine häufige Verbindung mit

---

11 Zu den Abgrenzungen der genannten Verse s. S. Herrmann, Kommentar,
47ff.72ff.

12 Ez. 3,16; 6,1; 7,1 u.ö. 39 bzw. 40 Belege.

13 S. 1,4.11; 13,6.8; 16,1; 18,5; 24,4 mit שנית 1,13; 13,3, mit anschließender Aufforderung 13,6, mit anschließendem Verbot 16,1. Entsprechendes gilt von der verbalen Variante ויאמר יהוה אלי , s. 1,7.9.12.
14; 3,6.11; 11,6.9; 14,11.14; 15,1. Zu kompositionskritischen Überlegungen
s. P.K.D. Neumann, Das Wort, das geschehen ist ... Zum Problem der Wortemp-
fangsterminologie in Jer. I-XXV, VT 23 (1973) 171-217.

der Wurzel מחה (tilgen) zeigt.[14] Erinnerung hat für Jahwe
Folgen, im Jeremiabuch ist es Erinnerung an schuldhaftes Verhalten (14,10; 31,34; 44,21) oder wie in Kap. 2 an eine heilvolle Zeit;[15] es ist der buchstäbliche Zusammenhang von Theorie und Praxis, der in der Bezeichnung durch זכר und פקד
(3,16; 14,10; 15,15) anschaulich wird.[16]

Dabei spielt der schon im einführenden Kapitel erwähnte
Lebensaltervergleich[17] mutatis mutandis herein, wenn in einem
Parallelismus נעורים und כלולת genannt, durch חסד bzw. אהבה
näher qualifiziert und durch כמדבר zeitlich fixiert werden.
Das Hapaxlegomenon כלולת, das den weiteren Terminus נעורים
präzisiert, weist auf den Übergang vom ungebundenen Leben zu
den Möglichkeiten und Pflichten hin, die Kult, Recht, Ehe und
Krieg für den gereiften Menschen mit sich bringt.[18] Die Konnotation für den Hörer/Leser war offensichtlich eine freudige
Erregung, die im Jeremiabuch an einigen Stellen mit dem Begriff כלה , "Braut", verbunden ist.[19] In dieser Zeit der Freude
ist man in der Wüste "hinter Jahwe hergegangen", hat sich ihm
vertrauensvoll hingegeben (אהבה und חסד), wie ja auch Jahwe
nach 31,2f. seine אהבה und seinen חסד dem Volk in der Wüstenzeit andauernd gewährt hat.[20]

---

14 W. Schottroff, in: THAT I, 510.

15 Es soll hier sicher kein nomadisches Ideal hochgehalten werden, dazu
M. DeRoche, Jeremiah 2,2-3 and Israel's Love for God during the Wilderness
Wanderings, CBQ 45 (1983) 364-376. Nach M.V. Fox (Jeremiah 2,2 and the 'Desert Idea', CBQ 35, 1973, 441-450) liegt keine Abweichung von der üblichen
Beurteilung der Wüstenzeit als negativer Zeit (s. dazu S. Talmon, The 'Desert Motif' in the Bible and in Qumran Literature, in: Biblical Motifs.
Origins and Transformations, ed. by A. Altmann, Cambridge/Mass. 1966, 31-63)
vor. Der Schwerpunkt liege auf dem חסד Jahwes, nicht auf der "Beständigkeit" des geführten Volkes. Die Aussage V. 2f. kann aber nicht einfach durch
den Kontext"emendiert"werden.

16 Vgl. B.S. Childs, Memory and Tradition in Israel, London 1962, 17-30;
W. Schottroff, "Gedenken" im Alten Orient und im Alten Testament. Die Wurzel zākār im semitischen Sprachkreis (WMANT 15), 2. Aufl., Neukirchen 1967,
passim; ders., Jeremia 2,1-3. Erwägungen zur Methode der Prophetenexegese,
ZThK 67 (1970) 267ff.290.

17 S. oben S. 18.

18 Vgl. L. Köhler, Der hebräische Mensch, 74ff.

19 S. Jer. 7,34; 16,6; 25,10; 33,11.

20 Zur Emendation כמדבר statt במדבר in Jer. 31,2 s. W. Rudolph, Kommentar, 192. Anders S. Böhmer, Heimkehr und neuer Bund, 52ff., der V. 2f.
als "Reminiszenz an die Wüstenzeit" versteht, das aber mit erheblichem Text-
eingriff, den er bei במדבר bzw. כמדבר ablehnt, erkaufen muß.

Es ist die weit zurückliegende Vergangenheit, die hier vergegenwärtigt und bewertet wird. Israel hat eine Geschichte,
deren Beurteilung in der Verschränkung von Ort und Zeit erfolgt. Nicht einer einseitigen Wertschätzung unverbrauchter
Jugend wird das Wort geredet, sondern einer vertrauensreichen
Ungesichertheit, die in der nahrungsarmen Wüste, dem "unbesäten Land", ihre besondere Bedeutung gewinnt.

Der folgende V. 3 beschreibt "Israel", steht damit aber
nicht im Gegensatz zur Anrede an Jerusalem in V. 2, denn die
Stadt kann den Ort der Verkündigung markieren, die "Israel"
gilt. Die Prädizierung durch ראשית תבואה und קדש steht mit
dem "Erstling des Ertrages" in scharfem Kontrast zum "unbesäten Land". Daß der Ertrag heilig ist[21] und folglich tabuisiert,
für andere unantastbar (V. 3b) wird, ist in der Zuspitzung auf
Israel eine Besonderheit im Alten Testament.

Die Frage ist allerdings, wie der tempusindifferente Nominalsatz übersetzt werden soll. Die Kommentare sind sich einig:
präterital, die Übersetzung kann dann den zeitlichen Bezug zu
V. 2b suggestiv herstellen: " D a war Israel heiliges Gut ..."[22]

Hier melden sich aber Zweifel, denn es ist doch zu fragen,
ob nicht bei einem gewichtigen theologischen Satz (wie etwa in Gen.
2,1) das Verbum היה zu Hilfe genommen wäre, wenn der Zeitbezug
auf die Vergangenheit beschränkt werden sollte. זכר hat, wie
gesagt, nicht nur ein regressives Moment, sondern impliziert
auch progressive Wirkungen, und eben die nennt V. 3b. Weitere
Konsequenzen werden nicht mehr genannt, die Formulierung נאם־
יהוה schließt diese kleine Einheit ab. Das könnte bedeuten,
daß dieser Text, in dessen Folge eine Reihe anklagender Worte
steht, die sich in der vorliegenden Textgestalt zum Vorhergehenden adversativ verstehen lassen, ein versprengtes Stück ist,
das sich durchaus mit einem anderen Text verbinden läßt, der in
seinen Gedanken und in seiner Diktion auffällige Gemeinsamkei-

---

21 S. Num. 18,17, vgl. auch die Wendung קדמת קדשת (heilige Erstlinge)
in punischen Inschriften (Opfertarif) aus Marseille und Karthago, s. KAI
69,12; 74,9 (rekonstr.).

22 P. Volz, Kommentar, 13 (Hervorhebung vom Verfasser), s. auch B. Duhm,
Kommentar, 17; F. Nötscher, HS VII/2, 36; W. Rudolph, Kommentar, 14; W. Mc
Kane, Kommentar, 26, so auch die älteren Kommentare, z.B. H. Graf, Kommen-
tar, 22.

ten hat, und zwar mit Jer. 31,2-6.[23] Jener Text blickt auf eine
zukünftige Zeit, in der Jahwe Israel wieder in seine "Ruhe" zurückgeführt hat, weil das Volk wie in der Wüste Gnade (חן) fand
(V. 2), die sich in Jahwes durchhaltender Hingabe an sein Volk
manifestiert (V. 3). Es ist die בתולת ישראל , die in freudiger
Erwartung sein darf, Weinberge anzulegen, seine Früchte zu ge-
nießen und zum Heiligtum Jahwes zu ziehen (V. 4-6). Die Motive
und die Terminologie stimmen überein; es liegt gleichsam die
Fortsetzung bzw. Ergänzung von 2,3b vor, oder anders ausgedrückt:
Jahwes reactio auf die actio des Volkes zur Zeit der Wüstenwanderung.

Die Abfassungszeit von 2,2.3; 31,2-6 ist nicht eindeutig zu bestimmen.
Weil aus dem Exil zurückkehrende ehemalige Landesbewohner wieder Weinberge
auf den Bergen Samarias anpflanzen sollen, können exilierte Nordreichbewohner gemeint sein.
   Nun ließe sich auch an die Zeit der judäischen Machtentfaltung unter Joschija denken,(24) die Hoffnungen auf das samarische Bergland und auf die
Möglichkeit der dortigen Bewohner, zum Tempel von Jerusalem zu kommen, wek-
ken konnte; aber wie verträgt sich damit die Aussicht auf den "Feind aus
dem Norden", der in Jer. 2-6 angekündigt wird?
   Nimmt man die Einleitung 2,1 ernst und rechnet damit, daß 2,2.3; 31,2-6
zusammen vorgetragen wurden, dann ist Jerusalem der Verkündigungsort; wie
aber sollte angesichts der in Jer. 2-6 in Aussicht gestellten Bedrohungen
Judas gleichsam in einem Atemzug die Restitution Israels ausgerufen werden?
   Aufgrund der sprachlichen Indizien muß nicht mit einer exilisch-nachexi-
lischen Abfassungszeit gerechnet werden.(25) Es könnte eine Tradition vorliegen, die im Nordreich ihre Hoffnungen artikuliert hat, wo ohnehin Exodus-
und Landnahmetradition fest verwurzelt waren. Jeremia wird nicht der Verfasser sein, denn es gibt keine Situation in seiner Wirkungszeit, aus der
heraus entsprechend konkrete Heilserwartungen verständlich werden.(26) Nur
am Rande sei vermerkt, daß die sprachliche Gestaltung für das Jeremiabuch
nicht repräsentativ ist.

   Daß 2,2.3 seinen jetzigen Platz fand, muß in der Intention
des Geschichtsabrisses von Kap. 2 begründet sein, der die Ge-

---

23 W. Schottroff (ZThK 67, 1970, 263-294) nimmt an, daß 2,1-3 auf 2,4ff.
hin konzipiert wurde, T. Odashima (Untersuchungen zu den vordeuteronomi-
stischen Bearbeitungen der Heilsworte im Jeremiabuch, Diss. Bochum 1985,
93ff.) meint, daß 2,2-3 von 31,2-6 her gestaltet wurde.

24 S. oben S. 104ff.

25 So W. Schottroff und T. Odashima (s. Anm. 23), vgl. dagegen S. Böhmer,
Heimkehr und neuer Bund, 52ff., der für 2,2f. und 31,2-6 getrennt jeremianische Verfasserschaft annimmt und dabei auf eine Verwandtschaft zu Hosea
hinweist.

26 Zum Problem der Heilserwartungen im Jeremiabuch s. S.Herrmann, Die prophetischen Heilserwartungen im Alten Testament, 159-241, vor allem 235ff.

schichte des Volkes berücksichtigen will, indem er die Wüstenwanderung und die Zeit im Kulturland (V. 4ff.) miteinander verbindet.

c) 2,4-13

V. 4 setzt mit dem Aufruf, auf das Wort Jahwes zu hören, neu
ein und parallelisiert dabei "Haus Jakob" und "alle Geschlechter des Hauses Israel". In V. 5 leitet dann כה אמר יהוה die
Worte Jahwes ein, die mit einer Frage beginnen, inhaltlich durch
einen Objektsatz präzisiert, dem zwei Imperfecta consecutiva
folgen. Es geht dabei wieder um einen Rückblick, in dem den
"Vätern" vorgeworfen wird, nicht nach Jahwe, dem Exodus und
Wüstenzug zu verdanken sei, gefragt zu haben. Eingeführt mit
einem im Duktus überraschenden Impf. cons. stellt V. 7 fest,
daß Jahwe die "Väter" in das Land der Fruchtbäume (ארץ הכרמל)
gebracht hat, damit sie sich davon ernähren konnten. Auch der
weitere Gang der Geschichte wird zunächst mit zwei Impf. cons.
beschrieben, an die eine Inversion angefügt wird, so daß das
Objekt vorgezogen und betont wird: Sie sind gekommen, haben
Jahwes Land verunreinigt und seinen Besitz zum Greuel gemacht,
auch das wieder durch einen Parallelismus ausgedrückt (טמא ארץ
שים נחלה לתועבה =).

Was hat man bei V. 7 eigentlich verstanden, wenn die Beschuldigung erhoben wird, daß Jahwes Land verunreinigt, zum Greuel
gemacht wurde? Der die alttestamentlichen Aussagen zu טמא sy-
stematisierende Exeget kann keine monokausale Erklärung vorbringen;[27] gleiches gilt für תועבה[28], denn kultische, ethische oder
rechtliche Gründe könnten gemeint sein. Nur scheinbar verspricht
V. 5b Abhilfe. Dort wird den "Vätern" nachgesagt, dem "Hauch"
gefolgt und so selber zum "(Wind-)Hauch" geworden zu sein. הבל[29] kann
einen Götzen bezeichnen, gerade im Jeremiabuch;[30] hier läge also

27 Vgl. F. Maass, in: THAT I, 664ff.

28 Vgl. E. Gerstenberger, in: THAT II, 1051ff.

29 Die Übersetzung mit "Nichts" (z.B. P. Volz, Kommentar, 13; W. Rudolph,
Kommentar, 14) ist zu allgemein und irreführend, weil sie die Existenz der
Götzen bestreitet, die aber gar nicht bestritten wird, vgl. Jer. 10,15 =
51,18; 16,19.

30 S. noch Jer. 8,19; 14,22 pl. Nach W. Thiel (Die dtr. Redaktion von Jer.
1-25, 80f.) ist 2,5b von der dtr. Redaktion eingetragen. Die Formulierung
kehrt wörtlich in 2.Kön. 17,15 wieder.

eine Erklärung für V. 7b vor, aber selbst wenn man V. 5b für
ursprünglich hält, stehen doch beide Vorwürfe, sollten sie zusammengehören, ganz isoliert. Sie sind eher als Doppelung zu
verstehen, denn es ist jeweils die Zeit nach der Landnahme,
für die eine entsprechende Verfehlung genannt wird.

Eigentümlich ist der Anschluß von V. 8 an V. 7, die 2. p.
wird nämlich aufgegeben. In der 3. p. wird von den Priestern
geredet, von denen, die die Thora verwalten, von den "Hirten"
und den Propheten. Sie sind jeweils Subjekt und stehen am Anfang der Sätze, vielleicht weil sie betont sind, jedenfalls
haben die Perfektformen hier Stativ-Charakter mit Nominalsatz
entsprechender Funktion[31] und sollten präsentisch und nicht,
wie in den Kommentaren[32], präterital übersetzt werden, denn
es ist ja offensichtlich nicht gemeint, daß zur Zeit der Verkündigung alles anders geworden ist, V. 9 (ריב) schließt das
ja gerade aus. Damit entfällt auch die Möglichkeit, daß V. 8,
der Doppelungen erkennen läßt - dieses Mal sind es speziell
die Priester, die nicht nach Jahwe fragen, und die Propheten,
die den Götzen nachlaufen -, eine Erläuterung zu V. 7b ist. Was
die Doppelung betrifft, muß freilich angemerkt werden, daß bei
den Propheten die Formulierung variiert, statt הבל steht לא־
יועלו . Dennoch: Daß auf Gruppen des Volkes einzelne Aspekte
verteilt werden, die vorher den "Vätern" insgesamt angelastet
wurden, ist auffallend. Es wird auch gar nicht verständlich,
warum der Text nicht von "euren" Priestern redet, denn V. 9
geht wieder in die 2. p. pl. über, die jetzt direkt die Adressaten von V. 4 anredet und Konsequenzen (לכן) ziehen will. Einen Rechtsstreit (ריב) plant Jahwe gegen s e i n V o l k -
ein im Jeremiabuch singulärer Gedanke[33] -, und das offenbar
nicht zum ersten Mal, wie das Wort עוד verrät, das Wiederholung und Fortdauer kennzeichnet.[34]

---

31 R. Meyer, Grammatik III, § 101, Abschn. 1 und 2.

32 S. z.B. E. Naegelsbach, Kommentar, 13; F. Giesebrecht, Kommentar, 7;
F. Nötscher, HS VII/2, 38; W. Rudolph, Kommentar, 14.

33 Im Jeremiabuch ist ריב in 11,20 und 20,12 wie in den Klagepsalmen ge-
braucht (s. G. Liedke, in: THAT II, 776); im Zusammenhang mit Gerichtsdro-
hungen gegen fremde Völker in 25,31; 50,34; 51,36.

34 Die Übersetzung W. Rudolphs (Kommentar, 14): "Darum muß ich noch mit
euch rechten" ist kaum möglich, weil hier "noch" einen noch ausstehenden
Rechtsstreit meint, עוד kann aber nur im Sinne eines noch andauernden

Die Formulierung נאם־יהוה ermöglicht es, zunächst innezuhalten. Ein
Metrum ist anders als in den Versen 2 und 3, in denen 3+2 und 3+3 (V. 2)
bzw. 3+2 und 3+3 (V. 3) Hebungen feststellbar sind, kaum durchgehend eruierbar, allenfalls kann bei V. 6 mit einer poetischen Struktur gerechnet
werden. Konkret liegt in V. 6a ein Doppelvierer vor, an den sich in V. 6b
(bis ושוחה) ein Doppeldreier anschließt, bei dem מדבר und ארץ parallelisiert werden: ארץ wird dann noch zweimal variiert, der Rhythmus hält
sich bis וצלמות durch, verliert sich dann aber bis zum Ende des Verses.
Der Übergang zwischen metrisch geformter Poesie und kunstvoll gestalteter
Prosa ist fließend; es fehlt bei dieser gebundenen Sprachform jeweils die
Relativpartikel אשר , während die vierfache Beschreibung dessen, was einen מדבר kennzeichnet, die gehobene Diktion ebenso kennzeichnet wie der
Chiasmus in V. 7b.

Die Frage der Einheitlichkeit des Stückes zwischen den beiden "Endfor-
meln", wie die Formulierung נאם־יהוה genannt wurde,(35) ist schon berührt worden, sie muß aber noch ein wenig weitergetrieben werden: Jahwe
wendet sich in V. 5 gegen die Handlungsweise der "Väter" und wirft ihnen
in V. 6 vor, nicht seine "Verdienste" bedacht zu haben, die Heraufführung
aus Ägypten und die Führung durch die gefahrvolle Wüste, beides durch at-
tributive Partizipien ausgedrückt. Mit V. 7 wechselt dann - wie schon angedeutet - überraschend der Stil: Daß Jahwe die "Landnahme" geleitet hat,
hätte auch weiter partizipial formuliert werden können, zumal das der Aussage durch die monotone Parallelisierung die gleiche Würde gegeben hätte.

Dieses Argument allein ist nicht hinreichend, um ein nachträglich kom-
positorisches Element zu vermuten, es könnte sich ja ohne weiteres um eine
stilistische Eigentümlichkeit handeln. Gewichtiger ist da schon der unver-
mittelte Übergang von V. 6 zu V. 7: nicht mehr "eure Väter", die aus Ägypten und durch die Wüste geführt wurden, sind es, die auch in das Land geführt werden, sondern andere haben daran teil: "ihr" (vgl. V. 4). Die Verbindung ist umständlich und erklärt sich am besten daraus, daß der rhyth-
mische V. 6 vorlag, an den der gehobene Prosavers(36) 7 angeschlossen wurde,
der die Geschichte Jahwes mit seinem Volk ergänzt, indem er von den Vätern
der Exodusgeneration überleitet zur Zeit im Lande, die eine Zeit der Schuld
des Volkes ist. V. 8 läßt sich als Paradigma und Konkretion verstehen, bevor V. 9 einen (wiederholten) Rechtsstreit ankündigt.

In beiden bisher beobachteten Teilen liegen geprägte Form-
elemente vor, das gilt für die Wendung כה אמר יהוה[37] (V. 2 und
V. 5), נאם־יהוה (V. 3 und V. 9) und שמעו דבר־יהוה[38]. Die Frage ist, ob das auch für den Texttyp zutrifft, der für 2,1-3 und
2,4-9 zusammen erörtert werden soll.

Geschehens verwendet werden, s. die Wörterbücher s.v.

35 So H. Wildberger, Jahwewort und prophetische Rede bei Jeremia, Theol.
Diss. Zürich 1942, vor allem 49; zu dieser Wendung vgl. R. Rendtorff, Zum
Gebrauch der Formel nᵉum jahwe im Jeremiabuch, in: Ges. Studien zum Alten
Testament, 256-266; F. Baumgärtel, Die Formel nᵉum jahwe, ZAW 73 (1961)
277-290.

36 Ohne Parallelismus, aber mit Chiasmus.

37 Zur sog. Botenformel s. vor allem R. Rendtorff, Botenformel und Boten-
spruch, in: Ges. Studien zum Alten Testament, 243-255.

38 Zu den verschiedenen Bezeichnungen dieser Wendung s. K. Koch, Was ist
Formgeschichte?, 251 und Anm. 8.

Die Vorschläge zur Gattungsbestimmung von 2,1-3 können nicht
alle einzeln diskutiert werden,[39] zumal die vorliegende Analyse
von einem Fragment ausgeht, dessen fehlender Teil in dem Heilswort 31,2-6 liegt.[40] Drei gattungskritische Vorschläge seien
aber genannt:

W. Erbt(41) hat 2,1-3 als Geschichtsbetrachtung verstanden, die eine
heilvolle Vergangenheit und eine heillose Gegenwart gegenüberstellt, und
die im Jahr 609, als Joahas nach Ägypten verschleppt wurde, entstanden
sei. Zeitgeschichtliche Indizien nennt aber der Text nicht, insofern ist
das konkrete Urteil spekulativ und kann auf sich beruhen.
    H.W. Wolff(42) hat 2,1-3 als "Verteidigungsrede im Blick auf das Vor-
leben des Angeklagten" verstanden und H.J. Boecker(43) entsprechend als
"Verteidigungsrede in fremder Sache". Beide berücksichtigen nicht, daß
Jahwe in V. 3 gleichsam pro domo spricht.
    W. Schottroff(44) hat bei seiner Untersuchung den Kontext herangezogen
und kommt danach für 2,1-3 zum Schluß, "daß dieser Spruch von vornherein
auf Jer. 2,4ff. hin konzipiert worden ist" und als "Verteidigungsrede
Jahwes in eigener Sache"(45) verstanden werden muß. Die Frage ist dann,
was für eine Gattung in 2,4ff. vorliegt. Noch einmal ist H.J. Boecker(46)
zu nennen, der 2,5-9 als "Redeform vor der Gerichtsverhandlung", nämlich
als "Appelation des Beschuldigten" versteht. V. 5 frage nach der Schuld.
"In V.6 verläßt der Beschuldigte die Beschwichtigung und geht zum Angriff
über ...", V. 7a ziele "auf das tadellose Verhalten des Angeschuldigten
in der Vergangenheit", V. 7b sei der "erneute Gegenstoß". Danach erwarte
man eigentlich die Appelation, jedoch würden zunächst einmal die "Haupt-
schuldigen" genannt, dann das entscheidende "Fazit", die "Ankündigung,
gegen die Beschuldiger offizielle Anklage zu erheben", die mit V. 9 erreicht sei.(47)
    Wenn man den Text auf die forensische Kategorie der Anschuldigung und
ihrer Rückweisung beschränkt, muß man, wie die Zitate das verdeutlichen,

---

39 S. die Besprechung bei W. Schottroff, ZThK 67 (1970) 270ff.

40 R. Bach (Die Erwählung Israels in der Wüste, Ev.-theol. Diss., Bonn
1951, 2-8) nennt Jer. 2,2aβ-3 ein Heilsorakel, das auf ein Volksklagelied
antworte. Die futurische Komponente wird für den Hörer aber in 2,2-3 noch
nicht deutlich, im Zusammenhang mit 31,2-6 freilich ändert sich das.

41 W. Erbt, Jeremia und seine Zeit, 128f.; vgl. auch J.W. Miller, Das
Verhältnis Jeremias und Hesekiels sprachlich und theologisch untersucht,
Assen 1955, 142.

42 H.W. Wolff, Hauptprobleme alttestamentlicher Theologie, in: Ges. Studien zum Alten Testament (ThB 22), München 1964, 223, Anm. 43.

43 H.J. Boecker, Redeformen des Rechtslebens im Alten Testament (WMANT
14), 2. Aufl., Neukirchen 1970, 105.

44 W. Schottroff, ZThK 67 (1970) vor allem 286ff.

45 W. Schottroff, ZThK 67 (1970) 290.

46 H.J. Boecker, Redeformen, 52ff., so schon E. Rohland, Die Bedeutung
der Erwählungstraditionen Israels, 64.

47 Die Zitate bei H.J. Boecker, Redeformen, 53f.

zunächst einmal mit einer gelockerten Form rechnen. Zudem: Warum sollte
eine Beschuldigung, die entkräftet werden soll, ihrerseits eine Beschuldigung provozieren, die dann zum Gerichtsverfahren führt? Im Grunde genommen wäre das doch schon eine Gerichtsverhandlung, nur ohne Richter.

Von Präjudizierung im eigentlichen Sinne kann freilich keine Rede sein.
Diese Unsicherheit der Formzuweisung könnte aus einer rhetorischen Absicht
resultieren, die sich a u c h forensische Elemente dienstbar macht.(48)
"Anklagen"(49) trifft jedenfalls in 2,9 nicht das, was ריב hier ausdrückt,
weil andernfalls das Lexem את, das die Masoreten als soziative Präposition aufgefaßt haben, unberücksichtigt bleibt. Im Jeremiabuch ist diese Konstruktion singulär.(50)

Die Sprache von 2,4-9 fällt durch Ausdrücke auf, die kaum Ent-
sprechungen im übrigen Buch haben. Dazu gehört Jahwes Frage, was
er zur Zeit der Väter "verkehrt" (gemacht) habe (V. 5); עול ist
im Jeremiabuch sonst nicht mehr belegt. Auch wie die Vorstellung
formuliert ist, daß die Väter sich von Jahwe abwandten (רחק מעל
V. 5), ist einmalig; sie impliziert dabei durch die kombinierten
Präpositionen prägnant die vormalige Hinwendung (על) zu Jahwe.
Selbst die explizit gestellte Frage nach Gott ist für das Jeremiabuch, in dem in 17,15 einmal nach dem "Wort Jahwes" gefragt
wird, ganz ungewöhnlich, sie wird nur in 2,6 und 2,8 gestellt.

Anders verhält es sich, wenn die Wüste in V. 6 mit Wendungen beschrieben wird, die im Jeremiabuch und auch in der übrigen alttestamentlichen Literatur nicht ungewöhnlich sind.[51] Dagegen ist das Land, in das das Volk geführt wird, wieder auffallend exklusiv geschildert, denn die Constructus-Verbindung
ארץ הכרמל steht innerhalb des Alten Testaments nur hier,[52] und
auch der Ertrag des Landes, d.h. das Wortpaar פרי und טובה,
ist im Jeremiabuch sonst unbekannt,[53] das stereotype ארץ זבח

---

48 S. unten S. 186ff.

49 H.J. Boecker, Redeformen, 54.

50 S. noch Jer. 25,31, wo die Präposition ב das Verbum ריב im Sinne einer
Anklage verstehen läßt, vgl. 12,1; anders wieder Jer. 50,34; 51,36, wo ריב
את ריב die Verteidigung des Volkes meint; vgl. schließlich auch 2,29 (ריב
אל parallel zu ב פשע); vgl. M. DeRoche, Yahwe's rîb Against Israel: A
Reassessment of the so-called "Prophetic Lawsuit" in the Preexilic Prophets,
JBL 102 (1983) 563-574.

51 Eine Übersicht der Belege bei A.W. Schwarzenbach, Die geographische Terminologie im Hebräischen des Alten Testaments, Leiden u.a. 1954, 93f.

52 Vgl. Jer. 4,26. Jeremia sieht, wie aus dem "Baumgarten", der metonymisch
für das Kulturland steht, eine Wüste wird.

53 Die Formulierung läßt die Vermutung zu, daß ein dtr. Eintrag vorliegt,
vgl. Neh. 9,36 in einem Gebet mit zahlreichen dtr. Formulierungen, wie O.

חלכ ורדש - in Ex. 3,8.17 und an vielen anderen Stellen - ,
das auch das Jeremiabuch kennt (11,5; 32,22), wird gerade
nicht benutzt.

Schließlich ist die Reihe in V. 8 zu nennen: Priester[54],
Hirten und Propheten. Die Hirten sind in der überwiegenden
Zahl der Belege im Jeremiabuch politische Führungspersonen.

Sie stehen außerhalb von 2,8 nie im Zusammenhang einer größeren Grup-.
pierung, wie sie in Unheilsankündigungen in 4,9 und 13,13 erwähnt wird.
In 2,26 und 4,9 sind es allgemein die Bewohner, der König, die Beamten
(55), die Priester und Propheten, in 13,13 die Landesbewohner, die davi-
dischen Könige, die Priester, die Propheten und die Bewohner Jerusalems.
Dieselbe Gruppe ohne die Landesbewohner tritt in 8,1 auf; Könige, Beamte,
Priester, Propheten, Judäer und Jerusalemer stehen in 32,32 zusammen.

Dies alles zeigt, daß in V. 4-9 eine eigengeprägte Formulierungsstruktur vorliegt, die aber nun keineswegs dazu veranlaßt, jeremianische Verfasserschaft auszuschließen. Einseitige Wortstatistik ist imstande zu erweisen, was sie sich
vornimmt.Man kann genauso gut den umgekehrten Weg gehen und
Formulierungen nennen, die phraseologische Parallelen im Jeremiabuch haben. So zeigt ein Blick in die Konkordanz, wie
häufig הבעל im Mittelpunkt steht, und selbst die prägnante
Wendung נבא בבעל, um nur bei dem zuletzt erwähnten V. 8 zu
bleiben, hat in 23,13 ihre direkte Entsprechung.

Insbesondere in einem metrischen bzw. quasimetrischen Duktus wird man nicht mit stereotyper Diktion rechnen müssen,
dafür ist V. 7 ein gutes Beispiel. Mit anderen Worten: Sprach-
und Gedankenfügung sind zusammen zu befragen, will man über die
reine Deskription hinaus den Autor erfassen. Da drängt sich die
in V. 6 verarbeitete Exodustradition auf, die ebenfalls in 7,22;

Plöger (Reden und Gebete im deuteronomistischen und chronistischen Geschichtswerk, in: ders., Aus der Spätzeit des Alten Testaments. Studien,
Göttingen 1971, 50-66) herausgestellt hat.

54 Mit den חפשי התורה ist wohl nicht eine eigene Gruppe von Gesetzes-
lehrern gemeint (so P. Volz, Kommentar, 18f.). Die Druckanordnung der BHK
und BHS leistet diesem Verständnis Vorschub. Eher ist aber V. 8aβ mit V.
8aα zu parallelisieren (4+4 Hebungen); damit bekommt die Gruppe der Priester besonderes Gewicht; in einem weiteren Parallelismus membrorum (3+3
Hebungen) stehen dann die "Hirten" und die "Propheten". ואחרי לא־יועלו.
הלכו könnte ein späterer Zusatz sein, der durch V. 11 angeregt und V.
5b nachgebildet ist, wenn nicht V. 8bβ eine Trikolon sein soll (dazu W.G.
E. Watson, Classical Hebrew Poetry, 177ff.)

55 So ist der Terminus שר zu verstehen, s. U. Rüterswörden, Die Beamten der israelitischen Königszeit.

11,4; 16,14; 23,7; 31,32; 34,14 genannt wird. Auch wenn es sich
dabei um Texte handelt, die nicht unbestritten integre Worte
Jeremias tradieren, auf Jeremia werden sie wenigstens zum Teil
zurückgehen, so erklärt sich zumindest die Präsenz dieser Tradition in verschiedenen Überlieferungszusammenhängen.[56] Allerdings steht an jenen Stellen nie die Hereinführung ins Land[57],
und so könnte das nachträglich die Analyse bestätigen, daß V.
7a nachträglich an den vorgegebenen V. 6 angeschlossen wurde.

Wer V. 5-9 als Präludium versteht, sieht in V. 10-12 das formkritisch
Eigentliche, die Anklage(58): "Der Kläger kommt von einer Verteidigungs-
situation her. Er beginnt nicht sogleich mit der Anklage, sondern bereitet
sie durch einige Sätze vor, auf deren Hintergrund die Anklage selbst besonders stark wirken muß."(59) Die eigentliche Anklage liege in V. 11b vor,
das Beweismaterial sei schon in der Appelationsrede aufgelistet; V. 12 gehöre noch zur Anklagerede und sei die Anrufung der Zeugen und Richter durch
den Klagenden.(60) Was steht in V. 10ff.?
   Mit dem polysemen כי(61) wird in V. 10 die Aufforderung eröffnet, zu
den Küsten/Inseln der Kittäer(62) hinüberzugehen und nach Kedar(63) zu
schicken und dabei darauf zu achten, ob etwas Vergleichbares geschehen ist.
Was gemeint ist, formuliert V. 11 in Frageform. Jahwe fragt, ob (schon ein-

---

56 7,22; 11,14; 31,32; 34,13 stehen in dtr. Zusammenhang, s. W. Thiel, Die
dtr. Redaktion von Jer. 1-25, z.St. 23,7 (16,14) könnte ursprünglich jeremianisch sein, s. die Kommentare z.St., vgl. aber W. Thiel, Die dtr. Redaktion von Jer. 1-25, 248f.

57 Vgl. 3,18; 17,4, hier steht das Motiv der Land g a b e .

58 S. H.J. Boecker, Redeformen, 54.79ff.

59 H.J. Boecker, Redeformen, 79.

60 S. H.J. Boecker, Redeformen, 80f.

61 Es handelt sich hier um eine Anakrusis, bei der eine Interjektion, Partikel oder ein Pronomen den metrischen Text einleitet, ohne direkt zu ihm
zu gehören (s. W.G.E. Watson, Classical Hebrew Poetry, 110f.), wie die
Druckanordnung von BHK und BHS den Anschein erweckt.

62 כתיים איי , s. auch Ez. 27,6. Auszugehen ist von der Stadt κίτιον
auf Zypern, die vielleicht in einem ugaritischen Text erwähnt wird, k(?)t,
s. PRU II, 89,9; UT Nr. 1319, im Phönizischen כתי bzw. כת , s. J. Fried-
rich/W. Röllig, Phönizisch-punische Grammatik, § 102; im Hebräisch der Inschriften ist der Singular כתי und der Plural כתים in den Arad-Ostraka
belegt, s. Y. Aharoni, Arad Inscriptions, Index, 199. Da der Plural von אי
mit dem Gentilicium verbunden ist, kann man an eine Bedeutungserweiterung
denken, die allgemein griechische Inseln bzw. Küsten erfaßt und damit den
äußersten bekannten Punkt im Westen bezeichnet, vgl. HAL Lfg. I, 37.

63 קדר , nach Gen. 25,13 (1.Chr. 1,29) einer der Söhne Ismaels. Zur Zeit
Assurbanipals bezeichnet qidri/qadri das Gebiet eines arabischen Nomaden-
stammes in der syrisch-arabischen Wüste, s. M. Streck, Assurbanipal, III,
792, s. auch I, CCLXXXIV, und II, 69 Anm. 2; Plinius V,63: Cedrei.
Es dürfte also komplementär die am weitesten im Westen bekannte Gegend gemeint sein.

mal) ein Volk seine Götter eingetauscht hat (מור). Sein Volk aber hat
das, was Gewicht hat (כבוד), gegen Nichtsnütziges (לוא־יועיל) vertauscht (V. 11). In V. 12 folgt ein weiterer Imperativ, der die Himmel
auffordert, sich darüber zu entsetzen, abgeschlossen durch נאם־יהוה.

V. 13 wird erneut durch כי eröffnet, das nur explikativ verstanden
werden kann und als Begründung eine doppelte Verfehlung (רעה) des Volkes nennt, das Jahwe, die "Quelle lebendigen Wassers" verlassen und sich
dafür Zisternen ausgehauen hat, die rissig sind und so das Wasser nicht
halten können.

Mit V. 14 beginnt ein neuer Gedanke, formal wird aber am Ende von V. 13
keine Zäsur signalisiert.

Fügt sich die Paraphrasierung des Inhalts in den postulierten formkritischen Zusammenhang? Wenn die Anklage nur in V. 11b vorliegt, warum ist
sie dann noch in V. 13 erweitert worden,(64) ließen sich nicht ebenso V.
7b und V. 8 als Anklage verstehen? Daß das auch so ist,(65) eine Wiederholung aber vermieden wird, weil schon die Appellationsrede davon berichtet habe, trifft nicht zu, denn V. 8 nennt eine andere Gruppe von "Angeklagten", außerdem sind die Anklagepunkte nicht identisch. Was in V. 12
vorliegt, ist das S t i l m i t t e l der (Zeugen)Anrufung, dessen Ort
und Funktion im Gefüge des Kapitels noch zu erörtern sein wird.

Der sprachliche Befund entspricht dem bisher beobachteten:
Ein Teil beschränkt sich auf Kap. 2, ein Teil hat übergreifende Analogien.In der Prophetie[66] vor Jeremia ist es Jahwe, der
im Kontext zukünftigen Unheils den כבוד des Volkes durch קלון
(Schande) austauscht (מור hif., Hos. 4,7), während in Jer.
2,11 das Volk einen Tauschhandel betreibt, den auch der späte
Psalm 106[67] in seinem Geschichtsabriß mitteilt, wenn nämlich
das Volk der Wüstengeneration seinen Gott (כבורם) gegen ein
selbst gestaltetes, grasfressendes Rind tauscht (V. 20). Das
Tauschobjekt in Jer. 2,11 ist לוא יועיל , die Kennzeichnung
eines Götterbildes, wie ein Blick auf 2,8 und 16,19 lehrt, wo
parallel wie in 2,5 הבל steht. Diese durch יעל im hif. ar-
tikulierte zweckrationale Betrachtung des Götzendienstes setzt
sich erst seit der Zeit Jeremias durch; das zeigt ihre Verarbeitung bei Habakuk (2,18), bei Deuterojesaja (44,10) und Tri-
tojesaja (57,12), wo immer der Bezug zum konkreten Götterbild
hergestellt ist, der auch in Jer. 2,27; 3,9 vorliegt,[68] in 2,11
aber zugunsten einer sublimeren Vorstellung unterbleibt, wenn

---

64 So H.J. Boecker, Redeformen, 81 und Anm. 3. Warum ist die "Erweiterung"
nicht direkt an V. 11b angeschlossen worden?

65 So H.J. Boecker, Redeformen, 80.

66 Micha 2,4 ist textkritisch unsicher, s. den Apparat der BH.

67 H.-J. Kraus, BK XV/2, 900f.

68 Zu Götterbildern s. P. Welten, in: BRL, 99ff., zur Darstellung Baals,
der in Jer. 2,8 genannt wird, BRL, 106ff.

auch der Gedanke an das Götterbild mitschwingen kann, zumindest am Ende von 2,8, wo auf das Nachfolgen des Götterbildes während der Kultprozession angespielt sein kann,[69] die außerhalb Israels praktiziert wurde.

Die plastische Sprache setzt sich in V. 12 und V. 13 fort. Die Himmel, so V. 12, sollen erstarren (שמם) wegen des Frevels des Volkes; der Grund wird treffend für die Verhältnisse im regenarmen Israel durch einen Vergleich in V. 13 gegeben, bei dem sich Jahwe als "Quelle lebendigen Wassers"[70] versteht, zu der "Zisternen" im Gegensatz stehen, die nur abgestandenes Wasser bieten können. Der Vergleich wird noch durch eine bau- und kulturgeschichtliche Notiz auf die Spitze getrieben: Seit dem Ende der Mittelbronze-Zeit bzw. seit Anfang der Spätbronze-Zeit war es möglich, die Zisternen mit einem Kalkverputz zu versehen, der sie wasserundurchlässig machte.[71] Das erforderte gegebenenfalls auch eine Ausbesserung, sofern der Verputz rissig wurde. Auf diesen Zustand (שכר nif.) spielt das Wort an, das damit zugleich eine Verbindung zu V. 11b (und V. 8b) herstellt, denn eine so beschaffene Zisterne ist "nutzlos".[72]

d) 2,14-19

Die kunstvolle Sprache von V. 10-13[73] wird durch eine disjunktive Frage in V. 14a und eine weitere Frage in V. 14b fort-

---

69 HAL Lfg. I, 237.

70 Dasselbe Bild in Jer. 17,13. Gängig ist die Vorstellung von der "Quelle des Lebens", s. Ps. 36,10; Spr. 10,11; 13,14 u.ö. Ein anderer Kulturraum kann andere Bilder schaffen: Wenn in Assyrien ein Gott mit dem Element Wasser verglichen wird, dann mit einem Wasserfall im Gebirge (A. Schott, Die Vergleiche in den akkadischen Königsinschriften, 105); in Ägypten wird vor allem Osiris bzw. der König mit dem Nil identifiziert (H. Grapow, Die bildlichen Ausdrücke des Ägyptischen, 61f.).

71 U. Müller, in: BRL, 358f.

72 M. DeRoche (Israel's 'Two Evils' in Jeremiah II,13, VT 31, 1981, 369-371) interpretiert nach Spr. 5,15-18 (Zisterne = Euphemismus für Frau, Quelle = Ausdruck für Sperma des Mannes); Jeremia "is accusing Israel of deserting his wife and true love" (370). Wie sollte aber der Hörer/Leser die "euphemistic interpretation" leisten, wenn das Bild nicht gängig war?

73 Ein Metrum ist nicht durchgängig eruierbar (anders z.B. W. Rudolph, Kommentar, 14, der aber mit erheblichen Schwankungen rechnen muß). Eindeutig hat V. 11a 3+3 Hebungen und V. 11b das Qina-Metrum mit 3+2 Hebungen, das dem beklagenswerten Verhalten entspricht. Die übrigen Verse sind unsicher, V. 13 ließe sich besser als in der Druckanordnung der BHK und BHS in parallelen Kola anordnen: ‎2+3; לחצב להם אתי עזבו / מקור מים חיים

geführt.

In der ersten Frage geht es um den Rechtsstatus "Israels",
um den Grund, warum es "zur Beute" geworden ist.

Mit V. 11 wird ein Wechsel in die 3.p. vollzogen, der auch
noch in V. 14 anhält; trotzdem beginnt ein neuer Abschnitt,[74]
weil die Fragen keinen engen Bezug zum Vorhergehenden erkennen
lassen, wenn auch nicht auszuschließen ist, daß ein Leser den
Sachverhalt, daß "Israel" ein עבד - בית יליד genannt wurde,
auf die Nachfolge der לא יעלו bezog. Diese Assoziation wäre
zumindest insofern im Recht, wie beide Rechtsverhältnisse eine
Abhängigkeit andeuten,[75] so daß V. 14a die Funktion hätte, die
vorhergehenden mit den folgenden Versen zu verbinden.

Es wird zu zeigen sein, ob nur eine rhetorische Frage vorliegt oder auch eine konkrete Antwort erfolgt; der tempusindifferente Nominalsatz erzeugt erst einmal Aufmerksamkeit.

Eine weitere Frage mit einer historischen Reminiszens folgt,
wenn "Israel" mit einer "Beute" verglichen wird (V. 14b), über
die nach V. 15a α "junge Löwen brüllen".

Ausgedrückt wird die zuletzt genannte Wendung durch das Nomen כפיר und
eine Imperfektform des Verbums שאג, die zuweilen Anstoß erregt, weil sie
sich nicht recht in die präteritale Deutung fügt, und so schlägt BHK vor,
שאגו zu lesen.(76) Die Korrektur ist willkürlich, die Imperfektform könn-

---

כארת נשברים / בארות 3+2. אשר לא־יכלו המים   wird eine erklärende Glosse sein, אשר ist für die Sprache der poetischen Diktion in
Kap. 2 ungewöhnlich, vgl. z.B. V. 6.

74 Nach W. Schottroff (ZThK 67, 1970, 291) ein "Diskussionswort". Diese Bezeichnung lehnt sich an die Gattung der "Disputationsworte" an, s. dazu J.
Begrich, Studien zu Deuterojesaja (BWANT 77), Leipzig 1938 (Nachdruck, hg. von
W. Zimmerli, ThB 20, München 1963), 42ff.; E. Pfeiffer, Die Disputationsworte
im Buche Maleachi, EvTh 19 (1959) 546-568; H.J. Boecker (Bemerkungen zur form-
geschichtlichen Terminologie des Buches Maleachi, ZAW 78, 1966, 78ff.) zieht
für Maleachi den Terminus "Diskussionsrede" vor, C. Westermann (Sprache und
Struktur der Prophetie Deuterojesajas, CThM 11, Stuttgart 1981, 41ff.) bei Deuterojesaja den Terminus "Bestreitung". In Jer. 2,14ff. ringen nicht zwei Kombat-
tanden miteinander, auch nicht auf der Ebene fingierter Zitate, so daß weder
"Diskussionswort" noch "Disputationswort" gattungskritisch zutrifft, ebensowenig wird etwas bestritten; 2,20ff. böte sich da schon eher an,s. V.23 und V.25.

75 Zu dem grundlegenden Aspekt des עבד s. die Untersuchung von I. Riesener,
עבד . Der Stamm עבד im Alten Testament. Eine Wortuntersuchung unter Berücksichtigung neuer sprachwissenschaftlicher Methoden (BZAW 119), Berlin/New York
1979, 83f.113ff., vgl. U. Rüterswörden, Die Beamten der Königszeit, 4ff.92ff.
Zum בית יליד s. Gen. 14,14; 17,12f.23.27; Lev. 22,11, die Septuaginta hat
οἰκογενής , vgl. die Bedeutung von lat. verna, dazu R. Keydell, Der Kleine Pauly, Bd. 5, 230ff.

76 BHS mit Fragezeichen, sicher fühlt sich B. Duhm, Kommentar, 22.

te ja eine andauernde bzw. iterative Funktion haben(77) oder im Sinne eines Präsens historicum verstanden werden, das einer lebendigen Schilderung entgegenkommt.(78)

Für die erste Alternative müßte man wissen, an welches Ereignis oder welche Ereignisse man gedacht hat. Am ungezwungensten ist darunter der Eingriff in das Nordreich durch die Assyrer 722 zu verstehen; bestätigt werden könnte das durch eine entsprechende Bildverarbeitung in Jes. 5,29. Damit wäre eine frequentative Deutung des Imperfekts unangemessen.

Die zweite Alternative ist grundsätzlich möglich, es ist aber zu fragen, warum nur punktuell eine lebendigere Sprachform auftaucht, während ihre Umgebung ausschließlich eine präteritale Konnotation aufweist.

Wie steht der Imperfektform zum Kontext? Im erzählenden Kontext ist ein Imperfekt äußerst selten, um so größer ist der "Aufmerksamkeitswert"(79), weil der Sprechende die Retrospektive plötzlich verläßt und zu einem Geschehen übergeht, das vollzogen wird bzw. noch aussteht.(80) Das in V. 15aβ folgende Perfekt widerspricht der Deutung nicht, denn es zeigt an, daß das entsprechende Geschehen schon eingesetzt hat und seine Wirkungen gegenwärtig erfahrbar sind.(81)

Was ist gemeint? Das Bild von V. 15 war dem Hörer/Leser geläufig, denn er konnte nach 2.Kön. 17,25f. aus eigener Anschauung den Löwen kennen, für den das Alte Testament eine ganze Reihe von Bezeichnungen bereit hat.[82]

Zur Zeit der Bedrohung durch die Assyrer und Babylonier wurden diese Völker vornehmlich mit jenem Bild beschrieben, beide zusammen in Jer. 50,17, Assyrer allein in Nah. 2,12-14 und Jes. 5,29, Babylonier allein in Jer. 51,38 (vgl. Dan. 7,4). Und auch der König von Ägypten konnte zu der Zeit so bezeichnet werden (Ez. 32,2).[83]

Wenn es verschiedene Bezeichnungen gibt, dann wird man fragen müssen, ob die Terminologie in Jer. 2,15 zufällig ist. ‏ארי‎ ist im Jeremiabuch nicht belegt, aber ‏אריה‎ als Bezeichnung (drohender) Gefahr um so häufiger,[84] so auch in V. 30 des 2. Kapi-

---

77 Ges.-K., § 107b und § 107 eb. Zu diesem Verständnis neigt W. Rudolph, Kommentar, 16.

78 S. dazu W. Schneider, Grammatik, 48.4.3; so z.B. F. Giesebrecht, Kommentar, 9.

79 W. Schneider, Grammatik, 48.4, vor allem 48.4.1.2, vgl. 48.1.2.1.

80 Vgl. Ges.-K., § 107; R. Meyer, Grammatik III, § 100, vor allem 2b.

81 Ges.-K., § 106; R. Meyer, Grammatik III, § 101, vor allem 2b.c.

82 S. dazu L. Köhler, ZDPV 62 (1939) 121ff.

83 In der ägyptischen Literatur finden sich zahlreiche Vergleiche zwischen dem König und dem Löwen, s. H. Grapow, Die bildlichen Ausdrücke des Ägyptischen, 69ff., ebenso in der akkadischen Literatur, s. A. Schott, Die Vergleiche in den akkadischen Königsinschriften, 86.

84 Assyrien und Babylonien: 50,17; Babylonien: 51,38; Jahwe: 49,19 = 50,44.

166

tels. 2,15 nennt dagegen den כפיר , den jungen Löwen, ein ganz
seltener Terminus[85]; das heißt, hier könnte gezielt ein in der
Geschichte noch "junger" Feind figuriert sein, der an dieser
Stelle namenlos bleibt. Dem Einwand, daß diese Deutung durch
die folgende präteritale Weiterführung in V. 15b ausgeschlossen wird, ist durch einen Hinweis auf die Textstruktur zu begegnen: V. 15a hat 3+2 Hebungen, also das Qina-Metrum, V. 15b
führt dann aber mit einem Impf. cons. fort, das hier Prosa-Stil
verrät,[86] der zwar eine für die Poesie charakteristische Parallelisierung (ארץ - עיר) nachzuahmen versucht, aber recht erfolglos, fehlt doch im zweiten "Kolon" ein Objekt, während die
Verbkonstruktion ins Passiv wechselt und außerdem noch die "über-
schießende" Wendung מבלי ישב zur Steigerung der Aussage angefügt wird. Eine Antwort auf die Warum-Frage von V. 14 gibt V.
15 also nicht. Und auch nicht V. 16, der sich wie V. 15a von
der Vergangenheit abwendet.

Durch die Partikel גם werden weitere Feinde eingeführt, die
nicht mit den כפרים von V. 15a identisch sind und infolge jener Partikel offenbar nachträglich eingetragen wurden, weil die
Bemerkung sachlich hinter V. 15a gehört und das Suffix der 2.
p. fem. sg. an der Verbform im Kontext der 3. p. m. sg. von V.
14 vor dem Neueinsatz in V. 17 mit seinem Personenwechsel deplaciert ist.

Mit der Wendung ירעור קדקד wird das Unheil durch ein weiteres Bild ausgedrückt, das nach der Wendung היה לכז die Vorstellung desolater Verhältnisse assoziiert, solange das Verbum
רעה in seiner pejorativen Bedeutung "weiden=abweiden" belassen

---

85 Im Jeremiabuch nur in redaktionellen Versen. 25,38 (s. W. Rudolph, Kom-
mentar, 167): Nebukadnezzar; 51,38 (s. W. Rudolph, Kommentar, 297ff.): die
Bewohner Babylons.
Der Plural schließt den Herrscher und seine "Handlanger" ein, vgl. 51,38.
Zu den Merkmalen eines כפיר s. HAL Lfg. II, 469.

86 Über die sog. Tempora, deren traditionelle Bezeichnung, die zweifellos
irreführend sein kann, hier beibehalten ist, wird eine lebhafte Diskussion
geführt. Aus den neueren Arbeiten zur Geschichte des hebräischen Verbums
sei beispielhaft auf H.-P. Müller (Zur Geschichte des hebräischen Verbs -
Diachronie der Konjugationsthemen - , BZ NF 27, 1983, 34-57) verwiesen,
speziell zum "Impf. cons." auf W. Groß, Verbform und Funktion. Wayyiqtol
für die Gegenwart (Münchener Universitätsschriften - Arbeiten zu Text und
Sprache im AT, Bd. 1), St. Ottilien 1976. Zum Problem der Prosaelemente im
poetischen Text s. W.G.E. Watson, Classical Hebrew Poetry, 54.

wird,[87] was ohne weiteres möglich ist, wenn man קדקד nicht
als "Scheitel" versteht, wie es durchweg in den Lexika und
Übersetzungen geschieht.

Dazu besteht keine Veranlassung, wenn man die alttestamentlichen Belege
auswertet, die allesamt in poetischen Texten vorkommen und dort häufig parallel zu ראש stehen (88), und auch die ugaritische Verwendung von qdqd
(89) bzw. das akkadische qaqqadu(90) vergleicht, das als Dissimilations-
bildung jener reduplizierten Form zu verstehen ist. Akkadisches qaqqadu
steht auch für die ganze Person, wie es überhaupt generell die Oberfläche
meinen kann(91). Dieses Oszillieren kann auch die hebräische Wendung kennzeichnen, wenn sie davon spricht, daß "Israel" der "Kopf geweidet", d.h.
(kahl-)geschoren wird.

"Israel" wird also bloßgestellt. Als Subjekte der Aktion
werden die בני־נף ותחפנס vorgestellt.

נף (Septuaginta: Μέμφεως) entspricht der ägyptischen Stadt Memphis, die ägyptisch mn-nfr, seit dem Neuen Reich in Kurzform mnf (koptisch:
menfe u.ä., akk.: me/impi) heißt.(92)
Die vorliegende Form wird im Hebräischen in der Regel verwendet, nur in
Hos. 9,6 steht מף ; beide Formen sind als Haplographie eines *מנף verstanden worden,(93) die Hosea-Stelle spricht aber eher für eine Form, bei
der das נ assimiliert ist, während die Form נף in der Tat nach einer
haplographischen Schreibung eines מנף aussieht,(94) sofern man die althebräische Schrift jener Zeit zugrunde legt.(95)
Memphis, das 25 km südlich der Deltaspitze liegt, war eine der hervor-
ragenden Städte Ägyptens, die vor allem in der Spätzeit bedeutend wurde
(96) und deshalb im Alten Testament erst in dieser Zeit schwerpunktmäßig
genannt wird.(97)

---

87 Das masoretische ירעור ist "lectio difficilior", wenn קדקד als
"Scheitel" angesetzt wird. Schon die Versionen haben zu glätten versucht,
die Septuaginta (ἔγνωσάν σε) setzt das Verbum ידע an, die Peschitta (nrꜥwnkj) etwa die Form ירעוה . BHK und BHS schlagen יערוּ ,
also eine Piꜥel-Form von ערה (entblößen) vor.

88 S. Gen. 49,26; Ps. 7,17; vgl. auch Dtn. 33,16; Jes. 3,17; Jer. 48,45.

89 S. WUS Nr. 2392.

90 S. AHw. II, 889f. Einmal ist auch die Form qadqadu belegt (889).

91 S. AHw. II, 900.

92 S. A. Erman/H. Grapow, Wörterbuch der ägyptischen Sprache, II, 63.

93 R. North, Bib. 34 (1953) 119.

94 Man müßte dann freilich annehmen, daß assimilierte und nicht-assimi-
lierte Formen nebeneinander standen, s. zum Problem R. Meyer, Grammatik
II, § 76, 2c.

95 Vgl. die paläographische Liste zu den Arad-Ostraka bei Y. Aharoni,
Arad Inscriptions, 133ff.

96 Zur Geschichte der Stadt s. H. Kees, in: RE XV, 1, 660ff.

97 S. Jer. 44,1; 46,14.19; Ez. 30,13.16 neben Jes. 19,13.

Nur in dieser Zeit wird auch die andere in Jer. 2,15 zitierte Stadt
Ägyptens erwähnt. Das Ketib תחפנס ist תַּחְפְּנֵס zu vokalisieren, das
Qere muß תַּחְפַּנְחֵס lauten, das sozusagen als Ketib in Jer. 43,7.8.9 erscheint und mit leicht veränderter Vokalisation in Ez. 30,18 (תְּחַפְנְחֵס).
Am wahrscheinlichsten ist die Identifizierung mit der Stadt, die Herodot
(II, 30,70) Δαφναι (ägyptisch: Ibn) nennt und die auf dem tell defenneh
(98), nö von es-salihije und nw von el-qantarah, am Rande des Ostdeltas,
angesetzt wird. Die alttestamentliche Bezeichnung ist von W. Spiegelberg
mit dem ägyptischen tʒ ḥw·t-(n) pʒ nḥśj zusammengestellt worden,(99) das
soviel wie "Nubierhaus" bedeutet und auf die Anwesenheit nubischer Söldner anspielen könnte,(100) obwohl griechische Söldner dort saßen, das zeigt
die griechische Keramik, die W.M.F. Petrie bei seiner Ausgrabung 1887 gefunden hat, als er eine bedeutende Grenzfestung freilegte, die zwar schon
in früherer Zeit bestand, aber erst von Psammetich I. erheblich ausgebaut
wurde.(101)

Die Intention von Jer. 2,16 ist deutlich, denn beide Städte
repräsentieren zur Zeit Jeremias sinnenfällig die ägyptische
Macht. Aber wie steht es um den Terminus a quo von 2,16?

Es muß noch einmal der literarkritische Befund in Erinnerung gerufen
werden. Erst V. 17 beantwortet mit der rhetorischen Frage V. 14b. V.15 und
V. 16 sind dazwischengetreten, aber sicher nicht in einem Zuge. Es spricht
nichts dagegen, die Ankündigung von V. 15 auf Jeremia zurückzuführen, wie
allerdings auch nichts für Jeremias eigene Redaktionstätigkeit spricht.
Auch an dieser Stelle haben spätere Tradenten für das Jahr 626 (1,2)
den historischen Konnex zwischen Israels vergangenem (V. 14b) und zukünf-
tigem (V. 15a) Leiden hergestellt. Dieser Zusammenhang ist mißverstanden,
d.h. V. 15a ist als Rückblick – denkbar mit iterativem Imperfekt – aufgefaßt worden, in dessen "Folge" V. 15b das Ausmaß dessen schildert, was V.
14b.15a abstrakt formuliert.
Die Schwierigkeit besteht dann darin, den Zeitbezug von V. 16 zu bestimmen, denn יִרְעוּךְ könnte ja ebenfalls präterital gemeint sein. Nur
ein Blick auf die geschichtlichen Beziehungen kann hier weiterhelfen.
Zu einem ägyptischen Übergriff auf (Israel und) Juda kam es unter dem
Pharao Schoschenk (alttestamentlich:Schischak), der im 5. Jahr Rehabeams,
also in den 20er Jahren des 10. Jh.s den Tempel und Palast von Jerusalem
plünderte (1.Kön. 14,25f.)(102). In der folgenden Zeit, in der Ägypten
keine "welt"politische Rolle mehr zu spielen vermochte, scheinen sich
Ägypten und Israel/Juda arrangiert zu haben. Nicht das Alte Testament,
aber die assyrische "Monolith-Inschrift" Salmanassars III. spricht in
Kol. II,90ff. von einer Auseinandersetzung des Assyrers mit einer Koali-
tion syrischer Potentaten bei Karkar (853), zu der sich auch Ahab von Is-

---

98 J. Simons, Geographical and topographical Texts, § 1319.

99 W. Spiegelberg, Zu dem alttestamentlichen Namen der Stadt Daphne, ZÄS
65 (1930) 59-61.

100 W. Helck, in: Der Kleine Pauly, Bd. 1, 1382.

101 S. zusammenfassend: H. de Meulenaere, in: LÄ, Bd. I, 990.

102 Nach 2.Chr. 14,8-14 ist Juda im 14. Jahr Asas (Anfang 9. Jh.) von
einem ägyptischen Heer erfolglos angegriffen worden. Die Notiz ist historisch unsicher.

rael und ägyptische Kontingente gesellten.(103) Über 100 Jahre später ist es der israelitische König Hoschea, der im Zusammenhang seiner Tributeinstellung eine Gesandtschaft zu dem ägyptischen König "So"(104) schickte (2.Kön. 17,4), wie die Geschichte zeigt, ohne Erfolg.

Nicht nur Israel, auch Juda hat am Ende des 8. Jh.s eine ägyptophile politische Richtung beherbergt, Jes. 30,1-5 und 31,1-3 sind dafür ein beredtes Zeugnis. Ägyptisch-judäische Beziehungen, von denen wir wissen, werden dann erst wieder ein Jahrhundert später aktuell: Auf dem Weg nach Mesopotamien tötete Necho II., der Sohn Psammetich I., den judäischen König Joschija, als es 609 zwischen ihnen zu einem Kampf bei Megiddo kam (2.Kön. 23,39, vgl. 2.Chr. 35,20ff.), setzte auf seinem Rückweg von Assyrien drei Monate später Joahas, den Nachfolger Joschijas, ab und brachte ihn nach Ägypten, nachdem er seinen Bruder Eljakim unter dem Namen Jojakim als Vasallen zum König gemacht hatte (2.Kön. 23,31-35).

Die ägyptische Oberherrschaft war nur von ganz kurzer Dauer. Schon 605 bezog Necho gegen den babylonischen Thronprätendenten Nebukadnezzar bei Karkemisch eine empfindliche Niederlage, die den Verlust der ägyptischen Suprematie über Syrien-Palästina besiegelte,(105) die nun den Babyloniern zufiel, wie es 2.Kön. 24,7 treffend formuliert. Trotz oder gerade wegen dieser Kräfteverhältnisse faßte in den letzten Jahren der judäischen Monarchie noch einmal eine proägyptische Strömung am Hofe von Jerusalem Fuß, die durch eine Niederlage Nebukadnezzars gegen die Ägypter 601 genährt werden konnte, in deren Folge Jojakim das babylonische Joch abschüttelte (2.Kön. 24,1). Zur Zeit Zidkijas jedenfalls müssen die ägyptischen Kontakte reaktiviert worden sein; der שר הצבא , der nach dem Lachisch-Ostrakon III auf dem Weg nach Ägypten ist, wird um ägyptische Hilfstruppen geworben haben,und mit Jer. 37,7 ist zu schließen, daß ein ägyptisches Ersatzheer vor Jerusalem erschien, freilich ohne Erfolg. Die "Hoffnung auf Ägypten" blieb auch nach der Einnahme Jerusalems durch die Babylonier lebendig, als judäische Bewohner aus Furcht vor einem Racheakt der Babylonier gegen den Rat Jeremias freiwillig in das Exil nach Ägypten gingen und den Propheten gegen seinen Willen mitnahmen (Jer. 41,16-18; 43,1-7).

Zu einer präteritalen Deutung zwingt der geschichtliche Überblick ganz und gar nicht. Gilt das im gleichen Maße für ein futurisches Verständnis der Imperfektform? Zieht man die eklektische Geschichtskenntnis zu Rate, bietet sich am ehesten die Zeit Psammetichs I. an. Necho II., der den babylonischen Aufstieg zu verhindern suchte, indem er einen assyrischen Restbestand erhalten wissen wollte,[106] führte später nur die Politik seines Vaters Psammetich I. fort, der schon 616 Sin-schar-ischkun Hilfstruppen geschickt hatte,[107] die

---

103 S. dazu S. Herrmann, Geschichte Israels, 288.

104 Hebr.: סוֹא . Zu möglichen Deutungen s. Sh. Yeivin, VT 2 (1952) 164-168; H. Goedicke, BASOR 171 (1963) 64-66; K.A. Kitchen, The Third Intermediate Period in Egypt, 372-375.

105 S. zu den Einzelheiten S. Herrmann, Geschichte Israels, 336ff.

106 S. Herrmann, Geschichte Israels, 333.

107 S. B.M. 21 901; D.J. Wiseman, Chronicles of Chaldaean Kings, 54 (Zeile 10); Chronik 3,10 bei A.K. Grayson, Assyrian and Babylonian Chronicles, 91.

den Assyrern gegen Nabopolassar zur Seite stehen sollten. Das
bedeutete für Psammetich I., einen Hoheitsanspruch über Syrien-
Palästina zu erheben, der durch ein geschwächtes Assyrien nicht
gefährdet schien. So kann Jer. 2,16 als Reflex der geschichtlichen Entwicklung zwischen 616 und 609 verstanden werden. Die
umfangreichen Verteidigungsmaßnahmen Joschijas im Südwesten seines Territoriums, von denen im letzten Kapitel die Rede war,
resultieren aus der Befürchtung dessen, was hier als Erwartung
formuliert wird.

Wiederum spricht nichts unmittelbar gegen einen jeremianischen Gedanken, der allerdings nicht "in situ" stände. Unter
der Voraussetzung jeremianischer Verfasserschaft müßte man freilich annehmen, daß Jeremia seine Meinung wieder rasch geändert
hat, denn in seinen Sprüchen über Ägypten (46,3ff. und 46,13ff.),
die sachlich zutreffend im 4. Jahr Jojakims, dem Jahr der ägyptischen Niederlage bei Karkemisch (605), datiert sind (46,2),
reflektiert der Prophet die Niederlage der Ägypter und eine
Okkupation Ägyptens durch Nebukadnezzar.[108]

Wenn nicht Jeremia, dann könnte die Bemerkung ein aufmerk-
samer Leser eingetragen haben, der die Geschichte bzw. das Jeremiabuch gut kannte: Noch einmal stehen nämlich Memphis und
Daphne neben anderen Orten in 44,1, in einem Kapitel, das den
nach Ägypten gezogenen Judäern dort Schwert, Hunger und Seuche
androht (V. 12ff.). Das hat einen späteren Leser zu einer Notiz
veranlassen können, die im literarischen Sinne anachronistisch
ist, deren geschichtliche Berechtigung aber außer Zweifel steht.

V. 17 ist, wie gesagt, eine Antwort auf V. 14b: Israel ist
zur Beute geworden, weil es Jahwe verlassen hat.[109] Schon V. 13
sagt dies und die rhetorische Frage in V. 17 berücksichtigt das.

Die zahlreichen Fragen in Kap. 2 werden um eine weitere in
V. 18 vermehrt, eingeleitet durch die im Sinne einer Anakrusis
gesetzten Partikel ועתה , die für eine kurze Gedankenpause sorgt
und so das Folgende vom Vorhergehenden abhebt.[110]

Beide Vershälften sind parallel angeordnet: "Warum dein Weg

---

108 W. Rudolph, Kommentar, 268ff.

109 Statt תעשה ist עשה zu lesen, das ת ist nach זאת dittographisch
verschrieben (Septuaginta: ἐποίησεν), so auch W. Rudolph, Kommentar, 18.

110 Ohne die Partikel bleiben 3+3 Hebungen übrig.

nach Ägypten, um das Wasser des Nil[111] zu trinken, und warum
dein Weg nach Assur, um das Wasser des Eufrat[112] zu trinken?"

Das Bild ist für den zeitgenössischen Hörer/Leser, der in
den regenlosen Sommermonaten die existentielle Bedeutung des
Wassers recht einzuschätzen weiß, ohne weiteres verständlich,
nicht dagegen der geschichtliche Kontext der Aussage.

Worauf zielt V. 18? Auf politische Richtungen, die entweder
Anschluß an Ägypten oder an Assyrien suchen,[113] oder gar allgemein auf die "Schaukelpolitik zwischen den Großmächten"[114]?

Weder das eine noch das andere muß zwingend vorausgesetzt
werden, denn es ist möglich, daß "Israel" im Augenblick anstei-
gender ägyptischer und nachlassender assyrischer Potenz z u -
g l e i c h diplomatische Beziehungen zu beiden Großmächten
knüpfte, um gesetzte Ziele nicht unnötig zu gefährden.[115]

Das Bild vom "I s r a e l i t e n" , der Flußwasser trinkt,
mag ohnehin ambivalent angelegt sein, denn neben der Existenz-
(ab)sicherung impliziert es auch einen Bezug zur "Quelle lebendigen Wassers" von V. 13, ist also zugleich ein Vorwurf, Jahwe
verlassen zu haben, was dann V. 19aβ noch einmal expressis ver-

---

111 Hebr.: שחור , noch Jos. 13,3; 1.Chr. 13,5; Jes. 23,3; ägyptisch:
s(j)-hr = Teich des Horus, s. A. Erman/H. Grapow, Wörterbuch der ägyptischen
Sprache, Bd. IV, 397.
Das parallele נהר läßt am ehesten an den Nil denken und nicht an einen
der Nilarme oder sonstige Gewässer im Zusammenhang des Deltas (A. Alt, ZAW
57, 1939, 147f. gegen L. Köhler, ZAW 54, 1936 , 289ff., der an einen Ortsnamen denkt) und entspricht damit Jes. 23,3 (s. H. Wildberger, BK X/2, 872).

112 Hebr.: נהר "(der) Fluß", vgl. Gen. 15,18; Ex. 23,31; Dtn. 1,7; 11,24
u.a. Jeremia spricht in Kap. 46 vom נהר פרת (V. 2.6.10), in Kap. 2 arbeitet er mit dem Stilmittel der Antonomasie, vgl. 46,7.8, wo er dem Nil die
Bezeichnung יאור gibt.

113 So W. Rudolph, Kommentar, 19.

114 R. Albertz, ZAW 94 (1982) 38. Die Meinung ist verbreitet, vgl. z.B. J.
Milgrom (The date of Jeremiah, Chapter 2, JNES 14, 1955, 65): "Judah's waver-
ing foreign policy is lampooned as an attempt to quench one's thirst by
shuttling back and forth between two rivers", vgl. etwa auch J.M. Berridge,
Prophet, 75.

115 Jer. 2,18 muß zuweilen für die Spätdatierung der Berufung Jeremias herhalten, vgl. oben S. 76 Anm. 82. C.F. Whitley (VT 14, 1964, 472f.) setzt
2,18 in der Zeit der babylonisch-ägyptischen Auseinandersetzung an und zahlt
als Preis die Ersetzung "Assyriens" durch "Babylonien". Ihm schließt sich J.
Ph. Hyatt (ZAW 78, 1966, 211f.) an, der auch 2,16 als "dependence on Egypt"
interpretiert, indem er die Verbform unangemessen präterital deutet und sehr
frei übersetzt: "Moreover, the men of Memphis and Tahpanhes have broken the
crown of your head" (210), unverändert in: Le Livre de Jérémie, BETL 54,
1981, 64ff.

bis sagt und mit den parallelen Nomina רעה und משובה als Abwendung von Jahwe, die notwendige Strafe (יסר pi. und יכח hif.) auf sich zieht, interpretiert.

Wie steht es nach diesen Überlegungen um Ort und Zeit des Wortes? Beides wird man versuchsweise benennen können. Adressaten sind in 2,2 "Jerusalem", in 2,4 "Haus Jakob / Haus Israel", in 2,3 und 2,14 "Israel". Nach früherer Meinung[116] hat Jeremia das Südreich Juda gemeint, wenn er von "Israel" spricht, neuerdings wird aber differenziert,[117] und so ist ein Teil der Kap. 2-6 als Worte an das Nordreich Israel verstanden worden, u.a. auch Kap. 2, zumindest einige Abschnitte des 2. Kapitels.[118]

Der Ort, an dem Jeremia die Rede hält, ist nach 2,2 Jerusalem. Daß damit zugleich auch die Bewohner Jerusalems die eigentlichen Ansprechpartner sind, ist nicht gesagt, immerhin nennt V. 4 daneben "Haus Israel / Haus Jakob ". Ob freilich diese Bezeichnung per definitionem das Nordreich meint, ist so sicher nicht, denn die Wendung "Haus Jakob" kommt nur noch einmal vor, in 5,20, und da steht sie in einem sog. synonymen Parallelismus neben "Juda". Auch wenn die "Haus Israel"-Belege an dieser Stelle nicht alle diskutiert werden können, es ist offenkundig, daß an einigen Stellen, die nicht "Haus Juda" als ausdrückliches Pendant haben[119] - abgesehen von denen, die recht sicher das Südreich[120] oder das Nordreich[121] vor Augen haben - , der Leser des Buches unsicher bleibt, wenn er sich um ein eindeutiges Verständnis bemüht. Zwar wird man einige Male "Israel" jenseits politischer Abgrenzungen als "Würdename des Gottesvolks"[122] verstehen können, aber es bleibt doch fraglich, ob in anklagenden Partien derselbe Terminus für Juda verwendet wird.

Die Vermutung sei ausgesprochen, daß Jeremia in jener Zeit,

---

116 So L. Rost, Israel bei den Propheten, 54ff.

117 W. Thiel, Die dtr. Redaktion von Jer. 1-25, 212f.

118 W. Hertzberg, Jeremia und das Nordreich Israel, in: ders., Beiträge zur Traditionsgeschichte und Theologie des Alten Testaments, Göttingen 1962, 91-100; P.K.D. Neumann, Hört das Wort Jahwäs, 349-362; R. Albertz, ZAW 94 (1982) 20-47.

119 So z.B. 5,11; 11,10.17; 31,27.

120 S. z.B. 5,15; 18,6.

121 S. z.B. 48,13.

122 So W. Rudolph, Kommentar, 89 Anm. 1 zu 12,14.

als Joschija damit beschäftigt war, seinen Territorialbestand
zu erweitern,[123] dem Begriff "Israel", als "Würdename" in anderem Gewand, eine neue Qualität verlieh und darin die Bewohner
Judas u n d angrenzender Bereiche, die bis dahin nur vorüber-
gehend bzw. in einem lockeren Zusammenhang mit Juda verbunden
waren, einschloß, auch, und das vor allem, die Bewohner ehema-
liger Nordreichgebiete. Auf diese Bewohner bezogen, trägt das
Nebeneinander von"Haus Jakob" und "Haus Israel" in 5,20 den
veränderten politischen Verhältnissen Rechnung.

Die zeitgeschichtliche Anspielung von 2,18 steht im Nominalsatz, der eine etwa präterital zu deutende Verbform gerade nicht
verwendet und so eher auf eine gegenwärtige Situationsbeschrei-
bung zielt: Zur Zeit Joschijas sind diplomatische Beziehungen
zu den Assyrern und Ägyptern im Rahmen politischen Kalküls durchaus verständlich. Die Assyrer gerieten während der Regierung des
Babyloniers Nabopolassar in immer größere politische Schwierigkeiten. In jenen Jahren der Unsicherheit können Verhandlungen
Joschijas[124] mit den Assyrern stattgefunden haben, um seine Eman-
zipationsgedanken zu stützen und die Assyrer von potentiellen
Eingriffen fernzuhalten.[125] Mutatis mutandis gilt dies auch von
Ägypten: Psammetich I. konnte, wie gesagt, mit der schwindenden
assyrischen Macht eigene Ansprüche auf den palästinischen Raum
verbunden haben. In diesem Falle wäre zumindest der Versuch Joschijas, mit Ägypten eine Liaison einzugehen, ein wesentlicher
Schritt, den Territorialbestand wenigstens zu sichern. Einen
konkreten Zeitpunkt wird man nicht nennen können, doch die Zeit
von etwa 626 an ist sehr wahrscheinlich. Über Erfolg oder Mißerfolg läßt sich nichts Genaues sagen. Die Assyrer scheinen
offensichtlich, das zeigt die Geschichte, zu jener Zeit viel zu
schwach gewesen zu sein, noch einmal in Syrien-Palästina einzu-
greifen,und die Ägypter haben jedenfalls nach allem, was die
vorhandenen Quellen mitteilen, kein ausgesprochen militärisches
Interesse an Juda gezeigt. Megiddo im Jahre 609 ist ein anderes
Kapitel, in das nicht mehr Psammetich I. gehört.

---

123 S. oben S. 104ff.

124 Ungeachtet der Historizität wirft eine Stelle wie Jer. 51,59 ein Schlag-
licht auf die Möglichkeit einer politischen Mission.

125 Wenn man die Vorgänge nicht zu spät ansetzt, wären erfolgreiche Verhandlungen, die dem tatkräftigen Joschija zuzutrauen sind, eine stützende Maßnahme der "Restauration des Josia" (S. Herrmann, Geschichte Israels, 322ff.).

Für Jeremia waren jene Bündnisbestrebungen nicht der rechte
Weg, die Katastrophe zu vermeiden, wie die Prosa-Kapitel 37 und
38 auf ihre Art zeigen; darin unterscheidet er sich nicht von
Jesaja (30,1ff.; 31,1ff.), der Israels Hoffnung und Stärke nicht
im Bündnis mit Ägypten erblickte, sondern in Umkehr und Ruhe,
im Stillehalten und Vertrauen (30,15).

e) 2,20-29

Das sichere Urteil, mit V. 19 einen erneuten Einschnitt erreicht zu haben, markiert die Wendung נאם־אדני יהוה צבאות .
Im folgenden kennzeichnet wieder eine Reihe von Bildern den Text,
dessen Thematik aufgrund des Bildcharakters solange nicht verständlich wird, wie der pragmatische Kontext unbekannt ist.[126]
Nun ist in dieser Partie des 2. Kapitels der sachliche Hintergrund wenigstens zum Teil rekonstruierbar, denn in dem durchweg
poetischen Duktus scheinen Prosateile ihr Verständnis der Bilder
offenzulegen.[127] Was sich dabei nicht nur an dieser Stelle als
kompositionskritisches Prinzip beobachten läßt, ist die Gedan-
ken- und Stichwortassoziation als Antrieb für entsprechende Verbindungen.

Noch einmal (nach dem Textzusammenhang) sieht Jahwe sich veranlaßt, Verfehlungen zu nennen; wessen, wird nicht ausdrücklich
mitgeteilt, im Rahmen des Kontexts jedenfalls beziehen sich die
femininen Suffixe in V. 20 auf "Israel" von V. 14. Der historische Bezug ist blasser als vorher, die Schuld bezieht sich auf
unabsehbare Zeiten (מעולם)[128]. "Seit undenkbarer Zeit hast du
dein Joch zerbrochen und deine Bänder zerrissen" beginnt der im
Qina-Metrum angemessen stilisierte V. 20aα , nachdem er mit einem das Stilmittel der Anakrusis verwendenden כי den Zusammenhang "bekräftigt"[129] hat.

---

126 W. Rudolph (Kommentar, 19) überschreibt den Abschnitt V. 20-28 mit:
"Und das nennt sich Jahwedienst", bezieht also die Aussagen strikt auf kultische Unzulänglichkeiten, vgl. dazu S. Herrmann, Jeremia - Der Prophet und
die Verfasser des Buches Jeremia, in: Le Livre de Jérémie, BETL 54, 205.

127 S. Herrmann hat in dem in Anm. 126 genannten Aufsatz (203ff.) 2,20-28
in Poesie und Prosa aufgeteilt, die Funktion beider Teile bestimmt und dabei auf die Schwierigkeit hingewiesen, Jeremia eindeutig als Verfasser des
einen oder des anderen Teiles auszuweisen.

128 Deshalb vielleicht das Femininafformativ תי für die 2. p. sg.

129 Vgl. W. Schneider, Grammatik, 51.1.

Was das Bild bedeutet, ist schwer zu sagen, was es bedeuten
kann, sagt der Prosaanschluß V. 20a‚b, der im Grunde genommen
ein neues Bild für die Interpretation zeichnet, mit dem zumindest der Leser dtr. geprägter Literatur die Vorstellung vom
Götzendienst assoziierte, wenn er die Wendung "auf jedem hohen
Hügel und unter jedem grünen Baum" las.[130]

Neben die Bild-durch-Bild-Interpretation tritt ein weiteres
deutendes Element, das die parallelen Begriffe "Joch" und "Band"
erläutert, indem es die Beschuldigte ("Israel") sagen läßt: "ich
will nicht Sklavin sein" und so eine lockere Verbindung zu V. 14
herstellt. V. 21 hebt mit einem weiteren Bild den Ursprung (Edel-
rebe) von späteren Zeiten (wilder Weinstock) wieder in einem an
V. 2f erinnernden Dekadenzschema ab. Sollte V. 23aα Prosa sein,[131]
läge mit der Konkretion der Baal-Nachfolge ein Interpretament
vor. Der folgende Teil von V. 23 bis V. 25a bleibt erneut ganz
in der bildhaften Andeutung, die das unkontrollierte Verhalten
der Kamelstute und des Wildesels während ihrer Brunst-Zeit nennt,
das im übrigen das Interpretament von V. 20 (זנה) ebenso beeinflußt haben mag wie die Konkretion in V. 25b, einem an dem unver-
mittelten Impf. cons. und am fehlenden Parallelismus erkennbaren
Prosazusatz, der das angeprangerte Verhalten der Lächerlichkeit
preisgibt, indem er den Beschuldigten den Vorwurf vehement be-
streiten läßt, um ihn dann bekräftigend (כי) sagen zu lassen:
"Ich habe die Fremden geliebt, und ich werde ihnen (weiterhin)
nachfolgen."

Wen oder was meint der Verfasser hier? Im Zusammenhang der
anderen Prosazusätze wären wieder kultische Verfehlungen angesprochen und das mag auch im Hinblick auf 3,13 so sein, denn זר
ist ein Verbaladjektiv der Wurzel זור II, die soviel wie "sich
abwenden" bedeutet, also sicher auch Abwendung von Jahwe impliziert,[132] aber zugleich auch ethnisch-politische Bezüge enthalten kann, zeigt sie doch häufig eine Nähe zu נכר/נכרי als Be-

---

130 S. Dtn. 12,2; 1.Kön. 14,23; 2.Kön. 16,7; 17,10.

131 S. S. Herrmann, in: Le Livre de Jérémie, BETL 54, 1981, 204. Sicher ist
das allerdings nicht,   אך תאמרי läßt sich im Sinne einer Anakrusis verstehen und der folgende Parallelismus ähnelt einem "staircase Parallelism"
(W.G.E.Watson, Classical Hebrew Poetry, 150ff.).

132 זרים sind in Dtn. 32,16; Jes. 17,10; Jer. 3,13; Ps. 44,21; 81,10 fremde Götter.

zeichnung des Fremdländischen[133]; es könnten also durchaus Ägypten, Assyrien und Babylonien gemeint sein.[134] Eine Stelle wie Jer. 5,19 verdeutlicht den entsprechenden Konnex zwischen Politik und Religion.

Von einer nachgehenden Interpretation erwartet man eigentlich eine konkretere Aufschlüsselung der Vorlage. Vielleicht bleibt die Auslegung so vage, weil sie Text und Kontext gleichermaßen interpretieren will; die Baalim von V. 23 einerseits, Assyrien und Ägypten von V. 18 andererseits wären dann die konkrete Voraussetzung kultischer und politischer Verfehlungen.

In den folgenden Versen fehlen ausdrückliche Geschichtsbezüge im Primär- und Sekundärbereich. Die Bildrede hält sich durch; in V. 26 ist es der Vergleich mit dem ertappten und beschämten Dieb, den das "Haus Israel" aushalten muß wie auch die Könige, Beamten, Priester und Propheten, eine Gruppe, die in etwas anderer Zusammensetzung schon in V. 8 genannt ist.

Wieder bleibt der Text zunächst im Unverbindlichen, deutlicher wird erst der Anfang von V. 27,[135] wenn er die Paradoxie nennt, daß die leblose Materie (Holz/Stein) als Leben schaffendes Prinzip (Vater/gebären) verstanden wird.[136]

Wie immer die vorhergehenden Anschuldigungen im einzelnen zu verstehen sind, sie bedeuten Abkehr von Jahwe, bildlich ausgedrückt: Man hat ihm den Rücken zugekehrt und nicht das Gesicht (V. 27a פ), und trotzdem erhofft man sich Hilfe im Unheil (רעה, V. 27b). Schon deutlicher wird das Interpretament in V. 28, das - am אשר -Satz und am fehlenden Parallelismus erkennbar - Prosaeinsatz ist. Es stellt eine Frage (איה אלהיך), die wegen ihres nominalen Charakters für einen Augenblick offenläßt, auf welche Zeitdimension sie zu beziehen ist. Während der folgende אשר -

---

133 S. P. Humbert, Les adjectifs z ā r et n o k r ī et la femme étrangère des Proverbes bibliques, in: Mélanges Syriens offerts à M.R. Dussaud, Tome I, Paris 1939, 259–266.

134 Vgl. Jes. 1,7; Jer. 51,51; Ez. 28,7.10; 30,12 u.ö.; Hos. 7,9; 8,7; die direkten Nachbarn Judas Klg. 5,2. Zum ganzen L.A. Snijders, The Meaning of zār in the Old Testament, OTS 10 (1954) 1–154; R. Martin-Achard, in: THAT I, 520–522; L.A. Snijders, in: ThWAT II, 556–564.

135 Bei der ersten Zeile von V. 27 wird man nicht von einem Prosazusatz sprechen können, die generadifferenzierte und ein Wortpaar verarbeitende Gegenüberstellung (s. W.G.E. Watson, Classical Hebrew Poetry, 123ff. bzw. 128ff.) mahnt zur Vorsicht.

136 Vgl. Jer. 3,9 und Hab. 2,19, früher schon Hos. 4,12.

Satz mit der Perfektform Hintergrundinformationen gibt, die
perfektisch bzw. plusquamperfektisch zu übersetzen sind und
noch einmal auf das leblos Materielle des Gottesbildes von V.
27 ansprechen (עשה), wird anschließend die "Zeit" der Nominalphrase klarer, wenn das Materielle zur Bewegung aufgefordert
wird. Die Formulierung, auch das anschließende Verbum ישע und
die adverbielle Wendung "zur Zeit deiner Not", nimmt das Ende
von V. 27 mit charakteristischer Umprägung wieder auf. Jahwe
wird in V. 27 aufgefordert: "steh auf u n d hilf uns", die
angefertigten Götter in V. 28: "sie mögen aufstehen, o b[137] sie
dir helfen". Angezweifelt wird allein schon, daß sie sich aufrichten, um dann agieren zu können. Der Leser wird sich an das
"Nichtsnützige" von V. 8 und V. 11 erinnern.

Nach dem hyperbolischen V. 28b, der die Zahl der Städte und
Götter Judas gleichsetzt und damit nicht gerade geschickt Frage
und Aufforderung (mit כי) abschließt, folgt eine poetisch stilisierte Frage, die die Umkehrung von V. 9 ist. Es ist nicht
recht deutlich, wohin der Vers gehört. Man könnte die Zäsur nach
V. 28 ziehen,[138] obwohl am Ende von V. 29 die Formulierung נאם־
יהוה wie ein Abschluß wirkt. Immerhin wird ein Wechsel in die
2.p.pl. vollzogen, der aber nicht so gewichtig ist, bedenkt man
den Wechsel von 2. und 3. p. in V. 20ff., dem ein Wechsel zwischen 2. p.pl. und 2. p.sg.f. in V. 29ff. entspricht.[139] Eine
eindeutige Entscheidung über den literarischen Ort von V. 29
ist nicht möglich, er schließt die Beschuldigungen ab ("warum
wollt ihr bei dieser Rechtslage in einen Rechtsstreit treten?")
und eröffnet zugleich das Folgende ("warum wollt ihr eigentlich
in einen Rechtsstreit treten, denn ...").

V. 20ff. zeigt, wie eine spätere Deutung einen Text mit Unbestimmtheitsstellen verarbeiten und dabei z.T. neue Leerstellen
schaffen konnte. Der poetische Teil läßt sich ohne weiteres auf
bündnispolitische Ambitionen beziehen. Das ist freilich zu einem nicht geringen Teil durch vorhergehende Bemerkungen wie V.
18 suggeriert, mag aber auch eine der Intentionen sein, die durch

---

137   אם kann hier nur als abhängige Frageeinführung verstanden werden ("ob"),
das setzt ein Verständnis der Verbform יקומו als Jussiv voraus.

138   Z.B. B. Duhm, Kommentar, 29; W. Rudolph, Kommentar, 22; S. Herrmann, in:
Le Livre de Jérémie, BETL 54, 1981, 197ff.

139   Die Prosazusätze in V. 20ff. haben konsequent die 2. p.sg.f.

die Interpretation in V. 25 nicht ausgeschlossen wird, wenn
auch im wesentlichen die unbestimmte Stelle auf die Problematik des Götzendienstes zu beziehen sein wird.

f) 2,30-37

Wenn in V. 30ff. entsprechende Eingriffe in den Text nicht
feststellbar sind, dann heißt das nicht, daß nunmehr die Aussagen weitgehend einer nachlaufenden Interpretation entbehren
könnten. Ein gutes Beispiel ist gleich V. 30. Woran denkt der
Verfasser, wenn er Jahwe sagen läßt: "Vergebens habe ich eure
Söhne geschlagen, Züchtigung haben sie nicht beherzigt. Euer
Schwert hat eure Propheten gefressen wie ein reißender Löwe"?
Der historische Rekurs bleibt auch hier ganz allgemein, nur
ein "daß" interessiert, nicht seine näheren Umstände.

Das Verbum נכה reicht in seiner Bedeutung bis zur Vernichtung.(140)
Ist an eine Katastrophe größeren Ausmaßes gedacht, die das Nordreich 722
oder das Südreich 701 erlebt hat, um nicht eine allzu ferne Vergangenheit
zu nennen?(141)
Ebenso bleibt mit V. 30b ein weiteres "Ereignis" im Dunkeln. Die Geschichte wird zitiert, aber selbst für die damaligen Hörer unüberprüfbar,
Ort und Zeit bleiben ungenannt. Dennoch hat sich die exegetische Forschung
bemüht, den historischen Ort aufzuspüren: So wird die Zeit Manasses genannt,(142) der viel unschuldiges Blut vergossen hat (2.Kön. 21,16); daß
auch Propheten darunter waren, sagt aber erst Josephus(143). Der Prophet
Urija (Jer. 26,20-23) (144) und auch ein Jahweprophet zur Zeit Elijas
(1.Kön. 19,10.14) (145) sind genannt worden, eine Überlieferung, die Jeremia bekannt sein konnte. Dennoch kann es angezweifelt werden, ob überhaupt
an ein lokales Ereignis gedacht wurde. Der bisherige Duktus legt das nicht
nahe. Vielleicht ist hier pauschal die Ablehnung der Propheten Jahwes, die
2.Chr. 36,14-16 zurückhaltender formuliert, in ihrer schärfsten Form erfaßt, die später auch in Neh. 9,26 ohne das Bild vom "fressenden Schwert"
genannt wird.

---

140 S. die Wörterbücher s.v.

141   כן drückt hier die Zugehörigkeit zu einer Gruppe aus (W. Schneider,
Grammatik, 45,4.4). Die Emendation von BHK und BHS ("eure Väter"), neuerdings auch von Y. Hoffmann (Jeremiah 2,30, ZAW 89, 1977, 418-420), sind
unnötig. Der Terminus bezeichnet im Plural die Volksangehörigen.

142 Z.B. W. Rudolph, Kommentar, 22.

143 Josephus, Ant. X,38f.

144 H.J. Schoeps, Die jüdischen Prophetenmorde, Uppsala 1943, abgedr. in:
ders., Aus frühchristlicher Zeit. Religionsgeschichtliche Untersuchungen,
Tübingen 1950, 126-143, s. S. 127.

145 O.H. Steck, Israel und das gewaltsame Geschick der Propheten. Untersuchungen zur Überlieferung des deuteronomistischen Geschichtsbildes im
Alten Testament, Spätjudentum und Urchristentum (WMANT 23), Neukirchen 1967,
60f. Anm. 3; R. Albertz, ZAW 94 (1982) 37 Anm. 56.

Mit dem metrischen Teil von V. 31 beginnt ein anderer Gedanke, das kann den eingeschobenen Aufruf hervorgerufen haben,[146]
der Gefühl für richtige Gliederung beweist. Dem Volk wird in Frageform vorgeworfen, daß es "(umher)schweift" (רוד), oder um es
mit dem parallelen Kolon zu sagen, daß es nicht mehr zu Jahwe
kommt (בוא). Ob wieder eine versteckte Anspielung auf die Bündnispolitik zumindest mitschwingt, ist bei der vagen Formulierung
nicht zu sagen. Eindringlich ist das in V. 32 folgende Bild -
wieder in Frageform - , bei dem das Jahwe vergessende Volk mit
einer Jungfrau/Braut verglichen wird, die ihren Schmuck vergißt.
Wie die Verse bisher, so ist auch V. 33a, der im Qina-Metrum das
beklagenswerte Verhalten des Volkes zum Ausdruck bringt und dabei engagiert zur direkten Anrede in die 2. p. sg. f. übergeht,
metrisch geformt: לבקש אהבה   מה תיטבי דרכך . Der aufmerksame
Leser von Kap. 2 wird an den Zusammenhang V. 20ff. zurückdenken,
an die Wege der Kamelstute, die auch mit dem Hin- und Herlaufen
(V. 23) an die ziellose Bewegung des Volkes (V. 31) erinnert, so
daß wiederum auf die politischen Bündnisse mit Fremdvölkern angespielt sein kann. Die Beschuldigung drängt zur Präzisierung,
die auch in V. 36 und V. 37 vorgenommen wird, beide Male im selben Metrum. Dazwischen ist ein Prosazusatz[147] (V. 35a) mit poetischer Weiterführung (V. 35b) getreten.

Zunächst zu V. 33: Das Bild von V. 33a ist in sich verständlich, die Absicht, mit einem finalen Infinitiv angeschlossen,
nicht in gleichem Maße: Wenn ein Weg zubereitet wird (יטב hif.),
dann geschieht das, um ein angestrebtes Ziel bequem zu erreichen,
im vorliegenden Fall - neutral formuliert - um Beziehungen zu
knüpfen (בקש אהבה). Was sich hinter אהבה [148] und בקש [149] ver-

---

146 S. dazu W. Rudolph, Kommentar, 20.

147 Indizien: fehlender Parallelismus, aber Artikel und Nota accusativi vor
רעות und vor דרכיך in V. 33 (s. W.G.E. Watson, Classical Hebrew Poetry,
37.54).

148 Die Wörterbücher geben für die vorliegende Stelle den pejorativen Begriff "Liebschaft" an, s. KBL, 16; HAL Lfg. I, 18, so auch zum Teil die Kommentare, z.B. P. Volz, Kommentar, 30; W. Rudolph, Kommentar, 22.

149 Die Intensität der Beziehungen, die בקש pi. abdeckt, reicht vom Ver-
such bis zur Vollendung, unter Einschluß des Vorgangs, daß jemand aufgesucht
u n d b e f r a g t wird, s. die Wörterbücher s.v., vgl. auch C. Westermann,
Die Begriffe für Fragen und Suchen im Alten Testament, in: Ges. Studien II
(ThB 55), München 1974, 162-190; G. Gerleman, in: THAT I, 333-336; S. Wagner,in:
ThWAT I, 754-769.

birgt, bleibt zunächst aufgrund der Prosakommentierung ungesagt.
Problematisch ist in V. 33b die Subjektposition:

Im Text steht als Ketib למדתי, die Masoreten aber schlugen למדת vor,
die gängige 2. p. f. sg., ein Vorschlag, den die Kommentare in das rechte
Licht grammatischer Möglichkeiten rücken, indem sie auf die archaische Fe-
mininendung תי hinweisen.(150) Aber es ist doch sehr unwahrscheinlich, daß
der Prosaeinsatz auf diese Möglichkeit zurückgreift; wahrscheinlicher ist es,
daß er die 1. p. beabsichtigt und so kompensierend unter Aufnahme des Stich-
wortes רעה von V. 27 und V. 28 Unglücksschläge (רעות) begründet (לכן).

Was die רעה/אהבה im Extremfall bewirken kann, soll dann V.
34a mitteilen. גם בכנפיך נמצאו דם נפשות אביונים נקיים: "Sogar
an deinen Säumen findet sich Blut von armen, unschuldigen Lebe-
wesen" ist eine mögliche Übersetzung, die aber zu Recht von der
Septuaginta und den Kommentaren nicht gedeckt wird. Die Emenda-
tionsvorschläge sind Legion.

So wird בכנפיך, gestützt auf die Septuaginta (ἐν ταῖς χερσίν
σου) durch בכפיך ersetzt, (151) aber dafür besteht kein Anlaß, denn der
Ausdruck des hebräischen Textes ist sehr plastisch und zeigt sinnfällig die
"Befleckung".
Auch andere Korrekturen sind durch die Septuaginta hervorgerufen, die am
Anfang von V. 34 καὶ ἐν ταῖς χερσίν εὑρέθησαν αἵματα ψυχῶν ἀθῴων
liest. Folglich wurde für den hebräischen Text der Plural von דם vorgeschla-
gen(152) und die Streichung von אביון(153). Das asyndetische Nebeneinander
von אביונים und נקיים ist in der Tat auffällig, ebenso merkwürdig ist
die maskuline Pluralform beider Nomina "im Anschluß" an das feminine נפש .
Nun gibt es Beispiele in Hülle und Fülle, bei denen דם und נקי in einer
Constructus-Verbindung zusammenstehen,(154) die auch an der vorliegenden
Stelle vorausgesetzt werden kann, bevor sie durch einen gelehrten Leser
durch נפשות אביונים, das er vielleicht in Ps. 72,31 gelesen hatte, aufgebrochen wurde. V. 34a hätte dann eine poetische Struktur(155) mit einem
eindeutigen Qina-Metrum, das vielleicht auch V. 34b gekennzeichnet hat, der
am Schluß in seiner jetzigen Form textkritisch problematisch ist.(156)

---

150 S. z.B. B. Duhm, Kommentar, 31; F. Giesebrecht, Kommentar, 13; W. Rudolph, Kommentar, 22.

151 So z.B. F. Giesebrecht, Kommentar, 13, vorsichtig: W. Rudolph, Kommentar, 22.

152 S. z.B. B. Duhm, Kommentar, 31; F. Giesebrecht, Kommentar, 13.

153 So BHK und BHS, die beide ein durch V. 30 angeregtes נביאים erwägen,
vgl. W. Rudolph, Kommentar, 23.

154 דם נקי: Dtn. 21,8; 27,25; 1.Sam. 19,5 u.a.; דם הנקי : Dtn. 19,13;
21,9; 2.Kön. 24,4; Jer. 22,17; דם נקים : Jer. 19,4.

155 Symptomatisch ist das Afformativ תי für die 2. p. sg. f. des Perfekts.
Zu archaischen und archaisierenden Formen s. W.G.E. Watson, Classical Hebrew
Poetry, 35ff.

156 Die Vorschläge zu כי על כל אלה sollen nicht alle referiert werden,
weil sie nicht weiterführen; J.A. Soggin (Einige Bemerkungen über Jeremias

Woran der Verfasser denkt, wenn er vom "Blut der Unschuldigen" spricht, sagt er leider nicht. Bezieht er seine Mitteilung
auf historisch Verbürgtes? Die Antwort der Exegeten nennt Ju-
stizmorde[157] oder Menschenopfer[158] oder Morde an Jahweprophe-
ten[159].

Die vorliegende Stelle ist nicht einzigartig im Jeremiabuch,
denn jene Wendung steht noch in einer Mahnung (22,3), in einer
Drohung (26,15) und in einer bedingten Heilsansage (7,6). Sie
hat also durchaus Gewicht und steht 2,34 entsprechend auch noch
einmal in einer Anklage, und zwar, durch 19,5 verdeutlicht, in
dem dtr. Vers[160] 19,4, in dem von Kinderopfern für Baal (עלות
לבעל) die Rede ist, eine für das Alte Testament singuläre Vorstellung, die nach 19,5b einen illegitimen Jahwedienst perhor-
resziert,[161] ohne daß der historische Hintergrund deutlich würde. Der Opferterminus עלה steht nämlich sonst nicht im Zusammenhang einer frequentativen Opferpraxis, wie sie die sog. Moloch-Verehrung voraussetzt; bei der gar nicht sicher ist, ob
regelrecht Menschenopfer vollzogen wurden,[162] was 19,5 aber
suggeriert.[163]

Der betroffene Personenkreis rekrutiert sich innerhalb des
Alten Testaments, sofern nicht konkret David (1.Sam. 19,5) oder
Jeremia (Jer. 26,15) gemeint ist, aus den sozial Schwachen, die
den Gewalttaten machtlos ausgeliefert sind[164] und in diesem Sin-

---

II, 34, VT 8, 1958, 433-435) schlägt im Anschluß an die Septuaginta: "sondern
auf jener Terebinthe" vor und postuliert einen Zusammenhang zwischen Baum-
heiligtum und Menschenopfer, vgl. W. McKane, Kommentar, 54; W.L. Holladay
(Jeremiah II,34bβ - A Fresh Proposal, VT 25, 1975, 221-225) liest כִּי עֻלֵּךְ
לָאָלָה "indeed, your yoke has become execrable". Man wird sich wohl mit dem
unverständlichen Text abfinden müssen!

157 S. z.B. F. Giesebrecht, Kommentar, 13; P. Volz, Kommentar, 32.

158 S. z.B. B. Duhm, Kommentar, 31, der noch weiter konkretisiert: נפשות
= Kinder und Sklaven.

159 S. z.B. W. Rudolph, Kommentar, 23.

160 Zum dtr. Charakter der Verse 2b-9.11b(12)-13 s. W. Rudolph, Kommentar,
127; W. Thiel, Die dtr. Redaktion von Jer. 1-25, 219ff., zu V. 4 und 5 s. 222.

161 W. Thiel, Die dtr. Redaktion von Jer. 1-25, 222; J. Ebach/U. Rüterswörden, ADRMLK, "Moloch" und BAᶜAL ADR, UF 11 (1979) 222 Anm. 16 und 225.

162 S. J. Ebach/U. Rüterswörden, UF 11 (1979) 219ff.

163 19,5 verwendet das Verbum שרף , das aber gar nicht zum Opferwesen gehört, s. R. Rendtorff, Studien zur Geschichte des Opfers im Alten Testament
(WMANT 24), Neukirchen 1967, 223.

164 S. Dtn 27,25; Jes. 59,7.

182

ne im Jeremiabuch genannt werden (7,6 und 22,3.17). Die Ergänzung durch אכירן ist insofern völlig im Recht, denn sie interpretiert die Wendung דם נקיים zutreffend im Rahmen sozial-
rechtlicher Bezüge.[165]

Erneut bleibt die Anklage ganz allgemein, ohne jegliche historische Verbindung. Der Prosaanschluß von V. 35a begegnet
jenem Vorwurf, indem er mit dem Verbum נקה die Wendung דם
נקיים wieder aufnimmt und die Unschuld mit dem Hinweis auf
das augenblickliche Ergehen beweisen zu können meint: אך שב
אפי ממני . Die versichernde Partikel אך[166] zusammen mit der
Formulierung אך שוב läßt eindeutig auf eine Situation schließen, in der auf nationale Bedrückungen zurückgeschaut werden
konnte, deren Zeitpunkt freilich wieder nicht näher eingegrenzt
wird. Und so ist es gar nicht sicher, ob hier ein Zusatz aus der
Zeit nach dem Untergang Jerusalems und Judas vorliegt oder ob
etwa auf Ereignisse zur Zeit der assyrischen Eroberung judäischer Städte (701) angespielt ist. Träfe letzteres zu, läge wieder der bemerkenswerte Sachverhalt vor, daß eine Prosaergänzung
nicht erst in exilisch-nachexilischer Zeit angefügt wurde.

Nach der Entgegnung Jahwes, die einen Rechtsstreit ankündigt,
mit einer für das Jeremiabuch ungewöhnlichen Nifʿal-Form von שפט
(mit את) ausgedrückt, kehrt V. 36 wieder zum Qina-Metrum zurück, ist also poetisch stilisiert und schließt sich in seinen
Gedanken direkt an V. 33a an. Vom "Weg", der zubereitet wurde,
war da die Rede, den Weg, der "gewechselt" wird (שנה pi.), nennt
V. 36a, hier wie dort in eine Frage gekleidet. Wie in V. 18 werden in V. 36b noch einmal Ägypten und Assyrien erwähnt, aber
die historische Situation ist nicht mehr dieselbe. Es heißt in
V. 36b, auch (גם) "wegen (מן) Ägypten" muß man sich schämen
(בוש), wie man sich "wegen Assyrien" geschämt hat. Alles deutet bei der Konstruktion von בוש mit מן[167] darauf hin, daß man
auf fremde Hilfe gesetzt hatte, die aber nicht zufriedenstellend

165 Dazu A. Kuschke, Arm und Reich im Alten Testament, ZAW 57 (1939) 31-57;
J. van der Ploeg, Les pauvres d'Israël et leur piété, OTS 7 (1950) 236-270;
P. Humbert, Le mot biblique ēbyōn, Revue d'Histoire et de Philosophie Religieuses 32 (1952) 1-6; E. Gerstenberger, in: THAT I, 23-25; S. Kapelrud,
in: ThWAT I, 28-46; M. Schwantes, Das Recht der Armen (BET 4), Frankfurt
u.a. 1977.

166 HAL Lfg. I, 43.

167 Vgl. zur Konstruktion Jes. 1,29.

eingelöst wurde. Eine Enttäuschung, von der die Kommentare bei
der Übersetzung von בוש sprechen,[168] ist damit zwar angedeutet,
im Text aber erst mit dem Trauergestus verbunden, bei dem die
Hände auf den Kopf gelegt werden.[169] Wegen der Konstruktion
legt sich nicht eine Übersetzung von בוש mit "zu Schanden werden" nahe, andernfalls müßte mit Übergriffen durch die beiden
Völker gerechnet werden.[170]

Das Wort muß nach dem Untergang Assyriens und vor dem Untergang Judas angesetzt werden. Der assyrische Trumpf hat nicht
gestochen und der ägyptische wird ebenfalls nicht zum Zuge kommen. Jojakim und Zidkija kämen auf judäischer Seite bei diesem
Spiel in Frage.[171] Den Mißerfolg sieht V. 37b nicht im Desinteresse oder in der Schwäche der betreffenden Großmächte, er
ist allein in Jahwes Tat begründet, der das, worauf das Volk
vertraut (מבטח), schon verworfen (מאס) h a t .

Auch an dieser letzten Stelle des 2. Kap. geht der Text nicht
in Details. Unklar bleibt, ob ihm eine längerfristige Bündnispolitik vorschwebt oder ob ein aus der Notsituation geborener
einmaliger Wunsch nach Unterstützung gemeint ist, wie er etwa
nach dem Lachisch-Ostrakon (III,14ff.) vorgetragen sein könnte,
in dem שר הצבא auf dem Weg nach Ägypten ist, oder wie er aus
einem aramäischen Papyrusfragment hervorgeht, in dem ein gewisser ʾdn, offenbar Herrscher einer syrisch-palästinischen
Stadt, wegen der von Afek vorrückenden Babylonier um Hilfe beim
Pharao ersucht.[172]

---

168 S. z.B. P. Volz, Kommentar, 30; W. Rudolph, Kommentar, 22.

169 S. 2.Sam. 13,19. Gerade in Ägypten war der Gestus bekannt, wie das Bild
eines ägyptischen Leichenzuges zeigt (AOB 195) bzw. die Malerei auf einem
Sarg (AOB 198), vgl. auch den Achiram-Sarkophag aus Byblos (AOB 665).

170 So B. Duhm, Kommentar, 32, der nach einer "Demütigung" durch Assur sucht
und eine "misslungene Revolte des von den Nabis aufgehetzten Pöbels" erwägt.

171 Anders J. Milgrom (JNES 14, 1955, 65ff.), der 2,18 und 2,36 im Zusammenhang erwägt und die Bedeutung von 2,36 darin sieht, daß "Assyria and Egypt
are depicted as rival contenders for the favor of Judah" (66). Daß die Großmächte die Initiatoren sind, geht nun wirklich nicht aus dem Wortlaut hervor.
J. Milgrom setzt 2,36 zwischen 627 und 616 an (66f.), bevor also Ägypten und
Assyrien als Verbündete auftreten. Für eine "Frühdatierung" von 2,36, kurz
nach der Zeit von 2,18 (627-622), spricht sich auch J.M. Berridge (Prophet,
75f.) gegen J.Ph. Hyatt (ZAW 78, 1966, 211) aus.

172 Es handelt sich dabei um einen Brief, der 1942 bei Ausgrabungsarbeiten
im ägyptischen Saqqarah gefunden und zum ersten Mal paläographisch, philo-

g) Rückblick auf das gesamte Kapitel

Die zuletzt erörterte historische Reminiszenz in 2,36f. bestätigt nur, was im Laufe des gesamten 2. Kap. festgestellt
wurde. Von Anfang an werden Geschichtserfahrungen eingebracht,
an keiner Stelle, um zu zeigen, "wie es eigentlich gewesen" ist.
Sie sind vielmehr immer eingebunden in einen Begründungszusam-
menhang, in dem der Rekurs entsprechend dem ciceronischen Topos
von der Geschichte als magistra vitae[173] zu beurteilen, aber
nicht einfach als Voraussetzung faktischer Zwänge ableitbar ist.
Im Grunde genommen ist es die Kategorie des Vertrauens (gegenüber Jahwe) in seinen rationalen und emotionalen Bezügen, die
das gesamte Kapitel - erst ganz zum Schluß, gleichsam als Auflösung, expressis verbis (V. 37) - durchzieht und zusammenhält,
ein Vertrauen, das schon gleich am Anfang des Kapitels durch
das Bild der Nachfolge Jahwes betont vorangesetzt und dann weiter durch das Stichwort דרך entfaltet wird. Das Stichwort "Entfaltung" ist freilich, ungeschützt benutzt, mißverständlich,
denn das 2. Kap. ist ein komplexes Gebilde. Sowohl in den einzelnen Abschnitten, in ihren Zusammenfügungen, wie auch im gesamten Kapitel, also in einer dreifachen Brechung werden die
Dimensionen der Vergangenheit, Gegenwart und Zukunft bemüht,
um ihre Verschränkungen immer wieder zu betonen. Schon die Zusammenbindung der Partien, in denen V. 2 und V. 6 stehen, zei-

---

logisch und historisch umfassend durch A. Dupont-Sommer (Un papyrus araméen
d'époque saïte découvert à Saqqara, Semitica 1, 1948, 43-68) publiziert wurde.
Nur die rechte Seite des Briefes ist erhalten, in der von ... מלך אדן die
Rede ist, dessen Regierungsstätte leider nicht im Text genannt ist. Gern
wüßte man mehr über den Bittsteller und seine Herkunft. Das Hypokoristikon
אדן (M. Noth, Die israelitischen Personennamen, 114, s. 2.Sam. 3,4) in
Verbindung mit der in Zeile 2 genannten Gottheit בעלשמין könnte auf einen
phönizischen Ursprung hinweisen, aber auch eine philistäische Lokalisierung
ist nicht ausgeschlossen (s. Belege bei B. Porten, The Identity of King Adon,
BA 44, 1981, 38f.). Der erwähnte מלך בבל, gegen dessen Truppen der Briefschreiber beim Pharao (Zeile 1) um ein Ersatzheer (Zeile 7) bittet, wird Nebukadnezzar sein, der recht regelmäßig seit 605 in Syrien/Palästina erschien.
Ob der Briefschreiber z.B. 603 sein Hilfegesuch herausschickte, als Nebukadnezzar eine Stadt (offenbar im syrisch-palästinischen Raum, s. D.J. Wiseman,
Chronicles of Chaldaean Kings, 29, anders A.K. Grayson, Assyrian and Babylonian Chronicles, 19) eroberte, deren Name in der babylonischen Chronik (B.M.
22 047, Zeile 7) nicht erhalten ist, oder 598/97 (so z.B. B. Porten, BA 44,
1981, 50) läßt sich kaum mit Sicherheit sagen. Der Vorgang allein ist symptomatisch.

173 S. oben S. 12f.14ff.

gen, wie in der Wüste "notwendige" Führung und Nachfolge kon-
gruieren, während in V. 14ff. die Aufgabe der Nachfolge eine
Führungslosigkeit zur Folge hat, deren Auswirkung dann mit einer Wüste (V. 15) verglichen werden kann. Das sind Grundgedan-
ken, die Jer. 2 insgesamt beschäftigen.

Es ist im Laufe des Kapitels versucht worden, die Anspielungen historisch auszuwerten. An einigen Stellen war das möglich,
an anderen nicht. Auch der Hörer/Leser muß nicht immer konkrete
Ereignisse assoziiert haben. Der Blick auf die Geschichte in-
teressierte nur soweit, wie er Beispiele lieferte, die das Irrationale scheinbar rationaler Entscheidungen aufzeigen konnten.
Die Zusammenstellung der vorliegenden Worte von Kap. 2 verfolgt
offensichtlich das Ziel, an das Verhalten "Israels" zu appelie-
ren und greift deshalb auf die Geschichte zurück, ohne die der
status quo nicht verständlich wird.

Liest man das ganze Kapitel, so wird man in großen Schritten
von der Wüstenzeit bis zum Ende der Königszeit geführt, nur die
Wüstenwanderung und der Einzug ins Land werden enger miteinander verzahnt. Was dann noch genannt wird, sind Anspielungen allgemeiner Art auf Geschichte und Zeitgeschichte.

Gerne wüßte man, wo die einzelnen Worte vorgetragen wurden,
um ihre Stoßrichtung besser zu verstehen. Ob die Interpretationen, die kultische Verfehlungen des Volkes hervorheben, den ursprünglichen Impetus des jeweils vorliegenden Wortes recht berücksichtigen, ist nicht immer entscheidbar. Vielleicht ist das
beabsichtigt, denn es liegt an einigen Stellen eine offenbar
gewollte Dialektik vor. Was dabei von Jeremia stammt, läßt sich
nicht mit hinreichender Sicherheit sagen. Daß seine Gedanken
primär im poetischen Teil zu suchen sind, ist allerdings keine
unumstößliche Voraussetzung.[174] Die Möglichkeit, daß Jeremia
Prosateile verfaßt hat, läßt Bedingungen ahnen, unter denen Prosa und Poesie zu einem spannungsreichen Ganzen verarbeitet wurden.
Die recht blassen Unheilsankündigungen, die in noch ruhiger Zeit
(vgl. V. 35) entstanden sein mögen, sprechen für eine frühe Zeit;
auf die Jahre zwischen 626 und 622 läßt sich aber das gesamte Kapitel nicht beschränken,[175] denn am Horizont zeigen sich neue Ge-

---

174 Vgl. dazu S. Herrmann, in: Le Livre de Jérémie, BETL 54, 1981, 211ff.
175 So J. Milgrom, JNES 14 (1955) 65ff. Ebenso ist eine ausschließliche Spät-

fahren (vgl. V. 36f.). Um so dringender konnte es erscheinen,
den Bewohnern "Israels" im Rückblick auf die Geschichte das
Vertrauen zu Jahwe gegen politische Überlegungen bewußt zu
machen. Der bei der Aufzählung von Gefahren überschwengliche
V. 7 ist gleichsam dafür das Unterpfand, daß Vertrauen auf Jahwe seine Führung durch alle Gefahr hindurch sicherstellt.

h) Die rhetorische Gestaltung in Jer. 2

Aus den vorhergehenden Bemerkungen ergibt sich die Frage, ob
für das gesamte Kapitel 2 als Gattung etwa die Mahnrede anzusetzen ist. Wenn man den recht geschlossenen Charakter des Kapitels bedenkt, werden die Meinungen schon verständlich, die
zumindest für weite Partien mit Einheitlichkeit rechnen.[176]

Im folgenden soll das Modell der antiken Rhetorik Form und
Darstellung zu verstehen helfen, denn es ist zu vermuten, daß
ein öffentlicher Redeauftritt, an den nach V. 2 und V. 4 gedacht ist, nicht eine unüberlegte Stegreifrede zum Inhalt hatte, die ihre Wirkung allein dem Augenblick kongenialer Ein-
fälle überließ. Eine Vielzahl von Stilfiguren, die im Alten Testament beobachtet worden sind,[177] und die auch in der antiken
Rhetoriktheorie erörtert werden, beweist das Gegenteil, daß nämlich viele Mittel eingesetzt wurden, die den Hörer und Leser wir-
kungsvoll beeinflussen sollten. Ihrer freien Verfügbarkeit in der

---

datierung (s. oben S. 76 Anm. 82) zurückzuweisen.

176 Das ganze Kap. 2 als Einheit versteht F. Giesebrecht, Kommentar, 6ff.;
W. Rudolph, (ZAW 60, 1944, 86): "innere Einheit"; Ch.L. Feinberg, Kommentar,
30f.; C.H. Cornill (Kommentar, 14) bezeichnet sogar den gesamten Komplex 2-6
als "eine zusammenhängende Rede". Für 2,(1)2-13 als Einheit votieren z.B. H.
Schmidt, Kommentar, 217ff.; W. Rudolph, Kommentar, 14ff., für 2,1-19: P. Volz,
Kommentar, 15ff.; A. Weiser, Kommentar, 15ff., vgl. O. Eißfeldt, Einleitung,
482, für 2,1-25 entscheidet sich F. Nötscher, HS VII/2, 35ff.

177 Umfassende Hinweise zum Stil vor allem bei E.W. Bullinger, Figures of
Speech used in the Bible, London 1898, Nachdruck Michigan 1971; E. König,
Stilistik, Rhetorik, Poetik in Bezug auf die Biblische Literatur, Leipzig 1900;
L. Alonso-Schökel, Das Alte Testament als literarisches Kunstwerk, Köln 1971;
W. Bühlmann/K. Scherer, Stilfiguren der Bibel. Ein kleines Nachschlagewerk
(Bibl. Beiträge 10), Fribourg 1973; W.G.E. Watson, Classical Hebrew Poetry,
vor allem 273ff. (mit Lit.); Fallstudien finden sich in dem Sammelband: Art
and Meaning: Rhetoric in Biblical Literature, ed. by D.J.A. Clines/D.M. Gunn/
A.J. Hauser (JSOT Suppl. Ser. 19), Sheffield 1982. Das System der klassischen
Rhetorik bleibt weitgehend unberücksichtigt, anders: N.J. Tromp, Amos V, 1-17.
Towards a Stylistic and Rhetorical Analysis, OTS 23 (1984) 56-84.

ohne Vorbereitung ad hoc gehaltenen Rede sind Grenzen gesetzt,
die nicht im gleichen Maße gelten, wenn der Stoff, seine Anordnung und seine sprachliche Gestaltung zuvor überlegt sind. Das
dürfte im Blick auf Kap. 2 zumindest für die Gesamtkonzeption
gültig sein. Der Unterschied zwischen mündlichem Vortrag und
Verschriftung wiegt so schwer nicht, denn es geht jeweils darum,
Einfluß auf das Publikum zu nehmen, das seine Wahrnehmungs- und
Erfahrungswelt in einer bestimmten, vom Redner bzw. Autor beabsichtigten Weise realisiert sieht, das gilt vom Hörer ebenso
wie vom Leser.

Im folgenden wird nicht nur die elocutio, die sprachliche
Ausarbeitung,erörtert werden, auch die inventio, der gedankliche Einstieg, und die dispositio, die stoffliche Anordnung,
sollen berücksichtigt werden.

Was für eine Rede liegt eigentlich in Jer. 2 vor? Legt man
eine zunächst grobe Einteilung in Verbrauchsrede bzw. Wiedergebrauchsrede zugrunde, so handelt es sich grundsätzlich um
eine Verbrauchsrede, die "in einer aktuellen geschichtlichen
Situation (des privaten oder öffentlichen Bereichs) vom Reden-
den mit der Intention der Änderung dieser Situation einmalig
gehalten wird ...".[178]

Auf diese im eigentlichen Sinne parteiische Rede hat sich
die Schulrhetorik im wesentlichen konzentriert. Aristoteles[179]
unterschied prinzipiell drei Gattungen (γένερα), die epideik-
tische Gattung (genus demonstrativum), die Prunk- und Festrede,
in der der Redner lobt oder tadelt, und deren Redegegenstand unumstritten sicher ist, die deliberative Gattung (genus deliberativum), die Vor- und Nachteile für die Zukunft vor der Volksver-
tretung zu erörtern sucht, also Zweifelhaftes zur Wahl stellt,
und schließlich die judiziale Gattung (genus iudiciale), die sich
auf etwas in der Vergangenheit Geschehenes bezieht, dabei auch
Zweifelhaftes zur Sprache bringt, über das aber von anderen ge-
urteilt wird.

---

178 H. Lausberg, Elemente, 16. Die Wiedergebrauchsrede "ist eine Rede, die
in typischen, sich periodisch oder unperiodisch wiederholenden (Feier-)Si-
tuationen von demselben Redner oder von jeweils wechselnden Rednern gehalten wird und ihre Brauchbarkeit zur Bewältigung dieser typischen Situation
ein für allemal ... behält" (17).

179 Aristoteles, Rhetorik I, 3,3, so auch Quintilian III, 4,12-15. S. dazu
H. Lausberg, Elemente, §§ 22-27; ders., Handbuch, §§ 59-65; G. Ueding, Ein-

Die drei Modellfälle, die idealtypisch an den Festredner, den Vertreter einer politischen Gruppierung und den Anwalt vor Gericht denken, haben auch an Jer. 2 ihren Anteil. Bei der Analyse von Kap. 2 wurde gezeigt, daß für einige Passagen ein judizialer Hintergrund herausgearbeitet worden ist, ohne daß die entsprechenden Formkriterien zusammenhängend nachweisbar sind. Das mag nicht zuletzt darin seinen Grund haben, daß die fiktional-forensische Situation der rhetorischen Dramatisierung dient, die durch das anteilig zu Wort kommende genus demonstrativum mit seinen lobenden und tadelnden Worten (am Anfang von Kap. 2) und das genus deliberativum mit seinem auf die Zukunft bezogenen, beratschlagenden Tenor (vor allem am Schluß, V. 36 und 37) weiter variiert wird.

Quintilian, der den Modellcharakter der aristotelischen Einteilung erkannte, war davon überzeugt, daß die Gattungen nicht streng voneinander zu trennen sind, daß also in einer beratenden Rede auch die Vergangenheit und in einer Rede vor Gericht auch Lob und Tadel zum Ausdruck kommen und beide wiederum in der beratenden Rede nicht ohne Widerhall bleiben.[180]

Weniger in der Rhetorik als in der sie voraussetzenden Dichtkunst sah Aristoteles die wesentliche Abzweckung, Affekte, d.h. konkret φόβος und ἔλεος hervorzurufen.[181] Möglich, daß auch ein Text wie Jer. 2 streckenweise "Schauder und Jammer"[182] hervorrufen sollte, aber damit wäre noch nicht eo ipso eine "Katharsis" erreicht.[183] Überhaupt trifft die aristotelische Aufteilung in Dichtkunst und Geschichtsschreibung mit der Bevorzugung der Dichtkunst, die im Gegensatz zur Geschichtsschreibung das Allgemein-Mögliche herausstelle,[184] für Texte wie Jer. 2 nicht zu, weil sie gleichermaßen kontaminierend das Allgemeine und das Besondere, das immer am Allgemeinen partizipiert, erfassen und das mit poetischen Mitteln auch bei dem Rekurs auf die Geschichte realisieren. Die Fiktionali-

---

führung in die Rhetorik, 33.204 und passim.

180 Quintilian III, 4,15.

181 Aristoteles, Poetik, 14. Kap.

182 Diese Übersetzung nach W. Schadewaldt, Furcht und Mitleid?, in: Antike und Gegenwart. Über die Tragödie, München 1966, 31.

183 Nach Aristoteles rufen die Affekte zugleich ihre Reinigung hervor, s. W. Schadewaldt, in: Antike und Gegenwart, 43.

184 S. Kap. 9 der Poetik des Aristoteles. Vgl. oben S. 5ff.13.

tät beschränkt sich, wie gezeigt, auf die situative Beziehung zwischen Redegegenstand und Zuhörer, während die in der Dichtkunst (der Tragödie) angestrebte Nemesis, die Öffnung des in der Realität Möglichen[185], nur gebrochen für den Hörer von Jer. 2 möglich ist, weil sein Verhalten und das seiner Vorfahren auf weite Strecken nichts Nachahmenswertes hat; der Anspruch an ihn liegt vielmehr in den Paradigmen, die zukünftiges Handeln vorzeichnen, ohne daß es expressis verbis determiniert wird.

Für die Rede in der Antike gilt, und das ist besonders hervorzuheben, daß zwischen Poesie und Prosa kein wesentlicher Unterschied besteht,[186] wie auch in Jer. 2 von beiden Gestaltungen eine geschichtsbildende Kraft erwartet wird, anders ist jedenfalls die Bündelung von rückwärts- und vorwärtsgewandten Aussagen etwa in V. 14-16 kaum zu verstehen; beides hat eine durchaus pragmatische, auf Veränderung zielende Abzweckung.

Die Verarbeitung des Stoffes in Jer. 2 zeigt Kenntnis und Vertrautheit in und mit den Traditionen in Welt und Umwelt, entspricht also der ἐγκύκλιος παιδεία der Griechen,[187] dem "Kreis des Wissens", dem breitgefächerten allgemeinen Wissen, das vom Redner erwartet wird, der dazu Beispiele bei anderen Rednern und Geschichtsschreibern sammeln soll,[188] ein Vorgang, der in den mündlichen und literarischen Traditionsanleihen eine alttestamentliche Parallele hat.

Quintilian nennt für die Voraussetzungen eines guten Redners eine natürliche Disposition (natura), Kunstfertigkeit (ars), Training (exercitatio), Übungsbereitschaft (studium) und Nachahmung (imitatio).[189] Das sind Kategorien, die man bei den Propheten, die Jahwe wie im Falle Jeremias zur Verkündigung bestimmt, bevor entsprechende Dispositionen erkennbar wären (Jer. 1,5), vergebens sucht. Jene "göttliche Bestimmung" kompensiert gleichsam fehlende Voraussetzungen, nicht zuletzt die Notwendigkeit der ars; der jeremianischen Beteuerung, nicht reden zu können, begegnet Jahwe mit dem Hinweis (1,6), daß er vorgibt (צוה), was

---

185 E. Grassi, Die Theorie des Schönen in der Antike, Köln 1962, 124.

186 U. Reuper , in: G. Ueding, Einführung in die Rhetorik, 75.

187 Dazu Quintilian I, 10,1.

188 Quintilian I, Kap. 4-6.

189 Dazu B. Steinbrink, in: G. Ueding, Einführung in die Rhetorik, 59f.

Jeremia zu sagen (דבר, nicht אמר !) habe (1,7), insofern ist die rhetorische Verarbeitung in Kap. 2 Rhetorik im Dienste Jahwes (כה אמר יהוה , 2,1).

Bevor auf Einzelheiten eingegangen wird, müssen noch die in der antiken Theorie erörterten Stilarten genannt werden. Cicero differenziert je nach dem Redegegenstand zwischen einem stilus tenuis/humilis, stilus medius/mediocris und stilus grandis/ gravis. Danach wird das Einfache mit einem schlichten, das Erhabene mit einem gewichtigen und das, was an beiden partizipiert, mit einem gehobenen Stil ausgedrückt.[190] Bei Jer. 2 ist entsprechend dem gewichtigen "Streitgegenstand" mit einem stilus medius bzw. grandis zu rechnen.

Im einzelnen: Zunächst zur i n v e n t i o [191]: In diesem Arbeitsgang findet der Redner die dem Gegenstand entsprechenden Gedanken (res) mit ihren mentalen und emotionalen Überzeugungsansprüchen. Für Jer. 2 bedeutet das nach der vorangehenden Analyse konkret die Zusammenstellung ehedem getrennter bzw. die Kommentierung vorliegender Worte.

Dem Redner stehen dabei Suchformeln, die sog. loci, zur Verfügung. Dabei arbeitet Jer. 2 mit den loci a persona, wenn z.B. in V. 2ff. genus[192] (Vorfahren) und in V. 3 natio[193] gekennzeichnet werden, mit den loci a re[194], in der speziellen Ausformung des locus a loco[195] in V. 2.6.7ff., und mit den loci a tempore[196], die zwischen dem Einst und dem Jetzt unterscheiden.

Der jeweilige Stoff wird in der d i s p o s i t i o nach Möglichkeiten seiner Anordnung durchgesehen.

In der Rhetoriktheorie kommt dem Redeanfang (exordium) eine besondere Aufmerksamkeit zu, entsprechend auch dem Schluß.[197] Der Redner versucht zunächst in der Einleitung (prooemium/prin-

---

190 Cicero, Orator, XXIX, 100.

191 S. zum ganzen H. Lausberg, Elemente, §§ 40-43; ders., Handbuch, §§ 260-442; G. Ueding, Einführung in die Rhetorik, 196ff.

192 Quintilian V, 10, 24.

193 Quintilian V, 10, 24.

194 Quintilian V, 10, 32.

195 Quintilian V, 10, 36.

196 Quintilian V, 10, 42.

197 S. z.B. Cicero, De oratore, II, 77, 314.

cipium), die Aufmerksamkeit des Hörers zu stimulieren (attentum parare) - ein recht einfaches Mittel ist der Hinweis, daß das Folgende den Zuhörer wie in Jer. 2,2ff. ("du") direkt betrifft[198] -, dann eine Gelehrigkeit hervorzurufen (docilem parare) - eine bündige Themaorientierung wie in Jer. 2,2ff. die polaren Verhaltensweisen arbeitet der Rezeptionsbereitschaft vor[199] - und schließlich das Wohlwollen des Zuhörers anzustreben (captatio benevolentiae)[200], in dessen Rahmen die insinuatio eine zentrale Rolle spielen kann, um bei gegebenenfalls harten Worten durch eine vorhergehende Einschmeichelung eine sofortige brüske Abwendung des Publikums zu verhindern.[201] Zu diesem Zweck beginnt Kap. 2 mit dem versprengten Wort V. 2f., das jene Funktion erfüllt, zugleich aber auch als Fundstätte und Beweisgrund für die folgende Argumentation dient.

Ein weiteres Element ist die narratio, die parteiliche Darstellung des Redegegenstands[202] durch die Tugenden der brevitas und der perspicuitas, also der Kürze und der Klarheit.[203] In Jer. 2 ist die brevitas durchaus gewahrt, gilt das aber auch für die perspicuitas? Ja, sofern die Teile angesprochen sind, in denen Prosaelemente vorliegen, denn genau dort liegen die verdeutlichenden Bemerkungen. Wenn man so will, arbeitet Jer. 2 auch mit dem Mittel der digressio, denn V. 8 schweift von dem das ganze Kapitel durchziehenden kollektiven Subjekt ab und wendet sich für einen Augenblick partiellen Größen zu, mit dem Effekt, Entrüstung und Schelten zu provozieren,[204] die freilich auch dem Kollektivum mutatis mutandis gelten.

Sofern man von der epideiktischen und vor allem von der judizialen Gattung ausgeht, ist ein zentraler Bestandteil der per-

---

198 Quintilian IV, 1, 33.

199 Quintilian IV, 1, 34.

200 Quintilian IV, 1, 6. Grundsätzlich werden die drei Ziele für die ganze Rede verlangt, s. Cicero, De oratore, II, 79,322-323.

201 Vgl. Aristoteles, Rhetorik, II, 1 mit Cicero, De oratore, II, 79, 321. 322.324.

202 Zur Funktion der narratio s. Quintilian IV, 2,31; Cicero, De oratore, II, 81, 330.

203 S. zu den narrandi virtutes Quintilian IV, 2, 61; Cicero, De oratore, II, 80, 328.329.

204 Vgl. auch V. 26; zur digressio s. Quintilian IV, 1, 42.

suasiven Rede[205] die argumentatio, der in Jer. 2 alle Aussagen
zu vergangenem und gegenwärtigem Verhalten dienen, die als Be-
weisführung (probatio) zu verstehen sind, wobei in V. 23 und
V. 35 eine Widerlegung (refutatio)[206] versucht wird.

Um die Zuhörer zu überzeugen, bedient sich der Redner vor
allem der signa, argumenta und exempla. Jer. 2 kennt keine sinn-
lich wahrnehmbaren "Indizien" (signa), die auf eine bestimmte
Sachlage hinweisen können,[207] arbeitet aber durchgehend mit dem
Mittel der Schlußfolgerung (argumentum)[208], die "asyndetisch"
wie bei V. 3 nach V. 2, V. 19 nach V. 18 und V. 36b.37a nach
V. 36a angeschlossen werden kann oder mit einer begründenden
Partikel verbunden wird, um die Schlußfolgerung zu kennzeichnen
(לכן , V. 9) bzw. die Begründung für die Folgerung zu liefern(כי ,
V. 10.13), und schließlich auch mit dem Präsentativ (הנה + Par-
tizip) eingeleitet werden kann, wie V. 35b im Anschluß an V. 35a
zeigt. Von der dritten Möglichkeit, in der persuasiven Rede die
Argumentation durch exempla zu stützen, macht das 2. Kap. des
Jeremiabuches eifrig Gebrauch.[209]

Aber man wird differenzieren müssen. Die Beispiele, die in
den poetischen Sektionen den Ungehorsam illustrieren, greifen
im wesentlichen auf die Geschichtstradition zurück (V. 8.11),
die der Prosaeinsätze dagegen nennen Verfehlungen im kultischen
Bereich (V. 5b.7b.20.27.28).

Im Umfang der exempla hat die antike Theorie nach dem Kenntnis-
stand des Publikums unterschieden; der Redner wählt entweder
nur eine (ganz) kurze Anspielung oder er stellt das Beispiel
in einer narratio ausführlich dar.[210] Jer. 2 spart mit Worten.

---

205 Dazu H. Lausberg, Elemente, §§ 6.28 u.ö.; ders., Handbuch, §§ 33.256.
257.

206 Quintilian, V, 13,1ff., zu den Funktionen der probatio und refutatio
s. Quintilian III, 9,5.

207 Vgl. Quintilian V, 9,5 mit V, 9,15. Dieser "Beweisgang" erinnert im
Jeremiabuch etwa an die Kapitel 13, 18 und 19, in denen eine Sachlage durch
materielle Indizien gekennzeichnet wird.

208 Quintilian V, 10,11.

209 Aus der Geographie: V. 10f., aus der Geschichte: V. 14f. und V. 36.
Letztlich ist auch in V. 2ff. Jahwes Handeln ein Beispiel seiner fürsorg-
lichen Führung, die der Geschichte und der Natur gleichermaßen verhaftet
ist.

210 Vgl. Quintilian V, 11,16 mit V, 11,15.

Der nachgeborene Exeget hat keine sicheren Hinweise, wenn er
Vorschläge zur Identifizierung machen soll. Und der Zuhörer?
Detaillierte Kenntnis hatten sicher nur Kenner aus dem Bereich
von Palast und Tempel. An sie (allein) ist die Rede aber nicht
adressiert, d.h. mit anderen Worten, die Mitteilungen bleiben
nicht blaß, weil sie nicht nachprüfbaren Kriterien standhalten
müssen und wollen, sondern ausschließlich dem paradigmatischen
Charakter dienen, der das Besondere im Allgemeinen aufgehen läßt.

Es bleibt schließlich noch der Redeschluß zu erwähnen, die
peroratio. Hier bietet sich dem Redner eine letzte Gelegenheit,
in der enumeratio sein Anliegen noch einmal konzentriert vorzu-
bringen und dabei die Affekte für die von ihm vertretene Sache
zu mobilisieren.[211] So auch in Jer. 2: Mit V. 35b beginnt eine
vom Allgemeinen zum Konkreten fortschreitende Reihung zukünftigen Unheils, beginnend in V. 35bα mit einer noch offenen Ankündigung, der in V. 35bβ und in V. 36a Begründungen beigegeben
werden, die noch einmal Kult und Politik nennen.[212] Die Reihung
wird durch ein zweimaliges םג in V. 36b und V. 37a betont, wobei V. 36bα durch sein Paradigma (V. 36bβ) und seine bildliche
Aufbereitung (V. 37a) den Hörer gezielt trifft. Eigentliches
Unheil wird gar nicht angesagt, im Grunde ist es nur eine Scham,
die genannt wird; weder das, was zu ihr führt, noch das, was sie
bedeutet, wird angesprochen. Für den kompetenten zeitgenössischen Hörer dürften die Worte hinreichend deutlich gewesen sein.
Um jedem Mißverständnis vorzubeugen, nennt der Text in V. 37bα
(mit Wechsel der p., Jahwe in 3. p.) die übergeschichtliche Begründung und schließt dann mit dem eindringlich kurzen Verbalsatz, der keinen Erfolg für die Zukunft verheißt.

Der dritte und letzte Arbeitsgang des Redners ist die e l o -
c u t i o , die sprachliche Realisierung, als deren wesentliche
Tugenden latinitas, perspicuitas und ornatus verstanden werden.
Das Gebot der korrekten Sprachführung (latinitas)[213] ist in

---

211 Quintilian VI, 1,52; pathos und ethos sind die stark erregenden bzw.
besänftigenden Gefühlsregungen (vgl. VI, 2,6 mit VI, 2,13). Vor allem für
den Schluß von Jer. 2 trifft die Gefühlsregung des pathos zu. Zur enumeratio s. Quintilian VI, 1,2.

212 Unter der Voraussetzung, daß bei אטח in seiner Unbestimmtheit an das
erwähnte kultische Versagen (mit)gedacht ist.

213 Quintilian I, 5,1; VIII, 1,2.

Jer. 2 nicht beachtet, sofern der Wechsel der p. dieser Forderung nicht entspricht; man wird freilich bedenken müssen, daß
eine fingierte Rede vorliegt mit kompositorischen Elementen,
die auch deshalb unkorrigiert geblieben sein können, weil sie
ein weiteres Mittel zur Verlebendigung sind. Andere textkritische Probleme hängen mit der Überlieferungsgeschichte zusammen
und können nicht dem "Autor" von Jer. 2 angelastet werden.

Ähnliche Schwierigkeiten ergeben sich mit der perspicuitas,
dem Gebot der Verständlichkeit,[214] denn Jer. 2 ist durch eine
Mehrdeutigkeit gekennzeichnet, die das ganze Kapitel prägt. Für
beide Topoi wird grundsätzlich Angemessenheit[215] gefordert, die
schließlich auch für den ornatus[216], d.h. die ausschmückenden
Worte, gilt.

Weil Jer. 2 den Hörer bzw. Leser für sich gewinnen will, ist
eine eindringliche, auch Affekte erregende Rede mit Metaphern,
einprägsamen Gedankenfiguren und Wort- bzw. Stilfiguren nötig,
um zum Ziel zu kommen.

Der den alltäglichen Sprachgebrauch transzendierende Rede-
schmuck zeigt sich vor allem in den Figuren und Tropen, bei denen der Wechsel von der eigentlichen in eine andere Bedeutung
ausschlaggebend ist.[217] Er beginnt (schon) bei einzelnen Wörtern, die andere, weniger erhabene und glänzende Wörter durch
solche ersetzen, die nicht jeder verwendet oder die nicht mehr
jeder verwendet. Die häufigen Hapaxlegomena und die archaische
Form der 2. p. f. sg. entsprechen besonders jenem Grundsatz.[218]

Bei den Tropen[219] ist es vor allem die Metapher - ohnehin
der häufigste Tropus, der das verbum proprium, das "genuine"
Wort, durch ein anderes Wort ersetzt und dabei nuanciert und
pointiert[220] - die Jer. 2 wesentlich gestaltet. Dabei können

---

214 Vgl. Quintilian VII, 10,11 mit IV, 2,35f. u.ö.

215 In der antiken Theorie   das aptum, das auch den Ort der Rede (Quintilian XI, 1,46) und ihren Zeitpunkt (Quintilian XI, 1,46) sowie ihr Publikum (Quintilian XI, 1,43) berücksichtigt.

216 S. z.B. Cicero, De oratore, III, 37,151; Quintilian VIII, 3,4.5 u.ö.

217 Quintilian VIII, 6,1.

218 Z.T. könnten freilich auch Neuschöpfungen (verba novata, Cicero, De
oratore, III, 38, 154) vorliegen.

219 Zusammenhängend recht ausführlich dargestellt bei W. Bühlmann/K. Scherer, Stilfiguren der Bibel, 64ff.

220 Quintilian VIII, 6,5; zur Metapher in der hebräischen Poesie s. W.G.E.

Substantive und Verben angewandt werden. So gleich in V. 2f., in dem die Substantive נעורים und כלולות und das verbale הלך אחרי zusammen den noch "unverbrauchten" Gehorsam "Jerusalems"/ "Israels" spiegeln, das in V. 3 als "Erstling" qualifiziert wird. Wenn man so will, ist die Metapher auch in V. 4 verwendet,[221] in dem bei den Ausdrücken "Haus Juda" und "Haus Israel" das primum comparationis (Israel/Juda) dem secundum comparationis (Haus) gleichsam einverleibt wird, so auch in V. 16 bei der Wendung "Söhne Nophs und Tachpanches".

Mit V. 2b ("in der Wüste, im unbesäten Land") liegt zwar eine Wortfigur (Synonymie) vor, die an anderer Stelle zu besprechen ist, seine Formulierung läßt sich aber ebenso gemäß antiker Theorie als Periphrase verstehen, eine Ausdrucksweise, die mehr Wörter als nötig verwendet.[222]

In den folgenden Versen tritt die Metapher zunächst zurück, dafür erscheint noch einmal die Form der Periphrase in V. 11, und zwar als Antonomasie[223], die statt eines Eigennamens eine Umschreibung wählt, im vorliegenden Fall sowohl für den fremden Gott (לוא יועיל) als auch für Jahwe (כבוד), ein Tropus, der schon in V. 5 (ההבל) verwendet wird.

Mit V. 13 setzen wieder die Metaphern ein, die sich in großer Zahl, z.T. dicht gedrängt, bis zum Ende des Kapitels durchhalten. V. 13: Quelle lebendigen Wassers, rissige Zisternen; V. 15: Löwen; V. 16: "Kopf abweiden"; V. 18: Wasser des Schihor trinken, Wasser des Euphrat trinken; V. 20: Joch zerbrechen, Band zerreißen, Dirnendienst; V. 21: edler Weinstock, echtes Gewächs, entarteter Weinstock; V. 22: Lauge, Seife; V. 23f.: brünstige Kamelstute; V. 25: Fuß, Kehle; V. 27: Baum, Stein; V. 30: fressendes Schwert; V. 31: Wüste; V. 32: Jungfrau, Schmuck, Braut, Gürtel; V. 34: blutbefleckte Säume; V. 36: Weg; V. 37: Hände über dem Kopf. Die Bilder überschlagen sich förmlich,nur V. 23f. ist breiter angelegt. Die Vergleiche sind kurz, "durch die brevitas ist die Metapher 'dunkler', aber auch drängend-unmittelbarer als der ausgeführte

---

Watson, Classical Hebrew Poetry, 263ff. (mit Lit.).

221 W. Bühlmann/K. Scherer (Stilfiguren der Bibel, 80f.) sprechen von einem Annexionsvergleich.

222 so auch V. 6; s. Quintilian VIII, 6,59.

223 Quintilian VIII, 6,29.

Vergleich. Damit aber stellt die Metapher an die Aufnahmefähig-
keit des Publikums höhere Ansprüche"[224].

Damit sind alle Tropen erfaßt, es bleibt allenfalls noch einmal V. 27 zu nennen, sofern man die ironia (Holz-Vater, Stein-
Erzeuger) hier als Wort-Tropus[225] auffaßt. Im übrigen läßt sich
die Aussage, daß das Holz als Vater bzw. der Stein als Erzeuger
erachtet wird, als hyperbole (superlatio), als "Übertreibung der
Wahrheit" verstehen.[226] Sie "dient in der Rhetorik der patheti-
schen ... Weckung parteiischer Affekte ... im Publikum, in der
Poesie der affektischen Erzeugung wirklichkeitsübersteigender
Vorstellungen"[227].

Neben dem ornatus in verbis singulis steht der ornatus in
verbis coniunctis, der denselben Zweck erfüllt, nämlich das Regelmäßige zu durchbrechen.[228] Dazu dienen u.a. die figurae sententiae, die nach Quintilian unauffällig bleiben müssen, wenn
sie überzeugen sollen;[229] so auch als eine ihrer Möglichkeiten
die interrogatio[230], von der Jer. 2 regen Gebrauch macht. Immerhin liegen mit V. 5.6.11.14(bis).17.18(bis).24.28.29.31(bis).32.
33.36 sechzehn gekennzeichnete Fragen vor, die "der Intensivie-
rung des Kontakts des Redners mit dem Publikum"[231] Vorschub leisten und deshalb zu den rhetorischen Figuren gerechnet werden,
weil sie keine eigentlich dialogische Funktion haben, sondern
"als Mittel des Pathos oder der Schärfung der Gedankenabfolge

---

224 H. Lausberg, Handbuch, § 559 (286).

225 Quintilians Definition der ironia (VIII, 6,54), daß das Gegenteil dessen ausgesprochen wird, was gemeint ist, trifft an dieser Stelle nicht zu;
hier ist die Ironie "die Benutzung des parteiischen ... Vokabulars der Ge-
genpartei ... im festen Vertrauen darauf, daß das Publikum die Unglaubwür-
digkeit dieses Vokabulars erkennt ..." (H. Lausberg, Elemente, § 232, S. 78).
Zur Ironie der Gedankenfigur s. Quintilian IX, 1,3. Beispiele der hebräischen
Poesie bei W.G.E. Watson, Classical Hebrew Poetry, 306ff. (mit Lit.). Altorientalische Beispiele bei W.G.E. Watson, Classical Hebrew Poetry, 316ff.
(mit Lit.).

226 Quintilian VIII, 6,67.

227 H. Lausberg, Elemente, § 212 (75).

228 Quintilian II, 13,11.

229 So Quintilian IX, 2,72.

230 Quintilian IX, 2,6. Beispiele der hebräischen Poesie bei W.G.E. Watson,
Classical Hebrew Poetry, 338ff. (mit Lit.), speziell für Jeremia: W. Brueggemann, Jeremiah's Use of Rhetorical Questions, JBL 92 (1973) 358-374.

231 H. Lausberg, Handbuch, § 758 (376).

in die Rede hineingenommen"[232] werden. Auch im Zusammenhang
dieser Figur wird noch einmal die mahnend-auffordernde Intention von Jer. 2 deutlich, denn in dem wichtigen Schlußteil hat
in V. 36 die Frage den Sinn, als Handlungsanleitung zu fungieren,[233] nicht nur emotional Geschehenes festzustellen.

Die Frage ist in Jer. 2 nicht die einzige figura sententiae;
zu ihr gesellt sich auch die anticipatio (prolepsis)[234], die
cum grano salis in Gestalt der praemunitio[235], die möglichen
Einwänden vorgreift, in 2,29 vorliegt, wenn der Gedanke des
Rechtsstreites als grundlos hingestellt wird.

Da in Jer. 2 der Redegegenstand für den "Vortragenden" keinen Zweifel aufkommen läßt, fehlen die in der antiken Theorie
verwendeten Figuren, die einen scheinbaren Zweifel bzw. eine
vorgetäuschte Unsicherheit erkennen lassen.[236]

Nach dem Rhetorikmodell der Antike können Äußerungen von Anwesenden, wie sie 2,23 und 2,35 zitiert werden, aber auch Rede
und Verhalten von nicht anwesenden Personen, und zwar insbesondere von kollektiv-unbestimmten Subjekten wiedergegeben werden,
"eine durch Übersteigerung der schöpferischen Phantasie er-
zeugte hochpathetische Figur"[237]. Das Verhalten und die Äußerung, oder besser gesagt: unterlassene Äußerung der "Väter" in
2,5f. aktivieren jene Figur ebenso wie die entsprechende Beschreibung in 2,8, die die Priester, Hirten und Propheten betrifft.

Wie gesagt, diese Elemente haben wesentlichen Anteil an der
Affekterregung, die bei der persuasiven Rede so wichtig ist.
Eine weitere Figur, die Abwechslung in das Regelmäßige bringt
und sich von alltagssprachlicher Formulierung abhebt, ist die
apostrophe[238], bei der sich der Redner von seinem bisherigen
Publikum abwendet und einem anderen Zweitpublikum, das auch

232 H. Lausberg, Handbuch, § 766 (379).
233 Quintilian, IX, 2,11.
234 Nachweise bei H. Lausberg, Handbuch, § 855 (425).
235 So Quintilian, IX, 2,16.
236 Zur dubitatio bzw. communicatio s. Quintilian IX, 2,19 bzw. IX, 2,20f.
237 H. Lausberg, Handbuch, § 826 (411). Gemeint ist die fictio personae,
dazu Handbuch, §§ 826-829 (411ff.).
238 Quintilian IX, 2,38.

198

nicht-personhaft und abwesend sein kann, mit äußerst affizie-
render Wirkung zuwendet; "die Apostrophe ist sozusagen ein pathetischer Verzweiflungsschritt des Redners"[239], den Jer. 2,12
dann macht, wenn die Himmel angerufen werden, nachdem 2,10f.
eine unvergleichbare Verschuldung genannt hat.

Für den Redner bleiben schließlich bei dem Arbeitsgang der
elocutio im Rahmen des ornatus noch die figurae verborum zu
beachten, die Quintilian in die Abweichungen von grammatischer
Konvention - ohne daß der Grundsatz der latinitas verletzt wird -
und von konventionierter Wortstellung unterteilt.[240] Ihren Nutzen sieht er vor allem darin, den Überdruß an der alltäglichen
und vulgären Sprache zu vermeiden;[241] dieses Ziel sei aber nur
zu erreichen, wenn man jene Figuren sparsam einsetze, damit der
Reiz der Ablenkung gewahrt bleibe.[242]

Betrachtet man die Änderungsmöglichkeiten[243] bei den verbis
coniunctis, so lassen sie sich im wesentlichen in zwei Kategorien aufteilen, in Hinzufügungen und Weglassungen.

Zunächst zu den figurae per adiectionem, die auf die Wiederholung und Häufung von Worten und Wortgruppen zielen.[244] Von
der Synonymie abgesehen, kommen die Figuren der Wiederholung
fast nur in den ersten elf Versen des Kapitels vor, in denen
eindringlich-emotionalisierend[245] die Verschuldung genannt wird.
Im Aufruf von V. 4 steht jeweils am Ende der parallelen Glieder
der Adressat, indem zweimal בית hinzugefügt wird. Die rhetorische Theorie spricht von einer Epipher (epiphora)[246], wenn am
Ende von zwei Sinnabschnitten dasselbe Wort verwendet wird.[247]
Mit der Folge וילכו אחרי (ההבל ויהבלו) hat V. 5 großen

---

239 H. Lausberg, Handbuch, § 762 (377f.).

240 Quintilian IX, 3,2.

241 Quintilian IX, 3,3.

242 Quintilian IX, 3,4. Zu der Schwierigkeit der Abgrenzung gegenüber den
Tropen s. G. Hentschel/B. Steinbrink/G. Ueding in: G. Ueding, Einführung
in die Rhetorik, 266; H. Lausberg, Handbuch, § 858 (427).

243 H. Lausberg, Handbuch, §§ 858-910.

244 Quintilian IX, 3,28ff.

245 H. Lausberg, Handbuch, § 608: "Die Wiederholung dient der Vereindringlichung, die meist affektbetont ist" (310).

246 H. Lausberg, Handbuch, §§ 631-632 (320f.).

247 Nach Quintilian (IX, 3,45) können das auch synonyme Ausdrücke sein.

Aufmerksamkeitswert. Zunächst einmal liegt ein gleiches bzw. ähnliches Lautbild von zwei Wörtern vor, also eine Paronomasie (annominatio)[248], die zur (gesteigerten) Bedeutungsnuancierung verhilft und dabei mit dem Sinn spielt.[249]

Man kann auch noch auf andere Weise die Wiederholung beschreiben und dem Hebräischen entsprechend die Wurzelwiederholung berücksichtigen. Dann liegt ein polyptoton bzw. eine derivatio, also eine Wortwiederholung mit Flexionsänderung, vor[250], wobei es sich, sofern man die Wortwiederholungsart benennen möchte, um eine anadiplotische Wiederholung handelt,[251] bei der das letzte Wort einer syntaktischen Einheit am Anfang der folgenden wiederholt wird, hier mit Nomen-Verbum-Wechsel.

Dadurch, daß Paronomasie und polyptoton bzw. derivatio in eins gehen, ist die Wendung in 2,5 besonders geeignet, einem möglichen Desinteresse (taedium) des Publikums entgegenzuwirken. Das verfolgt auch im folgenden V. 6 die Anapher (anaphora), die Wortwiederholung jeweils am Anfang eines Gedankenabschnitts.[252] "Wüste" und "Kulturland" haben in den ersten sieben Versen eine Schlüsselfunktion[253], wobei ארץ die Wüste und das Kulturland vertritt, wie V. 2, V. 6 und V. 7 zeigen, in denen jener Terminus siebenmal vorkommt.

Die Anapher dient noch einmal als ornatus in V. 18, der in seinen beiden Teilen mit מהלך לדרך beginnt und besonders einprägsam ist, weil er außerdem noch mit einer Epipher, der Wort-

---

248 Andere Bezeichnungen bei W. Bühlmann/K. Scherer, Stilfiguren der Bibel, 19. Zur Paronomasie s. H. Lausberg, Handbuch, §§ 637-639 (322ff.). Diese Figur auch in V. 8: והנכיאים נכאו. Bei V. 2:נעוריך – כלולתיך kann man im Zweifel sein. Zumindest das Ende ist gleich, so daß mit mehr Recht von einem Homoioteleuton (s. Quintilian IX, 3,77) zu reden ist.

249 H. Lausberg, Handbuch, § 637: "ein (pseudo-)etymologisches Spiel mit der Geringfügigkeit der lautlichen Änderung einerseits und der interessanten Bedeutungsspanne, die durch die lautliche Änderung hergestellt wird, andererseits" (322).

250 Zum Problem s. H. Lausberg, Handbuch, §§ 640-648.

251 Zur Anadiplose (reduplicatio) s. H. Lausberg, Handbuch, §§ 619-622.

252 S. dazu H. Lausberg, Handbuch, §§ 629-630. Zur Möglichkeit von Synonymen s. Quintilian IX, 3,45. Das dreimalige "im Land" ist zugleich eine "Häufung" (s. H. Lausberg, Handbuch, §§ 665-687).

253 Die Exegese spricht von Leit- bzw. Schlüsselwörtern, s. z.B. W. Bühlmann/K. Scherer, Stilfiguren der Bibel, 23; W.G.E. Watson, Classical Hebrew Poetry, 287ff. (mit Lit.).

wiederholung am Schluß von Sinnabschnitten,[254] endet, unter der
Voraussetzung, daß Synonyme bei der Wiederholung verwendet werden können, wie das bei לשחות מי שחור und לשחות מי נהר der
Fall ist. In der persuasiven Rede nimmt V. 18, wie die Analyse
gezeigt hat, eine zentrale Stellung ein; die verarbeiteten rhetorischen Mittel entsprechen dem voll und ganz.

Eine in Jer. 2 nur einmal verwendete Figur der adiectio ist
die Parenthese (interpositio, interclusio)[255] in V. 11 (והמה
לא אלהים). Der schwere Vorwurf des unvergleichbaren Gottestau-
sches provoziert wieder eine Figur, die das Publikum aufmerken
läßt: zunächst eine Frage, dann die Parenthese als "Verzögerung
des spannungslösenden Bezugsgliedes"[256].

Für das vorliegende Kapitel muß eine Figur besonders hervorgehoben werden, die in der antiken rhetorischen Literatur nicht
die herausragende Rolle wie in der hebräischen Poesie spielt.
Die Rede ist von der Synonymie, einer Figur der Wiederholung,
bei der man nicht dasselbe bzw. dieselben Worte wiederholt, sondern andere, die aber, um der Kategorie der Wiederholung zu genügen, in einem bedeutungsadäquaten Verhältnis stehen müssen.
Auch in diesem Zusammenhang möge versuchsweise die rhetorische
Theorie als Beschreibungsmodell dienen: "Die Wortkörperverän-
dernde Wiederholung der Wortbedeutung dient der (parteilichen)
Vereindringlichung der Aussage - v o l u n t a s ... : das
vom Sprecher Gemeinte (die Aussage - v o l u n t a s) wird
durch mehrere synonyme Termini umrissen, abgesteckt und verschieden beleuchtet. Die Synonymität der gebrauchten Wörter
zeigt also durchaus nicht eine völlige (semantisch überflüs-
sige) Deckung der Wortinhalte, sondern schließt semantische Unterschiede ein, deren Betonung vom Sprecher gewollt sein kann
und die sich (in allen Wortwiederholungsweisen) fast immer in
der Absicht der Ausdruckssteigerung ... äußern, die sich in der
Rolle von Synonymen auch der Tropen ... wegen deren affektstei-
gernder Wirkung bedient. Der semantische Unterschied der Synonyme kann in überbietender Weise auch selbst so gesteigert werden,
daß er zur aufzählenden Koordination oder zum (gewollten) Gegen-

---

254 Zur Epipher (epiphora) s. H. Lausberg, Handbuch, §§ 631-632 (320f.).
255 Quintilian IX, 3,23.
256 H. Lausberg, Handbuch, § 860 (427).

satz oder zur (gewollten) chaotischen Beziehungslosigkeit wird ..."[257].

Dieses Zitat, das antike Verwendungsweisen der Synonymie systematisiert, bietet zum einen die Möglichkeit, unter die Kategorien der Koordinierung, des Gegensatzes und der Beziehungslosigkeit die in der alttestamentlichen Exegese diskutierten "Parallelismen" einzuordnen, denen in der Regel die Prädizierungen synonym, antithetisch und synthetisch verliehen werden, was zumindest für das letztere mißverständlich ist;[258] zum anderen kann die Beobachtung der semantischen Differenzierung davor bewahren, allzu schnell wegen der "Synonymie" eine Aussage mit ihrem parallelen Pendant zur Deckung zu bringen.

Daß der Parallelismus auch in Jer. 2 häufig angewendet wird, sieht man an V. 2(bis)4.6.10.14.15.18.19.20.21.22.23.25.27.30. 31.32.36. Bei etwa der Hälfte der Belege (V. 2.6.15.20.21.23. 30.31. 32.36) ist die Form des Asyndeton[259] gewählt, bei dem auf verbindende Partikel bzw. Konjunktionen verzichtet wird, um einer "pathetisch-vereindringlichenden Steigerung"[260] Platz zu machen. Ein Teil dieser Belege läßt sich im Anschluß an die Form der Geminatio[261] als geminierende Synonymie[262] verstehen. Die Synonyme stehen dabei in Kontaktstellung wie in V. 2b.21a. 32a, wobei in V. 21a ein einzelner Begriff synonym entfaltet wird, während in den beiden anderen Versen die synonymen Nomina sich isometrisch gegenüberstehen. Wenn man will, läßt sich auch V. 6b als geminierende Synonymie begreifen, es ist jedoch sachgemäßer, den jeweils zwischen die Prädizierungen tretenden Begriff בארץ zu respektieren und so in V. 6b eine epiphorische Synonymie[263] zu sehen, die bei der Synonymie-Verwendung die häu-

---

257 H. Lausberg, Handbuch, § 651 (330f.).

258 Zum Problem der Bezeichnung "synonymer Parallelismus" s. J. Muilenburg, A Study in Hebrew Rhetoric: Repetition and Style, VTS , Leiden 1953, 97-111; eine andere Klassifizierung bei W.G.E. Watson, Classical Hebrew Poetry, 114ff. (mit Lit.); s. auch ders., Internal Parallelism in Classical Hebrew Verse, Bib. 66 (1985) 365-384.

259 Zum Asyndeton s. H. Lausberg, Handbuch, §§ 709-711 (353ff.).

260 H. Lausberg, Handbuch, § 709 (353).

261 Zur Geminatio s. H. Lausberg, Handbuch, §§ 616-618 (312ff.).

262 S. dazu H. Lausberg, Handbuch, § 655 (331f.).

263 S. dazu H. Lausberg, Handbuch, § 656 (332).

figste Art ist, das zeigen V. 4.10.18.22.25.27. Nicht ganz so
oft tritt die anaphorische Synonymie[264] auf. In V. 3a und in
V. 31a wird ein einzelnes Nomen durch eine Nominalphrase entfaltet, in V. 15a ein Verbum durch einen Verbalsatz. Der durch
die anaphorische und epiphorische Synonymie ausgedrückte Rede-
schmuck wird im 2. Kap. des Jeremiabuches noch weiter aufge-
lockert, indem beide koordiniert und sowohl am Anfang als auch
am Ende eines Sinnabschnittes in ein synonymes Verhältnis gebracht werden, Beispiele sind V. 14a und V. 23aβ . Entweder
sind ausschließlich nominale Elemente verwendet (V. 14a) oder
aber verbale und nominale nebeneinander, die wie in V. 10a.19aα.
36b chiastisch[265] angeordnet sein können.[266] Soweit zu den Syn-
onymie-Verwendungen.

Eindeutig vorherrschend sind in Jer. 2 die Figuren, die per
adiectionem gebildet sind; diejenigen, die per detractionem "zu
Wort" kommen, sind kaum erwähnenswert. Eine Ellipse etwa ist
nicht belegt, die Figur des Asyndeton ist schon im Rahmen der
Synonymie genannt; zu nennen ist nur noch das Zeugma, bei dem
von einem Verbum mehrere Sinneinheiten abhängig sind.[267] So
steht beispielsweise die Verbform זכרתי in V. 2 dominierend
voran, von der sowohl V. 2a als auch V. 2b abhängen, mit je-
weiliger Parallelisierung von Maskulina und Feminina.[268]

Mit diesen Hinweisen sind die wesentlichen Figuren im Auf-
riß von Jer. 2 erfaßt. Die Übersicht zeigt, wie Duktus und Diktion ständig darauf angelegt sind, den Hörer bzw. Leser zu fes-
seln. Die so auffallend blassen Unheilsandrohungen werden verständlich, wenn der Text als (in seiner Zusammensetzung fiktive)
Rede verstanden wird, die das Publikum in einem ersten Anlauf
für ihre Sache gewinnen will. Dem dienen die genannten Figuren
und Tropen bei der sprachlichen Gestaltung ebenso wie die An-

---

264 S. dazu H. Lausberg, Handbuch, § 656 (332).

265 Der Terminus Chiasmus stammt aus der modernen Theorie, s. H. Lausberg,
Handbuch, § 723 und Anm. 1. Altorientalische Beispiele bei W.G.E. Watson,
Classical Hebrew Poetry, 201ff.

266 J.R. Lundbom (Jeremiah: A Study in ancient Hebrew Rhetoric, Dissertation Series, No. 18, Missoula, Montana 1975, 70ff.) deduziert makro-chia-
stische Strukturen in 2,5-9 und 2,33-37, die der Hörer/Leser kaum bemerkt
haben dürfte.

267 Quintilian IX, 3,62.

268 Darauf macht W.G.E. Watson (Symmetrie of Stanza in Jeremiah 2,2b-3,
JSOT 19, 1981, 107-110) aufmerksam.

lage des gesamten Kapitels, das sich um amplificatio bemüht,
die den intendierten Redegegenstand steigernd zu betonen
sucht,[269] was vor allem V. 10f. im Rahmen eines Vergleichs[270]
praktiziert. Dazu gehört auch das Mittel, das die Rhetoriktheorie als enthymema[271] bezeichnet; diese Steigerung "ergibt
sich erst durch Gedankenschluß des Publikums: von einer expressis verbis amplifizierten Sache wird auf das mit dieser
Sache logisch Verbundene geschlossen"[272], oder um es im Duktus
der letzten Verse von Jer. 2 zu sagen: Das Volk hat den Schluß
zu ziehen, was es bedeutet, wenn mit Ägypten so wenig zu rechnen ist wie mit Assyrien, und sich Gedanken zu machen, wo sein
Vertrauen am sichersten zu investieren ist.

Nach allem läßt sich Jer. 2 als persuasive Rede begreifen,
die an allen in der antiken Rhetoriktheorie herausgearbeiteten
grundlegenden Gattungstypen partizipiert.

2. Jer. 3,1-4,4

Die ersten fünf Verse[273] des 3. Kap. schließen sich thematisch, wie die Kommentare zeigen, an Gedanken von Kap. 2 an
und verdanken dem sicher ihre Stellung im Anschluß an Kap. 2.
Der Unterschied, dem eine ordnende Hand durch einen neuen Einsatz mit dem elliptischen לאמר in 3,1 Rechnung getragen hat,
liegt in der unteleologischen Darstellung von 3,1-5.

Die nächste Zäsur liegt bei V.6, mit dem das Folgende datiert
wird, unter Aufnahme des generellen בימי יאשיהו von 1,2. Wel-
chen Umfang die folgende Einheit bzw. die folgenden Einheiten
haben, ist in der exegetischen Literatur ebenso umstritten wie

---

269 Quintilian VIII, 4,3.

270 Quintilian VIII, 6,3.

271 Quintilian VIII, 6,3.

272 G. Hentschel/B. Steinbrink/G. Ueding in: G. Ueding, Einführung in die Rhetorik, 274.

273 Zur stilistischen Struktur s. B.O. Long, The Stylistic Components of Jermiah 3,1-5, ZAW 88 (1976) 386-390. Das vorliegende Kapitelgefüge wird zusammenhängend erörtert, deshalb unterbleibt hier eine Gliederung in Abschnitte . Die rhetorische Gestaltung des gesamten Textes erläutert J. Muilenburg, Hebrew Rhetoric: Repetition and Style, VTS 1 (Congress Volume Copenhagen 1953), Leiden 1953, 104ff.

der Anteil Jeremias, beides kann an dieser Stelle weder referiert noch untersucht werden; dennoch mögen einige Hinweise
einen möglichen Redaktionsvorgang konturieren, bevor mit 4,5ff.
ein weiterer Textzusammenhang im einzelnen analysiert wird, der
wieder konkreter zur Geschichte Stellung nimmt.

Jer. 2 zieht einen theologisch-geschichtlichen und politisch-
geschichtlichen Rahmen, in dem religions-praktisches und prak-
tisch-politisches Verhalten - geschehenes und mögliches - aufgezeigt werden, ohne daß Konsequenzen für die Zukunft explizit
genannt wären. Das unternimmt Kap. 3 mit den Versen 12 und 13[274],
die an Jer. 2 anknüpfen. Gleich der seltene Redeauftrag הלך
וקראת in V. 12 erinnert an 2,2. Der folgende Imperativ ist an
"Israel" gerichtet, das mit der Nominalform משבה prädiziert
wird. Aber wer bzw. was ist gemeint? Eine gängige Meinung der
Kommentare bezieht die Aussage aufgrund der Ausrichtung des Wortes gegen Norden als Aufforderung zur Rückkehr der ehemaligen
Nordreichbewohner aus dem assyrischen Exil.[275]

Mag auch dieses Verständnis den Kontext auf seiner Seite haben, selbst in V. 14 schwingt aber bei dem Gedanken der Rückkehr
die Umkehr noch mit; die folgende Begründung, nach der Jahwe das
Volk holt, verweist auf den oszillierenden Gebrauch von שוב ,
der im Sinne der innerlichen Umkehr ja auch schon V. 7.10 und
dann vor allem V. 22 bestimmt.[276] Das scheint auch der Sinn von
V. 12 zu sein, V. 13 ist dann Periphrase für das שובה; Erkenntnis der Schuld und Umkehr gehen Hand in Hand mit Jahwes zukünftiger Zuwendung, die asyndetisch genannt wird, also nicht in ein
konjunktionales, verrechenbares Verhältnis gebracht wird.

Jer. 2 hatte unvergleichbare Verfehlungen des Volkes vorge-
führt; die Frage, ob das Volk bei der Schwere der Schuld über-

---

274 V. 12f. als jeremianische Keimzelle schon bei B. Duhm, Kommentar, 35f.
38f., ausführlicher S. Herrmann, Heilserwartungen, 223ff., s. W. Thiel, Die
dtr. Redaktion von Jer. 1-25, 85 Anm. 20. Auf einen Teil von V. 12 reduziert Chr. Levin (Die Verheißung des neuen Bundes in ihrem theologiegeschichtlichen Zusammenhang ausgelegt, FRLANT 137, Göttingen 1985, 183ff.) das ursprüngliche Heilswort, auf V. 6-13 weitet es S. Böhmer (Heimkehr und neuer
Bund. Studien zu Jeremia 30-31, Göttinger theol. Arbeiten 5, Göttingen 1976)
aus.

275 S. z.B. K.H. Graf, Kommentar, 59; F. Nötscher, HS VII/2, 52; P. Volz,
Kommentar, 45; W. Rudolph, Kommentar, 29; so auch T. Odashima, Untersuchungen, 106ff.

276 Zu weiterer Begründung s. S. Herrmann, Heilserwartungen, 226f.; s. schon
B. Duhm, Kommentar, 36.38.

haupt noch eine Zukunft haben kann, wurde gar nicht erst gestellt. Hier in Kap. 3 wird sie in V. 12 beantwortet, und zwar
positiv, sofern Jahwes Zorn begrenzt gedacht wird. שוב bedeutet nach V. 13a Einsicht in die Schuld, die zunächst als Bruch
mit Jahwe interpretiert wird,wobei die Terminologie von Kap. 2
her bekannt ist.[277]

Es bleibt aber nicht bei der religiösen Dimension der Verfehlung, V. 13bα fügt mit einer an Kap. 2 erinnernden Aussage
hinzu: ותפזרי את-דרכיך לזרים. Die Vorschläge, das דרכיך des
MT zu emendieren,[278] sind so unnötig wie eine Änderung von פזר
pi.[279], beides ist ohne weiteres verständlich. Das Volk wird
beschuldigt, seine "Wege" unter die Fremden "zerstreut" bzw.
"verteilt"[280] zu haben, für den Leser, der von Jer. 2 herkommt,
ein Hinweis auf Beziehungen, die mit Fremden geknüpft wurden.
Beide Vorwürfe werden dann noch einmal im abschließenden V. 13bβ
zusammengefaßt.

Wurde für Jer. 2 im vorhergehenden Abschnitt ein Redeaufbau
analysiert, der mit einer Fülle rhetorischer Mittel arbeitet,
wobei manches der Schlußfolgerung des "Publikums" überlassen
blieb, so wird hier in V. 12 und V. 13 des 3. Kap. die Tugend
der perspicuitas beherzigt, und eben das kann auch der Grund
sein, warum die "Rede" gegen Norden ausgerichtet werden soll.
Wenn Jer. 2 in V. 2 zunächst Jerusalem als Verkündigungsort
nennt, dann schließt das zumindest die Bewohner Jerusalems auch
als Adressaten ein. Die Analyse von Jer. 2 im Zusammenhang mit
Kap. III dieser Untersuchung hat aber gezeigt, daß u.a. auch
die Bewohner der unter Joschija mit Juda verbundenen Teile des
Nordreichs angesprochen waren. Macht das auch der Wortlaut in
Kap. 2 nicht recht sichtbar, so wird 3,12 deutlicher, denn terminologisch ohne Differenzierung wird "Israel" angesprochen; der
"Norden" weist zudem vornehmlich auf jene Bewohner,[281] wenn es
auch möglich ist, daß der Terminus "Israel" hier die Bewohner

---

277 Zu ידע in diesem Sinne und עוֹן s. 2,22.23, zu פשע 2,8.29.

278 BHK und BHS erwägen den Vorschlag C.H. Cornills (Kommentar, 39), דודיך
statt דרכיך zu lesen, B. Duhm (Kommentar, 39) erwägt כרכיך (Knie). Beide
Vorschläge müssen den Konsonantenbestand abändern.

279 B. Duhm (Kommentar, 39) erwägt תפשקי statt תפזרי nach Ez. 16,25.

280 S. die Wörterbücher s.v. פזר .

281 s. dazu W. Hertzberg, ThLZ 77 (1952) 596, und vor allem S. Herrmann,
Heilserwartungen, 226f.229.

Benjamins und Judas einschließt.[282]

Trotz der typographischen Anordnung von BHK und BHS liegt
strenggenommen keine Poesie vor, der fehlende Parallelismus,
der rationalisierende Stil (zweimal כי , nicht als Anakrusis)
und die "Sproßerzählung" (V. 13b), durch Impf. cons. eingeleitet, sind dafür ein Indiz. Freilich sind auch an dieser Stelle
die Grenzen nicht exakt zu bestimmen, die Paronomasie (שׂוכה
משׂכה) in V. 12a, die Assonanz (אַפְיל-חָסִיד) in V. 12a und b,
die fehlende Nota accusativi in V. 13a vor עֵינֶךָ , das epiphorische נאם־יהוה in V. 12a.b und V. 13 transzendieren gewiß
die "Alltagssprache".

Auch in diesem Falle läßt sich die Frage nach der jeremianischen Autorschaft nicht hinreichend sicher beantworten. Die
Gedanken Jeremia abzusprechen, besteht ebenso wenig Veranlassung wie die axiomatische Zuweisung an redaktionelle Hände.
Immerhin: חסיד (V. 12), ein Lexem, das fast ausschließlich im
Psalter steht, ist im Jeremiabuch singulär; von Gott wird es
nur noch in Ps. 145,17 ausgesagt, wo das Nomen mit צדיק in
einem Parallelismus steht, ohne daß es deutlich wäre, wie sich
beide Termini zueinander verhalten. Im Zusammenhang mit den anderen Aussagen von V. 12 und V. 13 bedeutet חסיד jedenfalls die
hilfreiche Zuwendung Jahwes, die die dtr. Stelle Jer. 16,13[283]
mit dem semantisch vergleichbaren Terminus חנינה Jahwe in einem Unheilswort zurücknehmen läßt, während Jer. 31,12 mit מצא
חֵן , terminologisch mit Ex. 33,1.12-17 vergleichbar,[284] Jahwe
in einem Heilswort sich dem Volk wieder zuwenden sieht.

Expressis verbis wird jenes Verhalten Jahwes im Jeremiabuch
sonst nicht reflektiert[285]. "In der Unerfindlichkeit dieser religiösen Erfahrungen, im Durchbruch der Erkenntnis des nur begrenzt zürnenden, zuletzt gnädigen Gottes, darf wohl mit Recht
ein objektives Merkmal des 'echten' Jeremia im Sinne unmittel-
barer Authentizität gesehen werden"[286].

---

282 So B. Duhm, Kommentar, 38.

283 Zum dtr. Charakter von 16,1ff. s. W. Rudolph, Kommentar, 109ff.; W.
Thiel, Die dtr. Redaktion von Jer. 1-25, 195ff.

284 S. dazu W. Rudolph, Kommentar, 193f.

285 Das Verbum חנן in 22,23 ist unsicher, s. W. Rudolph, Kommentar, 144.
Das Adjektiv חנון kommt im Jeremiabuch überhaupt nicht vor.

286 S. Herrmann, Heilserwartungen, 225.

Art und Weise der Verschriftung sind damit in keiner Weise
berührt. Ohne sich zu sehr auf nicht verifizierbare Einzelheiten festzulegen, wird man vielleicht sagen können, daß jene
jeremianischen Gedanken als eine Art Postskriptum der Rede von
Kap. 2 benutzt wurden, nicht als Kommentar, sondern als ver-
deutlichende Fortschreibung. Der Nachtrag bezieht die nördlich
des judäischen Bereichs zu(rück)gewonnenen Teile des ehemaligen
Nordreichs - insofern trifft die Datierung 3,6 das Richtige -
in die Verantwortung ein und appelliert dabei an die Vernunft,
denn er fordert nicht nur, sondern argumentiert auch, begründend und verheißend. Im Anschluß an Jer. 2 ist durchaus der ursprüngliche "Sitz in der Literatur" zu vermuten, weil die Problematik, die auch am Ende des 2. Kap. durch die Weg-Metapher
veranschaulicht ist, hier wieder aufgenommen wird. שובה ist dop-
pelsinnig: Umkehr "Israels" zu Jahwe, von dem es abfiel (פשע),
ist bildlich gesprochen Umkehr auf den Wegen, die Verbindungen
mit den Fremden herstellen.

Im vorhergehenden Abschnitt war davon die Rede, daß nach antiker Rhetoriktheorie die ambiguitas in jedem Falle zu vermeiden ist. Ein entsprechendes "Schicksal" hat die Wendung שובה
משבה ישראל von V. 12 erfahren. Schuld eignet zwar der משבה
ישראל , aber ebenso der בג(ו)דה יהודה , sagt V. 6ff.[287] Nun ist
nicht nur der Gedanke der Schuld in V. 12f. verarbeitet, auch
die Vorstellung der Verheißung ist in diesen Versen angelegt,
und so ist in V. 14ff. שוב als Rückkehr "Israels" - in V. 18
ausdrücklich aus dem "Haus Israel" und dem "Haus Juda" zusammen-
gesetzt - aus dem Exil interpretiert.

Die Prolongierungen[288] sind nicht das Werk des Propheten,
weder V. 6ff., "dieses kleinliche Rechten"[289] um Priorität und
Faktizität von Schuld, noch V. 14ff.[290], ein Abschnitt, der

---

287 S. Herrmann (Heilserwartungen, 228ff.) vergleicht V. 6ff. mit einem Midrasch, dessen Entstehung er dtr. Schultheologen zuschreibt (228f.), die auch
V. 13b gestaltet hätten (229 und Anm. 11), so auch W. Thiel, Die dtr. Redaktion von Jer. 1-25, 87ff.; anders S. Böhmer, Heimkehr und neuer Bund, 24ff.

288 V. 6-11 als Entwicklung aus V. 1-5 und V. 12-13 beschreibt W. McKane,
Relations between Poetry and Prose in the Book of Jeremiah with special
Reference to Jeremiah III,6-11 und XII,14-17, VTS 23 (Congress Volume Vien-
na 1980), Leiden 1981, 228ff.

289 S. Herrmann, Heilserwartungen, 230.

290 Nach W. Thiel (Die dtr. Redaktion von Jer. 1-25, 91ff.) ist V. 14ff.

sich schon wegen seiner uneingeschränkten Heilserwartung hart
mit V. 12f. stößt, aber auch in seinen übrigen Vorstellungen
keine Elemente erkennen läßt, die für Jeremia typisch sind. So
erwartet V. 14 überraschend die Rückkehr zum Zion. In den An-
fangskapiteln kommt der Begriff nur im Zusammenhang von Unheil
vor, so etwa bei der den geographischen Terminus transzendie-
renden Personifikation der בת־ציון, die in 4,31 im Kriegsge-
tümmel aufschreit.[291] In den Texten, die Heilserwartungen reflektieren, und das in Prosaform, steht nur das Nomen ציון (in
31,12: מרום ציון), personal ausgerichtet in 30,17, in 31,6.12
und 50,5 als geographischer Ort der Rückkehr des verbannten Volkes wie in 3,14.

Fragt man, wer zurückkommt, so nennt 31,6, wenn man 31,1.2.4
vergleicht, "Israel" bzw. die "Jungfrau Israel", und 31,12, wenn
man 31,10.11 vergleicht, "Israel" bzw. "Jakob"; erst an der späten Stelle 50,5, in dem nicht von Jeremia stammenden Wort 50,2-7[292],
nennt der MT die "Söhne Israels" und die "Söhne Judas" zusammen.
Jeremia selbst hat, wie der Begriff "Zion" in den Unheilsworten
zeigt, der Ziontradition, die bei Jesaja eine so wesentliche Rolle spielt, keine vorrangige Aufmerksamkeit gewidmet, zumindest
nicht im positiven Sinne.[293] Das gilt schließlich auch von dem
Motiv der friedlichen Völkerwallfahrt[294], bzw., in der Vorstellung von 3,17, von der Völkerversammlung, die in Jerusalem statt-
finden soll.

Die nur hier im Jeremiabuch erwähnte "Lade" erinnert in ihrem phraseologischen Kontext (ארון ברית יהוה) an dtn.-dtr. Texte[295], und auch die Wendung שררות לכם הרע ist ausschließlich in
dtr. gefärbten Texten des Jeremiabuches zu finden.[296]

Der Abschnitt V. 14ff., in dem vieles auf ein mixtum compo-
situm hindeutet, ist nicht von Jeremia konzipiert; unmittelbar

---

ein post-dtr. Zusatz.

291 Daneben noch 6,2 und 6,23; geographisch ist der Terminus in 4,6 im Rahmen einer Unheilserwartung verwendet.

292 W. Rudolph, Kommentar, 299f.

293 Vgl. oben S.150, vgl. aber auch unten S. 214.

294 Zu dem differenzierten Vorstellungskreis s. G. von Rad, Theologie des
Alten Testaments, Bd. II, 306ff.

295 S. Dtn. 10,8; 31,9.25.26; Jos. 3,3; 4,7.18 u.ö.

296 S. Jer. 7,24; 11,8; 16,12; 18,12, zum dtr. Charakter s. W. Rudolph,
Kommentar, und W. Thiel, Die dtr. Redaktion von Jer. 1-25, z.St.

läßt sich ohnehin keine Situation während seiner prophetischen
Wirksamkeit erkennen, in der er ungebrochen durch die erwarteten Katastrophen hindurch realpolitische und utopische Hoffnungen[297] hätte hegen können.

"3,19-4,4 ist wieder dem Jeremia das Wort gegönnt, wenn auch
nicht ohne den Kommentar der Ergänzer"[298]. Man kann mit einem
Anschluß an 3,1-5 rechnen,[299] der aber nicht so eng ist,wie er
in der Regel hingestellt wird: Da die שוב-Problematik im ganzen 3. Kap. vorherrschend ist, lassen Nuancierungen zwischen
beiden Textpartien eher an einen lockeren, durch Gedankenassoziation hervorgerufenen Zusammenhang denken. So wird der Bruch
zwischen den Geschlechtern mit unterschiedlichen Bildern dargestellt, denn in 3,1 ist an das Verhältnis Ehemann-Ehefrau
(אשה - איש), in 3,20 ist an die Beziehung Frau-Freund (אשה - רע)
gedacht, und außerdem wird das Verhältnis zwischen Jahwe und seinem Volk unterschiedlich akzentuiert: In 3,4 versteht das Volk
Jahwe als seinen "Jugendfreund"[300], ohne daß an diesem Verständnis Anstoß genommen wurde, nach 3,19 sieht Jahwe sich jedoch als
"Vater", jeweils mit unterschiedlichen Folgerungen. Für einen
Vater kommt es unerwartet, wenn ihm der Sohn zunächst folgt, dann
aber umkehrt,[301] beim Jugendfreund rechnet man mit Nachsicht, die
eine erneute Umkehr ermöglicht (3,1-5).

V. 19ff. variieren das Thema der abgebrochenen Beziehung zwischen Jahwe und seinem Volk mit einer entscheidenden Fortführung,
in der die Schuldeinsicht und ihre Auswirkung gleichsam in einer
Art Rollenspiel erfaßt werden: Während V. 21 Einsicht zu erkennen gibt, ruft Jahwe in V. 22a konkret zu ihrer Anwendung auf und

---

297 Die Rückkehr Israels und Judas verbleibt im konkreten politischen Raum,
die Erwartung, daß sich die Völker in Jerusalem sammeln und dort dem "Starr-
sinn ihres Herzens" absagen, zweifellos nicht mehr.

298 B. Duhm, Kommentar, 41. Zur Form vgl. J.T.Willis, Dialogue between Prophet and Audience as a Rhetorical Device in the Book of Jeremiah, JSOT 33
(1985) 63ff.

299 So schon B. Stade, ZAW 23 (1903) 156, und nach ihm viele Exegeten, z.B.
P. Volz, Kommentar, 34ff.; W. Rudolph, Kommentar, 29ff.; W. Thiel, Die dtr.
Redaktion von Jer. 1-25, 84, und neuerdings J. Schreiner, Kommentar, 30.

300 Mit diesem Terminus stößt sich die Bezeichnung "Vater", die aus V. 19
eingetragen sein dürfte, s. B. Duhm, Kommentar, 35.

301 In V. 19 steht שוב mit der zusammengesetzten Präposition מאחרי , bei
der אחרי das ursprüngliche Verhalten bezeichnet.

begründet das mit seiner davon abhängigen Zuwendung zu seinem
Volk, das sich dann in V. 22b zu Jahwe begibt und in V. 23-25
seine Schuld bekennt. Auch in 4,1a liegt nur ein lockerer Anschluß vor: Jahwe geht auf das Bekenntnis gar nicht ein, sondern nimmt noch einmal das שוב -Thema von V. 22 auf, aber nicht
im Sinne einer Forderung, sondern im Rahmen eines Konditional-
gefüges.[302] Fast unmerklich geht V. 2 in die Rede über Jahwe
ein und nennt dabei Bedingungen, deren Einhaltung positive Auswirkungen garantieren. Mit einer neuen Einleitung wartet schließlich V. 3 auf, der wie V. 4 Forderungen aufstellt, die vor zu-
künftigem Unheil schützen sollen.

Innerhalb von 3,1-5.19-25; 4,1-4 ist also der Gedanke der Umkehr leitend, ohne daß von einer konzeptionellen Einheit die Rede
sein kann, denn die einzelnen Teile sind durch Stichwort- und
Gedankenassoziation nur locker miteinander verbunden.

Schon Kap. 2 hat jenes Thema assoziiert, aber nie explizit
gemacht, dennoch können sich der situative Kontext von Kap. 2
und 3 entsprechen. Hier sind noch einmal im Zusammenhang von
Kap. 3 die Verse 12 und 13 zu nennen, die auch terminologische
Reminiszenzen aufweisen. Allerdings scheint Kap. 3 kein Wort
über politische Machenschaften zu verlieren, oder vielleicht
doch?

In V. 21b, in dem die Weg-Metapher verwendet wird, nennt das
zweite Kolon, was unter עוה דרך (hif.) zu verstehen ist, nämlich שכח את־יהוה. Trifft das auch für 3,1-5 zu? Wenn man sy-
stematisch vorgeht, stößt man bei dem dort genannten זנה auf
eine Beziehung zur Götzendienstproblematik,[303] die namentlich
z.B. in Ez. 6,9 und 23,30 vorliegt und in dtr. Texten auf eine
feste Phraseologie gebracht wurde,[304] vom Hörer bzw. Leser von
3,1-5 aber nicht assoziiert worden sein muß, wenn V. 1 sagt,
das Volk habe Hurerei getrieben mit "vielen Freunden". Was das
bedeutet und wer die "Freunde" sind, teilt der Text nicht mit,
immerhin werden in V. 2 in diesem Zusammenhang wieder die Wege
genannt.[305]

---

302 Das liegt auch in 4,1b vor. Terminologisch unterschiedlich ist von
שקוצים die Rede, in V. 24 ist es הבשת .

303 S. J. Kühlewein, in: THAT I, 519f.; S. Erlandsson, in: ThWAT II, 615ff.

304 Zu זנה אחרי s. Ex. 34,15f.; Dtn. 31,16; Ri. 2,17; 8,27.33.

305 Der ebenfalls in V. 2 stehende Begriff שפי wird in den Kommentaren

Auch bei diesem Problem kann V. 19ff. der perspicuitas dienen wollen, in V. 23 erinnern nämlich die "Hügel" und die "Berge" an das Wort 2,20(ff.) mit seinen Gedanken zum Götzendienst,
der auch noch in 3,24 (הבשׁת) anklingt.

Wiederum kann hier ein Teil der Entstehungsgeschichte sichtbar werden, die nicht als Aktualisierungsbestreben verstanden
werden muß. 3,14ff. will nicht antithetisch Hoffnung nach er-
folgter Katastrophe zusprechen. Hoffnung war schon in V. 12f.
angelegt, V. 14ff. entwickelt den Gedanken nur noch. Daß dafür
die Zeit nach erfolgtem Unheil insbesondere in Frage kommt, bedarf kaum eines weiteren Wortes. So mögen 3,1-5 und 3,12f., die
beiden Kristallisationspunkte sein, deren genaue Entstehungs-
zeit nicht feststellbar ist. 3,1-5 geht zwar terminologisch eigene Wege,[306] aber das sollte weder für die Verfasserschaft noch
für die Abfassungszeit zu einer vorschnellen Entscheidung führen. Auch einem antiken Autor muß zugestanden werden, daß er dasselbe Thema mehrere Male variierend angeht, weil Ort und Publikum, mündlicher Vortrag und schriftliche Fixierung eine jeweils
anders akzentuierte Prägung erfordern. Vorausgesetzte Kenntnis
und Assoziationsfähigkeit und -bereitschaft spielen dabei sicher
auch keine unwesentliche Rolle.

Wenn in 3,1-5 und 3,12f. auch auf außenpolitische Verbindungen angespielt ist - dafür könnte die mit Kap. 2 korrespondie-

---

(s. z.St.) in der Regel mit "Höhe" wiedergegeben. Die Wendung נשׂא עינים
legt das aber nicht nahe, sie kennzeichnet den Augenaufschlag und bedeutet
einfach "hinsehen" (s. z.B. KBL, 636).
Die Wiedergabe jenes Terminus durch die Septuaginta, die ὄρη, νάπη, τρίβοι
und εὐθεῖα übersetzt, ist nicht einheitlich, ebenso uneinheitlich übersetzt
die Vulgata: directum, supini colles, plana, viae, rupes.
Da ein Parallelismus zu דרך vorliegt, ist an einen entsprechenden Terminus
zu denken (s. KBL, 1004, s. auch W.L. Holladay, Structure, Syntax and Meaning
in Jeremiah IV, 11-12a, VT 26, 1976, 35: "caravan tracks"); bei einer Ableitung von שׁפה könnte an die in der Steppe bzw. Wüste (מדבר in 4,11; 7,29;
12,12) freiliegenden, durch den Wind kahlgefegten Pisten gedacht sein. Diese
Bedeutung läßt sich auch für die übrigen Stellen des Jeremiabuches durchhalten, so in 3,21 (zusammen mit דרך), 4,11 (zusammen mit דרך), 7,29; 12,12;
14,6. Die Präposition על ist oszillierend, sie kann "a u f dem Weg", aber
auch "a n dem Weg" bedeuten ("an" bei etwas tiefer gelegenen Objekten, s.
z.B. Gen. 16,7).

306 Die רעים רבים von 3,1 wurden schon genannt, vgl. damit die זרים in
3,13, הבשׁת in 3,24, ההבל in 2,5, הבעל in 2,8, לא יועלו in 2,8 (2,11
sg.), vgl. auch חנף ארץ hif. von 3,2 mit טמא את־הארץ pi. in 2,7. In
2,19 fällt ארץ חמדה gegenüber ארץ הכרמל von 2,7 auf.

rende Fortschreibung im Zusammenhang der Götzendienstproblematik von V. 19ff. sprechen - dann ist der Zeitraum von Joschija
bis Zidkija wieder offen. Ohne Sicherheiten vorzutäuschen, wird
man vorzugsweise an einen Rückblick am Ende der Königszeit denken, das legen der Plural זדים in 3,13 und die hyperbolische
Formulierung רעים רבים in 3,1 nahe. Im Gegensatz zu Kap. 2 nennen jene Abschnitte keine konkret-politische Macht. Wenn man so
will, stellen beide Komplexe im großen einen Parallelismus dar,
der im kleinen die einzelnen Verse so häufig kennzeichnet, und
sind so ein auf die redaktionskritische Ebene transponiertes Indiz für die bevorzugte periphrastische Gestaltung, die Identifizierung und Variation ermöglicht und erlaubt.

Die Zuspitzung auf die Götzen neben Jahwe in 3,24 und 4,1
sagt für die Festsetzung der Zeit ebenfalls nichts Sicheres aus,
denn die im dtr. Geschichtswerk radikal zum Ausdruck gebrachte
Einsicht, daß kultpolitische Verfehlungen das Schicksal von Volk
und Land entscheidend bestimmt haben, die auch in Jer. 2 und 3
ihren Anwalt findet, ohne daß damit ein dtr. Hintergrund vorliegt, läßt eine paradigmatische Bedeutung ahnen, unabhängig
von der Frage, wie die sog. Reform des Joschija und ihre Wirkungen zu verstehen sind[307] und wie weit der "Ausschließlichkeitsanspruch Jahwes"[308] realisiert wurde.

3. Jer. 4,5-31

a) 4,5-8

Ohne literarkritischen Indikator beginnt in 4,5 ein neuer
Abschnitt, der nichts Gutes verheißt und damit wie eine Explikation von 4,3f. wirkt.

---

307 Positiv äußert sich zu den Wirkungen z.B. Y. Kaufmann, The Religion of
Israel - From its Beginnings to the Babylonian Exile, Chicago 1960, 406,
negativ entscheiden sich z.B. V. Maag, Erwägungen zur deuteronomischen Kult-
zentralisation, in: Kultur, Kulturkontakt und Religion, Ges. Studien, hg.
von H.H. Schmid und O.H. Steck, Göttingen/Zürich 1980, 98; H. Ringgren, Israelitische Religion, 151; E.W. Nicholson, Deuteronomy and Tradition, Oxford
1970, 87.
308 S. dazu M. Rose, Der Ausschließlichkeitsanspruch Jahwes. Deuteronomische Schultheologie und die Volksfrömmigkeit in der späten Königszeit (BWANT
106), Stuttgart u.a. 1975.

Da den Versen 5ff. kein neuer Redehinweis vorangesetzt wird, hat der Leser weiterhin den Eindruck, daß Jahwe spricht. Erst V. 6b bestätigt das durch das göttliche "Ich", aber gerade dieser Versteil wirkt, wie noch zu zeigen ist, deplaciert in seiner Umgebung und das nicht nur wegen der 1.p., die sich zumindest mit der 3.p. von V. 8b stößt.

Eine neue Einleitung erfolgt wegen der neuen Bezugsgröße,innerhalb der bisherigen Vielfalt ist es an dieser Stelle "Juda" und "Jerusalem" (V. 5).Beide, so die beiden parallelen Imperative von נגד und שמע , sollen eine Mitteilung empfangen. Den Grund nennt V. 5, der die Neugier mit zwei weiteren Aufforderungen steigert, nämlich im Lande das "Horn zu blasen und Geschrei zu erheben", noch nicht explizit. Mit dem letzteren wird aber schon deutlicher, was mit תקע בשופר beabsichtigt sein könnte.

Nur Ps. 81,4 läßt die Wendung auf einem kultischen Hintergrund erscheinen, der in der synagogalen Tradition so bedeutend werden sollte;(309) ansonsten ist die Situation des Krieges vorherrschend, in der das Horn in der überwiegenden Mehrzahl der Belege das Signal zum Kampf gibt(310) und nur selten das Ende des Kampfes signalisiert(311). Von dieser Verwendung abgeleitet ist der Horn-Einsatz, der nicht zum Kampf auffordert, sondern vor Kriegsgefahr warnt; (312) noch allgemeiner erscheint er als generelles "Aufmerksamkeitssignal"(313).

Jer. 6,1 verschweigt von vornherein nicht, was jene Wendung bedeutet, denn der Vers beginnt mit einer Aufforderung zur Flucht (עוז hif.). Im Falle von Jer. 4,5 besorgt V. 5bβ diesen Konnex mit der Aufforderung zur Sammlung und Flucht in die befestigten Städte.[314] Allerdings scheint dieser Versteil nicht ursprünglich zu sein.So fällt die Aufforderung ואמרו auf,[315] die ein Ergänzer einsetzte, damit das קראו מלאו nicht als entsprechende Auf-

309 Seit der byzantinischen Zeit, s. L.I. Levine, in: dies. (Ed.), Ancient Synagogues Revealed,7f.

310 S. Jos. 6 passim, Ri. 3,27; 7,18.19.20;1.Sam. 13,3; Sach. 9,14; Joel 2,1, im Jeremiabuch 51,27.

311 S. 2.Sam. 2,28; 18,16; 20,22; vgl. auch 2.Sam. 20,1.

312 S. Hos. 5,8 und Ez. 33,3.6 mit זהר hif.

313 S. Jes. 18,3; Joel 2,15. Vgl. auch 1.Kön. 1,34.39, wo das Horn als Signal bei der Königserhebung fungiert.

314 Vgl. Jos. 10,20 und Jer. 8,14.

315 Die Kommentatoren wollen das Problem textkritisch lösen: B. Duhm (Kommentar, 48) streicht ואמרו als Explikation von מלאו . P. Volz (Kommentar, 51) emendiert in מהרו , im Anschluß daran auch W. Rudolph (Kommentar, 32) und der Vorschlag von BHK und BHS.

forderung mißverstanden wurde. Ebenfalls auffällig ist der innerhalb des Kontextes nur hier fehlende Parallelismus, schließlich die wörtliche Übereinstimmung mit einem Teil der kontextuell unterschiedlichen[316] Stelle 8,14, bei der die 1.p.pl. berechtigt ist, die aber in 4,5 befremdet, wie immer man V. 6b
bewertet. Außerdem wird durch jenen Versteil der Zusammenhang
zu V. 6a unterbrochen und die typische Verankerung der Signal-
verwendung aufgebrochen: Neben dem Horn-Blasen steht in V. 5bα
noch die Aufforderung zum Geschrei, das immer dann im Zusammenhang der Horn-Signale erfolgt, wenn sie zum Kampfbeginn aufru-
fen,[317] in dessen Umfeld auch der נס von V. 6 erwähnt wird,[318]
der eine Signalstange bzw. ein Feldzeichen ist,[319] an dem sich
die Heere versammelten (Jes. 5,26).

Die Formulierung נשא נס ציונה[320] ist nicht uninteressant.
Wie immer man das ה -lokale bewertet - selbst wenn es einen Lo-
kativadverbialis ohne Richtungsangabe meint[321] - , die Aufforderung zur Flucht, die den vorhergehenden Ruf zur Flucht in die
festen Städte mit hervorgerufen haben kann, könnte der Hörer/
Leser als Flucht auf den Zion verstanden haben, auf dem ja das
Zeichen zum Sammeln aufgestellt werden soll. Unter dieser Voraussetzung wäre hier cum grano salis die Ziontradition - anders
als in Kap. 3 - herangezogen: Jahwe gibt mit dem Zion eine
Schutzmöglichkeit; die Aufforderung, sich auf den Weg zu machen,
ist gewissermaßen schon für sich ein entsprechendes Angebot, denn
עוז im Hifᶜil bedeutet soviel wie "sich in Sicherheit bringen"[322].

---

316 Die Flucht in die festen Städte, die in 4,5 der Rettung dienen soll, wird
in 8,14 (zynisch) als Untergang hingestellt.

317 S. Jos. 6,5; Ri. 7,18; Hos. 5,8; Joel 2,1.

318 S. Jes. 18,3; Jer. 51,27 könnte aus 4,6 entlehnt sein.

319 S. zusammenfassend H.Weippert, in: BRL, 77ff. Zur Form und Funktion vgl.
M. Görg, Nes - ein Herrschaftsemblem?, BN 14 (1981) 11-17, und B. Couroyer,
Le NÈS Biblique: Signal ou enseigne?, RB 91 (1984) 5-29.

320 נס נשא ist fast nur im Jesajabuch (5,26; 11,12; 13,2; 18,3; 30,17) und
Jeremiabuch (neben 4,6 noch 50,2; 51,12.27) belegt. Die Funktion ist nicht
einheitlich. Die Errichtung erfolgt, um ein Volk aus der Ferne erst herzu-
locken (Jes. 5,26), um den Völkern bei der Heimholung des Gottesvolkes ein
Zeichen zu setzen (Jes. 11,12), in der Regel aber, um das Aufgebot für den
Krieg zu sammeln (Jes. 13,2; Jer. 51,12.27), vereinzelt als Signal nach Abschluß des Kampfes (Jer. 50,2).

321 S. Ges.-K., § 90c und db.

322 S. KBL, 687; HAL Lfg. III, 753; E. Gerstenberger, in: THAT II, 221-224.

Der Grund wird in V. 6b genannt, in äußerst abstrakter Formulierung mit רעה und שבר im Parallelismus, also stilgerecht,
und dennoch liegt keine ursprüngliche Fortsetzung vor: Die Aufforderungen von V. 5 und V. 6 sind sinnvoll, wenn der Feind
gleichsam vor dem Lande steht; eben das drückt auch der V. 7
aus, nach dem er schon zum Kampf aufgebrochen ist. Anders V. 6b:
Jahwe schickt zwar רעה und שבר, das tempusindifferente, der
Handlung enthobene Partizip bezieht aber keine Stellung, beläßt
vielmehr der Ankündigung eine Allgemeingültigkeit, die mit dem
Kontext unverträglich ist. Dieser Versteil ist später eingescho-
ben, seine Vorlage ist zweifellos 6,1, wo eine entsprechende
Fluchtaufforderung vorliegt, daneben die Anordnung, das Horn
zu blasen und ein "Zeichen"[323] zu setzen, und schließlich die
Begründung: כי רעה נשקפה מצפון ושבר גדול. Der Unterschied zu
4,6 liegt beim Verbum, das in 6,1 im Perfekt steht, weil sich
das Unheil, das den Ruf zur Flucht auslöst, schon in Gang gesetzt hat. In 6,1 fügt sich das Perfekt sinnvoll ein, hier liegt
deshalb auch der ursprüngliche "Sitz in der Literatur"[324].

Es ist ausgeschlossen, in V. 7 das Perfekt im futurischen
Sinne zu verstehen, etwa als Perfectum confidentiae bzw. propheticum[325], andernfalls wäre das Imperfekt von נצה im letzten
Teil des Verses neben den Perfektformen im selben Zusammenhang
merkwürdig.[326] Wegen der vorhergehenden Imperative wird man die
gleichsam begründenden Perfektformen mit einem muttersprachli-
chen Perfekt wiedergeben, das auf die Gegenwart hindrängt.[327]

---

323 משאת ist das "Aufsteigende", ein Rauch- bzw. Feuerzeichen wird gemeint sein, vgl. Lachisch-Ostrakon IV, 10 (Lachish I,76) und dazu KAI zu
194,10 (195).

324 Der Ergänzer von 4,6 hat sich ganz offensichtlich an dem nicht gerade
üblichen שקף gestört und dafür geläufiges הביא gesetzt.

325 S. Ges.-K., § 106n.

326 Daß der Teil von עריך bis יושב nicht ursprünglich ist (s. z.B. B.
Duhm, Kommentar, 49; W. Rudolph, Kommentar, 32; BHS), wird man kaum behaupten können. Das Argument, es liege ein Widerspruch zur Aufforderung vor, sich
in die befestigten Städte zu bergen (B. Duhm), bekräftigt nur die oben geäußerte Meinung, daß V. 5bβ sekundär ist. Jener Textteil versteht sich als Paraphrase des vorhergehenden. Die vermutete Entlehnung ist nach der oben vor-
genommenen Analyse umgekehrt verlaufen: nicht 4,7 ist von 2,15 abhängig, sondern 2,15, der als nachträgliche Deutung erwiesen wurde, geht auf 4,7 zurück.

327 "Er ist s c h o n heraufgestiegen (und erscheint bald)", s. Ges.-K.,
§ 106g.
Präterital übersetzen z.B. B. Duhm, Kommentar, 48f.; P. Volz, Kommentar, 49;
W. Rudolph, Kommentar, 32; präsentisch (vgl. Ges.-K., § 106ib): F. Giesebrecht,
Kommentar, 24.

Aber was ist dann mit dem Bild vom heraufsteigenden Löwen gemeint? Zunächst einmal scheint das Verbum עלה eine Interpretationshilfe zu versprechen, denn es wird regelmäßig für den Weg von Ägypten nach Israel verwendet, auch ohne nähere lokale Hinweise.[328] Gerade diese bildliche Ausdrucksweise findet aber auch eine natürliche Erklärung, denn die Vorstellung von Jer. 49,19, die den Löwen in der Jordanniederung sucht,von der er aufsteigt (עלה), kann die Verbverwendung beeinflußt haben, für eine topographische Erklärung der "Sachhälfte" ist damit wenig gewonnen.

Im Zusammenhang mit 2,15 ist die Löwenmetapher schon erläutert worden, an dieser Stelle soll ergänzend nach dem altorientalischen Selbstverständnis der Könige und seiner möglichen Widerspiegelung in der vorliegenden Anspielung gefragt werden.

Der Löwe gilt in Ägypten als königliches Symbol.(329) Schon in der 18. Dynastie wird Amenophis III. dargestellt, wie er die Feinde besiegt, und in der dazugehörigen Legende als Niedertreter aller Länder verstanden. Ebenso ist Thutmosis III. auf Skarabäen als Löwe über einem besiegten Feind zu sehen, während Sethos I. ganz konkret als "Löwe gegen Syrien" bezeichnet wird. (330) Neben den Metaphern, bei denen Löwe und König identifiziert werden, existieren Darstellungen, bei denen der König und ein Löwe miteinander verglichen werden,(331) selbst die Soldaten des Königs halten zuweilen dem Vergleich mit einem Löwen stand.(332) In akkadischen Keilschrifttexten entspricht der König einem nēšu, wenn er auf einem siegreichen Feldzug agiert.(333) Für den Terminus lābu (labbu) existiert eine typische Stelle im Bericht über den 8. Feldzug Sargons II., die anschaulich zeigt, wie das Bild des Löwen die Vorstellung des unaufhaltsamen, Schrecken verbreitenden Potentaten zu assoziieren vermag: ki-ma lab-bi na-ad-ri šá pu-luḫ-tu ra-mu-ú e-til-liš at-tal-lak-ma la a-mu-ra mu-ni-iḫ-ḫu.(334) "Wie ein wilder Löwe, der mit Furcht angetan ist, marschierte

---

328 G. Wehmeier, in: THAT II, 274.

329 S. dazu H. Grapow, Die bildlichen Ausdrücke des Ägyptischen, 69ff.; C. de Wit, Le rôle et le sens du lion dans l'Égypte ancienne, Leiden 1951, 16ff.; E. Hornung/E. Staehelin, Skarabäen und andere Siegelamulette aus Basler Sammlungen (Ägyptische Denkmäler in der Schweiz, 1), Mainz 1976, 126f.143; U. Rössler-Köhler, in: LÄ III, 1086f.

330 Nachweise bei H. Grapow, Die bildlichen Ausdrücke des Ägyptischen, 70.

331 H. Grapow, Die bildlichen Ausdrücke des Ägyptischen, 71.

332 H. Grapow, Die bildlichen Ausdrücke des Ägyptischen, 72.

333 KBo.10,1, 34f. Rs. 2; vgl. auch das Bruchstück des altbabylonischen Naramsin-Epos in AfO 13 (1939-41) 47 (Rev. II,2).

334 TCL 3,420, s. F. Thureau-Dangin, Une Relation de la huitième campagne de Sargon, Paris 1912, 66, der statt labbu fälschlicherweise kalbu liest, vgl. Zeile 371; der Text wurde neu bearbeitet von W. Mayer in MDOG 115 (1983) 65-132, s. 110f. zur Stelle.

ich als Herrscher (durch Urartu) und sah nicht jemanden, der mich überwinden könnte."

Das hebräische שמה von V. 7, das den Schauder über eine Tat und die schaurige Tat zugleich ausdrücken kann,(335) spiegelt eindrucksvoll jene Selbsteinschätzung Sargons.

Wie der Ägypter versteht sich also auch der Assyrer[336] im Bild des Löwen als Eroberer fremder Länder.

Die Frage ist, ob diese Beobachtung für den Jeremiatext von Bedeutung ist. Geht man von dem Verständnis ägyptischer und assyrischer Könige aus, ständen zunächst diese beiden zur Debatte. V. 6b mit seiner Richtungsangabe ist hier, wie gesagt, nicht ursprünglich, hindert also nicht daran, beide Möglichkeiten zu erwägen. Aber muß ein Autor aus der Mitte des 1. Jt.s im syrisch-palästinischen Raum die Metaphorik seiner Umwelt aufgenommen haben, wenn er das Bild des Löwen benutzt? Sicher nicht, denn das Bild ist aus sich heraus verständlich und als Sinnbild für Macht und Kraft[337] vielfältig einsetzbar, die Hinweise im Zusammenhang von 2,15 haben das ja schon gezeigt. Also ist es denkbar, daß etwa auch die Babylonier bzw. Chaldäer gemeint sind, auch wenn nicht entsprechende Textbelege vorhanden sind. Da sonst nichts weiter mitgeteilt wird, ist an dieser Stelle eine begründete Zuspitzung auf einen bestimmten Angreifer nicht möglich.

Sobald der Grund für die ersten Imperative genannt ist, nennt V. 8a drei weitere, direkt aufeinander folgende Imperative, die nachdrücklich zum Trauern auffordern und deshalb in das Qina-Metrum eingebunden sind.

Damit ist der Gedankengang abgerundet; die Begründung ist genannt, eine weitere in V. 8b hinkt nach und dürfte, auch aufgrund des fehlenden Parallelismus, nachträglich angefügt sein, als späte Antwort auf 3,5.

---

335 S. dazu die Wörterbücher s.v.

336 Weitere Belege wären zu nennen, etwa auch im Zusammenhang des adverbiellen lābiš/labbiš; im entsprechenden Kontext s. H. Winckler, Die Keilschrifttexte Sargons, Leipzig 1889, Pl. 31,40, vgl. auch OIP II, 50/1,16.25 (zu Sanherib) und R. Borger, Die Inschriften Asarhaddons, § 27, Nin A I 57 (43). Belege aus der Antike im Vergleich mit alttestamentlichen Vorstellungen bei B. Lang, Kein Aufstand in Jerusalem, 93ff.

337 הרג שק noch in 2.Sam. 3,31; Jes. 15,3; 22,12; Jer. 6,26; 49,3; Ez. 7,18; 27,31; Joel 1,8; Klgl. 2,10. ספד zusammen mit היליל noch in Joel 1,13; Micha 1,8. Daß das Wortfeld variierbar ist, zeigt Jer. 6,26 und 49,3. Entsprechende Klagen können im Zusammenhang öffentlicher Notlagen vollzogen worden sein, vgl.z.B. Jes. 22,12; Joel 1,13f.;2,12f.;Est. 4,3.

Exkurs: Der "Feind aus dem Norden"

In der exegetischen Diskussion sind für den "Feind aus dem Norden", von den Ägyptern abgesehen, verschiedene Identifizierungsmöglichkeiten erwogen worden, bei denen die Skythen, die insbesondere B. Duhm populär gemacht hat,[338] neben den Babyloniern bzw. Chaldäern[339] am vehementesten auf den Schild gehoben werden, während Meder[340] und Assyrer[341] an dieser Stelle nur ein Schattendasein führen. Eine Variante von besonderem Reiz ist die Annahme, zwischen dem Gedanken und seiner Verschriftung bzw. Aktualisierung habe sich die Feindvorstellung geändert, aus den

---

338 B. Duhm, Kommentar, XI.XIV.48ff., so auch ders., Das Buch Jeremia. In den Versmaßen der Urschrift, Tübingen 1907, XIIIff. Schon im 18. Jh. ist eins der Worte, die einen Angreifer erwarten, nämlich 5,15-17, auf die Skythen bezogen worden, und zwar 1765 von H. Venema in seinem Commentarius ad librum prophetiarum Ieremia, I, Leovardiae, 142f. Im 19. Jh. wurde die Anhängerschaft dieser These erheblich größer, s. etwa J.G. Eichhorn, Die hebräischen Propheten, II, Göttingen 1819, 9; F. Hitzig, Kommentar, 33.58; H. Ewald, Geschichte Israels, 3,1, 392; B. Stade, Geschichte des Volkes Israel, 2. Aufl., Berlin 1889, 643ff.; E. König, Einleitung in das Alte Testament,Bonn, 1893, 341; R. Smend, Lehrbuch der alttestamentlichen Religionsgeschichte, 2. Aufl., Freiburg/Leipzig 1899, 244. Die Namen aus den ersten zwei Jahrzehnten des 20. Jh.s sind Legion; aus der deutschsprachigen Forschung seien nur B. Duhm, W. Erbt (Jeremia und seine Zeit, 208f.), C.H. Cornill (Kommentar, 82ff.) und C. Steuernagel (Lehrbuch der Einleitung in das Alte Testament, Tübingen 1912, 544f.) genannt, aus dem englischsprachigen Raum vor allem G.A. Smith, Jeremiah, 4. Aufl., London 1929, 110.381ff. Den umgekehrten Weg geht die Forschung seit der Erschütterung der These durch F. Wilke an einflußreicher Stelle, in der FS für R. Kittel (Alttestamentliche Studien. Rudolph Kittel zum 60. Geb. , BWAT 13, Leipzig 1913, 222-254). Seitdem verstummten, freilich nicht sogleich, die Stimmen, die die "Skythenlieder" mitsangen, oder sie wurden leiser. Von den neueren Exegeten nimmt keiner mehr eine uneingeschränkte Gleichsetzung des "Feindes aus dem Norden" mit den Skythen vor, s. allenfalls J.A. Bewer, The Book of Jeremiah, I, New York 1951, 21; J. Skinner, Prophecy and Religion, 35ff.; H.H. Rowley, The Early Prophecies of Jeremiah in their Setting, 206ff. B.N. Garkow (Die Skythen, 15) läßt die Wahl zwischen Kimmeriern und Skythen. S. weiter zu den Skythen, vor allem 235ff.

339 So z.B. F. Nötscher, Echter-Bibel, 29f.; H. Freedman, Kommentar, 27 (zögernd); J.Ph. Hyatt, Jeremiah, prophet of courage and hope, 36; J.M. Berridge, Prophet, 74ff.; Ch.L. Feinberg, Kommentar, 6; J.A. Thompson, Kommentar, 86ff. In den Kommentaren z.St. werden auch die älteren Vertreter dieser Meinung genannt.

340 So H. Greßmann (Bemerkungen des Herausgebers, ZAW 42, NF 1, 1924, 157f.) unter Berufung auf eine mündliche Mitteilung H. Gunkels, s. auch J.Ph. Hyatt, JBL 59 (1940) 499-513. Nur um der Vollständigkeit zu genügen, sei der undiskutable Vorschlag C.C. Torreys (The Background of Jeremiah 1-10, JBL 56, 1937, 193-216) erwähnt, der den Jer.-Text in hellenistischer Zeit ansetzt und im Feind Alexander den Großen erkennt, s. dagegen schon J.Ph. Hyatt, JBL 59 (1940) 503ff.

341 So P.R. Ackroyd, The Vitality of the Word of God, ASTI 1 (1962) 13f. und Anm. 18 (22). Er glaubt, daß Jeremia zunächst an die Assyrer dachte und später die Babylonier nannte ("pattern in events", 13), vgl. Anm. 342.

Skythen seien die Babylonier bzw. Chaldäer geworden.[342]

Allen konkreten Vorschlägen zum Trotz ist auch immer wieder vermutet worden, daß überhaupt nicht an einen bestimmten Feind gedacht wurde,[343] bzw. daß kein konkret-geschichtlicher Bezug vorliegt, weil als bewußtseinsbildender Faktor eine צפון -Vorstellung zugrunde liege, die als geschichtliches Paradigma[344] oder als paradigmatisches Mythologem[345] gedeutet wird, wenn nicht gar bei dem צפון -Gedanken eine Verbindung von Geschichte und Mythos vorausgesetzt wird.[346]

Schließlich ist noch für die nachexilische Zeit mit einer eschatologischen Wendung der Vorstellung vom "Feind aus dem Norden", der vor dem Exil als konkret in der Geschichte auftretender Feind zu verstehen sei, gerechnet worden.[347] Andererseits

---

342 Diese Meinung ist am entschiedensten von C.H. Cornill (Kommentar, 82ff.) vorgetragen worden, s. dann auch den Kommentar von S.R. Driver, 1906, 21, vgl. auch A. Lauha, Zaphon. Der Norden und die Nordvölker im Alten Testament, Helsinki 1943, 62ff.; L.G. Perdue, Jeremiah in Modern Research. Approaches and Issues, in: L.G. Perdue/B.W. Kovacs (Ed.), A Prophet to the Nations, 9; W. McKane, Kommentar, 19ff., vor allem 21.
Die These ist modifiziert worden; Jeremia habe zwar von den Skythen gewußt, "aber über das Stilistische und das Rhetorische geht dieser Einfluß kaum hinaus" (F. Nötscher, HS VII/2, 80). So oder ähnlich urteilen viele Exegeten, s. K.H. Graf, Kommentar, 15ff.; C. von Orelli, Kommentar, 222; A. Gelin, Kommentar, 43; A.Aeschimann, Kommentar, 62f.; in neuester Zeit auch J. Schreiner, Kommentar, 33. Eine pointierte Zuspitzung bei H. Schmidt (Kommentar, 214) und F. Giesebrecht (Kommentar, V), die Jeremias Auftreten durch den Zug der Skythen veranlaßt sehen, Jeremia aber den "Feind aus dem Norden" nicht mit den Skythen identifizieren lassen.

343 Diese Meinung findet sich besonders in neueren deutschen Kommentaren, s. vor allem P. Volz, Kommentar, 58; A. Weiser, Kommentar, 37f.; W. Rudolph, Kommentar, 49.

344 So A. Lauha (Zaphon), der in den Gedanken vom "Feind aus dem Norden" eine Aktualisierung des "Seevölker"-Einbruchs sieht (79ff.), s. dazu im einzelnen M. Noth, ThLZ 72 (1947) 277f. Eine vergleichbare Sicht bei H. Cunliffe-Jones, Kommentar, 65: "a perpetual symbol of the threat ...".

345 So H. Greßmann, Der Ursprung der israelitisch-jüdischen Eschatologie (FRLANT 6), Göttingen 1905, 174ff.; ders., Der Messias (FRLANT 26), Göttingen 1929, 164ff.; s. schon H. Winckler, in: AoF II, 1, 1898, 160ff., und W. Staerk, ZAW 51, NF 10 (1933) 9ff. A. Haldar (Associations of Cult Prophets among the Ancient Semites, Uppsala 1945, 157ff.) wollte Idee und Vokabular aus dem babylonischen Neujahrsfest ableiten.

346 So H. Schmidt, Kommentar, 214.

347 So J. Wellhausen, Prolegomena, 6. Aufl., 1905, 417; im einzelnen zu verifizieren versucht von B.S. Childs, The Enemy from the North and the Chaos Tradition, JBL 78 (1959) 187-198.

kann das eschatologische Verständnis auch schon für die vorexilische Zeit, respektive Jeremia, beansprucht werden, der Feind wird dann nicht als historische Macht, sondern als "idea of mysterious terror" interpretiert.[348] Freilich sind besonders hier Vorbehalte zu nennen, denn es ist keine terminologische Beckmesserei, wenn auf dem Standpunkt, als eschatologisch nur das zu bezeichnen, was ein ἔσχατον , also "eine letzte Aktivität Jahwes"[349] ist, beharrt wird, Jer. 4,5ff. ist jedenfalls von einer kosmischen Dimension weit entfernt.

Ein in diesem Zusammenhang letzter Punkt muß noch erörtert werden. Es wäre denkbar, daß die Gedanken über den "Feind aus dem Norden" in einer Form vorliegen, die zwar die ferne Zeit ausschließt, aber zugleich auch das gegenwärtige, konkret-geschichtliche Geschehen transzendiert.

Vorgeschlagen wurde eine "liturgische Form: Alarmruf durch den Wächter-Propheten, Schilderung der Not, Aufforderung zur Klage und Klage selbst sind deutlich die Stufen eines Formulars, das offensichtlich am Heiligtum in dieser Art ausgeführt wurde."(350) Die Implikationen dieser These(351) sind beachtenswert. Ist es aber wahrscheinlich, daß man eine profane Form (Alarmruf) in den kultischen Bereich transponierte , so daß der Kultteilnehmer der Gefahr profanhistorischer Identifizierungen ausgesetzt wurde? Die einzige Aussage, die in 4,5ff. die Grenze des eigenen Volkes übersteigt, ist die Beschreibung des Löwen als גוים משחית , geht sie aber deshalb schon "in den geheimnisvollen Bereich mythologischer Schilderung über"(352) oder ist sie nicht eher als Reflex auf eine militärische Macht zu verstehen, die ihr zerstörerisches Werk (vgl. 6,5!) nicht nur an einem einzigen Volk vollzieht?
Weiter ist geltend gemacht worden, daß die Vorstellungswelt des sog. Heiligen Krieges in 4,5ff. durch die Formulierung ביום ההוא repräsentiert ist, (353) die als eine Variante zum יום יהוה verstanden werden kann. Das ist zweifellos richtig. Nur: Der יום יהוה bezieht sich auch auf vergangenes Ge-

---

348 A.C. Welch, Jeremiah, 124.

349 G. von Rad, in: ThWNT, Bd. II, 947.

350 H. Graf Reventlow, Liturgie, 94-121, das Zitat 119.
Aus dem Vergleich mit Joel 1 und 2 gewinnt H. Graf Reventlow als konkreten Sitz im Leben die kultische Feier des Bußtages.

351 Zum Folgenden s. H. Graf Reventlow, Liturgie, 104ff.

352 H. Graf Reventlow, Liturgie, 107.

353 H. Graf Reventlow, Liturgie, 107ff. Zur Verbindung der Vorstellungen vom "Feind aus dem Norden" und dem "Tag Jahwes" s. J.M. Berridge, Prophet, 73ff. Die Bezeichnung "Heiliger Krieg" und was damit verbunden wird, ist umstritten; die neueren Äußerungen zum Thema referiert C. Colpe, Zur Bezeichnung und Bezeugung des "Heiligen Krieges"(II), Berliner Theolog. Zeitschrift 1 (1984) 199ff.

schehen,(354) zielt also nicht zwangsläufig auf eine Zukunft, die gar den geschichtlich-vorfindlichen Raum übersteigt. Was aber noch gewichtiger ist: Jer. 4,9 reflektiert gar kein kriegerisches Geschehen, die Wendung führt einfach zeitlich anschließend das Verhalten und die Reaktion der Volksrepräsentanten an, ist also nicht theologisch belastet. Größere Bedeutung hat die Beobachtung, daß die mit der Warnung verbundene Aufforderung zur Flucht in der Vorstellungswelt des sog. Heiligen Krieges verankert sei,(355) die dann in der Umkehrung der Kampfrichtung - Jahwe kämpft gegen sein eigenes Volk - zugespitzt vorläge.(356) Die Aufforderung zur Klage allerdings muß nicht (nur) institutionell verankert sein,(357) im Jeremiabuch zeigt z.B. 9,9f.16-21 eindrucksvoll, wie Not Klagen "hervorruft", die den engen Kreis der Profession (Klageweiber) überschreiten (s. V. 16 und V. 19) können.

So mögen hier durchaus traditionelle Elemente aufgenommen sein, eine ausschließlich liturgische Vermittlung, die gegebenenfalls Buße intendiert und dabei Unheil ansagt, wäre nur dann verständlich, wenn auch Begründungszusammenhänge vorhanden wären. Als Jahwewort jedenfalls wird 4,5ff. nicht bezeichnet. Trotzdem kann der Autor seiner Erwartung sicher gewesen sein, vielleicht, weil er sie, ohne daß das gesagt wäre, Jahwe verdankt. Offenbarung oder Geschichte wäre in diesem Sinne eine ebenso falsche Alternative wie Kult oder Geschichte.

Der Leser der Endfassung des Jeremiabuches erfährt von einem namentlich genannten Feind, der die Oberhand gewinnen wird, erst in 20,4, wo vom "König von Babel" die Rede ist, der dann in 21,2 zum ersten Mal als "Nebukadnezzar, der König von Babel" identifiziert und in 21,4 mit den Chaldäern[358] verbunden wird.

Es verdient Beachtung, daß alle Texte, die von Nebukadnezzar bzw. von den Chaldäern im Zusammenhang der Eroberung Judas und Jerusalems sprechen, in Prosateilen stehen,[359] kein einziger poetisch stilisierter Text nennt die babylonische Gefahr beim Namen. Muß das bedeuten, daß Jeremia - einmal angenommen, 4,5ff. gehört in eine frühe Phase seiner Verkündigung - jene Gefahr noch nicht geahnt hat? Nicht weniger fraglich ist die Alternative: "Jeremia will gar keinen bestimmten, politisch genau faßbaren Feind be-

---

354 S. G. von Rad, ThWNT, Bd. II, 947; ders., Theologie des Alten Testaments, Bd. II, 129ff.

355 R. Bach, Aufforderungen zur Flucht und zum Kampf, 92ff.

356 H. Graf Reventlow, Liturgie, 110ff. Graf Reventlow erklärt die dialektische Vorstellung - einerseits Warnung, andererseits Unheilsankündigung - mit "der doppelseitigen Aufgabe des Mittlers" (112.)

357 So H. Graf Reventlow, Liturgie, 113ff.

358 כשׂדים, babylonisch kašdu, assyrisch kaldu, zum š/l-Wechsel s. GAG, § 30 g und h. Zum š in diesem Zusammenhang GAG, § 30 d und e. Zum ś/l-Wechsel s. R.C. Steiner, The Case for fricative-laterals in Proto-Semitic, New Haven, Conn. 1977, 137-143.

359 Nur in den späten Kapiteln 50 und 51 (s. dazu W. Rudolph, Kommentar, 297ff.) wird beides in metrisch geformter Sprache bedacht, aber freilich in anderen Zusammenhängen.

schreiben. Er hat von Jahwe die Kunde bekommen, daß eine Kriegs-
macht von Norden hereinbreche. Mehr weiß er nicht und will er
nicht wissen"[360].

Gibt sich wohl das Publikum zufrieden, wenn der Vortragende
auf halber Strecke stehen bleibt? Zugespitzt formuliert könnte
man sagen: Die Prosaüberlieferung, die die Einnahme Jerusalems
ankündigt und dabei die entsprechenden Akteure nennt, ist die
alltagssprachliche Dublette eines Vorgangs, der in den poetisch
strukturierten Teilen am Anfang des Jeremiabuches sozusagen nur
den "offiziellen" Verkündigungsvorgang widerspiegelt, während
der Dialog zwischen dem Propheten und seinem Publikum, in dem
sicher auch konkrete Namen diskutiert wurden, anders als in der
Prosaüberlieferung unberücksichtigt bleibt. Ohne die weiteren
Textteile von Jer. 4 analysiert zu haben, soll schon an dieser
Stelle über die Frage der Kommunizierbarkeit eines Wortes wie
4,5ff. nachgedacht werden.

Ist 4,5ff. Anzeichen eines "Formulars, das offensichtlich
am Heiligtum ... ausgeführt wurde"[361], ist Kap. 4 "Lyrik, Schilderung von Vorgängen, Ausströmen von Empfindungen, allerdings auf
göttliche Einwirkung zurückgeführt und, auf ein Flugblatt geschrieben, zum Lesen für viele andere bestimmt"[362], oder aber liegt ein
"Erguß seiner (d.h. Jeremias) inspirierten Seele vor", mit dem er
so verfuhr, "daß er diese Eingebungen nur für sich niederschrieb,
ihnen aber das Thema für sein öffentliches Reden entnahm"[363]?
Setzt man eine interpretierende Diskussion im Anschluß an den
Vortrag voraus, spricht nichts gegen eine mündliche Verkündigung, auch unter der Voraussetzung, daß das Geschehen noch nicht
so aktuell war, wie es dargestellt wurde.

Noch einmal ist auf die antike Rhetoriktheorie hinzuweisen,
die mit dem Begriff evidentia etwas so lebhaft Dargestelltes erfaßt, daß man es gleichsam sieht und nicht nur Worte hört. Das
Publikum wird in die Lage des Augenzeugen versetzt.[364] Ein typisches Stilmittel der evidentia ist die translatio temporum[365],

---

360 P. Volz, Kommentar, 58.

361 H. Graf Reventlow, Liturgie, 119.

362 P. Volz, Kommentar, 53.

363 W. Rudolph, Kommentar, 35.

364 Quintilian IX, 2, 40. Zum ganzen s. H. Lausberg, Handbuch, §§ 810-819.

365 Quintilian IX, 2, 41. Zu dem in diesem Zusammenhang typischen Präsens,

die Übertragung auch des zukünftigen Geschehens[366] in die Gegenwart, die in Jer. 4,7 durch die Perfekt-Form augenfällig ist.
Diese Form der Darstellung wirkt besonders affekterregend, weil der
gegenüber der unbekannten Zukunft hohe Konkretheitsgrad das Publikum
zum Hören (und Handeln) bewegt.

Nach dem Jeremiabuch ist der Prophet einem Volk gegenüberge-
treten, das nach dem Verständnis dtr. Tradenten von einer שרירות
לב[367] geprägt war. Um so schwieriger mußte es sein, seine Aufmerksamkeit und seine Affekte zu erregen. Zu diesem Zweck hat
Jeremia Mittel eingesetzt, die je und dann in der Antike, ob
theoretisch reflektiert oder nicht, angewandt wurden. In den
bisher analysierten Texten stehen sie im Dienste der Verkündigung und übersteigen damit die Intention "dichterischer Ver-
sinnlichung"[368], deren "Botschaft" an die poetische Form geknüpft wird und nicht umgekehrt.

Noch einmal zu den geschichtlichen Implikationen: Es ist nur
schlecht vorstellbar, daß ein Mann wie Jeremia - es gibt keinen Grund, ihm diese Verse abzusprechen - , der nach Ausweis
der Prosaüberlieferung in Jerusalem Verbindung zum Königshof
hatte und so über die politischen Konstellationen informiert
war, das Verständnis der Geschichte ausschließlich auf paradigmatische Ahnungen beschränkte. Hier wird ja gerade nicht
generell auf kommende Schwierigkeiten verwiesen wie etwa in
2,9.19.35, sondern auf politisch-militärische Probleme, die
freilich in 2,18 und 2,36 einen Namen haben. Wenn das in 4,7
nicht der Fall ist, dann kann das sehr wohl aus rhetorischer
Wirkungsabsicht resultieren. Oder anders ausgedrückt: der Feind
wurde nicht namentlich genannt, um die Aufmerksamkeit und das
Interesse der Hörer/Leser zu aktivieren.

---

das vergangene und zukünftige Geschehenszeiten in die Gegenwart holen kann,
s. H. Lausberg, Handbuch, § 814. Jer. 4,7 läßt sich durchaus auch präsentisch übersetzen, vgl. Anm. 327.

366 Quintilian IX, 2, 41.

367 S. Jer. 3,17; 9,13; 16,12 u.a. Zum dtr. Charakter s. W. Rudolph, Kommentar, z.St., und W. Thiel, Die dtr. Redaktion von Jer. 1-25, z.St.

368 W. Rudolph, Kommentar, 35.

b) 4,9-10

In V. 9 liegt mit der Formulierung והיה ביום ההוא נאם־יהוה
ein neuer Einsatz vor. Das Kompositionsprinzip, das hier vorliegt, ist schon bei der Analyse von Kap. 2 beobachtet worden.
Dort wurden in V. 8 konkret die Priester, Hirten (hier differenziert in Könige und Beamten) und Propheten mit ihren Verfehlungen genannt, nachdem in V. 5-7 allgemein das gesamte Volk
in seinem Verhalten gekennzeichnet worden war. So auch in diesem
Kapitel, wenn zunächst in V.5ff. die Gesamtheit und dann in V. 9
eigens die Repräsentanten des Volkes bedacht werden, deren Verhalten bzw. Ergehen kaum als adäquate Reaktion auf ein Unheil,
wie es am Ende von V. 7 beschrieben ist, verstanden werden kann.
Hier scheint jemand die für das Jeremiabuch traditionelle Re-
präsentantengruppe des Volkes eingetragen zu haben, vielleicht
im Hinblick auf ihre besondere Verantwortung an dem (inzwischen
wohl zurückliegenden) Debakel.

Auch der folgende V. 10 hebt sich vom ursprünglichen Text ab,
das zeigt schon sein Prosacharakter, der vor allem am fehlenden
Parallelismus und an dem die wörtliche Rede einleitenden לאמר
zu erkennen ist. Merkwürdig ist die 1.p., denn V. 10 läßt sich
kaum als "überwältigende Macht der Verzweiflung"[369] des Propheten interpretieren, andernfalls läge eine Art Parenthese vor, die
ohne formkritische Parallele prophetische Kritik an Jahwe im Rahmen noch nicht eingetretenen Unheils für einen Augenblick auf-
blitzen läßt. Im Jeremiabuch ist ein entsprechendes Ringen mit
Jahwe ein eigenes Thema, ein anschauliches Beispiel ist V. 18 in
der Einheit 15,10-21. Textkritisch ist an der 1.p. gar nichts
auszusetzen, der Codex Alexandrinus und die Arabische Übersetzung,
die auf ein ויאמרו führen, haben das Verständnis erleichtert, und das zu Recht, denn der Anfang von V. 10 ist wörtlich
aus 14,13 übernommen, wo Jeremia und Jahwe die Heilserwartungen
der "Propheten" verhandeln, die in 14,14 als Lügen eingestuft werden. Die Anlehnung an diese Stelle wird auch durch die im Alten
Testament singuläre Formulierung נגע חרב עד־הנפש unterstrichen,
die das Nomen חרב von 14,13 in positiver Umkehrung aufnimmt. So

---

369 S. G. Quell, Wahre und falsche Propheten, 97, dazu grundsätzlich W. Rudolph, Kommentar, 34 Anm. 1. Anders H. Graf Reventlow, Liturgie, 119ff.:
Jeremia fungiere als "Fürsprecher des Volkes" (119).

macht der massive Vorwurf der Täuschung (נשא mit Infinitivus
absolutus) im nachhinein die Verwunderung der Propheten in V.9
verständlich, die als die Verkündiger von שלום zu denken sind.

Weil ausschließlich das Verhalten der Propheten erläutert
wird, liegt mit V. 10 ein Nachtrag zum Nachtrag vor, wohl aus
der Feder eines mit jener Zunft zumindest sympathisierenden Lesers, der ihre Rechtmäßigkeit nicht in Zweifel stellte, sondern
die Diskrepanz zwischen Wort und Geschichte der beabsichtigten
Irreführung durch Jahwe zuschrieb. 1.Kön. 22,22f. ist ein Beweis dafür, daß jenes Phänomen alttestamentlichem Denken nicht
fremd war.

c) 4,11-12

Eine weitere Zäsur liegt mit כעת ההיא bei V. 11, in dem am
auffälligsten die Passivform (nif.) des Verbum dicendi (אמר)
ist, die das masoretische Unbehagen nach der 1.p. von V. 10 ausdrücken kann, denn eine Vokalisierung der Form יאמר als Qal (Jahwe) wäre ohne Zusammenhang, während jetzt Jahwe und Jeremia prima
vista ausgeschlossen sind. Es scheint hier wieder eine ordnende
Hand eingegriffen zu haben, die das Folgende vom Vorhergehenden
absetzt, mit ihrem unverfänglich-allgemeinen כעת ההיא aber, das
Verbindung mit V. 5-8 und V. 9 herstellt,[370] die konkret-geschicht-
lichen Implikationen bis zu einem gewissen Grade wieder enthistori-
siert.

Der Hörer bzw. Leser erfährt in V. 11 mit der Formulierung רוח
צח שפיים במדבר דרך בת־עמי erneut etwas über eine drohende Gefahr, aber was genau? Die ersten drei Wörter sind nicht ganz einfach zu verstehen. Für צח ist zwar aufgrund des Arad-Ostrakons
20,2 ein Monatsname vorgeschlagen worden,[371] die Lesung ist aber
äußerst fraglich,[372] so daß kein Anlaß besteht, von der durch die

---

370 Auch V. 10 wird einbezogen, denn die Wendung לעם הזה ולירושלם ,die
gern als Zusatz aus V. 11 betrachtet wird (s. z.B. BHK; BHS; F. Nötscher, HS
VII/2, 59; W. Rudolph, Kommentar, 34), dürfte aufgrund der Konstruktion mit
ל (so auch 2.Kön. 18,29; Jes. 36,14; Jer. 29,8) in V. 10 im ursprünglichen
Zusammenhang stehen, andernfalls müßte man annehmen, daß ein Akkusativobjekt
ausgefallen ist, vgl. z.B. Jer. 37,9. Eine metri causa-Streichung ist nicht
möglich, weil kein Metrum vorliegt.

371 So Y. Aharoni/R. Amiran, Excavations at Tel Arad, IEJ 14 (1964) 142f.
und Pl. 38; beibehalten in Y. Aharoni, Arad Inscriptions, 40.

372 S. die Photographie in: Y. Aharoni, Arad Inscriptions, 41. Bedenken äu-
ßerten schon M. Weippert, Archäologischer Jahresbericht, ZDPV 80 (1964) 182f.;

Wurzel צחח repräsentierten Bedeutung "glänzen, polieren"[373] ab-
zuweichen. Gemäß dem vorliegenden Kontext läßt sich צח als das
Flimmernde[374] verstehen, das sich zum Bild der Pisten - so nach
dem vorgeschlagenen Verständnis von שפיים [375] - sehr gut fügt.
Es liegt also eine Constructus-Verbindung vor, die den "Wind
über[376] den flimmernden Pisten" zum Ausdruck bringt. Auch wenn
דרך bis zum Adverbialis der Richtung verblaßt ist, der bei der
Übersetzung mit einer präpositionalen Wendung wiedergegeben
wird,[377] das Bild des Weges wird erneut verwendet,[378] hier, um
den Weg des Windes zu beschreiben: er führt zum Volk Jahwes, und
zwar כמדבר, durch die Wüste. Eine Emendation in כא ממדבר[379]
hat die Textüberlieferung und das textkritische Prinzip gegen
sich, nach dem die Lectio difficilior, sofern der Text verständlich ist, vorzuziehen ist. Im übrigen wird der Text nur scheinbar erleichtert, denn die Perfektform כא kollidiert mit der Imperfektform יבוא in V. 12. Trotzdem: der Vorschlag macht die
Frage bewußt, woher der Wind eigentlich kommt.

Das Alte Testament kennt vier Winde, die von den vier Himmelsrichtungen
ausgehen.(380) Hier nicht gemeint ist der Westwind (רוח ים), der vom Mit-
telmeer kommt und im Sommer für eine angenehme Abkühlung sorgt. Im Gegensatz
dazu bringt der aus der Wüste kommende Ostwind, der esch-scherqije, sengende
Hitze, die dem Menschen und vor allem der Natur(381) zu schaffen macht.

J.A. Soggin, ZAW 77 (1965) 326, anders 83-86; A. Lemaire, Note épigraphique
sur la pseudo-attestation du mois "ṢḤ", VT 23 (1973) 243-245.

373 S. HAL Lfg. III, 955.

374 Vgl. syrisch ṣaḥ ("glühen") und arabisch ṣaḥṣaḥa ("flimmern"), s. KBL,
800; HAL Lfg. III, 954: "heiße Luft".

375 S. oben S. 210f. Anm. 305.

376 Die Constructus-Verbindung ist als Genitivus epexegeticus zu verstehen,
s. Ges.-K., § 128, vor allem n.

377 S. z.B. B. Duhm, Kommentar, 50; W. Rudolph, Kommentar, 34: auf ... zu.

378 Die Wegmetapher ist äußerst sinnvoll; eine Vokalisierung von דרך als
Verbum: "it (d.h. der Wind) has trodden my poor people ..." (W.L. Holladay,
VT 26, 1976, 34), ist unnötig.

379 So C.H. Cornill, Kommentar, 48, aufgenommen z.B. von W. Rudolph, Kommentar, 34, ebenso von BHK und BHS vorgeschlagen.

380 Jer. 49,36; Sach. 6,5; Dan. 7,2, s. auch Mt. 24,31 und Offb. 7,1.
Zu den Winden s. M. Noth, Die Welt des Alten Testaments, 4. Aufl., Berlin
1962, 29f.; H. Donner, Einführung in die biblische Landes- und Altertumskunde, 37; differenziert nach Jahreszeiten bei G. Dalman, Arbeit und Sitte
in Palästina, Bd. I,1 und I,2, Gütersloh 1928, passim.

381 S. Jes. 40,7; Ps. 103,16.

Ist damit die entsprechende Richtung schon getroffen? Ein Vergleich mit Jer. 12,12 im Rahmen des Abschnittes 12,7-13, in dem Jahwe über sein verwüstetes Land klagt, drängt sich auf. Die Frage, ob dort eine Erwartung oder eine Erinnerung vorliegt, mag auf sich beruhen, für unseren Zusammenhang wesentlich ist die Frage, wer die שדדים von V. 12 sind und was es bedeutet, daß sie על־כל־שפים במדבר kommen. Die Übersetzungen der Kommentare dokumentieren Unsicherheit: "über alle Dünen in der Wüste"(382), "stracks von den Dünen der Steppe her"(383), "über all die Wüstenhügel her"(384), "über alle Kahlhöhen in der Trift"(385), "über alle Höhen der Steppe"(386), "über alle Hügel der Steppe"(387) sind einige Vorschläge, die das hebräische שפים angemessen berücksichtigen wollen. Bei der Auslegung sind sich die Kommentatoren in der Mehrzahl einig: Sie sehen die Verwüster aus dem Osten kommen(388) und beziehen die Situation von 12,12 auf 2.Kön. 24,2, in der Meinung, daß dort chaldäische, syrische, moabitische und ammonitische Streifscharen auf Geheiß Jahwes von Osten nach Juda einfallen.

Diese Auslegung übersieht aber, daß beispielsweise die Moabiter, grob gesprochen, auf der fruchtbaren Hochebene zwischen Arnon und Sered, die Ammoniter etwa am Oberlauf des Jabbok und die Syrer im bewaldeten Gebirge (Libanon, Antilibanon, Amanus), auf Hochebenen (Aleppo, Damaskus) und in Flußtälern (Orontes, Leontes) saßen. Der Weg i n s g e s a m t durch die Wüste ist also völlig ausgeschlossen; im übrigen ist die syrisch-arabische Wüste eine Kalksteinwüste, die eine dünne Humusschicht trägt, auf der spärlicher Pflanzenwuchs möglich ist,(389) der nur schwer mit den glattgefegten Flächen der שפיים in Einklang zu bringen ist.

Noch einmal sei betont, daß keine Höhen gemeint sind, sondern Pisten in der Ebene, die in 4,11 am ehesten im מדבר südlich von Juda zu suchen sind. Jes. 21,1 spricht von den "Sturmwinden, die über das Südland dahinfegen"(390) und sagt damit etwas über die Wirkung, die Jer. 4,11 in einem Bild aus der Arbeitswelt veranschaulicht und in 4,12a durch die Wendung רוח מלא noch einmal verdeutlicht.

Daß der Wind als Bild für den Feind zu verstehen ist, zeigt indirekt die Ankündigung יבוא לי , bei der ל den Urheber bezeichnet.(391) Die Formulierung רוח מלא מאלה יבוא לי ist offenbar als spätere Deutung eingefügt worden,(392) aber nichts spricht gegen diese Deutung.(393)

---

382 B. Duhm, Kommentar, 117.

383 P. Volz, Kommentar, 142.

384 W. Rudolph, Kommentar, 86.

385 F. Giesebrecht, Kommentar, 77.

386 F. Nötscher, HS VII/2, 115.

387 J. Schreiner, Kommentar, 86.

388 S. z.B. P. Volz, Kommentar, 144f.; F. Nötscher, HS VII/2, 115; W. Rudolph, Kommentar, 87ff. Anders B. Duhm (Kommentar, 116f.), der diese Möglichkeit erwägt, sich aber dann auch hier (wie in Kap. 4-6) für die Skythen als Feinde entscheidet.

389 H. Donner, Einführung in die biblische Landes- und Altertumskunde, 39.

390 So die Übersetzung von H. Wildberger, BK X/2, 761.

391 Es liegt kein ל -auctoris vor (so das Verständnis der Kommentare z.St.), das zu einer elliptischen Sprachfigur gehört (s. Ges.-K., § 129c); vielleicht muß ל hier kausal verstanden werden, vgl. E. Jenni, Lehrbuch der hebräischen Sprache, 27.3.3 (294).

392 Zum ungeschickten מאלה s. B. Duhm, Kommentar, 50.

393 Anders ist die Unheilserwartung 13,24 zu verstehen, in der vom רוח מדבר

Wer mit dem Wind, der durch die Wüste kommt, gemeint ist,
kann nur im Zusammenhang mit den Beobachtungen zum Festungssytem Joschijas entschieden werden. Wie gezeigt, hat Joschija
für einen dichten Festungsgürtel im Südosten des judäischen
Kernlandes gesorgt, um edomitischen Übergriffen zu wehren. Eine
entsprechende Gefahr[394] wird auch Jeremia beschäftigt und in
diesem kurzen Wort[395] und wohl auch in 12,7-13[396] zum Ausdruck
gebracht haben. Gegebenenfalls liegt mit jenem Wort ein Reflex
auf edomitische Erfolge vor, die auch eine Stelle wie Jer. 13,18f.
widerspiegeln kann, wenn es in 13,19 heißt, daß die Städte des
Negev verschlossen sind und niemand da ist, der sie öffnet.[397]

Die zeitliche Ansetzung ist schwierig; gut vorstellbar sind
die ersten Jahre des 6. Jh.s, als die Babylonier zum ersten Mal
in die Geschichte Judas vehement eingriffen und so edomitischen
Plänen angesichts eines geschwächten Juda Vorschub leisten konnten.

Nach V. 12a, der schon zu Wort gekommen ist, schließt sich
mit V. 12b ein späterer Zusatz an, der noch weiter die göttliche Urheberschaft verdeutlicht, wenn der Verfasser Jahwe sagen
läßt: ich selber werde ihnen - Sprung vom Bild (Wind) zur Sache (Feind) - Anordnungen geben.[398]

---

die Rede ist, der die Spreu wegbläst und damit als Vergleich für Jahwes Handeln an seinem Volk (Zerstreuung) fungiert. Ein Unterschied zu 4,11 liegt
nicht zuletzt darin, daß hier vom "Wind der Wüste" gesprochen wird, in 4,11
dagegen vom Wind, der durch die Wüste seinen Weg sucht.

394 Zu den archäologischen und inschriftlichen Indizien s. oben S. 113ff.

395 Möglicherweise spielt der Text aufgrund der Getreideernte auf das Frühjahr an, in dem der arabisch als es-samum bezeichnete besonders starke Süd-
ostwind eine Intensität hat, die keine Möglichkeit zum Worfeln läßt, s. G.
Dalman, Arbeit und Sitte in Palästina, Bd. I,2, 321.

396 Dieרעים רבים (12,10), die zuweilen auf die Streifscharen von 2.Kön.
24,2 bezogen werden, verhindern diese Deutung nicht, denn auch 6,3 nennt sie
(ohne רבים) als "Feind aus dem Norden", ohne daß damit mehrere Verbündete
gemeint sind. Es könnte ja auch eine perspektivische Sicht vorliegen bzw. ein
hyperbolischer Ausdruck, wie er in 12,12aβ vorhanden sein dürfte. Zur Möglichkeit, beispielsweise unter dem Bild des Löwen auch die Soldaten bzw. ihre
Anführer zu sehen, s. P.D. Miller Jr., UF 2 (1970) 183.

397 A. Alt (in: Kleine Schriften, Bd. II, 280f.) und M. Noth (Geschichte Israels, 256) beziehen dieses Wort auf die babylonischen Erfolge von 598; es ist
aber doch die Frage, ob die schon Auswirkungen auf das Gebiet südlich des judäischen Kernlandes hatten. Es sei darauf aufmerksam gemacht, daß gerade hier
später die Edomiter saßen (vgl. Ez. 35,10.12), nämlich in Idumäa, dessen Nordgrenze südlich von Bet Zur (chirbet eṭ-ṭubeqa) verlief, vgl. dazu M. Weippert,
in: TRE Bd. 9, 1982 , 295f.

398 Die Übersetzungen der Kommentare, für die als Beispiel W. Rudolph (Kom-

d) 4,13-18

Mit V. 13 liegt keine direkte Fortsetzung zum Vorhergehenden vor; die gliedernde Partikel הנה respektiert den neuen, thematisch aber verwandten Stoff.

Irgendjemand wird mit einem Gewölk verglichen, seine Wege mit einem Sturm und seine Pferde mit Adlern. Wieder fragt man sich: auf wen bezieht sich die Verbform יעלה im Kontext? Es wäre naheliegend, an den Wind[399] in der Wüste zu denken; רוח wird zwar häufig als Femininum verstanden, V. 12, in dem רוח mit maskulinem Verbaladjektiv steht, läßt diese Möglichkeit aber offen. Allerdings dienen die differenzierten Erscheinungen in V. 13 als Vergleich, während in V. 11 der Wind selber wirkendes Subjekt ist.

Die Alternative, die in der exegetischen Literatur genannt wird, geht vom Rückbezug auf V. 7 aus,[400] wofür das jeweils verwendete עלה und die sich entsprechenden Verben שחח und שדד sprechen könnten. Aber hier sind Bedenken anzumelden. Zwar stände die Bezugsgröße sehr weit entfernt, aber das wäre durch die nachträglich eingefügten Passagen erklärbar. Größere Zweifel bereitet die Bildmischung: Das Bild des Löwen ist für sich aussagekräftig, ein Löwe als Gewölk verdunkelt buchstäblich die Bildaussage. Außerdem: Wie sollte man die zeitliche Dimension verstehen? Nach V. 7 ist der Löwe "heraufgestiegen" (עָלָה), nach V. 13 "steigt er herauf" (יַעֲלֶה), also dürfte eine unmittelbar sachliche Verbindung zum Vorhergehenden, deren literarische Verknüpfung aus einer Stichwortassoziation (שדד-שחח, עלה) resultiert, ausgeschlossen sein.

Für V. 14 wird man sich fragen müssen, ob er von Anfang an in den Zusammenhang V. 13-18 gehört. Es wäre denkbar, daß zwischen V. 13 und V. 15 eine retardierende Aussage beabsichtigt war, die von der drohenden Gefahr einen Augenblick absieht und für Jeru-

---

mentar, 34) zitiert sei ("nun spreche ich selbst das Unheil über sie"), verkennen die Formulierungsstruktur. Es liegt nicht eine Parallele zu ריב vor, wie Jer. 12,1 zeigt. Jer. 39,5 (52,9) entspricht zwar dem Verständnis der Kommentare, dort steht aber nicht die Nota accusativi, sondern die Präposition את . Zu דבר pi. mit משפטים in diesem Sinne s. G. Liedke, in: THAT II, 1009.

399 So z.B. F. Giesebrecht, Kommentar, 26.

400 S. Z.B. P. Volz, Kommentar, 54; W. Rudolph, Kommentar, 34.

salem Rettung in Aussicht stellt, vorausgesetzt, es reinigt
(כבס) sein Herz und sieht von seinen Unheilsplänen (מחשבות
און) ab. Der Wortlaut läßt keinen Schluß auf eine Affinität
innerhalb des Jeremiabuches zu. Der übertragene Gebrauch von
כבס steht noch einmal in 2,22, dort allerdings ohne positiven
Ausblick, ansonsten nur noch in Ps. 51,4.9. Und auch die מחשבות
און sind der übrigen Literatur fremd, nur Jes. 59,7 und Spr.
6,18 benutzen diese Wendung. Die Beobachtungen sind nicht be-
weisfähig, und doch ist anzunehmen, daß die Aufforderung von V.
14, die im übrigen anders als V. 13 und V. 15 ohne Parallelismus
arbeitet, den ursprünglichen Zusammenhang unterbricht, der das
Kommen der Unheilsmacht ganz eilig erzählt und nach V. 13 in V.
15 eine gegenüber V.14 angemessenere Aufforderung hat. Nur einmal wird - sozusagen retardierend - ganz flüchtig die Bedeutung
des Ganzen gestreift, wenn am Ende von V. 13 mit einem sog. Perfectum propheticum das sichere Ergebnis genannt wird, das als
Kristallisationspunkt inmitten der Schilderung des feindlichen
Angriffs steht.

Die Unmittelbarkeit der Bedrohung führt V. 15 vor Augen: Dan
und das Gebirge Efraim leiden schon unter den Übergriffen, darauf deuten die Termini קול und און hin, die parallel stehen
und von denen קול den Lärm bzw. das Geschrei während der Kriegshandlungen bezeichnet[401] und און allgemein die unheilvolle Handlung einschließlich ihrer Folgen[402]. V. 15 beschränkt sich also
nicht darauf, einen warnenden Boten vorzuführen, denn das träfe
nur zu, wenn קול nicht als genuines Nomen verstanden wird: "Denn
horch, man meldet von Dan her Und kündet Unheil, Vom Berg Ephra-
ims gaben sie Warnung"[403] ist eine allzu blasse Übersetzung.

Die Konsequenz aus V. 15 zieht V. 16, der dazu auffordert,
das, was man berichtet, in Juda und Jerusalem bekanntzumachen,[404]

---

401 S.z.B. Ex. 32,17; Ez. 26,10; Jer. 50,22; Joel 2,5.

402 Im Zusammenhang kriegerischer Aktivitäten z.B. Ps. 56,8. Zur umfassenden Bedeutung von און s. R. Knierim, in: THAT I, 81-84, vor allem 82.

403 B. Duhm, Kommentar, 51. קול steht parallel zu און, ist also nicht
zu einer Interjektion abgesunken.

404 Beim ersten Kolon in V. 16aα liegt eine Textverderbnis vor: הזכירו
לגוים הנה entspricht nicht dem parallelen השמיעו על־ירושלם von V.
16a β. Eine Änderung von הזכירו, das im Hif‘il השמיעו entspricht, in
הזהירו (z.B. B. Duhm, Kommentar, 51; W. Rudolph, Kommentar, 34; Vorschlag
von BHS) oder הגידו (nach V. 5, so Vorschlag von BHK; BHS; P. Volz, Kom-

wobei das oszillierende ‏על‏ den bedrohlichen Sinn der Richtungsangabe und zugleich eine lokative Entfaltung impliziert.

Wie ein Scharnier fungieren die Aufforderungen von V. 16a,
denn sie verklammern das Vorhergehende mit dem Folgenden, V. 16b,
dessen Textgestalt ziemlich kompliziert ist. Schon die Frage, wer
da eigentlich aus dem Land der Ferne[405] kommt, bereitet Schwierigkeiten.

Die Exegese ist soweit gegangen, daß sie sich über die ‏נצרים‏ mokiert
hat, denn sie stellten "einen der ergötzlichsten Schreibfehler dar, die man
sich denken kann, und die Glosse in V. 17a: 'wie Feldwächter sind sie vor
ihm' (nämlich vor Jerusalem) erhöht noch die Lächerlichkeit. Pflegen etwa
die Flurschützer aus 'fernem Land' bezogen zu werden? Erheben sie ihre Stimme wider die Stadt? Man sollte denken, die Städte hätten diese Leute ange-
stellt, die Weinberge und Felder zu bewachen; bei uns erhebt ein solcher
Flurwächter seine Stimme höchstens gegen einen Apfeldieb oder ein verlau-
fenes Schaf. Und sollten endlich diese spiessstragenden Biedermänner wirklich ein passendes Bild für die räuberischen Nordmannen abgeben können?"(406)
Dieses längere Zitat zeigt eine beeindruckende Geschlossenheit, und doch
ist zu fragen, ob das ironische Urteil in dieser Form zutrifft.
Die bekannten deutschsprachigen Kommentare emendieren die Lesart ‏נצרים‏
entweder in ‏צרים‏ "Belagerer", unter Berufung auf die Septuaginta, die Συ-
στροφαί liest(407), oder in ‏נמרים‏ (408), "Panther". Im Zusammenhang
von 5,6 ist die Nennung des Panthers durchaus verständlich, im vorliegenden
Kontext kollidiert sie aber mit dem Bild des Gewölks (V. 13). Was die Septuaginta betrifft und die ihr folgenden Korrekturen, so scheint sie ein ihr
vorliegendes ‏נצרים‏ im Sinne einer "Schar von Menschen" verständlicher ma-

---

mentar, 52 neben ‏הזכירו‏) ist unnötig. C.H. Cornill (Kommentar, 50f.: ‏מהר‏
‏אפרים ימהרו לנגוע ירדשלם‏) zerstört den Parallelismus. "Benjamin" parallel zu Jerusalem (so W. Rudolph, Kommentar, 34; T. Odashima, Untersuchungen,
202ff.) ist nach V. 5, der eher "Juda" erwarten läßt, unwahrscheinlich. W. Rudolphs (ebenda) Hinweis auf sachliche Stringenz mag mit der geographisch nicht
überzeugenden Logik von 6,1 (s. unten S.272ff.) begegnet werden. P. Volz (Kommentar, 52) nennt übrigens Belege, bei denen oft ‏גויר‏ für offenbar unleser-
liche Wörter eingesetzt wurde. ‏הנה‏ versteht F. Giesebrecht (Kommentar, 26)
als Interjektion, parallel zu ‏קול‏ von V. 15, der Parallelismus wäre dann
aber in V. 16 zu erwarten.

405 Der Ausdruck ist determiniert, die Kommentare übersetzen trotzdem durchweg "aus einem fernen Land" (so richtig in Jes. 13,5 u.a.). Trotz Determina-
tion ist die Beschreibung vager, denn sie legt sich nicht auf ein bestimmtes
Land fest.

406 B. Duhm, Kommentar, 51.

407 S. z.B. P. Volz, Kommentar, 52; F. Nötscher, HS VII/2, 61; W. Rudolph,
Kommentar, 34; J. Schreiner, Kommentar, 36; so auch der Vorschlag von BHK
und BHS; vgl. auch J.A. Thompson, Kommentar, 224; W. McKane, Kommentar, 100f.;
C. Rabin (Nōṣerim, Textus 6, 1966, 44-52) legt semitisches nṣr zugrunde und
schlägt "Menschenmenge" vor.

408 So B. Duhm, Kommentar, 52; C.H. Cornill, Kommentar, 50f.

232

chen zu wollen.(409) Und doch dürfte der Hörer zunächst anders assoziiert
haben: Im Parallelismus(410) zu נצרים steht כשמרי שדי, d.h., da kommt
jemand, der etwas beobachtet. Das eben genannte Zitat genügt der Ironie, solange ein Feldhüter gemeint ist, der das Eindringen eines "Apfeldiebs" verhindern soll. Wenn man sich aber von dieser Blickrichtung einmal freimacht
und die Perspektive dabei umkehrt, dann hat jene Person die Aufgabe, zu
verhindern, daß etwas vom beobachteten Terrain abhanden kommt.(411) Über-
trägt man diesen Bildgedanken auf die נצרים, dann sorgen sie dafür, daß
niemand die Stadt verlassen kann, indem sie sich ringsherum aufstellen,wie der
Text ausdrücklich sagt. Sie beobachten und bewachen die Stadt, freilich nicht
in fürsorglicher Absicht, sondern im Rahmen einer Belagerung, die das zu נצר
parallele שמר auch in 2.Sam. 11,16 ausdrückt.

Keine Strafe ohne Begründung. Letztere folgt in V. 18 reichlich ungelenk und stereotyp, wenn man von V. 18a einmal absieht,
der nach masoretischer Punktation[412] einen Infinitivus absolutus
anstelle einer finiten Verbform aufweist. Die Terminologie spricht
für eine dtr. Begründung, weil das Paar דרך ומעללים sonst in
Texten mit dtr. Diktion steht.[413]

Wie ein neuer Anlauf wirkt die Prosadiktion von V. 18b, die
die beiden Nomina von V. 18a unter den "Oberbegriff" רעה sub-
sumiert und dabei die ursächliche Tat-Folge-Vorstellung zum Ausdruck bringt.

Obwohl kein Gliederungshinweis erfolgt, setzen sich V. 19 und
die folgenden Verse vom Vorhergehenden ab, mit einem strengen
Parallelismus, in dem noch einmal die drohende Gefahr thematisiert wird. Bevor dieser Teil analysiert wird, einige Worte zu
den Erwartungen in V. 13ff.

---

409 Symmachus liest φύλακες und bleibt so enger an der hebräischen Vorlage.

410 ויתנו על־ערי יהודה קולם ist ein Zusatz, denn die Städte fügen
sich nicht in den Zusammenhang. Auch die nachhinkende Begründung wird später
angefügt sein. מרה ist fester Topos in dtr. Begründungen, so auch noch Jer.
5,23. Zum dtr. Kontext von מרה s. R. Liwak, Überlieferungsgeschichtliche
Probleme, 77ff.

411 Vgl. akk. naṣāru, s. AHw. II, 755.

412 Die im Apparat der BHS genannten Handschriften, die auf ein עשׂוּ führen, erleichtern die grammatische Schwierigkeit. Es wäre zu erwägen, ob nicht
Haplographie vorliegt. Die Konstruktion mit dem Infinitivus absolutus und einer finiten Form der Wurzel עשה ist in dtr. Texten des Jeremiabuches beliebt,
s. 7,5; 22,4; 44,17.25 (s. W. Rudolph, Kommentar, z.St., und W. Thiel, Die dtr.
Redaktion von Jer. 1-25; ders., Die dtr. Redaktion von Jer. 26-45 z.St.), dabei
haben 7,5 und 22,4 auch die Form עשׂוֹ (dazu Ges.-K., § 75n). Im Falle eines
עשׂו עשׂו wäre eine Einfachschreibung leicht möglich.

413 S. Jer. 7,3.5; 18,11; 23,22; 25,5; 26,13. Zum dtr. Zusammenhang s. W. Rudolph, Kommentar, z.St.; W. Thiel, Die dtr. Redaktion von Jer. 1-25; ders.,
Die dtr. Redaktion von Jer. 26-45, z.St.

Hat der Autor in V. 13ff. an eine konkrete Macht gedacht, und wenn ja, an welche? Zum ersten Mal werden in V. 15 mit "Dan"[414] und dem "Gebirge Efraim"[415] geographische Angaben gemacht, die V. 6b mit seiner Richtungsangabe מצפון entsprechen. Sie sind idealtypischer Ausdruck einer von Norden kommenden Bedrohung "Israels",[416] die mit dem Gebirge Efraim schon ein Gebiet in nur geringer Entfernung von Jerusalem erreicht hat. Sind dann auch die übrigen Angaben idealtypisch? Sicher bis zu einem gewissen Grade, aber sie gehen auch an dieser Stelle wiederum nicht einfach in "dichterischer Vergegenwärtigung" auf.

Der Unbekannte steigt כעננים auf. Dieser Vergleich, neben den weitere, der Natur bzw. Tierwelt verhaftete Bilder treten, kann auch noch an anderer Stelle, in Ez. 34,12, nationales Unglück im Rahmen der Volksgeschichte illustrieren. Der Streitwagen des Feindes wird mit einer סופה (Sturmwind) verglichen, die insbesondere im Jesajabuch als umfassende Bedrohung anschaulich wird[417] und auch auf die erwartete Großmacht bezogen werden kann.[418]

Zweimal steht die Vergleichspartikel כ , bei der dritten Größe, den Pferden, steigert die separative Bedeutung von מ die Aussage komparativisch. Die Pferde sollen schneller als Adler sein, die schon selbst ein typisches Bild für Schnelligkeit[419] sind und den herannahenden Feind charakterisieren können, der auch außerhalb des Jeremiabuches in diesem Zusammenhang nicht namentlich genannt wird, aber doch mühelos mit den Assyrern[420]

---

414 tell el-qaḍi (Tel Dan); zum archäologischen Befund s. den Überblick von A. Biran, in: EAE I, 313-321; H.M. Niemann, Die Daniten. Studien zur Geschichte eines altisraelitischen Stammes (FRLANT 135), Göttingen 1985, 259ff. In Analogie zum "Gebirge Efraim" kann freilich auch die Gegend um Dan, also gleichsam das Gebiet des Stammes Dan gemeint sein.

415 Das Gebiet des mittelpalästinischen Gebirgsrückens zwischen Betel und Jesreelebene; in Heilserwartungen des Jeremiabuches als israelitisches Kerngebiet verstanden, s. Jer. 31,6; 50,19.

416 Vgl. die Wendung "von Dan bis Beerscheba" in Ri. 20,1; 1.Sam. 3,20; 2. Sam. 3,10; 17,11; 24,2.15; 1.Kön. 5,5. Dan als nördlichster Punkt im Zusammenhang einer Kriegsgefahr auch Jer. 8,16.

417 S. Jes. 5,28; 17,13; 21,1; 29,6; 26,15, daneben auch Amos 1,14; Nah. 1,14; Ps. 83,16 u.a.

418 S. Jes. 5,28. Jes. 5,25-30 erwartet die Assyrer, s. H. Wildberger, BK X/1, 208ff.

419 S. 2.Sam. 1,23 (neben der Kraft des Löwen) und Hiob 9,26.

420 S. Hos. 8,1.

bzw. vor allem mit den Babyloniern[421] identifiziert werden kann.

Mit den zuletzt genannten Hinweisen ist sicher nicht die Identifizierungsfrage gelöst. Mesopotamische Potentaten machten allgemein nicht nur den Löwen, sondern auch den Adler[422] zum metaphorischen Attribut ihrer Herrschaft, selbst den Sturm[423], nur: hier im Jeremiatext ist es nicht der Herrscher selbst, der so prädiziert wird, sondern es sind die Attribute seiner Macht[424], Pferde und Streitwagen.

Zieht man andere Belege heran, dann ist die עוף-Vorstellung eng mit dem "Tag Jahwes" verbunden,[425] so daß der Gedanke an die Jahwetheophanie[426] die vorliegende Formulierung mitgeprägt haben kann, die aber aufgrund des Vergleichs nicht in ihm aufgeht. Was Jes. 5,25f. und 66,15 auf ihre Weise sagen, daß nämlich Jahwe das Unheil "schickt", indem er entweder fremde Herrscher aufmarschieren läßt (5,25f.) oder selber mit seinem Wagen einherfährt (66,15), deutet Jeremia terminologisch nur an, partizipiert dabei aber offenbar an der in Mesopotamien und Syrien bezeugten Vorstellung, die in Streitwagen und Pferd göttliche Requisiten sieht.[427]

Noch einmal die Frage: wer ist gemeint? Die Assyrer stehen nach dem Berufungsdatum von 1,2 kaum mehr zur Debatte. Bleiben

---

421 S. Klgl. 4,19 (dazu H.J. Kraus, BK XX, 81) und Ez. 17,3.7 (ohne daß die Schnelligkeit angesprochen wird, s. dazu B. Lang, Kein Aufstand in Jerusalem, 28ff.).Die Babylonier könnten auch in Dtn. 28,49 (das Volk kommt aus der Ferne, seine Sprache versteht man nicht) gemeint sein (s. dazu G. von Rad, ATD 8, 126). Niemand anderen als den Babylonier wird auch Jer. 49,22 (48,40) vor Augen gehabt haben, s. dazu W. Rudolph, Kommentar, 291.

422 A. Schott, Vergleiche, 86. In Ägypten sind es nur die Götter, die mit einem Adler verglichen werden, s. H. Grapow, Die bildlichen Ausdrücke, 90.

423 Vor allem in der Sargoniden-Zeit, s. A. Schott, Vergleiche, 84f. Auch der ägyptische Herrscher wird mit einem Sturm verglichen, s. H. Grapow, Die bildlichen Ausdrücke, 40f.

424 In Ägypten können die Pferde des Königs schnell wie der Wind bzw. sogar noch schneller als der Wind sein, s. H. Grapow, Die bildlichen Ausdrücke, 40.

425 Expressis verbis identifiziert in Ez. 30,3 und Joel 2,1f., s. auch Zef. 1,15.

426 S. Ex. 19,9.16.18.

427 S. z.B. ANEP 689 und D. Collon/J.Crouwel/M.A. Littauer, A Bronze Chariot Group from the Levant in Paris, Levant 8 (1976) 71-81. Die Göttin Astarte in bildlicher Darstellung auf einem Pferd s. ANEP 479. Sofern Pferd und Wagen im Jerusalemer Kult mit dem Gott Schamasch verbunden waren, soll Joschija sie beseitigt haben (2.Kön. 23,11).

also die Babylonier. Etwa auch die Skythen?

Nun ist gerade der Streitwagen ein gewichtiges Argument dafür, daß der "Feind aus dem Norden" nicht die Skythen sein können.[428] Die Verfechter der Skythenthese haben es da schwer, sie müssen entweder annehmen, Jeremia habe in die "literarische Rumpelkammer"[429] gegriffen, aus der er typische Wendungen und Gedanken bezog, oder sich auf vage Vermutungen beschränken.[430]

Die literarische Überlieferung kennt in der Tat keine Streitwagen der Skythen[431] und auch in der archäologischen Forschung liegt kein positiver Befund vor.

Dennoch sollen an dieser Stelle einige grundsätzliche Bemerkungen zum Skythenproblem an einer Stelle des Textes gemacht werden, bei der zum ersten Mal der Feind ausdrücklich aus nördlicher Richtung erwartet wird.

Archäologische Untersuchungen haben inzwischen grundsätzlich die Meinung revidieren können, die durchweg in der exegetischen Literatur anzutreffen ist, daß es sich bei den Skythen um unzivilisierte Reiterhorden handelt, die blitzartig eine Gelegenheit zum Überfall nutzen und sich genauso schnell wieder entfernen, wenn sie ihre Beute beisammen haben.

Ältere Untersuchungen haben nicht damit gerechnet, daß bei ihrem mindestens 100jährigen Kontakt mit urartäischer und assyrischer Kultur sowohl Kriegsausrüstung als auch Kampfgewohnheiten und -taktiken Änderungen unterworfen sein konnten. So trifft für das Ende des 7. bzw. den Anfang des 6. Jh.s die Vorstellung vom ausschließlich leichtbewaffneten Bogenschützen, dessen Charakteristikum seine Schnelligkeit zu Pferde war, in dieser Form nicht mehr zu. Die skythischen Grabinventare lassen schwere Panzerreiter erkennen, (432) die auch eine zentrale Rolle in der Schlußphase der urartäischen Geschichte gespielt haben müssen, für die bei sechs Befestigungsanlagen archäologisch Brandkatastrophen nachgewiesen wurden, die auf skythische Eroberer zurückgeführt werden,weil in einer erheblichen Anzahl, z.T. in ganzen Büscheln, bronzene Pfeilspitzen vom skythischen Typ - Tüllenspitze mit zwei- bzw. in der Regel dreiflügeliger Form einschließlich Widerhaken(433) -

---

428 Stellvertretend für die vielen Exegeten, die dieses Argument nennen, sei F. Wilke (Das Skythenproblem im Jeremiabuch, in: FS R. Kittel, BWAT 13, 242ff.) genannt, der am vehementesten die Skythen "zurückgewiesen" hat.

429 So die Bemerkung F. Wilkes (in: FS R. Kittel, 243), die er auf C.H. Cornill (Kommentar, 82ff., vor allem 84) bezieht.

430 B. Duhm, Kommentar, 51: "Der Prophet spricht hier von Wagen, aber die werden auch bei den Skythen nicht gefehlt haben, und überdies kennt Jeremia diese wohlnoch nicht aus eigener Anschauung".

431 Zu Unrecht J. Wiesner, Fahren und Reiten in Alteuropa und im Alten Orient (Documenta Hippologica, Der alte Orient, Bd. 38, Heft 2-4), Leipzig 1939 (Nachdruck Hildesheim/New York 1971), 36.

432 S. zusammenfassend R. Rolle, in: Reallexikon der Germanischen Altertumskunde, Bd. II, Berlin/New York 1976, 450-453; dies., Die Welt der Skythen, 72ff., mit Abbildung, 77.

433 Abbildungen z.B. bei H. Bonnet, Die Waffen der Völker des Alten Orients, Leipzig 1926, 165; T.Sulimirski, Artibus Asiae 17 (1954) 311; E. Yamauchi, BA 46 (1983) 94.

gefunden wurden. Sie ermöglichten es den Ausgräbern, wortwörtlich den Pfeilen zu folgen und so jeweils die Eroberungswege vom Tor an bis zur Zitadelle zu rekonstruieren.(434)

Aufgrund der übermäßigen Anzahl von Pfeilen des skythischen Typs sind die Eroberer als Skythen identifiziert worden, unter der Voraussetzung, daß die aus neuassyrischen Reliefs bekannten Hilfsmittel zur Stadteroberung wie Sturmwidder, Belagerungstürme, Sturmleitern und eventuell Spezialabteilungen zur Verfügung standen und genutzt werden konnten,(435) will man nicht ausschließlich List und Überraschung als Erfolgsgaranten annehmen.(436)

Kurzum: Das bei der Ablehnung der Skythenthese immer(437) vorgebrachte Argument, daß jene Reiterkrieger nicht imstande seien, befestigte Städte zu erobern, hat keine Beweiskraft, wie überhaupt die in diesem Zusammenhang gewöhnlich getroffene Feststellung, Reiterkrieger seien im gebirgigen Gelände untauglich, mit den skythischen Eroberungen in Urartu ebenso widerlegt werden kann wie mit dem Hinweis auf assyrische Reliefs, die die Kavallerie beim Einsatz im Gebirge zeigen.(438)

Selbst wenn man aber bei der skythischen Bewaffnung davon ausgeht, daß sich im Rahmen der Angriffs- und auch der Schutzwaffen reiternomadische und orientalische Elemente miteinander vermischt haben,(439) wird man nicht soweit gehen wollen, auch den Streitwagen(440) zu ihrer Angriffswaffe zu machen, zumal, wie gesagt, keine archäologischen Indizien vorliegen.

Nach Ausweis der keilschriftlichen Quellen hat der Streitwagen vor allem in der neuassyrischen Geschichte eine zentrale Rolle gespielt.(441) In spätbabylonischen Königsinschriften wird er zwar nicht erwähnt,(442) er ist aber in

---

434 Ein lebendiges Protokoll der Eroberungen zweier Festungen, nämlich Tejschebaini und Argischtichinili, entwirft R. Rolle, Urartu und die Reiternomaden, Saeculum 28 (1977) 319ff.

435 Nach allem, was bekannt ist, scheinen die skythischen Verbände straff organisiert gewesen zu sein (s. R. Rolle, in: Reallexikon der Germanischen Altertumskunde, Bd. II, 452). Auch das spräche gegen die Vorstellung einer streunenden Horde.

436 Die Ausgräber fanden bei den eroberten urartäischen Festungen Getreidevorräte vor, die nicht angetastet waren. Das läßt auf keine längere Belagerung schließen, s. dazu R. Rolle, Saeculum 28 (1977) 296.

437 Belege erübrigen sich. Die Argumente bleiben bei allen Autoren gleich, sofern die Theorie argumentativ zurückgewiesen wird.

438 S. z.B. die Abbildungen zu Gebirgseinsätzen der Truppen Assurnasirpals II., Salmanassars III. und Sargons II. bei Y. Yadin, The Art of Warfare, 456, und 457; s. auch W. Mayer, Gedanken zum Einsatz von Streitkräften und Reitern in neuassyrischer Zeit, UF 10 (1978) 175–186, vor allem 181ff.

439 Dazu R. Rolle, Saeculum 28 (1977) 319.

440 Da es sich in Jer. 4,13 um einen feindlichen Angriff handelt, ist מרכבה als Streitwagen zu verstehen. Terminologisch wird zwischen den verschiedenen Zwecken (Streitwagen, Prunkwagen, Reisewagen) nicht differenziert; das gleiche gilt für das akk. narkabtu (s. AHw. II, 47; A. Salonen, Die Landfahrzeuge des alten Mesopotamien, Helsinki 1951, 40ff.); anders das Ägyptische, in dem das aus dem Semitischen entlehnte mrkbt nur den Streitwagen bezeichnet (s. A. Erman/H. Grapow, Wörterbuch der ägyptischen Sprache, Bd. II, 113).

441 Zum Streitwagen und seinen Einsatzmöglichkeiten bei den Assyrern s. vor allem W. Mayer, UF 10 (1978) 175–186, bes. 177ff.

442 Darauf weist W. Faber in RA V, 339 hin.

jener Zeit eingesetzt worden, denn er wird für die Zeit Nebukadnezzars in
der babylonischen Chronik genannt.(443)

Also doch die Babylonier bzw. Chaldäer? Es sei noch einmal
auf 4,13 hingewiesen: dort stehen die Wagen und die Pferde nicht
im Parallelismus, so daß man auf den Gedanken kommen könnte, daß
hier nicht die "Einheit" von Pferd und Streitwagen zu sehen ist
wie z.B. im Parallelismus membrorum der Truppengattungen von Nah.
3,2f. Allerdings wird in Jer. 4,13, sofern man den gesamten Vers
vor Augen hat, stilistischer Formungswille (Chiasmus) das sachliche Nebeneinander aufgebrochen haben. Bestätigt wird das durch
den Nahumtext (3,3), in dem neben Pferd und Wagen mit dem Terminus פרש die Reiterei (als eigene Truppengattung) bezeichnet wird.
Das würde bedeuten, daß in Jer. 4,13 dem Autor der mit schnellen
Pferden bespannte Kriegswagen vorschwebt, daß mit anderen Worten
in 4,13ff. die Babylonier bzw. Chaldäer der erwartete Angreifer
sind.

Anders als in Jes. 10,27b-34 wirken bei der Aufmarschroute
die Punkte, die durch Dan und das Gebirge Efraim gekennzeichnet sind, wie auf einer mit dem Lineal gezogenen Linie liegend,
die geradewegs auf Jerusalem zuführt. Dennoch wird man nicht ohne weiteres eine idealtypische Geographie gegen eine geschichtliche Erinnerung bzw. Erwartung ausspielen dürfen.

Die Babylonier erscheinen zum ersten Mal 604 bei der Eroberung Aschkelons im palästinischen Raum, also westlich des judäischen Kernlands. Nach dem Kampf gegen Ägypten (601/600) zieht
Nebukadnezzar 599 erneut Richtung Syrien, diesmal bewegt er sich
aber im Nordosten Judas, wo er gegen Bevölkerungsgruppen in der
arabischen Wüste vorgeht. Eben in diesem Raum östlich und nördlich Judas formieren sich nach 2.Kön. 24,2 gegen Juda aus Chaldäern, Syrern, Moabitern und Ammonitern bestehende Verbände,
gleichsam als Vorhut der Babylonier, denn im Dezember 598 bricht
Nebukadnezzar selbst zum Zug gegen Jerusalem auf.[444]

Diese Bewegungen mögen der Anlaß und die Voraussetzung gewesen sein, nicht den Weg entlang der Küste anzusetzen. Das Wort

---

443 S. B.M. 21 946 Rev. 8 bei D.J. Wiseman, Chronicles of Chaldaean Kings,
71, und A.K. Grayson, Assyrian and Babylonian Chronicles, 101.

444 Zu diesen Zusammenhängen s. S. Herrmann, Geschichte Israels, 339f.

238

wäre dann freilich nicht in der Frühzeit anzusetzen. Im Gegenteil: Es ist nicht auszuschließen, daß dem Autor der zweite Angriff Nebukadnezzars gegen Jerusalem 10 Jahre später vor Augen stand. Leider ist für diese Zeit kein Chronik-Bericht vorhanden, so daß über die Marschrichtung nichts Genaues bekannt ist.

e) 4,19-22

In 4,19 kann der Hörer/Leser zunächst den Eindruck haben, ein Klagelied zu hören, er merkt aber bald, daß die in den Klageliedern[445] konstitutive Wende zum Heil nicht vollzogen wird. Überhaupt läßt sich 4,19ff. kaum in das Prokrustesbett einer reinen Gattung zwingen. Nach dem klagenden Aufschrei von V. 19 folgt keine Hinwendung zu Gott, keine Bitte, kein Lobgelübde o.ä., insofern erinnert der Text an frühe Formen der Klage, bei denen diese Elemente explizit fehlen. Allerdings kennt die Frühform nicht die Frage nach dem "wie lange", die für die Klage des Volkes typisch ist, bei der Klage des einzelnen aber nicht erwähnt wird.[446]

Was nun die Erhörung bzw. die Erhörungsgewißheit betrifft, so durchbricht V. 22 in doppelter Weise mögliche Formerwartungen: Ohne Redeeinleitung antwortet Jahwe auf die Frage von V. 21, gibt dabei aber weder eine positive noch eine negative Antwort,[447] sondern nennt vielmehr, zugleich die Katastrophe und sich selbst rechtfertigend, die Verfehlungen des Volkes, so daß auch noch individuelle und kollektive Züge vermischt werden. Die Frage von V. 21, die als Anklage Jahwes zu begreifen ist, wird ohne Übergang in die Anklage des Volkes transponiert, die ihrerseits erst den Weg weist, wie das Unheil abzuwenden wäre.[448]

---

445 Zu den konstitutiven Elementen sei auf die einschlägigen Einleitungen verwiesen; zu Aufbau und Geschichte dieser Gattung s. vor allem C. Westermann, Struktur und Geschichte der Klage im Alten Testament, in: Forschung am Alten Testament, Ges. Studien (ThB 24), München 1964, 266-305. Vgl. F. Ahuis, Der klagende Gerichtsprophet, 161ff.

446 S. dazu C. Westermann, Forschung am Alten Testament, 291ff. Der frühen Form der eingliedrigen Klage entspricht etwa Jer. 4,10, s. dazu C. Westermann, Forschung am Alten Testament, 295.

447 S. dagegen bei den Volksklagen V. 10 in Jer. 14,7-10 und 15,1-4 in 14,19-15,7, bei den Klagen des einzelnen V. 21-23 in 11,18-23 und V. 5-6 in 12,1-6.

448 Vgl. N. Ittmann, Die Konfessionen Jeremias. Ihre Bedeutung für die Verkündigung des Propheten (WMANT 54), Neukirchen 1981, 24.

Das Element der Klage wird in V. 19ff. herangezogen, um eine bis ins äußerste gesteigerte Affekterregung zu erreichen, die sicher nicht allein literarisch, sondern auch biographisch vermittelt ist,[449] und das kann bekanntlich die Affekte des Publikums in besonderem Maße erregen.[450] Deutlich wird das schon an der Beiordnung von מעים und קירות לב, denn מעים ist im Rahmen der Klage belegt,[451] drückt aber überhaupt eine Erregung[452] aus, und das bei Klage[453] u n d Freude[454]. Den Eindruck der Erregung verstärkt noch die Wurzel המה, die allerlei Geräusche bezeichnen kann und in Verbindung mit dem Herzen, das hier für die ganze Person steht, die erregte Klage "ertönen" läßt.[455] Die parallele Aussage, daß der Autor nicht schweigen kann (חרש II), zeigt, daß mehr als nur eine erregte Unruhe[456] impliziert ist.

Die Begründung, warum Jeremia eine Erregung ergriffen hat, die ihn zum Reden zwingt, liefert V. 19b: Jeremia hört wie in 4,5, jetzt aber terminologisch differenziert, das Signalhorn und Kriegsgeschrei.[457]

Während in V. 5ff. die Gefahr bzw. die Vorbereitung des Krieges und seine Folgen gleichermaßen bedacht sind - in V. 11 und V. 13ff. werden dagegen die Folgen nicht thematisiert - , liegt in V. 19ff. das Schwergewicht auf den Wirkungen des Krieges, die eindrucksvoll in V. 20 beschrieben werden.

---

449 Nur partiell wird man 4,19 mit literarischer Intention erklären können. Eine Beschränkung auf die Vorstellung von "psycho-somatischen Angst- und Schreckensgefühlen" (N. Ittmann, Die Konfessionen Jeremias, 24) unterschätzt die Möglichkeit der literarischen Topoi, vgl. z.B. Jes. 21,3-4 im entsprechenden Kontext (21,1ff.).

450 Die Beobachtungen D.R. Hillers (A Convention in Hebrew Literature: The Reaction to bad News, ZAW 77, 1965, 86-90) zu körperlichen Reaktionen in der ugaritischen und hebräischen Literatur sind zu einseitig auf den literarischen Topos bezogen.

451 S. Jes. 16,11 (parallel קרב); Klgl. 1,20 (parallel לב); 2,11 (parallel נפש, Situation: שבר).

452 Als Verbform in V. 19 ist somit das Ketib אחולה vorzuziehen, dem die Wurzel חיל = חול (beben) zugrunde liegt, s. HAL Lfg. I, 298.

453 S. Hiob 30,27.

454 S. Jer. 31,20; Hiob 30,27; Hld. 5,4.

455 S. Jes. 16,11, wo der Vergleich mit einer Leier gezogen wird.

456 So Ges.-B., 184; KBL, 236; HAL Lfg. I, 240.

457 S. auch Jer. 20,16; Ez. 21,27; Amos 1,14; 2,2; Zef. 1,16; Hiob 39,25, zusammen mit מלחמה noch Jer. 49,2. Zum Verbum רוע im Zusammenhang des Krieges s. Jos. 6,10.16; Ri. 15,14; 1.Sam. 17,20; Jes. 42,13.

240

Es sind also aspektuale Unterschiede, die in den einzelnen
Textabschnitten verhandelt werden. Zusammengehalten werden jene Teile wieder durch Stich- bzw. Leitworte. Die Wendung שכר על-
שכר von V. 20 erinnert an V. 6, das zweimalige שדד von V. 20
an V. 13, נס von V. 21 an V. 6, שופר (קול) von V. 19 an V. 5.
Das שכר על-שכר von V. 20 wird noch periphrastisch erweitert,
indem zunächst das "ganze Land" betroffen ist und anschließend
in einem Parallelismus die Zelte bzw. Zeltdecken[458] das Opfer
sind, die hier nicht die Kriegszelte[459] meinen, sondern in ar-
chaisierender Terminologie die festen Wohnhäuser als "Erbstück
aus der nomadischen Vergangenheit des Volkes"[460].

Eine andere Akzentuierung gegenüber den eben genannten Abschnitten liegt in V. 22 vor, der im Parallelismus membrorum
fortfährt und dabei ganz allgemein, in einer an die Weisheit
erinnernden Sprache[461] die Verfehlung des Volkes in äußerster
Abstraktion nennt, indem das Handeln in "gut" (יטב hif.) und
"böse" (רעע hif.) aufgeteilt wird. Was das Böse im einzelnen
ist, bleibt ungesagt.

f) 4,23-26

Mit V. 23 wird der Leser zu neuen Gedanken geführt.
Schon die Druckanordnung der Biblia Hebraica hebt die Verse
23-26 von dem sie umgebenden Kontext ab. Haben sie dort nicht
immer gestanden? Sofern ein Metrum zugrunde gelegt wird, muß
man eine veränderte Zahl von Hebungen annehmen.[462] Das berechtigt freilich noch nicht zu literarkritischen Eingriffen, denn
die Hörererwartung kann an dieser Stelle bewußt durchbrochen

---

458 אהל neben יריעה. Das seltene יריעה wird im entsprechenden Kontext
Jer. 10,20; 49,29 und Hab. 3,7 verwendet.

459 אהל kann das Feldlager des Feindes bezeichnen: Ri. 7,13; 2.Kön. 7,7-10;
Jer. 37,10. 2.Sam. 11,11 setzt für das Heerlager Davids Hütten (סכה) voraus.

460 A. Alt, in: Kleine Schriften, Bd. III, 240.

461 So חכם und אויל, das schwerpunktmäßig im Sprüchebuch belegt ist, s.
die Wörterbücher s.v., ebenso ist סכל neben Jer. 5,21 (auch dort das Volk)
nur noch in Koh. 2,19; 10,3.14 anzutreffen.

462 W. Rudolph (Kommentar, 32) nimmt für V. 22.23.24 jeweils 4+3 Hebungen
an, während er für V. 26 4+2 und 2+3 Hebungen ansetzt. P. Volz (Kommentar,
50) sieht offenbar von V. 26 ab, wenn er allgemein von 4+3 Hebungen spricht.

sein, immerhin fallen die Verse aber stilistisch auf. Sie werden durch die Form der Anapher geprägt, die noch hervorgehoben
wird, indem zwei verschiedene Wörter, nämlich ראיתי und והנה,
wiederholt werden, und zwar klimaktisch, denn das והנה folgt in
V. 25 und V. 26 sofort auf ראיתי, während V. 23 und V. 24 zunächst bedächtig das Akkusativobjekt[463] nennen, bevor mit והנה
die näheren Umstände eingeführt werden.

Die terminologische Verbindung von ראיתי und והנה kann
an anderer Stelle des Alten Testaments pleonastisch in Verbindung mit einer Vision stehen,[464] die auch hier vorliegt. Die
Frage ist dann, was sieht das Subjekt der V. 23ff.? τὰ ἔσχατα
ὡς τὰ πρῶτα [465]? Zweifellos impliziert V. 23 den Schöpfungsge-
danken[466], für das Jeremiabuch nicht einmalig; reflektieren aber
die Verse 24ff. auch die eschatologische Katastrophe? Die terminologische und gedankliche Verarbeitung erfordert diesen Schluß
nicht. Nur V. 24 erinnert an kosmische Ausmaße erreichende Natur-
ereignisse. Daß die Berge beben, wird mit dem Verbum רעש auch in
Hymnen (Nah. 1,5 und Ps. 46,4) gesagt,[467] dort aber bezeichnet es
die Reaktion der Natur auf Jahwes Erscheinung und Handeln, hier
dagegen ist es nach V. 26 Jahwe selbst, der handelt. In diesem
Falle wird als Begleiterscheinung häufig das Beben der Erde genannt und das durchaus im rekursiven Sinne.[468]

---

463 Merkwürdig ist in V. 23 die für Prosasprache charakteristische Nota accusativi, die bei gleicher syntaktischer Struktur in V. 24 fehlt. Sie könnte
von einem Leser zugefügt sein, der vielleicht auch nach Gen. 1 erwartungsge-
mäß das כהו zum Wortpaar תהו וכהו (vgl. Septuaginta) ergänzt hat, metrisch
jedenfalls stört תהו ו , wenn man 4 (+3) Hebungen reklamiert, weil sonst
alle drei Silben unbetont angesetzt werden müssen. Anstelle von את die Präposition אל (vgl. Septuaginta: ἐπί) wie in V. 23b vorzuziehen, verstößt
gegen den Grundsatz der Lectio difficilior. Es geht kaum an, V. 24 zum literarischen Maßstab für V. 25-26 zu machen und dann dort Objekte zu ergänzen,
so V. Eppstein, The Day of Yahweh in Jeremiah 4,23-28, JBL 87 (1968) 93-97.

464 S. Ez. 37,8; Sach. 1,8; 4,2.

465 So H. Ewald, Jeremia und Hezeqiel, 114; P. Volz, Kommentar, 50f.; F.
Nötscher, HS VII/2, 62; ders., Echter-Bibel, 20f.; J. Schreiner, Kommentar,
37f., mit christologischer Perspektive W. Neumann, Kommentar, 351f.; V. Eppstein, JBL 87 (1968) 93-97.

466 S. dazu vor allem M. Fishbane, VT 21 (1971) 151-167; H. Weippert, Schöpfer des Himmels und der Erde, 50ff.

467 Im Parallelismus steht קלל (hitpalp.), das man aufgrund von Ez. 21,26
(pilp.: schütteln) am besten mit "sich schütteln" wiedergibt.

468 Im Rahmen kriegerischer Aktionen in Ri. 5,14; 2.Sam. 22,8; Ps. 18,8;
68,9, vgl. auch Ps. 77,19 und Jes. 13,13.

Auch das Jeremiabuch läßt die Erde beben, und zwar als Folge des Zorns Jahwes, so in der unjeremianischen Stelle 10,10[469]. Möglich, daß der Autor von 4,23-26 eine entsprechende Stelle vor Augen bzw. im Gedächtnis hatte, Jeremia jedenfalls scheint diesen Gedanken nicht verarbeitet zu haben. Auch er verwendet das Verbum רעש, interessanterweise, wenn er in 8,13-17 wieder auf den "Feind aus dem Norden" zu sprechen kommt, aber wie anders akzentuiert er dann das Beben der Erde in 8,16, das von den heranstürmenden Pferden verursacht wird.

V. 25 wendet sich Mensch und Tier zu. Dabei erinnert עוף השמים in Verbindung mit נדד an 9,9f., wo die Berge, Triften, Jerusalem und die Städte Judas so "verwüstet" sind, daß auch die Vögel des Himmels und andere Tiere fliehen und kein Mensch mehr dort wohnt. Auch diese Stelle hat auf den Text 4,23-26 gewirkt, der offensichtlich aus dem Jeremiabuch heraus kompiliert wurde;[470] so setzt auch V. 26a die Verse 6f. des 2. Kap. voraus, die er nur umkehrt, und V. 26b den V. 15 (Q) des 2. Kap.[471]

Der geschichtsimmanente Kontext, der noch in V. 20 mit dem Stichwort שבר den durch feindliche Macht möglichen Zusammenbruch nennt, wird in V. 23-26 durch ein Naturschauspiel überhöht, das durch die Übernahme von Theophaniemotiven auch die Erfahrungen eines Erdbebens weit überbietet. Der Leser empfindet die Verse als hyperbolische Auswirkung des feindlichen Angriffs und so sind sie wohl auch gedacht. Daß sie an dieser Stelle stehen, werden die ihnen folgenden Verse bewirkt haben, die ähnliche Motive aufweisen, aber eine Überschreitung natürlicher Grenzen nicht zu erkennen geben. Anders ausgedrückt: Der Leser befindet sich bei dem nächsten Textteil wieder mit Jeremia in der geschichtlichen Wirklichkeit Jerusalems und Judas.

---

469 S. dazu W. Rudolph, Kommentar, 71, der eine Reihe von Gewährsleuten nennt.

470 Vorsichtiger ist W. Zimmerli (Visionary Experience in Jeremiah, in: Israel's Prophetic Tradition. Essays in Honour of P.R. Ackroyd, ed. by R. Coggins a.o., Cambridge a.o., 1982, 99ff.), der mit der Möglichkeit einer genuinen Vision Jeremias rechnet.

471 Unter der Voraussetzung, daß ein Schreiber in 4,26 ח und צ vertauscht hat. Einige Handschriften haben jedenfalls נצתו, das auch die Septuaginta (ἐμπεπυρισμέναι) voraussetzt.

g) 4,27-31

Der neue Einsatz in V. 27 wird durch כי כה אמר יהוה markiert. Die Partikel כי ist hier durchaus begründend[472] zu verstehen, denn sie verbindet die Vision mit den folgenden, im
Grunde genommen konkurrierenden Versen und sichert damit den
Visionsteil als Jahwewort.

Der Abschnitt weist einen anderen Aufbau als die vorhergehenden Teile auf: Zunächst nennt er eine Katastrophe (V. 27),
bevor er ihre Ursache (V. 28 und V. 29a) bedenkt, um dann wieder zu deren Wirkung (V. 29b.30.31) überzugehen. Im Unterschied
zu V. 23 und V. 24 beschreibt Jeremia die Reaktion der Natur
(V. 28a) auf die Vernichtung[473], die durch die parallelen Nomina שממה und כלה ausgedrückt wird, mit der "trauernden Erde"[474]
und dem "sich verfinsternden Himmel", beläßt also der Natur hier
ihre "Natürlichkeit".

Der folgende Versteil 28b ist nicht ursprünglich. Ihn hat der
Leser eingefügt, um die Unabänderlichkeit des Unheils festzu-
schreiben, die er immerhin mit vier Verben ausdrückt, u.a. mit
זמם, einem Verbum, das nur noch in der nachjeremianischen Stelle 51,12 bezeugt ist, Jeremia aber nie benutzt.

Wie die Zerstörung von V. 27 zustande kommt, teilt V. 29 mit.
Auch hier wird die Erwartung des Publikums durch eine formale Besonderheit durchbrochen, denn V. 29aα setzt sich über den verzö-
gernden Parallelismus hinweg,[475] die Gefahr provoziert unverzüg-

---

472 Die affirmative Übersetzung (fürwahr u.ä., s. P. Volz, Kommentar, 51;
F.Nötscher, HS VII/2, 62; J.Schreiner, Kommentar, 38) berücksichtigt nicht,
daß das begründende כי beide Einheiten enger verbinden will.

473 Das לא neben כלה stört den Parallelismus. P. Volz, Kommentar, 52
meint: "vom Bedürfnis der Späteren aus mildernd beigefügt". Eher ist mit
J.A.Soggin (The "Negation" in Jeremiah 4,27 and 5,10a, cf. 5,18b, in: ders.,
Old Testament and Oriental Studies, Biblica et Orientalia 29, Rom 1975, 179-
183) mit einem sog. lamed emphaticum (vgl. F.Nötscher, Zum emphatischen Lamed,
VT 3, 1953, 372-380) zu rechnen. Vgl. GAG, § 81f zur akkadischen Beteuerungs-
form lū, vgl. auch zum ugaritischen l-/la/? S.I.Segert, A Basic Grammar of the
Ugaritic Language with Selected Texts and Glossary, Berkeley/Los Angeles/Lon-
don 1984, 100 (65.24). Ohne Einschränkung, aber mit anderem Textverständnis,
auch R. Althann, Jeremiah 4-6, 100f.

474 ארץ mit אבל benutzt Jeremia auch in 12,4 und 23,10, vgl. aber auch
12,11; 14,2.

475 Die Formabweichung kann hier keine literarkritischen Konsequenzen haben, andernfalls sind die übrigen, wieder parallel konstruierten Versteile
unvollständig.

lich Flucht. Vor Reitern und Bogenschützen flieht die ganze
Stadt, man geht[476] ins Dickicht[477] hinein und auf Felsen hinauf, die ganze Stadt[478] ist verlassen.

Die Rede ist von Jerusalem[479], das in V. 31 als "Tochter
Zion" benannt wird wie in 6,2.23, wo es ebenfalls um das Unheil aus dem Norden geht. Daß Jerusalem und nichts anderes im
Blick ist, bestätigt V. 30, der zur bildhaften Sprache übergeht und dabei zunächst, wieder um die Aufmerksamkeit zu erhöhen, den Parallelismus durchbricht und das Tempus wechselt.
Der feindliche Einfall wird im Perfekt geschildert, als ob er
schon eine Realität sei, und das Verhalten Jerusalems, das eine
gegenwärtige Realität ist, in Imperfektformen. In einer Casus
pendens-Konstruktion wird die Stadt mit ואתי[480] angesprochen;
sie kleidet sich festlich, offenbar für einen feierlichen Auftritt, aber sie macht sich vergebens schön, denn nach V. 30b
erwartet sie eine äußerst unangenehme Überraschung: Die Liebhaber (עגבים), für die sie sich herausgeputzt hat, verschmä-
hen (מאס) sie, noch schlimmer, sie trachten ihr nach dem Leben.

Abrupt schwenkt der letzte Vers des Kapitels (V. 31) wieder
zu den Folgen über, die als erlebte Realität (Perfekt von שמע)

---

476 Auch hier drängt sich das Verständnis eines Perfectum propheticum auf;
das übergeordnete Fluchtgeschehen ist durativ, deshalb das Partizip, das
hier das Gesamtgeschehen beschreibt.

477 עב hat in der Regel die Bedeutung "Wolke", nur an der Jeremiastelle
kann das Sem "Walddickicht" angenommen werden, vgl. ug. ġb (dazu Ch. Virol-
leaud, in: Ugaritica 5, 590), arab. ġāba, "dunkel sein", syr. ʿābā, "Wald"
(C.Brockelmann, Lexicon Syriacum, 514b) und das westsemitische Fremdwort
ebūbatu, "Wald", im Akkadischen (AHw. I, 183).

478 In den Kommentaren wird durchweg das zweite כל-העיר abgeändert, entweder in כל-הערים עזובה (z.B. B.Duhm, Kommentar, 55; P. Volz, Kommentar,
52) oder in כל-עיר (Septuaginta: πᾶσα χώρα , z.B. F. Giesebrecht, Kommentar, 29; W. Rudolph, Kommentar, 36; J. Schreiner, Kommentar, 397, jeweils
unter Berufung auf die Septuaginta und das בהן des hebräischen Textes. Am
Ende der Zeile scheint aber der Text in Unordnung geraten zu sein, nicht nur
איש ist "überzählig" (s. schon B. Duhm, Kommentar, 55), auch בהן . Der
Parallelismus besteht dann aus 3+2 Hebungen wie auch in V. 29a α, für den
BHK und BHS aufgrund der Septuaginta die Prosaergänzung (!) במערות ויחבאו
vorschlagen.

479 העיר ist von dem damaligen Hörer bzw. Leser sicher mit Jerusalem
identifiziert worden, vgl. das Lachisch-Ostrakon IV,7 (Lachish I,76).

480 Das Ketib ואתי ist als archaische Femininform dem Qere ראת vorzuziehen. שדוד ist mit der Septuaginta zu streichen (mask.). Ein Leser hat
es, nachdem 4,13.20 eingetroffen war, nachgetragen.

erscheinen. Das letzte, was das Kapitel nennt,ist ein Aufschrei, der mit der Not einer Erstgebärenden verglichen[481] und als Schmerzensschrei[482] der "Tochter Zion" identifiziert wird. Ihr Leben ist denen preisgegeben, die sich vorgenommen haben zu töten.

Wieder liegt ein in sich abgeschlossenes Textstück vor, das zunächst für sich erfaßt werden muß. Das gilt auch für die Frage nach dem feindlichen Ansturm, die dann, wenn er als skythisches Werk betrachtet wurde, mit dem Hinweis auf die unpassenden עגבים zurückgewiesen wurde,[483] ohne daß die Argumentation in diesem Fall überzeugen kann.

Ein Zitat soll das veranschaulichen: "Der Gebrauch des Ausdrucks 'buhlen' setzt ... voraus, daß es sich hier nicht um einen völlig fremden Volksstamm, sondern nur um eine Nation handeln kann, mit der man sich schon lange des näheren eingelassen hatte. In der Tat tadelt der Prophet ja auch oft auf das schärfste, daß die Judäer so eigenwillig den Fremden nachlaufen, daß sie nach Ägypten eilen, um das Wasser des Nil und nach Assyrien, um das Wasser des Eufrat zu trinken, daß sie sich nicht genug darin tun können, um sich in treulosem Ehebruch den Fremden hinzugeben (2,18.25.33.36; 3,13), und in demselben Sinne verkündigt Jeremia insonderheit gerade im Hinblick auf die Chaldäer, daß diese 'Liebhaber' (אלפים) aus dem Norden (!), die Jerusalem selbst an sich gewöhnt hat, nun zu Herren über die Stadt werden sollen (13,21, cf. 30,14)."(484)
Hier wird recht leichtfertig mit "dicta probantia" umgegangen. "Buhlen" nimmt erst im Neuhochdeutschen einen pejorativen Sinn an, im Mittelhochdeutschen bezeichnet das Wort "buole" den Freund und Geliebten, der um jemanden wirbt, sich also eifrig um ihn bemüht.(485) Dieser Sinn kennzeichnet auch das hebräische עגב (486). Das heißt aber doch, daß die Fremden um Juda/Jerusalem "geworben" hätten, was undenkbar ist, ob nun die Skythen oder die Babylonier gemeint sind. Der genannte "Beweis" 13,21 trägt nicht, denn dort ist von Freunden, Vertrauten(487) die Rede, ohne daß ein einseitiger Bezie-

---

481 קול wird mit צרה (צרה liest G. Beer bei seinen Miszellen in ZAW 31, 1911, 153f. als צָרָה "Wehen", bzw. als femin. Partizip einer Wurzel ציר) parallelisiert und durch חיל I ("beben") und יפח (Hapaxlegomenon) erklärt, Ges.-B., 309: "stöhnen", KBL, 392: "nach Atem ringen", HAL Lfg. II, 405: "ächzen".

482 Auch die Partikel אוי unterstreicht die schmerzhafte Erfahrung, s. Chr. Hardmeier, Texttheorie und biblische Exegese. Zur rhetorischen Funktion der Trauermetaphorik in der Prophetie (BEvTh 79), München 1978, 189. 201.

483 Stellvertretend für die vielen Exegeten, die dieses Argument vorbringen, sei F. Wilke (in: FS R. Kittel, 246f.) genannt.

484 F. Wilke, in: FS R. Kittel, 246f.

485 Das gilt für beide Geschlechter, Belege bei I. und W. Grimm, Deutsches Wörterbuch, Bd. 2, Leipzig 1860, 498ff.

486 Vgl. Ez. 23,5.7.9.12.16.20, zur Bedeutung KBL, 678; HAL Lfg. III, 740 mit Hinweis auf arab. ᶜǧiba ("bewundern").

487 אלוף, s. zur Bedeutung die Wörterbücher s.v.

hungswunsch angesprochen wäre.(488) Im übrigen kann man nicht sämtliche Bilder, die eine Beziehung zwischen den Geschlechtern spiegeln, kontaminieren. Nur in V. 25 und in V. 33 des 2. Kap. geht es um die Liebe (אהב) zu einem anderen, aber eben nicht umgekehrt. Vom "treulosen Ehebruch" kann hier keine Rede sein, er wird an anderer Stelle tradiert, mit dem Bild von der untreuen Frau in religiös-politischer Dimension in Hos. 2, Jer. 3 und Ez. 16 und in realpolitischem Zusammenhang in Ez. 23.

Das vorliegende Bild entspricht den Gedanken des Zitats ganz und gar nicht; es stellt die Schönheit bzw. Eleganz der Frau und das Verlangen eines "Buhlen" mit einem paradoxen Überraschungseffekt gegenüber. Die Schönheit ist buchstäblich attraktiv, nur: der, der sein Verlangen bekundet, will nicht die aufgeputzte Frau, sondern ihr Leben. Mit dieser überraschenden Wende mag der Prophet das (aus dem Bild der Schönheit resultierende) selbstsichere und unwiderstehliche Verhalten Jerusalems, d.h. seiner Potentaten, attackieren. Am besten verständlich wird die Kritik, wenn sie in der Zeit, als Jojakim regierte, geäußert wurde (vgl. 23,13-17). Politisches Bündnisstreben steht dem Wort ganz fern.

Die Frage nach dem erwarteten Angreifer ist neu zu stellen. Es werden im vorliegenden Textteil ausschließlich der פרש und der רמה קשׁת genannt. Die Kommentare übersetzen פרש mit "Reiter"[489] und denken dabei an einen Pferdereiter. Der Befund bei פרש ist äußerst kompliziert, jedenfalls vermag ein Streifzug durch die Konkordanz die These nicht zu stützen, daß der Terminus פרש die Gespannrosse am Streitwagen bezeichnet.[490]

Zweifel weckt schon die Beobachtung, daß in der überwiegenden Anzahl der Stellen, bei denen (kollektiv) רכב (491) zusammen mit Pferden genannt wird, kollektiv סוס (492) bzw. auch der Plural סוסים(493) steht. Daß aber פרש nicht ausschließlich als eindeutiger Fachterminus für ein allgemeines סוס aufgefaßt werden kann, zeigt eine Reihe von Stellen, die neben סוס und רכב noch den Plural von פרשׁ(494) aufweisen: Nach Ez. 26,7 soll Nebukadnezzar gegen Tyros כסוס וברכב ובפרשׁים ziehen, also offenbar mit dem Streitwagenkorps und mit (Reit)Pferden/Reitern. Diese Aufteilung wird schon den Ägyptern, die hinter den Israeliten herjagen, in Ex. 14,23 (vgl. V. 9) nach-

---

488 Vgl. die übrigen alttestamentlichen Belege Jer. 3,4; Micha 7,5; Ps. 55,14; Spr. 16,28; 17,9, in Spr. 2,17 ist der "Freund der Jugend" der Ehemann.

489 F.Giesebrecht, Kommentar, 29; C.H.Cornill, Kommentar, 54; W.Rudolph, Kommentar, 36; B. Duhm, Kommentar, 54: der Reisige; Ch.F. Feinberg, Kommentar, 54; W. McKane, Kommentar, 108.

490 So K. Galling, ZThK 53 (1956) 131ff.; S. Mowinckel, VT 12 (1962) 289ff.

491 Plural nur ein einziges Mal, und zwar an der späten Stelle Hld. 1,9.

492 S.z.B. Dtn. 20,1; Jos. 11,4; 1.Kön. 20,1.25; 2.Kön. 6,15 (in der Reihenfolge: Pferd und Wagen); Jes. 43,17 (in der Reihenfolge: Wagen und Pferd).

493 S. z.B. Dtn 11,4; 2.Kön. 2,11; 6,14; 7,14; 10,2; Jes. 66,20; Jer. 4,13 (מרכבה); 17,25; 22,4; 46,9; 50,37; Sach. 6,2.3 (מרכבה).

494 Sg. nur Jer. 4,29; Ez. 26,10, Nah. 3,3. Zur Nominalbildung s. HAL Lfg. III, 919.

gesagt: כל סוס פרעה רכבו ופרשיו, seine (d.h. des Pharaos) mit Pferden
bespannten Streitwagen u n d seine Reitpferde/Reiter. V. 17.18.26.28 sagen abkürzend רכב u n d פרשים, nennen also die Zugpferde des Streitwagens nicht eigens. Das dtr. Geschichtswerk verwendet eine entsprechende
Aufzählung zur Zeit Salomos in 1.Kön. 5,6, wo סוסים למרכבו und außerdem
פרשים genannt werden.(495)

Man wird also nicht pauschal sagen können, daß es sich bei פרשים,
wenn sie neben רכב auftreten, um "Pferdegespanne, Pferde am Streitwagen"
(496) handelt. פרשים sind jedenfalls als Pferde der Kavallerie neben dem
Streitwagenkorps bekannt. Auffällig ist freilich der durchgängige Plural,
der trotz der hohen Zahl von Reitpferden in 1.Kön. 5,6 offenbar weniger mit
einem kollektiven Truppenkontingent(497) (Reiterei) rechnet als mit einer
mehr oder weniger großen Anzahl von einzelnen Reitern, die nicht als nen-
nenswerte "Gattung" auftritt. Diese Vorstellung ist unsachgemäß der fremdländischen Truppeneinteilung übergestülpt, denn das terminologische Indiz
weist offensichtlich nur auf eine in Israel nicht so bedeutende Reitertruppe hin.(498) Schlaglichtartig veranschaulicht das 2.Kön. 18,23 = Jes. 38,8,
wo der Oberbefehlshaber Sanheribs in einem um Jerusalem geführten Kapitula-
tionsgespräch zynisch behauptet, daß der judäische König nicht fähig sei,
2000 Reiter aufzubieten, wenn man ihm 2000 Pferde zur Verfügung stellte.

In all diesen Fällen ist der Terminus סוס nicht weitergehend als פרשים,
סוס bezeichnet vielmehr in jenen Verbindungen das Zugpferd und פרשים die
für den Kriegsdienst eingesetzten Reitpferde. Beide Einsatzarten erforderten
sicher ein unterschiedliches Training(499), das die begriffliche Differenzierung zu rechtfertigen scheint, die, ohne Nennung des Streitwagens, schließlich auch in Ez. 27,14 berücksichtigt wird, wo סוסים ופרשים ופרדים, also
Zugpferde, Reitpferde für den Kampf oder für die Übermittlung von Meldungen
(500) und Maultiere als Tauschobjekte genannt werden.

Nun ist allerdings die Übersetzung "Reitpferd" für פרש nicht durchgehend
möglich, denn im Zusammenhang mit סוס, und zwar dann, wenn nicht das Zugpferd gemeint ist, ist mit jenem Terminus zuweilen auch der Reiter gemeint.
Während z.B. in Ez. 23,23; 38,15 von רכבי סוסים, von Pferdereitern(501),
die Rede ist, setzt Ez. 23,6.12 zu dieser Verbindung appositionell פרשים,
erläutert also, daß es sich um militärische Reiter handelt. So zu verstehen
ist auch Ez. 38,4, wo סוסים und פרשים die Pferde und ihre Reiter kennzeichnen, und schließlich auch 1.Kön. 20,20: Benhadad, der König von Syrien,
flieht vor "Israel" auf einem Pferd (סוס) und פרשים, d.h. Reiter der
Kavallerie, fliehen mit ihm. Auch bisher ungenannte Stellen(502) entsprechen

---

495 Vgl. 2.Chr. 9,25 mit einer anderen Konstruktion, aber auch dort werden
סוסים und רכב einerseits und פרשים andererseits genannt.

496 So HAL Lfg. III, 919, neben den Autoren von Anm. 490.

497 Der Singular פרש neben רכב als "Reiterei" schon im Altaramäischen,
s. KAI 202 B 2, dazu 209f., und R. Degen, Altaramäische Grammatik der Inschriften des 10.-8. Jh. v. Chr., Wiesbaden 1969, 47 zu § 28.

498 Vgl. H. Weippert, in: BRL, 254.

499 S. zu einem mittelassyrischen Text E. Ebeling, Bruchstücke einer mittelassyrischen Vorschriftensammlung für die Akklimatisierung und Trainierung
von Wagenpferden, Deutsche Akademie der Wissenschaften zu Berlin, Institut
für Orientforschung 7, Berlin 1951.

500 S. dazu W. Mayer, UF 10 (1978) 181-185.

501 Hier bezeichnet der Ausdruck nicht wie an anderen Stellen die Wagen-
lenker, s. W. Zimmerli, BK XIII/1 und XIII/2, z.St. vgl. Anm. 505.

502 Vgl. Gen. 50,9; Jos. 24,6; 1.Sam. 13,5; 2.Sam. 8,4 u.a. Jes. 21,7.9
ist schwierig, צמד פרשים läßt sich im Anschluß an H. Wildberger (BK X/2,

dem Befund, daß פרשים nicht, zumindest nicht neben רכב , Streitwagen-
pferde meint.(503)

Für den Jeremiatext bedeuten die Betrachtungen zu פרש , daß
hier kein abgekürzter Ausdruck für den Streitwagen vorliegt.
Entweder sind Reitpferde gemeint oder aber Reiter. Ein Blick
auf andere jeremianische Stellen ist für die Entscheidung hilfreich. In 6,23 (= 50,42), wo der "Feind aus dem Norden" geschildert wird, ist der Vorgang des Reitens ausgedrückt und das, wie
üblich[504], durch רכב in Verbindung mit סוסים [505]. In Kap. 46,
in dem der Prophet Jeremia über die Schlacht bei Karkemisch zwischen Nebukadnezzar und Necho spricht, nennt er in V. 9 die Wagen (הרכב) und die dazugehörigen Pferde (סוסים), während er in
V. 4 in einem Parallelismus membrorum Zug- und Reitpferde, הסוסים
und הפרשים aufzählt.[506]

Es steht somit nichts im Weg, in 4,29 die Bedeutung "Pferd"
anzusetzen.[507] Dabei legt die auffällige Singularform das Verständnis "Reiterei" nahe, wie es nur noch in Nah. 3,2f. zum Ausdruck kommt, wo in V. 2 סוס zusammen mit מרכבה und in V. 3 der

---

762.782 zu רכב חמור und רכב גמל) mit "Zug" übersetzen; zur paarweisen
Anordnung s. 2.Kön. 9,25.

503 Daß פרש nicht nur den Reiter, sondern auch den Lenker bezeichnen kann
(so z.B. R. Ficker, in: THAT II, 778) ist nicht sehr wahrscheinlich. Von der
Wurzel רכב dient die Nominalform qattāl (dazu O. Loretz, Die hebräische Nominalform qattāl, Bib. 41, 1960, 411-416) zur Bezeichnung des Wagenfahrers
(s. 1.Kön. 22,34; 2.Kön. 9,17 - in V. 18 als רֹכֵב הסוס verstanden - ; 2.Chr.
18,33), entsprechend dürfte פרש als Nominalform qatal das Pferd und als
Nominalform qattāl den Reiter bezeichnen (s. HAL Lfg. III, 919). Leider ist
der Plural ständig nach der Form qattāl vokalisiert, ohne daß immer der Reiter gemeint wäre.

504 S. die Wörterbücher s.v. רכב .

505 רכב mit פרש (Pferd) ist nicht belegt. In 6,23 steht רכב mit על ,
so daß die Bedeutung "reiten" gesichert ist, während die Verbindung von רכב
mit סוס zuweilen auch die Bedeutung "lenken, fahren" annehmen kann (s. S.
Mowinckel, VT 12, 1962, 278ff.; R. Ficker, THAT II, 778), aber nicht im Jeremiabuch (gegen R. Ficker, THAT II, 779). In Jer. 17,25 und 22,4, wo die
רֹכְבִים בָרֶכֶב וּבַסּוּסִים erwähnt sind, verhindert die Kopula die Übersetzung "die auf Wagen mit Pferden fahren" (R. Ficker, THAT II, 779); in 51,21
stehen סוס וְרֹכְבוֹ und רכב וְרֹכְבוֹ parallel, also der, der das Pferd bewegt, und der, der den Wagen bewegt.
Synonymer Parallelismus bedeutet nicht, daß sich die Bedeutungen vollständig decken (gegen R. Ficker, THAT II, 779).

506 Für סוסים benutzt er die Wurzel אסר, die das Anbinden an den Wagen
meinen wird, während bei פרשים das Verbum עלה ("aufsteigen") steht. Die
Übersetzung von עֲלֻ הפרשים mit "sitzt auf, ihr Reiter" würde in doppelter Hinsicht (Syntax und Semantik) den Parallelismus stören.

507 So J. Schreiner, Kommentar, 38.

Singular פרש genannt wird. Der Versteil Jer. 4,29a, der insgesamt מקול פרש ורמה קשת ברחת כל־העיר lautet, ist aufgrund des einleitenden קול wie 4,5 als Warnruf[508] vor dem gegnerischen Ansturm zu Pferde zu denken.

Der bewaffnete Reiter ist im altorientalischen Raum zum ersten Mal auf einem Grenzstein aus der Zeit Nebukadnezzars I., etwa am Ende des 12. vorchr. Jh.s, bezeugt.[509] Eine zentrale Rolle muß er im Kundschafter- und Nachrichtenwesen gespielt haben, zumindest bei den Hetitern und Assyrern, von denen bekannt ist, daß bei ihnen Reiter Nachrichten zu überbringen hatten.[510] Aus assyrischen Darstellungen wird ebenso deutlich, daß die Reiter die Aufgabe hatten, schwer passierbares Gelände zu erkunden,[511] in dem Streitwagen nur mühsam oder gar nicht vorankamen. Aber darin erschöpfte sich nicht ihre Funktion, denn sie wurden auch im Offensivkampf[512] zur Sicherung der Infanterie eingesetzt.[513] Auf den Darstellungen, auf denen die Reiter mit Bogen, aber auch mit Lanze bewaffnet sind,[514] sieht man sie oft

---

508 קול ist hier im Sinne von קול נתן (s. die Wörterbücher s.v. קול) verwendet, פרש ורמה קשת fungiert als Zitat.

509 S. AHw. II, 858 zum pēthallu ("Oberschenkelöffner"), vgl. W. Mayer, UF 10 (1978) 181. Vom tell ḥalaf ist ein Basaltorthostat aus dem 10. Jh. bekannt, der einen offenbar syrischen Reiter mit Schild und schlagstockähnlichem Gegenstand zeigt, s. dazu M. von Oppenheim/D. Opitz/A. Moortgat, Tell Halaf. Die Bildwerke, Berlin 1955, 48f., Taf. 26.

510 Zu den Hetitern s. G.M.A. Hanfman, A Near Eastern Horseman, Syria 38 (1961) 243-255, zu den Assyrern s. A. Parrot, Assur. Die Mesopotamische Kunst vom XIII. vorchr. Jh. bis zum Tode Alexanders des Großen, München 1961, Abb. 57, wo er vom "rufenden Reiter" spricht; s. AHw. I, 425 zum kallāp/bu; zum Alten Testament s. 2.Kön. 9,18.

511 S. die Abbildungen auf Seite 402f. (Wasser) und 456 (Gebirge) zum "non-operative rider" bei Y. Yadin, The Art of Warfare, und die Erläuterungen 297.

512 Die Meinung, die Reiterkrieger hätten nur "die Verfolgung flüchtender Feinde" (H. Weippert, in: BRL, 254 mit Verweis auf British Museum 124926 = ANEP 63 = Y. Yadin, The Art of Warfare, 450f.; dort jagen die Truppen Assurbanipals auf Pferden arabischen Kamelreitern nach, aber auch die Infanterie ist mit den fliehenden Arabern beschäftigt!) aufgenommen, unterschätzt die Einsatzmöglichkeit einer Reitertruppe und überschätzt die Einzelzüge des Bildmaterials, vgl. z.B. die Kampfszenen auf der Zeichnung bei Y. Yadin, The Art of Warfare, 443; s. auch W. Mayer, UF 10 (1978) 181ff.

513 Nach W. Mayer (UF 10, 1978, 181ff.) ist der Reiter ein "aufgesessener Infanterist" (185), dessen Aufgaben denen eines Streitwagens entsprachen: "Sicherung der marschierenden Truppe, Erkundung des Geländes, Aufklärung des Feindes, Ausschaltung der feindlichen Wagen und Reiter sowie die Umgehung des Feindes im Gefecht."(186)

514 S. z.B. die Abbildungen bei A.H. Layard, The Monuments of Niniveh, Bd. I,

in der Nähe der Streitwagen, und zwar paarweise reitend abgebildet,[515] eine eindrückliche Illustration zu 2.Kön. 9,25.

Jer. 4,29 nennt neben dem פרש noch den רמה קשת[516]. Die
Formulierung ist auffällig, denn um den Bogenschützen zu bezeichnen, steht gewöhnlich eine Partizipialform von ירה[517]
ohne קשת. Der ganze Nachdruck liegt hier auf der Handhabung
des Bogens, der in Israel erst in recht später Zeit vom gewöhnlichen Krieger benutzt wurde.[518]

Daß in Jer. 4,29 der gegnerische Angriff aus Kavallerie und
Infanterie bestehen sollte, ist ganz unwahrscheinlich, weil die
Infanterie aus Speerwerfern, Bogenschützen und Schleuderern bestand,[519] von denen hier nur die Bogenschützen genannt worden
wären. So legt sich nahe, an "Pferde und Bogenschützen" im ein-
schließenden Sinne von "Pferden mit[520] Bogenschützen" zu denken.
Da nun diese Truppengattung allein (!) erwähnt wird, läßt sich
die Jeremiastelle ohne weiteres auf skythische Reiterkrieger
deuten, deren Ruhm auch darin gründete, daß sie die Technik des
Bogenschießens über die Maßen beherrschten[521] und so besonders
furchterregend wirken konnten. Jer. 4,27ff. spiegelt das wider.

Mit den Skythen hat Jeremia, einige Jahre bevor er einen babylonischen (bzw. edomitischen) Angriff befürchtete, eine Macht
vor Jerusalem erwartet, über deren Gefährlichkeit und über de-

---

London 1849, 384f. (mit Bogen, zur Zeit Assurbanipals). 450f.452 (mit Bogen,
zur Zeit Assurbanipals). 458 (mit Bogen und Lanze, zur Zeit Assurbanipals)
und Pl. 81 (mit Lanze, zur Zeit Sanheribs); ANEP 358.360 (mit Lanze, zur Zeit
Salmanassars III.).

515 S. dazu Y. Yadin,The Art of Warfare, 297 und 384f.452 (Abbildungen).

516 Diese Bezeichnung nur noch in Ps. 78,9 mit interpretierendem נשק II,
das auch in 1.Chr. 12,2; 2.Chr. 17,17 mit קשת zusammensteht, dessen Handhabung vereinzelt noch durch ירה hif. (1.Sam. 31,3), תפש (Amos 2,15) und
משך (1.Kön. 22,34; Jes. 66,19) ausgedrückt werden kann.

517 Qal: 1.Chr. 10,3; 2.Chr. 35,23; Hifᶜil: 2.Sam. 11,24 (mit קשת : 1.Sam.
31,3).

518 S. H. Weippert, in: BRL, 49.

519 S. dazu Y. Yadin, The Art of Warfare, 294ff.

520 Vgl. zur Konstruktion etwa Ex. 12,8; 21,4; Jes. 42,4.

521 Es wird damit gerechnet, daß im allgemeinen mit einem zusammengesetzten Reflexbogen 250-300 m weit geschossen werden konnte (W. Mayer, UF 10,
1978, 179). Die Schußweite mit einem kleinen skythischen Kompositbogen konnte (nach Auswertung von inschriftlichem Material) dagegen über 500 m betra-
gen, s. R. Rolle, Saeculum 28 (1977) 317.

ren vereinzelte Bewegungen im syrisch-palästinischen Raum er

durchaus unterrichtet gewesen sein konnte [522] und die als Mit-

tel göttlichen Einschreitens gegen "Israel" nicht weniger dis-

kutabel war als irgendein anderes Eroberervolk.

---

522 S. oben S. 136ff. und 223.

4. Jer. 5

a) 5,1-6

Die Kapiteleinteilung trifft bei der Abgrenzung zwischen
Kap. 4 und Kap. 5 das Richtige, wenn auch irgendeine formel-
hafte Wendung fehlt.

Das Thema wechselt.Von einem feindlichen Angriff und seinen Folgen ist vorerst nichts zu hören. Die Anschuldigungen,
von denen der Leser jetzt erfährt, wird er zunächst als weitere Begründung auf die Unheilserwartung von Kap. 4 beziehen,
bis er in V. 6 erkennt, daß die ersten Verse auf eine folgende Unheilsankündigung zulaufen und damit die natürliche Reihenfolge zwischen Tun und Ergehen aufrechterhalten.

Die in Kap. 2 beobachtete deutliche Akzentuierung des beklagenswerten Volksverhaltens bestimmt auch den Anfang von Kap.
5, aber inhaltlich differenziert. Zentraler Schauplatz ist Jerusalem (V. 1), wo man nach Meinung des Textes jemanden sucht,
der אמונה und משפט hat. Wenn sich irgendjemand findet, will
Jahwe (die Schuld) der Stadt vergeben[523] (סלח), buchstäblich
eine Überbietung von Gen. 18,23-33.

Im Rahmen der Kapitel 2-6 entdeckt der aufmerksame Leser
eine neue Beschuldigung. Die Zusammenstellung der soeben genannten Nomina im Alten Testament ist ungewöhnlich, wenn auch
im Wortfeld von אמונה häufig ein Rechtsterminus auftaucht,[524]
wie hier משפט mit עשה, das einem שפט gleichkommt,[525] aber
deshalb noch nicht auf den ausschließlich judizialen Bereich
eingeschränkt werden muß.[526]

Den Gegensatz zu אמונה und משפט bildet nach V. 3 der falsche Eid (שקר mit שבע nif.), der eine rechtliche, aber auch
sakrale Dimension hat, sofern er unter Berufung auf Jahwe (V.

---

523 Ein Spitzensatz, der sein Pendant in den unbedingten Heilserwartungen
von 31,34; 33,8 und der bedingten Heilserwartung von 36,3 (jeweils mit ל
der Sache konstruiert) hat. Zum theologischen Problem von 5,1-6 im Vergleich
mit anderen Texten vgl. R.P. Carroll, Theodicy and the Community: The Text
and Subtext of Jeremiah V,1-6, OTS 23 (1984) 19-38.

524 S. die Belege bei H. Wildberger, in: THAT I, 198.

525 G. Liedke, in: THAT II, 1004.

526 G. Liedke, in: THAT II, 1004f.

2) geleistet wird. V. 3 nennt dann noch einmal den Terminus
אמונה[527] als einen kaum mit einem einzigen Sem abzudeckenden,
oszillierenden Oberbegriff.[528] Geht man von der Wurzel אמן
("fest", "sicher") aus und berücksichtigt die אמונה zugrunde
liegende qatul-Form, wäre etwa an Unbescholtenheit im Sinne eines ordnungsgemäßen Verhaltens zu denken, und wenn man noch die
Wendung שבע nif. mit שקר hinzunimmt, dann bezieht sich das
Nomen auf das Reden und Handeln, das vorausgesetzter Ordnung
widerspricht.[529]

Die Verse wirken wie ein Konzentrat aus dem Zusammenhang
9,1-8. Dort beklagt der Prophet in 9,2, daß sich im Lande שקר
ולא אמונה stark gemacht hat (גבר) und daß man sich von einer
רעה zu anderen bewegt. Nach weiteren Vorwürfen in 9,2 kreist
in den folgenden Versen alles um das Stichwort שקר, das nach
9,4.5 immer auch eine Handlungskomponente hat.[530]

Für Jeremia, dem dieser Zusammenhang sehr am Herzen liegt,[531]
ist das keine nur augenblickliche Erscheinung. Um das zu zeigen,
unternimmt er, indem er sich vom Volk ab- und Jahwe zuwendet, in
5,3 einen Exkurs in die Geschichtsüberlieferung: Jahwe hat das
Volk gezüchtigt,[532] ohne daß es Zucht angenommen hat, im Gegen-

---

527 Zu אמונה s. vor allem E. Perry, The meaning of [e]muna in the Old Testament, JBR 21 (1953) 252-256; H.Wildberger, in: THAT I, 196ff.; A. Jepsen, in:
ThWAT I, 341ff.

528 F. Giesebrecht (Kommentar, 30) übersetzt משפט und אמונה mit "Recht
und Treue", F. Nötscher (HS VII/2, 65) mit "Redlichkeit und Treue", B. Duhm
(Kommentar, 56) mit "Recht und Wahrheit", P. Volz (Kommentar, 58) mit "Gerechtigkeit und Treue", W.Rudolph (Kommentar, 38) mit "Recht und Wahrhaftig-
keit".

529 S. dazu H.H. Schmid, Wesen und Geschichte der Weisheit, 68.

530 Zu den textkritischen Problemen in 9,4.5 s. W. Rudolph, Kommentar, 66,
der zu stark den Wortcharakter von שקר (s. dagegen M.A. Klopfenstein, Die
Lüge nach dem Alten Testament, 25) betont und so nur die "Verhältnisse von
Klatsch und Zuträgerei und Hinterlist" reflektiert sieht.

531 Von אמונה spricht er außer in 5,1 und 5,3 allerdings nur in 9,2. 7,28
steht in dtr. Kontext (s. W. Rudolph, Kommentar, und W. Thiel, Die dtr. Redaktion von Jer. 1-25, z.St.). שקר ist ein Schlüsselbegriff, seine Ausrichtung auf das Reden und Handeln zeigt schon der Verbgebrauch, mit דבר s. 9,4
u.ö., mit נבא s. 5,31 u.ö., mit עשה s. 6,13 u.ö., mit הלך s. 3,14.

532 Die Verben sind נכה hif. und כלה pi. Bei כלה pi. sind Textemenda-
tionen üblich, B. Duhm (Kommentar, 57) und P. Volz (Kommentar, 59) streichen
ersatzlos, W. Rudolph (Kommentar, 38) liest כלהם , erwägt aber auch den
Vorschlag E.F. Sutcliffes (JSSt 5, 1960, 348f.), הכלמתם ("in Schanden
bringen") zu lesen. Aufgrund des Parallelismus ist es möglich, כלה näher

teil, es hat seine "Stirn" (פנים) härter als Felsgestein gemacht. Der Rekurs ist wieder so allgemein wie möglich gehalten,
für einen paradigmatischen Zweck ist das aber hinreichend. Will
man dennoch eine konkretere Einordnung, könnte man an die Deportation der Bevölkerung des Nordreichs durch die Assyrer im
8. Jh.[533] oder an die erste Deportation der Bewohner des Südreichs durch die Babylonier am Anfang des 6. Jh.s denken.

Im folgenden spielt der geschichtliche Rekurs zunächst keine
Rolle. Jeremia wendet sich mit pathetischer Wirkung gleichsam
von Jahwe wieder ab (apostrophe) und verfolgt in V. 5 die Gedanken vom Anfang des Kapitels weiter. Doch ist damit nicht der
pathetisierende Duktus aufgegeben, denn V. 4, der einen scheinbaren Zweifel[534] äußert, läuft auf eine Steigerung in V. 5 zu:
Während V. 4 das defizitäre Verhalten den Machtlosen (דלים)[535]
anlastet, kommt V. 5 zu dem Schluß, daß auch die Mächtigen
(גדלים) den "Weg Jahwes", d.h. den "Rechtsanspruch[536] ihres
Gottes" verfehlt haben.[537]

Vers 6 ist nicht ohne weiteres mit den Unheilsankündigungen
von Kap. 4 auf eine Stufe zu stellen. Es liegt hier kein Übergang zur Jahwerede vor;[538] der wäre sicher mit einem לכן (gegebenenfalls zusammen mit der sog. Botenformel) eingeführt.[539]

---

an die Bedeutung von נכה heranzurücken bzw. כלה als Analogiebildung zu
כלא im Sinne von "gefangen halten" (s. Jer. 32,2) zu verstehen (Form ohne
א in 1.Sam. 6,10 und 25,33); vgl. W. McKane, Kommentar, 116. Dann läge, wie
im Text erwogen wird, eine Anspielung auf die assyrische bzw. erste babylonische Deportation vor.

533 Mit einer weiteren Deportation, nachdem Sanherib 701 v. Chr. judäische
Städte erobert hatte, rechnet St. Stohlmann, The Judaean Exile after 701 B.
C.E., in: Scripture in Context II. More Essays on the Comparative Method,
ed. by W.W. Hallo/J.C. Moyer/L.G. Perdue, Winona Lake 1983, 147-175.

534 In der rhetorischen Theorie als dubitatio bekannt, s. dazu Quintilian
IX, 2,19.

535 דלים bezeichnet hier weder einseitig die "Armen" (F.Giesebrecht, Kommentar, 31) noch die "kleinen Leute" (P.Volz, Kommentar, 59; W. Rudolph, Kommentar, 38; B.Duhm, Kommentar, 57: "Niedrige"), sondern hat eine wirtschaft-
liche und soziale Komponente. In Jer. 39,10 ist der דל der Besitzlose; zu
דלה in späten Prosatexten s. 40,7; 52,15.16.

536 So häufig in Constructus-Verbindungen, s. dazu G. Liedke, in: THAT II,
1006f.

537 Ausgedrückt durch שבר על und נתק מוסרות pi., beides nebeneinander in Jer. 2,20; 5,5; 30,8 und Nah. 1,13.

538 So z.B. P. Volz, Kommentar, 62; W. Rudolph, Kommentar, 37.

539 Vgl. dazu C. Westermann, Grundformen prophetischer Rede, 107ff.

Das על-כן bleibt im Rahmen prophetischer Reflexion,[540] die sich
wie in Kap. 4 die Tiersymbolik dienstbar macht und nebeneinander
Löwe (אריה), Wolf (זאב)[541] und Leopard bzw. Panther (נמר)[542]
nennt.

Es besteht kein Zweifel, daß wieder an Aggressoren gedacht
ist. Darauf weist das Verbum שדד und auch die Vorstellung, daß
der Feind vor den Städten lauert, ein für das Raubtier nicht gerade typisches Verhalten. Nur kann man diesen Vers nicht pauschal,
wie das in den Kommentaren durchweg geschieht, als Unheilsankündigung verstehen, denn daß mit הכם ein Perfectum propheticum vorliegen sollte,[543] ist aufgrund der folgenden Verbform, die im Imperfekt steht, ganz unwahrscheinlich.

Betrachtet man den Verbgebrauch näher, so wird die Gefahr auf
Vergangenheit, Zukunft und Gegenwart aufgeteilt: Zunächst das
Perfekt הכה , das wörtlich an den Rekurs von V. 3 anschließt,
dann das Imperfekt ישדד , dessen Wurzel שדד schon in 4,13 und
4,19 die Folgen des feindlichen Angriffs beschreibt, und schließlich das Partizip שֹׁקֵד , das tempusindifferent ist, mit seinem de-
skriptiven Charakter aber einen "Zustand" erfaßt, der im vorliegenden Zeitengefüge im wesentlichen gegenwärtige Erfahrungen abdeckt. Wenn der Feind שקד על-עריהם , dann heißt das im Zusammenhang, daß er die Städte mit Eroberungsabsicht observiert.[544] Un-
willkürlich drängt sich hier die Situation der Belagerung durch
die Babylonier auf, ohne daß es deutlich würde, ob das erste oder
zweite Erscheinen Nebukadnezzars den Hintergrund des Wortes bil-

---

540 S. z.B. Jes. 5,25; 13,7 u.a.

541 Weniger wahrscheinlich ist, daß mit זאב der Schakal gemeint ist, so
akk. zïbu, s. AHw. III, 1525, vgl. Gen. 49,27; Jes. 11,6; 65,25; Ez. 22,27.
Nach HAL Lfg. I, 250 ist aufgrund der jeweiligen Gegend zwischen Wolf und
Schakal zu differenzieren. Im Jeremiabuch wird der זאב nur hier erwähnt.

542 Im Jeremiabuch noch 13,23; in einer metaphorischen Unheilsankündigung
auch Hos. 13,7 und mit enger Parallele zum Jeremiatext Hab. 1,8.

543 So z.B. F. Giesebrecht, Kommentar, 31; P. Volz, Kommentar, 63; W. McKane,
Kommentar, 114.

544 Zu שקד על im Jeremiabuch s. 1,12; 31,28; 44,27, jeweils als Beglei-
tung eines Vorgangs bis zur geplanten Realisierung. Das über den Beobach-
tungsvorgang hinausgehende voluntative Element, das auch in 5,6 mitschwingt,
zeigt das in einer punischen Inschrift (s. KAI 76, B 5; R.S. Tomback, A Comparative Semitic Lexicon, 330) verwendete שקד im Sinne von "auf etwas bedacht sein", vgl. auch aram. שקד (Itpe.) "to wait for an opportunity" (M.
Jastrow, Dictionary II, 1621) und neuhebr. שקד "eifrig bedacht sein" (J.
Lavy, Langenscheidts Handwörterbuch Hebräisch-Deutsch, Berlin u.a. 1975, 588).

det. Gewiß, weder die babylonische Chronik noch das Alte Testament berichten etwas über die Belagerung judäischer Städte, als die Babylonier zum ersten Mal gegen Jerusalem zogen,[545] die Möglichkeit, daß sie in Szene gesetzt wurde, ist damit aber nicht ausgeschlossen.

Das Wort 5,1-6 läuft darauf hinaus, die Schuld der "Großen" von Jerusalem, d.h. vor allem derer, die im Umfeld der Regierung tätig waren, zu brandmarken. Dafür bietet sich kaum Joschija und seine Zeit an. Um so mehr drängen sich die Jahre unter Jojakim auf, dessen prunksüchtiges und unsoziales Verhalten Jer. 22,13-19 rügt, mit den Begriffen לא־צדק und לא משפט (22,13) umfassend charakterisiert und mit dem entsprechend positiven Verhalten seines Vaters Joschija (22,15) konfrontiert.[546]

Man wird annehmen können, daß sich das Verhalten Jojakims auch auf seinen Beamtenapparat ausgewirkt hat. Wieweit unter Zidkija, der nach Jer. 37,16-21 und 38,14-27 als unselbständiger Regent gezeichnet wird und dessen Verhältnis zu seinen Beamten durch Mißtrauen geprägt ist (38,25), entsprechende Verhältnisse aufbrachen, kann nicht mit Sicherheit gesagt werden. Trotz der Mahnungen Jeremias ging er jedenfalls nicht den "Weg Jahwes", der für Jeremia in der Kapitulation bestanden hätte. Zidkija folgte dem Beispiel Jojakims und kündigte nach 2.Kön. 25,1 in seinem 9. Regierungsjahr Nebukadnezzar den Gehorsam auf.

Es läßt sich mit anderen Worten für 5,1-6 keine konkretere Zeit nennen als die der ersten oder der zweiten Eroberung Jerusalems.[547] So gehört das Wort, das in V. 6b durch eine Fest-

---

545 S. BM 21 946, Rev. 11-13 (D.J. Wiseman, Chronicles of Chaldaean Kings, 72; A.K. Grayson, Assyrian and Babylonian Chronicles, 102) und 2.Kön. 24,8ff.

546 2.Kön. 23,36-24,5 bringt keine nähere Charakterisierung und beläßt es bei dem Urteil, daß Jojakim das getan hat, was Jahwe mißfiel (2.Kön. 23,37). Diesem Urteil schließt sich auch der Chronist an (2.Chr. 36,5), verstärkt aber mit תועבות noch den negativen Eindruck (2.Chr. 36,8). In Jer. 36 versucht sich Jojakim als Mächtiger gegenüber der Macht des Jahwewortes.

547 Merkwürdig ist die geographische Fixierung des זאב als זאב ערבות, die singulär ist. Daß der Wald der Ort wilder Tiere ist (in V. 6 אריה), sagt das Alte Testament häufiger (s. z.B. 2.Kön. 2,24; Jes. 56,9; Jer. 12,8; Ez. 34,25 u.a.). Man könnte darüber nachdenken, ob Jeremia hier, wie schon für 4,11 vermutet wurde, an edomitische Vorstöße denkt, allerdings erwartete man dann eher den Singular הערבה (s. A. Schwarzenbach, Die geographische Terminologie, 98f.), vgl. aber auch die Wendung ערבות מואב (Num. 22,1 u.ö.) bzw. ערבות יריחו (Jos. 4,13 u.ö.).

stellung schließt, die die kultische Basis der ethisch-morali-
schen Defizite benennt,[548] wie die "Parallelrezension" 9,1-8[549]
in die Spätzeit Jeremias.

b) 5,7-14

Die folgenden Verse 7-14 heben sich als Jahwerede, die allerdings nicht durchgehend vorliegt, von der Prophetenrede V. 1-6
ab. Es fällt auf, daß zunächst die Stilform des Parallelismus
fehlt, an deren Stelle durch drei Imperfecta consecutiva in V. 7
ausgedrückt, eine Erzählreihe tritt. Daß der Zusammenhang nicht
ursprünglich ist, beweist nicht zuletzt die Anrede in der 2.p.
sg. f.   V. 7 klagt an, daß man Jahwe verlassen, bei Nicht-Göt-
tern geschworen und, obwohl Jahwe für "Sättigung" sorgte, Verlangen nach dem Hurenhause gezeigt hat. Die Gedanken sprechen
nicht gegen Jeremia,[550] aber gegen den literarischen Kontext,
denn V. 8, der wieder mit einem Imperfekt die Gegenwart einfängt,
beklagt realen Ehebruch, der in V. 7 metaphorisch verstanden wird.
So ist V. 7, der aus anderem Zusammenhang stammen muß, Interpretation zu V. 8, indem er das Verbum סלח von V. 1 wieder aufnimmt.

Aber auch der ursprüngliche literarische Sitz von V. 8 scheint
an anderer Stelle zu liegen, und zwar dort, wo in V. 26ff. die
sozialen Vergehen der רשעים genannt werden, nach deren Aufzählung V. 29 steht, mit exakt demselben Wortlaut wie V. 9, der mit
einer rhetorischen Frage Jahwes die Unheilsankündigung von V. 10
begründet, obwohl sie in V. 11ff. eine andere Begründung hat.

Auch an dieser Stelle zeigt sich ein komplizierter literarischer Vorgang, der seine Entstehung aus einer f o r t g e s e t z -
t e n Verzahnung von Prognose und gesellschaftlicher Analyse gewinnt, die durchgehend an der Beziehung zu Jahwe gemessen wird.

---

548 Nur hier stehen im Jeremiabuch im Parallelismus die Nomina פשע und
משובה. Das Verbum פשע drückt den Bruch mit Jahwe aus (2,8.29; 3,13;
33,8), so auch das Nomen משובה im Singular (8,5; 8,7 nennt den משפט יהוה,
8,8 שקר) und im Plural (nur im Jeremiabuch: 2,19; 3,22; 14,7).

549 W. Rudolph, Kommentar, 66.

550 עזב in diesem Sinne 1,16; 2,13.17.19 u.a. נשבע mit בכעל in 12,16.
לא אלהים erinnert an (ו)ל(י)רועא(ו)ל in 2,8.11. Zu נאף s. 7,9; 23,14
(Qal) und 3,8; 9,1; 23,10; 29,23 (pi.). גדד läßt sich als hitpo. von גדד II
("hin u. herfahren", HAL Lfg. I, 170) verstehen und muß nicht in גור (s. den
Apparat der BH und die Kommentare z.St.) geändert werden.

Aber nur diese Grundkategorie suggeriert eine einheitliche Bewältigung des Stoffes, denn literarisch bleibt manches fragmen-
tarisch.So auch V. 10, der eine Aufforderung zur Zerstörung enthält, aber an wen? Weniger an V. 6 wird gedacht sein als an das
unbenannte Volk von V. 15-17.

Anscheinend ist V. 10, der einen für die ersten Kapitel ganz
ungewöhnlichen Gedanken formuliert, wenn er die Vernichtung durch
die Feinde abschwächt, nachträglich eingepaßt worden. Möglich,
daß hier Erfahrungen der Exilszeit, in der das Leben weiterging,
eingebracht werden.[551] Formal führt auf eine Interpolation jenes
Verses die 1.p. Jahwes von V. 11, der sich V. 9 mit seiner 1.p.
anschließt und nicht V. 10 mit seiner 3.p.

Im vorliegenden Zusammenhang liefert V. 11 die Begründung für
V. 10, eine Begründung, die auch in 3,20 (vgl. 12,1) als "Treue-
bruch" (כגד) erscheint. Erneut wechselt die p. in V. 12, der
mit seinem reflektierenden Charakter symptomatisch für diese
Passage des 5. Kap. ist, in der darüber nachgedacht wird, wie
man sich wohl - setzt man das Textganze in einer Zeit an, in der
אמונה und משפט fehlen - die Zukunft vorgestellt hat. Die Antwort, die V. 12 gibt, läßt Perfekt und Impf. cons. aufeinander
folgen, ohne daß damit ein Prosaeinsatz vorliegt.[552] Allerdings
stehen die Beschuldigungen recht unausgeglichen nebeneinander:
man hat Jahwe verleugnet, seine Macht in Abrede gestellt, sich
sicher gefühlt, mit Unheil, Schwert und Hunger nicht gerechnet.
Als Initiatoren dieser "Ideologie" nennt V. 13 die Propheten,
denen abgesprochen wird, mit dem Wort (הַדִּבֵּר), d.h. dem Wort
Jahwes[553], aufzutreten.

---

551 So J. Schreiner, Kommentar, 42. Man wird dem Text kaum gerecht, wenn
man אל ersatzlos streicht (so F. Giesebrecht, Kommentar, 32 und 33; W. Ru-
dolph, Kommentar, 38; P. Volz, Kommentar, 59 und 60) bzw. das gesamte Kolon
eliminiert (B.Duhm, Kommentar, 59).Anders J.A.Soggin (in: Old Testament and
Oriental Studies, 179-183), der אל als emphatische Partikel (vgl. S. Rin,
Ugaritic-Old Testament Affinities, BZ NF 7, 1963, 22ff.) auffaßt; skeptisch
R. Althann, Jeremiah 4-6, 148. Zu Form und Funktion von V. 10 vgl. R. Bach,
Die Aufforderung zur Flucht und zum Kampf, 51ff. und 92ff. Vgl. auch unten
S.274f.zu 6,1ff.

552 Dem widerspricht der Parallelismus. R. Althann (Jeremiah 4-6, 150) nimmt
für das Impf. cons. einen explikativen bzw. emphatischen Sinn an und versteht in der unklaren Wendung לא הוא את das לא als Nomen. Er übersetzt: "They
have lied against Yahweh, they have even said 'He ist nothing ...'"(152).

553 Die Septuaginta paraphrasiert richtig: λόγος κυρίου. Die Nominalform
דִּבֵּר(zur Nominalform qittil und ihrer intensivierenden bzw. steigernden Bedeutung s. C. Brockelmann, Grundriß, § 146) nur hier, zu 9,7 s. den Apparat
der BH.

Auch für V. 12 und V. 13 sind Anleihen an anderer Stelle des Jeremiabuches gemacht worden, und zwar bei 14,13ff.: Gegen die Meinung der Propheten, daß man in der Zukunft Hunger und Schwert nicht zu fürchten hat, verwehrt sich Jahwe in 14,14, weil sie von ihm nicht autorisiert ist, und so sagt er jenen Propheten im klassischen Tun-Ergehen-Zusammenhang den Tod durch Hunger und Schwert voraus. Etwas anders dagegen V. 12-14[554] im vorliegenden Kapitel: V. 12 ergänzt das Paar Schwert und Hunger durch "Unheil" (רעה) zu einer ungewöhnlichen Trias, die sonst durch "Schwert, Hunger und Pest" gebildet wird.[555]

Auffällig ist auch die Beziehung zwischen Verursachung und Wirkung in 5,14. Weil " i h r solches redet", will Jahwe sein Wort im Munde des Propheten zu Feuer machen[556] und das Volk zu Brennholz, das durch das Feuer verzehrt wird. Der Kausalzusammenhang, der in Kap. 14 einleuchtet, erfordert hier ein Sacrificium intellectus, denn zu erwarten wäre die Bestrafung der Propheten [557] und nicht die des Volkes.[558]

c) 5,15-19

Ohne direkten Anschluß, aber thematisch verwandt, schließen sich die Verse 15ff. an die Unheilserwartung von V. 6 an, im jetzigen Zusammenhang illustrieren sie dagegen, was es bedeutet, wenn Jahwe seine Worte im Munde des Propheten zu Feuer macht (V.14).

Gliedernd und zeitdeterminierend steht am Anfang von V. 15

---

554 Zu dieser Eingrenzung mit V. 13 als konstitutivem Element s. G. Schmuttermayr, Beobachtungen zu Jer. 5,13, BZ NF 9 (1965) 215-232, und W. McKane, Kommentar, 120ff.

555 S. dazu R. Liwak, Überlieferungsgeschichtliche Probleme des Ezechielbuches, 81ff.

556 Das Bild ist ein Reflex auf 23,29.

557 B.Duhm (Kommentar, 61), P. Volz (Kommentar, 60), W.Rudolph (Kommentar, 38 und 39) ziehen V. 13b zu V. 14, dann redete der Text auch von der Bestrafung der Propheten. Aber was sollte denn die Wendung "so wird ihnen geschehen" als Unheilsankündigung bedeuten? Eher unterstreichen diese Worte die Ankündigung (Imperfekt!): "Doch diese Propheten werden zunichte" (J. Schreiner, Kommentar, 43).

558 Mit dem Vorschlag der BH und der Kommentare, דכרכם in דכרם zu ändern, wird die textkritische Bevorzugung der Lectio difficilior außer Kraft gesetzt; die 3.p.pl. räumt Mißverständnisse aus dem Weg, indem sie V. 12 und V. 14 miteinander verbindet und harmonisiert.

הנה mit Partizip als Hinweis darauf, daß das Unheil unmittelbar bevorsteht. V. 15a, der das "Haus Israel" anredet,[559] wirkt
wie eine Überschrift, die das Thema, den Adressaten und den Absender (נאם־יהוה) nennt, bevor es dann im Parallelismus membrorum weitergeht. Erneut muß man fragen, wer oder was in diesen
Versen erwartet wird, Namen werden nämlich wieder nicht genannt.
V. 15 blickt auf ein Volk - von einem גוי war bisher nie die
Rede - aus der Ferne (ממרחק), ähnlich wie in 4,16 die נצרים
aus "dem Land der Ferne" kommen. Die "Ferne" repräsentiert das
Unbekannte, das von vornherein etwas Bedrohendes an sich haben
kann.[560] Wenn in der Septuaginta die Schilderung des Volkes, die
der MT in V. 15b gibt, fehlt, dann bedeutet das nicht, daß sie
sekundär eingefügt wurde,[561] denn es spricht nichts gegen die
Ursprünglichkeit des in 3+3 Hebungen gesetzten Parallelismus.

Der גוי wird durch איתן näher charakterisiert, in der Regel als "alt"[562] verstanden oder als "unüberwindlich"[563]; allerdings legt die Etymologie eher die Bedeutung "beständig" nahe, mit Einschluß des Machtmomentes, das aber besser auf das
Überwindliche des Feindes zu beziehen ist.[564]

Für eine konkrete Auswertung eignet sich V. 15bα kaum, weil
dieser Versteil ebenso wie die "Ferne" von V. 15a mehr symbo-
lische als reale Implikationen hat, denn es ist nicht damit zu
rechnen, daß ethnische Biographien hinreichend bekannt waren.

Die Beschreibungen konzentrieren sich auf das Fremdartig-
Gefahrvolle; dazu gehört auch V. 15bβ mit seinem Hinweis, daß
jenes Volk eine Sprache spricht, die man nicht versteht.[565]

---

559 Noch in V. 11 war vom "Haus Israel" und "Haus Juda" die Rede.

560 So auch Jes. 5,26; 13,5; 30,27; Hab. 1,8.

561 So B. Duhm, Kommentar, 61, der seine Skythenthese gefährdet sieht. S.
dagegen W.Rudolph, Kommentar, 40, der mit einer aberratio oculi rechnet,
verursacht durch das mehrmalige גוי.

562 S. z.B. F.Giesebrecht, Kommentar, 34; P.Volz, Kommentar, 64; W. McKane,
Kommentar, 123.

563 So z.B. W.Rudolph, Kommentar, 40; J.Schreiner, Kommentar, 44.

564 Zur Grundbedeutung "ständig fließend", die zum Verständnis "beständig"
führen kann, s. HAL Lfg. I, 43. Im Mittelhebräischen ist das Lexem im Sinne
von "dauerhaft" (G. Dalman, Handwörterbuch, 16) bzw. "stark" (M. Jastrow,
Dictionary I, 62) belegt.

565 Mit לשון ausgedrückt in Dtn. 28,49 (Volk aus der Ferne, mit Steigerung: vom Ende der Erde, so auch Jes. 5,26, vgl. Jes. 13,5; s. auch Hab. 1,8:
schnell wie Adler, vgl. Jer. 4,13), V. 50 steigert noch die Gefährlichkeit

Auffällig sind die Imperfektformen in V. 15bβ , die sich von
dem empirischen V. 15bα absetzen; sie spiegeln keinen Erfah-
rungssatz[566], sondern erwarten eine Konfrontation mit einer
unbekannten Sprache, die man zwar nicht versteht, aber eben
doch kennt.[567]

Der furchterregende Eindruck dieses Volkes wird noch in V.
16, dessen Textgestalt allerdings nicht unumstritten ist, weiter gesteigert.

Der Streit ist an der Wendung אשפתו כקבר פתוח entbrannt.

Neuzeitliche Rationalität hat gemeint, einen "Köcher kann man nicht ein
offenes Grab nennen; es wird doch niemand darin versenkt"(568). Außerdem
werden ästhetische Empfindungen gestört: "Einem ganzen Volk einen Köcher
beizulegen, ist nicht besonders geschmackvoll ..."(569) Also hat man kon-
jeziert, und zwar in אשר פיהו (570).

Ältere Kommentare waren in der Bewertung des Bildes unbefangener: "Der
Vergleichspunkt ist der: wie ein offenes Grab mit Todten gefüllt wird, so
ist der Köcher dieses feindlichen Volkes mit tödtlichen Geschossen ge-
fült"(571).

Das Lexem אשפה, dessen Wurzel auch in anderen semitischen Sprachen
(572) und möglicherweise auch zur Zeit Jeremias inschriftlich belegt(573)
ist, muß ohne Zweifel als "Köcher" verstanden werden. Es wird, sofern die

---

(grimmiges Gesicht, עז פנים , vgl. Hab. 1,8).

566 Dann wäre eine Perfektform zu erwarten, s. Ges.-K., § 106 kc.

567 Aufgrund geschichtlicher Erfahrung war das assyrische und insofern
auch das ihm nahestehende babylonische Idiom bekannt. Bis zu einem gewissen Grad war diesen Völkern ihre Fremdheit dadurch genommen, daß ihre Repräsentanten bei Verhandlungen mit den Judäern aramäisch und selbst "judäisch" sprechen konnten, wie aus 2.Kön. 18,26 = Jes. 36,11 hervorgeht.

568 H. Schmidt, Kommentar, 212.

569 P. Volz, Kommentar, 65.

570 So P. Volz, Kommentar, 65. Seine Anregung wurde z.B. von H. Schmidt
(Kommentar, 211 und 212), F. Nötscher (HS VII/2, 69) und W. Rudolph (Kommentar, 40) aufgenommen. B. Duhm (Kommentar, 61) schließt sich mit wenig
überzeugenden Argumenten (s. dazu C.H. Cornill, Kommentar, 62) der Septuaginta an, die von V. 16 nur das zweite Kolon überliefert.

571 C.F. Keil, Kommentar, 95, s. schon W. Neumann, Kommentar, 377, s. auch
später F. Giesebrecht, Kommentar, 34.

572 Im Akkadischen išpatu (s. AHw. I, 397, dort Verweis auf churritisches
išpanti), im Ugaritischen ꜣutpt (s. WUS Nr. 475, UT Nr. 423), als Lehnwort
im Ägyptischen: ꜣšpt (A. Erman/H. Grapow, Wörterbuch der ägyptischen Sprache, Bd. I, 132).

573 So Lachisch-Ostrakon XIII, 3 nach Lachish I, 156, bestätigt in Lachish
III, 336, übernommen z.B. auch von J. Hempel, ZAW NF 15 (1938) 138; J.C.L.
Gibson, Textbook, I, 48; mit Fragezeichen KAI 198,3. Nach der Photographie
(Lachish I, 156) liest der Verfasser אתאשפח; das ש ist nicht deutlich,
allerdings bietet sich auch kein anderer Buchstabe an. Dem Wort kann die
Nota accusativi vorausgehen, dann steht אשפה im Status constructus (f.sg.,

Situation des Krieges vorliegt, im Alten Testament zusammen mit anderen
Waffen genannt(574) und erscheint nur hier als d i e Waffe des Feindes.

Weil nur der Köcher genannt ist, der pars pro toto[575] steht
und Pfeil und Bogen assoziieren läßt, kann der Autor auch an
dieser Stelle die mit dieser Angriffswaffe vornehmlich operie-
renden Skythen gemeint haben.[576]

Die Aufzählung des Schadens, den jenes Volk nach V. 17 an-
richtet, spricht nicht gegen diese Identifikation, denn die in
V. 17aα und 17aβ paarweise auftretenden Ziele der Zerstörung,
die ganz allgemein formuliert sind, wollen den Menschen und
das, was ihn am Leben erhält, nennen.[577]

Mit V. 17b wird der Parallelismus aufgehoben. Wieder ist die
Textgestalt diskutiert worden.

Der Feind unternimmt irgendetwas gegen die befestigten Städte, aber
was? Im MT steht יֹרֵשׁ . Die Verbwurzel kommt nur hier vor und, als Puᶜal
vokalisiert, in Mal. 1,4. Nun ist die seltene Verwendung der Wurzel kaum
ein hinreichender Grund, nach einer anderen, häufiger belegten Wurzel zu
suchen.(578) Man wird eher zu fragen haben, warum hier nicht eine der Wurzeln verwendet wird, die üblicherweise die von den Wörterbüchern für רשׁשׁ
postulierte Bedeutung "zerstören, zerschlagen" aufweisen, wie etwa die Verben שׁבר oder   שׁדד, die ja auch in den ersten Kapitel des Jeremiabuches
häufiger angewandt werden.
Für die Etymologie könnte akk. rašāšu, dessen Bedeutung leider nicht
über allen Zweifel erhaben ist, hilfreich sein. Sollte das Verbum im Grundstamm "glühend werden" bedeuten und in dem hebr. Poᶜel entsprechenden D-

---

auch f.pl.) und bezieht sich auf ein determiniertes Nomen rectum. Ostrakon
XIII ist leider fragmentarisch, auch der Kontext der vorliegenden Worte
fehlt, trotzdem möchte K.Elliger (ZDPV 62, 1939, 84ff.) mit einem feindlichen Angriff als situativem Kontext rechnen.

574 S. Jes. 22,6 und die paradigmatisch angelegte Stelle Hiob 39,23,
metaphorisch Jes. 49,2; Ps. 127,5; Klgl. 3,13.

575 Die rhetorische Tradition versteht diese Art der Darstellung als syn-
ekdochischen Tropus, s. Quintilian VIII, 6,19.

576 Vielleicht ist es kein Zufall, daß der Köcher genannt wird, denn gerade
er unterscheidet sich bei den Skythen von der Köchergestalt anderer Völker.
Die Skythen benutzen einen sog. Goryt, der die Pfeile und auch den Bogen
aufnahm, s. z.B. R. Rolle, Saeculum 28 (1977) 317; dies., Reallexikon der
Germanischen Altertumskunde, II, 450f.; dies., Die Welt der Skythen, 72ff.

577 Das gilt auch von dem häufiger auftretenden Parallelismus Rebe/Feige,
s. 1.Kön. 5,5; 2.Kön.18,31; Jes. 36,16; Micha 4,4; Zf. 3,10.

578 Diese Begründung nennt F. Nötscher (HS VII/2, 69), der sich dem Vorschlag C.H.Cornills (Kommentar, 63) anschließt, יִרֵשׁ ("in Besitz nehmen")
zu lesen, ein Vorschlag, den auch BHK und BHS und R. Althann (Jeremiah 4-6,
162f.) unterstützen. Zu anderen Erwägungen s. W. McKane, Kommentar, 125.

Stamm die faktitive Modifikation vorliegen,(579) dann könnte רשש in Jer.
5,17 ein poetischer Ausdruck für eine Eroberung sein, die vor allem mit
pyrotechnischen Mitteln arbeitet.

Für die Identifizierung des Feindes besagt das nicht viel. So ist von
den Assyrern bekannt, daß sie die besiegte Stadt in Brand aufgehen ließen,
(580) aber auch die durch die Babylonier eingenommenen Städte einschließlich Jerusalem sind durch archäologisch nachgewiesene Brandschichten gekennzeichnet. Immerhin spräche die pointiert erwähnte Zerstörung durch
Brandeinwirkung ganz und gar nicht gegen eine Erwartung skythischer Verbände,
die nach Ausweis der von ihnen zerstörten urartäischen Festungen durch ver-
heerende Brandkatastrophen ihr Ziel erreichten.(581)

Der ursprüngliche Text hat nur bis zu den "festen Städten"[582]
gereicht; danach folgt ein Prosazusatz, der mit seinem ernst
gemeinten Aufruf, in die festen Städte zu flüchten, in deutlicher Spannung zu 4,5f. steht[583] und formal an der stilfrem-
den Relativpartikel erkennbar ist.

Die Wendung וגם כימים ההמה נאם־יהוה deutet wieder einen
Einschnitt an. Inzwischen liegen die als bevorstehend geschil-
derten Ereignisse zurück. Man hat erfahren, daß die Katastrophe nicht vollständig war (V. 18b) und stellt die auch für die
Entstehung des dtr. Geschichtswerkes partiell verantwortliche
Frage nach dem Grund[584] für das Geschehene (Perfekt von עשה),
die anschließend auch beantwortet wird (V. 19): Man habe Jahwe

---

579 S. AHw. II, 960f.

580 S. z.B. die Abbildung in Y. Yadin, The Art of Warfare, 446.

581 R.Rolle, Saeculum 28 (1977) 295ff.

582 Zur Pluralform beider Nomina, sowohl des Nomen regens als auch des Nomen rectum, s. Ges.-K., § 124 q, vgl. Jer. 1,18; 4,5; 8,14; 34,7.

583 So auch F. Giesebrecht, Kommentar, 34f. B. Duhm (Kommentar, 61f.)
scheidet, offenbar um seine Skythenthese nicht zu gefährden, V. 17b ganz
und V. 17a teilweise aus, weil beide Vershälften etwas nennen, was er den
Skythen nicht zutraut. Er bringt sich überhaupt zuweilen durch seine bra-
chialen Streichungen um gute Argumente, die Skythenthese zu stützen, so
streicht er etwa auch V. 16a (אשפה !).
Auffällig ist in V. 17b כחרב , das man nicht einfach vorrücken kann, um
zur Übersetzung "es zerschlägt mit dem Schwert deine befestigten Städte"
(J. Schreiner, Kommentar, 44) zu kommen, was kaum vorstellbar sein dürfte.
Eher ist mit P. Volz (Kommentar, 65) anzunehmen, daß die Wendung ein Interpretament zum "Fressen der Söhne und Töchter" ist, das an die falsche Stelle
geriet. Zu anderen Verständnismöglichkeiten s. R. Althann, Jeremiah 4-6, 163f.;
W. McKane, Kommentar, 125.

584 D.E. Skweres (Das Motiv der Strafgrunderfahrung in biblischen und neuassyrischen Texten, BZ NF 14, 1970, 181-197) will für V. 19 eine nicht nur
im biblischen Bereich angewandte geprägte Form ("Strafgrunderfahrung") nachweisen, der er im Jeremiabuch auch 13,22; 16,10-13; 22,8-9 zuweist. Ob hier
nicht einfach die ins Literarische transponierte "Kinderfrage" vorliegt, die
genauso bei anderen Anlässen nachweisbar wäre?

verlassen (עזב) und fremden Göttern (אלהי נכר) gedient (עבד).
Diese Gedanken erinnern an eine dtr. Typik und mögen auch einen
dtr. Hintergrund haben, gehen aber letztlich nicht in einer einheitlichen dtr. Redaktion des Jeremiabuches auf.[585]

d) 5,20-30

V. 20 hat eine neue, zweiteilige Anrede, die zur Verkündigung
des folgenden Wortes - wie in 46,14 und 50,2 (ohne Objekt) mit
שמע hif. und נגד hif. - in "Juda" und im "Haus Jakob", das expressis verbis nur noch in 2,4 genannt wird,[586] aufruft.

Mit V. 20 setzt ein thematisch anders akzentuierter Textteil
ein, der die "Geschichte" nicht direkt thematisiert. Im Grunde
wird eine Bestandsaufnahme geleistet, die insgesamt die Unheilserwartung von V. 15-17 verständlich zu machen sucht, auch wenn
sie eine Darstellung sui generis ist, weil in V. 25 eigenständige Konsequenzen genannt werden. Nur locker scheinen die Gedanken aneinandergefügt zu sein. Die Volksangehörigen werden genau wie in 4,22 mit einem weisheitlichen Terminus (סכל) als töricht bezeichnet, weil sie ihre Sinnesorgane nicht angemessen
einsetzen (V. 21). Das erklärt ihre Furchtlosigkeit gegenüber
Jahwe, dessen unüberbietbare Macht darin s i c h t b a r wird,
daß er der übermenschlichen Macht der Natur "Schranken" gesetzt
hat (V. 22).

Wenn auch in dieser paraphrasierenden Wiedergabe der Gedankengang einheitlich scheint, so sind doch Spannungen nicht zu übersehen.

V. 21a redet das Volk mit einem Imperativ im Plural an, an den sich fol-
gerichtig die 2.m.p. anschließt, die aber in Spannung zur 3.m.pl. von V. 21b
steht. Nun könnte natürlich der abrupte Wechsel von der Anrede in die distan-
zierte 3.p. beabsichtigt sein, allerdings läßt sich nicht die geforderte, aber

---

585 Der dtr. Redaktion des Jeremiabuches weist W.Thiel (Die dtr. Redaktion
von Jer. 1-25, 97ff.) die Verse 18f. zu. Allerdings ist die Terminologie so
eindeutig nicht. עזב mit Jahwe als Objekt ist schon in 2,13.17.19 zu beobachten, ohne daß ein dtr. Kontext vorliegt.Die Formulierung אלהי נכר ist
zwar an einigen Stellen des dtr.Geschichtswerks (Dtn. 31,16; Jos. 24,20.23;
Ri. 10,16; 1.Sam. 7,3) belegt, dagegen im Jeremiabuch singulär (vgl. 8,19:
בהבלי נכר, poetischer Kontext!), in dem ausschließlich an dtr. Stellen,
vor allem dem Dtn. entsprechend, von אלהים אחרים(1,16; 7,6.9.18; 11,10 u.a.)
die Rede ist, in der Regel mit dem Verbum הלך , nur in 16,13 und 44,3 mit
עבד(so häufiger im Dtn., s. 7,4; 11,16; 13,7.14 u.a.).
586 Zu den politischen Implikationen s. oben S. 172f.

nicht vorhandene, bis zum Beben gesteigerte Furcht vor der Macht Jahwes über die Naturgewalten mit dem lapidaren Hinweis begründen, daß das Volk seine Augen und Ohren nicht richtig benutzt.Die Referenz gegenüber der Aussage von V. 22aβb vermag eigentlich nur eine intellektuelle (לב, סכל) Bewältigung zu leisten, kein Hinsehen und Hinhören auf das, was zu sehen und zu hören ist, allenfalls auf eine entsprechende Tradition, aber die steht nicht zur Debatte.

Es scheint so, daß der kunstvolle, mit Paronomasie sowie anaphorischer und epiphorischer Synonymie arbeitende Versteil als nachträgliche Begründung aufgenommen wurde, indem neben dem לב weitere Organe genannt werden, die das unverständliche Verhalten des Volkes erklären sollen. Somit liegt hier der merkwürdige Sachverhalt vor, daß im Prosakontext eine partiell gebundene Sprache auftaucht, die die Aufmerksamkeit besonders auf sich lenkt, obwohl das vom inhaltlichen Duktus her nicht einsichtig ist.

Die Verse 20ff. sind insgesamtein an einen Hymnus erinnerndes Lob Gottes, das aber nicht als "eine Predigt in deuterojesajanischer Art mit Anlehnung an jerem. Gedanken und Worte", von der Weisheitsschule geprägt[587], bezeichnet werden kann. Die Terminologie[588] ist jeremianisch, ebenso das Gedankengut. Jeremia kennt den Stand der Weisen (18,18), ohne daß er mit ihnen sympathisierte (8,9). Das bedeutet freilich nicht, daß er nicht weisheitliche Tradition für seine Verkündigung fruchtbar machen konnte.[589] Darin erinnert er an den Jerusalemer Jesaja, der ja auch von weisheitlichem Denken abhängig war.[590]

Im jeremianischen Vers 4,22 stehen sich brennpunktartig zentrale weisheitliche Termini gegenüber, so positives חכם , ידע , נבון und negatives אויל und סכל von denen hier in V. 21 סכל wieder aufgenommen und durch ואין לב erklärt wird. Der לב bezeichnet an dieser Stelle wie auch in der Weisheit, wo er Sitz der חכמה ist,[591] die intellektuelle Einsicht, mit deren Exi-

---

587 P. Volz, Kommentar, 65, dort auch das Zitat.

588 געש nur noch in 46,7, גל in 31,35 (vgl. auch 51,42.55), המה in 4,19; 31,20 (vgl. auch 48,36), als Wogen des Meeres noch in 6,23; 31,35.

589 S. J. Lindblom, Wisdom in the Old Testament Prophets, VTS 3 (FS H.H. Rowley), Leiden 1955, 192-204; T.R. Hobbs, Some Proverbial Reflections in the Book of Jeremiah, ZAW 91 (1979) 62-72.

590 S. zusammenfassend H. Wildberger, BK X/3, 1614ff.

591 S. z.B. Spr. 2,10; 14,33; 16,23; Koh. 1,16, s. aber auch 1.Kön. 10,24 und Ps. 90,12, die Wendung אין לב in diesem Sinne auch in Spr. 17,16.

stenz auch Furcht[592] vor Jahwe vorhanden wäre.

Daß Jeremia weisheitliche Topoi für seine Aussageabsicht
heranzieht, ohne sie in konsistenten weisheitlichen Gedanken-
komplexen aufgehen zu lassen, zeigt die Vorstellung der Furcht
vor Jahwe, die in der Weisheitstradition schon sprachlich anders, und zwar in nominalen Wendungen[593] ausgedrückt wird, in
denen zu "Furcht" in der Regel synonym die Nominalform דעת
steht, die Jeremia nie verwendet.[594] Er setzt in V. 22 parallel חיל und gibt damit ירא die Konnotation eines numinosen
Erschauerns, das nicht nur bei der Theophanie den Betrachter
ergreift,[595] sondern auch angesichts der in der Geschichte wirk-
samen Macht und Größe Jahwes[596] bzw. beim Anblick der Schöpfung[597]
und ihrer Erhaltung[598]. Schöpfung ist hier in Kap. 5 nicht wie
bei Dtjes. (42,5; 43,1) hymnische Prädikation, die zu soteriologischen Gedanken führt.[599] Für Jeremia hat die Schöpfung eine
andere Dimension: Mit dem Bild des Töpfers, das im alten Orient,
aber auch in anderen Kulturen die Schöpfertätigkeit Gottes beschreibt,[600] weist er in 18,1-12[601] auf die uneingeschränkte
Macht Jahwes in seinem Handeln an den Völkern, das allerdings
jenseits aller Willkür dem Verhalten des einzelnen Volkes verpflichtet ist (18,7-10).[602] Auf die generelle Unverfügbarkeit

---

592 Jahwefurcht ist im Jeremiabuch eine wesentliche Kategorie (gegen J.
Schreiner, Kommentar, 45), s. 3,8; 5,22.24; 26,19; 32,39. Nur hier steht
das parallele חיל als Grundhaltung des Menschen angesichts der Macht
Gottes im Jeremiabuch, sonst ist es Reaktion auf sein strafendes Handeln,
s. 4,19.31; 5,3; 51,29.

593 H.-P. Stähli, in: THAT I, 775ff.

594 3,15 (דעה) ist nicht jeremianisch, s. oben S. 207ff.

595 S. Ex. 20,18 (Samaritanischer Pentateuch, Septuaginta, Vulgata). 20.

596 S. Ex. 14,31; Jes. 25,3; 41,5; Jer. 10,7; Hab. 3,2; Micha 7,17; Sach.
9,5; Ps. 76,9.

597 S. Ps. 33,8.

598 S. Ps. 65,9. Die Naturgewalten als furchterregendes Handeln Jahwes in
1.Sam. 12,18.

599 S. auch Jes. 44,24; 51,9f. Dasselbe Denkmodell in Ps. 74,12-17 und Ps. 89.

600 S. die Belege bei H. Wildberger, BK X/3, 1129ff. im Zusammenhang mit Jes.
29,16.

601 18,1-12 ist in seiner vorliegenden Gestalt dtr. überarbeitet, geht aber
auf einen Selbstbericht des Propheten zurück, s. W. Rudolph, Kommentar, 121;
W.Thiel, Die dtr. Redaktion von Jer. 1-25, 210ff.

602 Anders später Sir. 33,13.

zugespitzt, kehrt der Gedanke noch einmal in 27,2ff.[603] wieder,
indem Jahwes Schöpfungstätigkeit (V. 5) als Begründung für sein
Geschichtshandeln (V. 6) dient.

5,22 drückt jenen Zusammenhang nicht direkt aus, aber vielleicht ist der "Sitz in der Literatur", die Überlieferung im
Rahmen ausgeprägter Geschichtserwartungen ein Anzeichen, daß
die hymnische Prädikation im Kontext von 5,15-17 zu lesen ist,
der Israelit konnte jedenfalls im Hymnus Schöpfung und Geschichte zusammendenken.[604] Wenn dabei zugleich eine weisheitliche
Terminologie[605] benutzt wird, dann ist das im vorliegenden Gefüge auch ein Hinweis auf den weisheitlich ordnenden Umgang mit
der Schöpfung und ihrer "Geschichte" in der Geschichte. "Daß
Weisheit und Geschichte in so engem Kontakt zueinander stehen,
überrascht dann nicht, wenn man sich bewußt macht, daß einerseits weisheitliches Denken ein Grundmodell menschlichen Denkens überhaupt darstellt, und andererseits menschliche Existenz
ohne Bewältigung von Geschichte nicht auskommen kann"[606].

Es ist nicht die 3.p., die V. 23 von V. 22 trennt,[607] sondern der auf Gedankenassoziation beruhende, die Gewalt des fas-
cinosum und tremendum als vergangene Reaktion auf alltägliche
Naturerfahrungen einschränkende Charakter dieses Verses. Anson-

---

603 Nicht zuletzt wegen der 1.p. dürften 27,2ff. jeremianische Worte zugrunde liegen, s. W. Rudolph, Kommentar, 172; W.Thiel, Die dtr. Redaktion
von Jer. 26-45, 5ff.

604 S. z.B. Ps. 33 (zur zeitlichen Ansetzung s. H.-J. Kraus, BK XV/1, 260ff.),
aber auch Jes. 45,12f. L. Köhler (Theologie des Alten Testaments, 71) macht
ausdrücklich darauf aufmerksam, daß der Schöpfungsbericht innerhalb eines umfassenden Geschichtsaufrisses steht.

605 Zu erwähnen ist aus den ersten Kapitel etwa auch לקח מוסר, das in 2,30
und 5,3, dann auch in 7,28; 17,23; 32,33; 35,13 verwendet wird und außer in
Zef. 3,2.7 nur in weisheitlicher Literatur (Spr. 1,3; 8,10; 24,32) belegt
ist.
Der Aspekt von Jer. 5,22 kehrt, allerdings mit z.T. unterschiedlicher Terminologie (keine literarische Abhängigkeit) im Rahmen von Spr. 8,22ff. in V.
29 und in Hiob 38,8ff. wieder, vgl. auch Ps. 104,9. Zu Schöpfungsaussagen im
weisheitlichen Denken, das ebenfalls keine soteriologischen Implikationen
kennt, s. Hiob 38ff.; Spr. 3,19; 14,31 u.ö.

606 H.H. Schmid, Altorientalische Welt in der alttestamentlichen Theologie,
Zürich 1974, 90, im Rahmen des Aufsatzes: Altorientalische und alttestamentliche Weisheit und ihr Verhältnis zur Geschichte (64-90), s. auch H.-J. Hermisson, Weisheit und Geschichte, in: Probleme biblischer Theologie, G. von
Rad zum 70. Geb., hg. von H.W.Wolff, München 1971, 136-154.

607 B.Duhm, Kommentar: "Der Übergang von der 2.p. V. 21f. zur 3.p. V. 23
beweist nur, dass wir es V. 21f. mit der Rhetorik des Schreibtisches zu
thun haben." Vgl. W. McKane, Kommentar, 128ff.

sten entspricht sich der Gedankenduktus. Wie V. 21 nennt V. 23
den לב als Beurteilungsmaßstab, aber hier nuanciert als Sitz
für Antrieb und Entschluß zum Handeln, und disqualifiziert ihn
als "sperrig"[608]. Ohne daß eine Leitlinie genannt ist, wird das
Verhalten des Volkes als "Abweichen" mit Aussicht auf ein anderes Ziel[609] beschrieben.

Letztlich ist auch der לב nach V. 24 dafür verantwortlich,
daß man Jahwe nicht die rechte Ehrfurcht (ירא) zollt, obwohl er
für die Fruchtbarkeit (גשם) und den damit zusammenhängenden
Ernterhythmus (חקות קציר) sorgt.

Im stark verallgemeinernden V. 25 hat ein späterer Tradent[610],
der wie 3,3 und 14,1ff. von dem Konnex zwischen Schuld und "Versagen" der Natur ausgeht, noch einmal das Faktum der Verfehlung
(עון und חטאות) genannt und mit den für weitere Interpretationen offenen Bezeichnungen אלה und טוב Allgemeingültiges formuliert, das jegliche Erfahrung in Natur und Geschichte beinhalten kann.

V. 23-25 wirkt gegenüber dem Vorhergehenden - von V. 18-20
abgesehen - wie ein Midrasch, der eine Metabegründung liefert.
Das Interesse post festum kreist um die Ursachen und liefert
insofern auch eine Geschichtsreflexion, die auf ihre Weise den
Topos "historia magistra vitae" aktiviert.

Vielleicht ist das ein Grund, warum in V. 26ff. auch weitere
gesellschaftliche Analysen folgen.

Formal heben sich die Verse als Jahwerede vom Vorhergehenden
ab. V. 26 beginnt mit einem Perfekt, das im Zusammenhang der

---

608 Bei סרר mag der Gedanke des Unwahrhaftigen, Lügnerischen mitschwingen
(vgl. akk.sarāru, AHw. II, 1028f.), vgl. V. 31. Wie סרר ist auch מרה(noch
4,17 mit dem Akkusativ) im Jeremiabuch kein typisches Verbum, um das Verhalten des Volkes gegenüber Jahwe zu beschreiben. Viel häufiger wird die
שר(י)רות לב genannt, s. 3,17; 7,24; 9,13; 11,8; 13,10 u.ö.

609 Deshalb die Verbform וַיֵּלְכוּ. Man sollte also nicht eine Verschreibung
aus וַיָּכְלוּ annehmen (z.B. W. Rudolph, Kommentar, 40), sondern eher eine
fragmentarische Formulierung, deren Objekt verloren gegangen ist (z.B. P.
Volz, Kommentar, 65).

610 So auch z.B. B. Duhm, Kommentar, 63; P. Volz, Kommentar, 66. Gewiß,
אלה ließe sich auf חקות beziehen und טוב auf גמש , aber gerade der
im Prosakontext auffallende poetische Anschluß,der das Interesse auf sich
lenkt, legt sich nicht fest. Insofern sollte die Leerstelle nicht vorschnell
besetzt werden, wie z.B. in der Übersetzung J. Schreiners (Kommentar, 46):
"Eure Frevel haben diese Ordnung (gemeint: חקות) gestört, eure Sünden haben euch den Regen vorenthalten.".

folgenden Imperfektformen gleichsam als Stativ fungiert, der
aus empirischer Beobachtung resultiert und einen Zustand ge-
sellschaftlichen Lebens wiedergeben will.

Die These lautet: Es gibt unter dem Volk רשעים . Der Text
wendet sich also mit V. 26 von dem Volk als Einheit ab und
richtet sich auf bestimmte Volksangehörige, denen Jeremia an
anderer Stelle (23,19 = 30,23), wo konkret "Propheten" im Blick
sind, das Gericht angesagt.[611]

So unverständlich der MT von V. 26 im einzelnen erscheint,
es geht offensichtlich um eine listige Bereicherung, denn V. 27
vergleicht die Häuser jener Gruppe, die mit List gefüllt sind
und nur dadurch auf Größe (גדל) und Reichtum (עשר hif.) hindeuten, mit einer Vogelfalle[612], die mit Vögeln gefüllt ist.
Deshalb wird V. 26 von Vogelstellern reden, die mit den רשעים
verglichen werden, denen die Leute - hier müßte das Tertium
comparationis liegen - in die Falle gehen.[613]

Charakteristisch ist die schon in V. 26 und V. 27a zu beob-
achtende Asyndese, die sich am Anfang von V. 28 fortsetzt, der
wie 12,1 das sorgenfreie Leben der רשעים reflektiert, das nicht
"spurlos" an ihnen vorübergeht.[614]

---

611 Vgl. 12,1.

612 כלוב ist nur in Jer. 5,27 belegt, aufgrund der kanaanäischen Glosse
kilūbi (Die El-Amarna-Tafeln, 1417) = ḫuḫâru (s. AHw. I, 353) ist die Bedeutung gesichert.

613 Es geht kaum an, schon in V. 26a das unanfechtbare רשעים in עשירים
("Reiche") zu ändern, so P. Volz, Kommentar, 66f. Aufgrund von V. 27 sollte
קוש ("Vogelsteller", s. Hos. 9,8; Ps. 91,3; Spr. 6,5) beibehalten werden.
Der restliche MT scheint zumindest nicht unmöglich, die vielen Emendations-
vorschläge (s. z.B. B.Duhm, Kommentar, 64; F. Giesebrecht, Kommentar, 36f.;
P. Volz, Kommentar, 67; W. Rudolph, Kommentar, 40) entfernen sich z.T. recht
weit vom Konsonantenbestand. Die Übersetzung "Man lauert, gebückt wie Vogelsteller" (J. Schreiner, Kommentar, 46) beläßt masoretisches כשך (anders neuerdings J.A. Emerton, Notes on some problems in Jeremiah V,26, in: Mélanges
bibliques et orientaux en l'honneur de H. Cazelles, éd. par A. Caquot et M.
Delcor, AOAT 212, Neukirchen 1981, 125-133, der כסך einsetzt und übersetzt:
"they watch in a fowler's snare ...", 132), das hier die hinterlistige Beobachtung meint und damit מרמה von V. 27 entspricht (zur Tätigkeit des Vogel-
stellers mit seinem Klappnetz s. G. Dalman, Arbeit und Sitte, Bd. VI, 323f.).
Das folgende Perfekt ließe sich zwar als Voraussetzung des Vorhergehenden
verstehen, konstatiert aber doch wohl eher im nachhinein das Unheil, das jene Leute angerichtet haben, so daß משחית besser im üblichen Sinne und nicht
gezwungen als poetischer, sonst unbekannter Ausdruck für "Falle" (so z.B. F.
Giesebrecht, Kommentar, 36f.; P. Volz, Kommentar, 66f.; W.Rudolph, Kommentar,
4o; J. Schreiner, Kommentar, 46) zu verstehen ist. Zu anderen Vorschlägen s.
W. McKane, Kommentar, 132ff.

614 Vielleicht liegt bei שמן und עשת ein Hendiadyoin vor; für עשת verweist

Die listenreiche Bereicherung[615] ist das eine, die durch גם ein-
geführte Reihe des Rechtsversagens, das sich beispielhaft am Verhalten gegenüber Waisen und Armen zeigt, ist das andere.[616] Wieder liegt
ein Anliegen Jeremias vor,[617] der einmal dem König Joschija (22,16)
nachsagt, für das Recht der Armen gesorgt zu haben, das der Prophet
sonst nur bei Jahwe vor der Hand der Übeltäter geschützt weiß (20,13).

Der ganze Zusammenhang läßt sich als Paraphrase von 5,5 verstehen, denn hier zeigt sich, was es bedeutet, daß die "Großen" den
"Weg Jahwes" nicht kennen. Was mit diesen Leuten werden soll, sagte der Text offenbar nicht: Um aber die Reaktion Jahwes nicht unberücksichtigt zu lassen, wurde noch V. 29 angefügt[618], der später,
offenbar zusammen mit V. 8, unverändert an anderer Stelle (V. 9) aufgenommen wurde.

Das Kompositionsprinzip ist wieder die Konkretisierung. Zunächst
wird das Volk (V. 20ff.) erwähnt, dann die רשעים (V. 26ff.) und
schließlich in V. 30f. die Propheten mit ihrem schaurigen Verhalten, lügnerisch zu weissagen, wobei ihnen anscheinend die Priester,
ihrem Amt entsprechend, zur Seite standen.[619]

W. Rudolph (Kommentar, 40) auf mittelhebr. עשת ("Klumpen"), so daß etwa die
Bedeutung "wohlgenährt" anzusetzen wäre; vgl. auch W. McKane, Kommentar, 134f.

615 Zu מרמה als "Hinterlist" s. M.A. Klopfenstein, Die Lüge nach dem Alten
Testament, 312f.

616 עברו דברי־רע muß nicht emendiert werden (vgl. z.B. P. Volz, Kommentar,
66f.; W. Rudolph, Kommentar, 40). Die Wendung steht parallel zu דין לא־דנו
und könnte mit "unrechtmäßige Worte sind überströmend" übersetzt werden. Schwierig ist ויצליחו, das ursprünglich hinter דברי רע bzw. am Ende von V. 27
gestanden haben mag, s. das Referat bei H. Tawil (Hebrew הצלח / צלח , Akkadian
ešēru/šušuru: A Lexicographical Note, JBL 95, 1976, 409), der selber aufgrund
des akk. ešēru/šušuru "to provide/render justice - to see that justice is done"
ansetzt, dabei aber eine Ellipse voraussetzt, die mit der Negationspartikel לא
des Kontextes rechnet (409ff.).

617 Die dtr. Reflexion hat das in 7,6 und 22,3 mit der Trias "Fremdling, Waise
und Witwe" bedacht (s. W. Rudolph, Kommentar und W. Thiel, Die dtr. Redaktion
von Jer. 1-25,z.St.).

618 גוי steht in Spannung zu רשעים.

619 Der Text ist nicht eindeutig. Der Vorschlag C.H. Cornills (Kommentar, 67),
ירדו zu lesen, ist erwägenswert, wenn er auch nicht das Imperfekt neben dem
Perfekt erklärt; vielleicht beläßt man רדה, ohne die Bedeutung "herrschen"
(so die Lexica) zu pressen, und zieht akk. redû heran, dessen (partielle) Bedeutung "(einher)gehen" (AHw. II, 966) hier anzusetzen ist. Nach 6,13 könnte
das bedeuten, daß die Priester den Propheten sub specie שקר zur Seite gehen (על־ידיהם). Sehr unwahrscheinlich ist der Vorschlag M. Dahoods (Jeremiah 5,31a and UT 127:32, Bib. 57, 1976, 106-108), der von ug. šqlt bglt ydk
ausgeht, ġlt mit עולה/על gleichsetzt und letzteres als Kontraktionsform
im Sinne eines adverbiellen Akkusativs versteht: "... and the priests lower
their hands into mischief"(106). W.L. Holladay (The Priests Scrape out on their
Hands, Jeremiah V,31, VT 15, 1965, 111-113) versteht die Wendung als ad hoc ge-

Der Schlußteil des V. 31 kehrt wieder zum gesamten Volk zurück, dem das alles gefällt (אהב), und beendet die sozial-kritische Bestandsaufnahme mit der Frage Jahwes, wie es einmal weitergehen soll, wenn es mit all dem zu Ende geht.

Keine explizite Strafandrohung folgt; die Komposition von Kap. 5 beginnt und endet mit dem beklagenswerten Rechtsverhalten, das zunächst dem Volk und dann seinen Repräsentanten angelastet wird. Wenn sich als pragmatischer Hintergrund die späte Zeit aufdrängt, etwa unter Jojakim, vielleicht auch Zidkija, dann ist freilich die Erwartung skythischer Eroberer (V. 15ff.) anachronistisch, denn sie muß früher konzipiert worden sein. Im kompositionellen Rahmen des 5. Kap. fungiert sie zusammen mit V. 6 und V. 10 als Antwort auf die erwähnten Unrechtmäßigkeiten und beantwortet damit zugleich auch die Frage von V. 31.

5. <u>Jer. 6</u>

a) 6,1-8

Der Anfang von Kap. 6 erinnert an 4,5f. Dort ergeht der Auftrag, Juda und Jerusalem zu warnen, das Horn zu blasen und die Leute zur Flucht in befestigte Städte zu bewegen.

Der Text von Kap. 6 beginnt ebenfalls mit einer Aufforderung zur Flucht, wie in 4,6 durch den Imperativ העזו ausgedrückt, dessen Wurzel im Jeremiabuch sonst nicht mehr verwendet wird. Ausschließlich werden dabei die Benjaminiten, die nur hier (als בני בנימן) erwähnt werden, genannt, aber das kennzeichnet sicher nicht jeremianischen Chauvinismus. "Man wird die Benjaminiten am besten auf die in die Stadt geflüchtete Landbevölkerung beziehen und ihre Nennung mit dem poetischen Trieb der Vergegenständlichung in dieser ohnehin überaus belebten dichterischen Schilderung erklären, ohne daraus weittragende Folgen zu ziehen."[620] Aber trotz dieser gebotenen Zurückhaltung wird man Jeremias Biographie bedenken müssen, die nach 1,1 mit Benjamin verknüpft ist und hier die Nennung der Benjaminiten, die pars pro toto und nicht

---

bildetes Antonym zur Initiationswendung מלא יד : "and the priests deconsecrate themselves"(113). Weitere Vorschläge diskutieren R. Althann, Jeremiah 4-6, 190ff. und W. McKane, Kommentar, 136f.

620 W. Rudolph, Kommentar, 43.

im Zusammenhang einer partiellen Fluchtaufforderung stehen,[621]
begünstigt haben kann.

Zwei weitere Imperative schließen sich an, von denen der erste, תקעו (mit dem Objekt "Horn"), auch schon in 4,5 als Warn-
zeichen stand, das in anderer Gestalt mit dem zweiten Imperativ,
שאו mit dem Objekt משאת, vorliegt.

Die durch die Imperative entfalteten (synonymen) Warnungen
sind nicht deckungsgleich, denn das Hornsignal ist nur auf Hör-
weite begrenzt einsetzbar, während משאת ein sichtbares Zeichen
ist, das auf die größere Entfernung der Sehweite angelegt ist,
in Ri. 20,40 im Kontext militärischer Nachrichtenübermittlung
genannt und in Ri. 20,38 als משאת העשן, also als Rauchwolke,
bezeichnet. Ein entsprechendes Rauch- bzw. Feuerzeichen, das
nach Ausweis der archäologisch nachgewiesenen zahlreichen Be-
obachtungstürme in Juda militärischen Zwecken gedient hat, muß
der Text vor Augen haben.[622] Mit diesen Signalzeichen werden
zwei Orte verknüpft: העשן und בית הכרם .

In der späten Königszeit, als En-Gedi unter Joschija große Bedeutung er-
langte,(623) muß der von Tekoa(624) südöstlich verlaufene Weg(625) in Richtung En-Gedi sehr wichtig gewesen sein, wenn auch in Nord-Südrichtung Aus-
fallmöglichkeiten in Tekoa vorhanden waren.(626)
Sollte, wie erläutert wurde,(627) die Liste der Festungsorte, die 2.Chr.
11 Rehabeam zuschreibt, aus der Zeit Joschijas stammen - das legen, wie gezeigt, territorialgeschichtliche u n d archäologische Überlegungen nahe -
dann hat jener König auch Tekoa als Festung (2.Chr. 11,6) (aus)gebaut. Es
ist schon darauf hingewiesen worden, daß es bedauerlicherweise nicht zu le-
galen und gezielten Ausgrabungen gekommen ist. Der heutige Besucher kann auf
dem Ruinenhügel allenfalls ein großes, aus einem Steinblock gehauenes Tauf-
becken einer byzantinischen Kirche und deren Säulenbasen entdecken.
Der zweite Ort, der genannt wird, ist בית הכרם , das auch noch in Neh.
3,14 erwähnt ist.(628) Er wurde früher in ᶜen karim (En-Kerem) 7 km w von

621 Im übrigen verläuft nach Jos. 15,8; 18,16 die südliche Grenze des Stammes Benjamin südlich von Jerusalem, cum grano salis gehören also die Jerusalemer zu den "Benjaminiten".

622 Vgl. oben S. 112ff.und A. Mazar, BA 45 (1982) 176. Zu משאת s. Anm. 323.

623 S. oben S. 119.

624 Zu Tekoa s. oben S. 122.

625 Vgl. 2.Chr. 20,20. S. zu diesem Weg W.Sütterlin,Thekoa, PJ 17 (1921) 40.

626 W. Sütterlin, PJ 17 (1921) 39ff.; O. Keel/M. Küchler, Orte und Landschaften der Bibel, Bd. 2, 663.

627 S. oben S. 120ff.

628 Die Septuaginta hat gegenüber dem MT als Zusatz zu Jos. 15,59a u.a. Καρεμ
und Θεκω ; s. zum 10. Gau mit Betlehem als Zentrum M. Noth, HAT 7, 99.

Jerusalem gesucht.(629) Inzwischen ist eine Ortslage auf halber Höhe zwischen Jerusalem und Betlehem vorgeschlagen worden, die früher dem biblischen Netofa(630) vorbehalten war, nämlich chirbet abu brek / chirbet ṣaliḥ,
der aufgrund des einige Kilometer s gelegenen Rahelgrabens der hebräische
Name Ramat Rahel gegeben wurde.(631) Hier ist eine königliche Zitadelle entdeckt worden, deren älteste Bestandteile in das 8., vielleicht schon in das
9. Jh. reichen können (Stratum V B), die aber um 600 in einen 50x75 m großen
Gebäudekomplex überführt wurde, der wegen seiner protoäolischen Kapitelle
und äußerst dekorativen Fensterbalustraden, aber auch wegen einer Umfassungsmauer mit sorgfältig behauenen Steinen als ein königlicher Landsitz interpretiert werden kann.(632)

Was hat Jeremia ausdrücken wollen? Wenn man die Geographie
strapaziert, gerät man in Schwierigkeiten, denn nach Jerusalem
müßte, sollt eine direkte (Flucht-) Linie markiert werden, zunächst בית הכרם genannt werden und dann תקוע. Ein verwegener
Vorschlag könnte von einer Art Bustrophedon-Lesung ausgehen,
die bei תקוע einsetzt und über בית הכרם nach Jerusalem führt.
Aber dann müßte man mit einem Angriff von Süden nach Norden rechnen,633 das aber scheint nach 6,1b ausgeschlossen. Bei der Analyse des 4. Kap. ist gezeigt worden, daß 4,6b u.a. wegen des
Präsentativs (הנה und folgendes Partizip) nicht ursprünglich
ist. Hier in 6,1b ist die Richtungsangabe über jeden Verdacht
erhaben, das Perfekt von שקף illustriert, wie gesagt, den schon
vollzogenen feindlichen Aufbruch, der zur Flucht veranlaßt.

Der Text darf an dieser Stelle nicht gepreßt werden: Die Benjaminiten werden aufgefordert, Jerusalem zu verlassen. Daran
schließen sich die folgenden Aufforderungen mit Waw an, merkwürdig genug in einem Kontext, der in der Regel (s. V. 2ff.)
asyndetische Verbindungen bevorzugt. Nun wird kaum gemeint sein,
die Benjaminiten sollten fliehen und dann in Tekoa ein akusti-

---

629 S. F.M. Abel, Géographie, II, 295f.; M. Noth, HAT 7, 99.

630 2.Sam. 23,28 u.ö., so B. Maisler (Mazar)/M. Stekelis, in: Mazie Jubilee
Volume, 1934-1935, 4-40 (hebr.), zitiert nach EAE IV, 1009.

631 S. zur Identifikation Y. Aharoni, Excavations at Ramat Rahel, 1954, Preliminary Report, IEJ 6 (1956) 150ff.; Excavations at Ramat Rahel, Seasons 1961
and 1962, Rom 1964, 122ff.; EAE IV, 1000. Ausgrabungsberichte: Y. Aharoni, IEJ
6 (1956) 102-111 und 137-155; Excavations at Ramat Rahel, Seasons 1959 and
1960, Rom 1962; Excavations at Ramat Rahel, Seasons 1961 and 1962, Rom 1964.

632 Zur Geschichte s. Y.Aharoni, Excavations at Ramat Rahel, Seasons 1961 and
1962, 119ff.; EAE IV, 1000, 1003 Abbildung von Kapitell und Balustrade, 1002
Plan von Zitadelle und Umfassungsmauer.

633 Damit rechnet Y.Aharoni, Excavations at Ramat Rahel, Seasons 1961 and
1962, 122, offenbar auch in EAE IV, 1000.

274

sches und in בית הכרם ein optisches Signal geben. An jenen Orten haben doch wohl die dort Wohnenden bzw. die dort stationier-
ten Wachen für eine Signalübermittlung gesorgt. Mit anderen Worten: Es ist äußerst fraglich, ob Jeremia eine Fluchtlinie, etwa
in die Felsgegend von En-Gedi[634] oder zu den Höhen des Wadi Mu-
rabbaat[635] vor Augen hatte, denn dann müßte in der Tat בית הכרם
vor תקוע stehen.[636] Weiterhelfen kann der parallele Text 4,5f.:
dort soll nach V. 6 gemäß den Fluchtaufforderungen eine Signalstange mit entsprechender Funktion errichtet werden.Ebenso wird
man die dreiteilige Aussage in 6,1 um Warnung und Flucht kreisen lassen können. Dieser Interpretation entspricht die auffällige syndetische Aneinanderreihung, denn das Waw kann hier, wie
das in poetischen Kontexten möglich ist, als Waw adaequationis[637]
verstanden werden, das die Entsprechung der Vorgänge ausdrückt,
so daß man paraphrasierend umschreiben könnte: "Wie ihr in Tekoa
das Horn blasen und über בית הכרם (Rauch-) Zeichen aufgehen lassen sollt (um zur Flucht aufzufordern), so sollt ihr aus Jerusalem fliehen".

Daß gerade Tekoa und בית הכרם genannt werden, hat sicher
historische, aber auch literarische Gründe. Unmittelbar fällt
die Paronomasie bei ובתקוע תקוע auf, während בית הכרם wegen
seiner Bedeutung "Haus des Weinbergs" im Gesamtaufriß des 6. Kap.
noch einmal in v. 9 anklingt, wenn der Feind mit dem "Rest Israels" wie mit einem Weinstock umgeht. Wesentlicher ist aber zweifellos die zentrale Rolle, die בית הכרם und Tekoa als nahe bei
Jerusalem liegende Befestigungs- und Nachrichtenstationen jener
Zeit gespielt haben werden.

Für 6,1 ist die besondere Gattung der "Aufforderung zur Flucht"(638) genannt worden, die schwerpunktmäßig in den Fremdvölkersprüchen des Jeremia-

---

634 Vgl. die charakteristische Erzählung von 1.Sam. 24,1ff.

635 S. dazu O. Keel/M. Küchler, Orte und Landschaften der Bibel, Bd. 2, 445ff.

636 Diese Meinung hat vor allem P. Volz (Kommentar, 72) geäußert und damit
Gefolgschaft gefunden (z.B. W.Rudolph, Kommentar, 43). Daß der Fluchtweg durch
Signale markiert werden soll (so O. Keel/M. Küchler, Orte und Landschaften der
Bibel, Bd. 2, 598) scheint ausgeschlossen, denn jene Signale melden einen Tat-
bestand und weisen damit allenfalls auf den Weg des Feindes.

637 S. Ges.-K., § 161 a.

638 S.dazu und zum folgenden R.Bach, Aufforderung zur Flucht und zum Kampf,
15ff. und 92ff. Kritisch zu seinem Ansatz vor allem F. Stolz, Jahwes und Israels Kriege. Kriegstheorien und Kriegserfahrungen im Glauben des alten Is-

buches vertreten und deren Sitz im Leben im sog. Heiligen Krieg(639) zu suchen sei, in dem bei den Feinden wohnende "Fremdlinge" gewarnt werden sollten, damit sie nicht der aus der Institution des Banns resultierenden gänzlichen Vernichtung anheimfielen. Träfe das zu, dann wäre in 6,1 jene Form rhetorischer Absicht unterworfen worden, denn wenn "die Aufforderung an Dritte ... offenbar formgeschichtlich bedingt ist", wird zwar die Nennung der Benjaminiten inmitten von Jerusalemern(640) verständlich, da aber aufgrund der judäischen Expansion unter Joschija und der Adressatenterminologie in Kap. 2ff. die Bewohner Jerusalems, Judas und anschließender Gebiete gleichermaßen in das Verdikt um Schuld und Strafe eingeschlossen werden, liegt eine Spannung zwischen Form und Absicht vor, die mit dem atypischen Gattungssitz in der rhetorischen Vermittlung zusammenhängt.(641)

Es mag sein, daß Vorstellungen von dem, was traditionell als "Heiliger Krieg" bezeichnet wird, die Verse 4ff. beeinflußt haben, zunächst einmal erklären aber V. 2 und V. 3 über V. 1b hinaus, warum zur Flucht aufgefordert wird.

V. 2 ist textkritisch schwierig. Nur in Kap. 2-6 - eine entsprechende terminologische Beschränkung ist bisher häufiger beobachtet worden - steht der Ausdruck כת־ציון, der in 4,31 und 6,23 Jerusalem angesichts militärischer Bedrohungen meint. Dieser Kontext, dessen Kenntnis bei der Textrekonstruktion nicht unmittelbar weiterhilft, ist auch in 6,1ff. gegenwärtig.

Wird in V. 2 etwas beschrieben, zur Frage erhoben oder vorhergesagt? Die Schwierigkeiten beginnen gleich beim ersten Konsonanten. Liegt mit dem ה ein Artikel vor oder eine Fragepartikel? Was bedeutet נוה? Soll man es von נוה/נאה II ("schön sein") ableiten oder mit dem im akk.belegten namū/wū ("Weide") in Verbindung bringen? Was bedeutet דמיתי? Ist es von der Wurzel דמה I ("gleichen") abzuleiten oder von der Wurzel דמה II/III ("vertilgen"), die auch im akk. d/tamtu(642) nachweisbar ist?

---

rael (AThANT 60), Zürich 1972, 156ff.

639 Zum "Heiligen Krieg" s. H. Frederikson, Jahwe als Krieger, Lund 1945; G. von Rad, Der Heilige Krieg im alten Israel, 3.Aufl., Göttingen 1958; M. C. Lind, Yahweh is a Warrior. The Theology of Warfare in Ancient Israel, Scottdale/Kitchener 1980. Weitere Literatur bei M.Weippert, "Heiliger Krieg" in Israel und Assyrien, ZAW 84 (1972) 463 Anm. 13. Vgl. Anm. 353.

640 6,1 wirkt fast wie eine erläuterungsbedürftige These. Insofern fehlt hier zunächst der Parallelismus. Man wird kaum so weit gehen wollen, aufgrund stichometrischer Zählungen מקרב ירושלם als Glosse auszuscheiden, so O. Loretz, UF 2 (1970) 123 mit Anm. 114.

641 Gegen R. Bach, Aufforderung zur Flucht und zum Kampf, 31 (dort auch das Zitat), der sich gegen einen "rhetorische(n) Kunstgriff" verwehrt. Aber gerade die Spannung zwischen ursprünglicher Intention und konkreter Explikation kann zeigen, wie die Implikationen geschichtlicher Tradition für eine augenblickliche Verkündigungssituation fruchtbar gemacht werden können.

642 S. Ahw. I, 158, vgl. auch arab. ḏmj IV ("vernichten").

Hinzu kommt die Schwierigkeit der syntaktischen Fügung. Die Vorschläge zum Textverständnis sind Legion. Jeweils ein Übersetzungsvorschlag zu den soeben genannten Modus- und Zeitstufenvariationen soll das illustrieren: "Siehe, eine wonnige Aue ist das Gefilde der Tochter Zion"(643), oder: "Ist denn einer lustigen Aue gleich geworden die Jungfrau Zion?"(644), oder: "Die Schöne und Verwöhnte, die Tochter Zion, ich vernichte sie"(645).

Der letzte Vorschlag mißachtet offensichtlich die syntaktischen Möglichkeiten, denn die Übersetzung verschleiert, daß die als Apposition aufgefaßten Glieder durch eine Verbform getrennt sind.

Bei einer Frage mag man über ihren Sinn nachdenken, denn sie läßt das Folgende elliptisch erscheinen(646) bzw. relativiert die folgende Unheilserwartung(647) Die Übersetzung, die mit einer Beschreibung rechnet, hat die meisten Konjekturen aufzuweisen. Verständnisschwierigkeiten hatten schon die Versionen.(648)

Denkbar wäre angesichts der Einleitung von V. 6a, daß Jahwe hier in der 1.p. spricht und eine Zerstörung ansagt, aber dann stößt sich die Perfektform mit dem folgenden Imperfekt, an dessen Stelle eher ein "Perfectum propheticum" zu erwarten wäre. Denkbar wäre auch eine bei den Übersetzungsvorschlägen nicht berücksichtigte 2.p.sg.f. von דמיתי mit "Tochter Zion" als Vokativ, allerdings steht das Objekt des Vergleichs, wie die Wörterbücher zeigen, immer mit ל bzw. אל.

Vielleicht darf man trotz der Hirten von V. 3 bei נוה von der Bedeutung "Weide" absehen und wegen der Wendung בת־ציון ästhetische Vorstellungen assoziieren, die in einer Art Hendiadyoin auftreten, so daß נ(א)וה (vgl. Hld. 1,5) und ענג das Schöne und Behagliche ausdrücken.(649) Die Übersetzung wäre dann:"Das Schöne und Behagliche gebe ich (hiermit) der Vernichtung preis(650), Tochter Zion".

---

643 C.H.Cornill, Kommentar, 69f., seine wesentlichen Konjekturen sind הנה und שדמת. Auch B.Duhm (Kommentar, 65) versteht den Vers als Aussage und folgt dabei teilweise der Septuaginta: "O die begehrte und verwöhnte, Die Höhe der Tochter Zion!"

644 P. Volz, Kommentar, 70. So auch W. Rudolph, Kommentar, 42, ähnlich F. Giesebrecht, Kommentar, 38. Man müßte dann bei רמה 3.f. lesen. Vgl. R. Althann (Jeremiah 4-6, 199ff.), der den Anfang von V. 2 vokativisch auffaßt und bei רמה die 2.p.f. ansetzt ("O meadow, O most delightful one, you resemble Lady Zion", 202).

645 J. Schreiner, Kommentar, 48, so z.B. auch F. Nötscher, HS VII/2, 73; ähnlich W. McKane, Kommentar, 141 (דמתה statt רמיתי).

646 Man müßte, um den Anschluß von V. 3 einsichtig zu machen, davor ein "ja, aber trotzdem ..." einfügen.

647 Das zeigt sich an der Übersetzung W. Rudolphs (Kommentar, 42), der V. 3 mit einer Konjunktion anschließt: "Ist denn einer lustigen Aue gleich die Tochter Zion, daß Hirten zu ihr kommen ...?" Die Frage erscheint gleichsam als ein Vorwurf, der aber nicht beabsichtigt ist.

648 Schon die Septuaginta (καὶ ἀφαιρεθήσεται τὸ ὕψος σου, θύγατερ Σιων , dazu C.H.Cornill, Kommentar, 70) hat den Text nicht mehr verstanden, ebensowenig die Vulgata (Speciosae et delicatae assimilavi filiam Sion).

649 ענג wird als "verzärtelt" (KBL, 718, Ges.-B., 602) bzw. "verweichlicht" (Ges.-B., 602; HAL Lfg. III, 805) verstanden. Da ein Hitpaᶜel ("sich laben an, sich freuen") belegt ist, könnte hier auch ein Piᶜel vokalisiert werden, das dann etwas bezeichnet, was Behagen und Freude bereitet, vgl. Jes. 13,22; 58,13.

650 Oder man setzt רמה II (im Qal "zur Ruhe kommen, enden", HAL Lfg. I, 216) an und liest ein Piᶜel mit faktitiver Bedeutung.

Eine weiterführende Konkretisierung nennt V. 3. Hirten mit
ihren Herden werden erwartet, die allesamt ihren Teil abweiden.[651]
Das Jeremiabuch verwendet das Bild des Hirten oft, um "innenpo-
litische" Gestalten zu bezeichnen,[652] aber nur ein einziges Mal
für ausländische, und zwar in 12,10 innerhalb des Abschnittes
12,7-13, der sich, wie schon an anderer Stelle gezeigt,[653] als
Klage über das Vorgehen der Edomiter gegen Juda verstehen läßt.
Ob damit ein paralleler Text zu 6,1ff. vorliegt, der gegebenenfalls das in 12,7-13 Eingetroffene erwartet, ist aufgrund der
terminologischen Verwandtschaft allein nicht nachweisbar.

In 6,1ff. sitzt V. 2f. recht locker; es ist nicht auszuschließen, daß hier ein Einschub vorliegt, der eine Verbindung zu 12,7-13
herstellt. In das Bild vom Angreifer, der in 4,7.11f.13; 5,15-17
im Singular erscheint,[654] wollen sich diese Verse ohnehin nicht
recht fügen; die 1.p.pl. der Verse 4ff. ist kein Gegenargument,
denn dort müssen nicht die רעים sprechen, das Zitat ist den an-
greifenden Kriegern in den Mund gelegt. Und noch etwas spricht
für den intermittierenden Charakter jener Verse. Wie der parallele Text, der von Stadteroberungen expressis verbis nichts ver-
lauten läßt, sondern sub specie רעים den verwüsteten Weinberg
beklagt (12,10, vgl. V. 9), so beschränkt sich auch 6,3 auf die
"abgeweideten" Fluren. Städte bleiben unerwähnt, bis auf eine:
Jerusalem, die aber erst in den folgenden, eigenständigen Versen
zum Thema wird.

Die Verse 4-6 sind einer Gattung zugeordnet worden, die vor
allem in den Fremdvölkersprüchen des Jeremiabuches, aber außerhalb jenes Zusammenhangs nur zweimal in Kap. 2-6, und zwar in
5,10 und 6,4-6, gesucht wird.

Gemeint ist die "Aufforderung zum Kampf"(655), die, aus der Institution
des "Heiligen Krieges" abgeleitet, zumindest in der späteren staatlichen
Zeit von Propheten vorgetragen worden sei.(656). Schon der situative Kontext, der die Aufforderung an fremde Völker ergehen läßt, zeigt aber, daß
auch hier zumindest Form und ursprüngliche Absicht auseinanderfallen, daß

---

651 Vgl. die Bemerkungen zu 2,16 oben S. 166f.

652 S. 2,8; 10,21; 22,22; 23,1.2.4 u.a.

653 S. oben S. 227f.und Anm. 396.

654 Mit den נצרים von 4,16 sind nicht die Herrscher gemeint, s. oben S.231f.

655 S. R. Bach, Aufforderung zur Flucht und zum Kampf, 51ff. und 92ff.

656 S. zur Geschichte der Gattung R.Bach, Aufforderung zur Flucht und zum
Kampf, 92ff.

die Aufforderung "zur literarisch traditionell verwendeten, von ihrem Sitz
im Leben schon längst gelösten Form geworden ist"(657). Was Jerusalem erwartet, ist ein Krieg, zu dessen Vorbereitungen in V. 4 aufgerufen wird.
(658).

Im Grunde liegen in 6,4ff. zwei Aufforderungen vor, von denen die zweite
in V. 6 Jahwe, nicht von ungefähr mit dem Epitheton צבאות , als Initiator
nennt, während die erste Aufforderung, der Rollenerwartung entsprechend, aus
dem Munde des Propheten kommt.(659) Möglich, daß Kohortative wie in V. 4 und
V. 6 der Form entsprechen, in V. 4ff. kommen sie jedenfalls als introvertier-
te Antwort auf die von außen kommende Aufforderung einer Dramatisierung ent-
gegen, bei der die stereotype Vorstellung eines Angriffs am Mittag(660) durch
den Nachtangriff, der die Unaufschiebbarkeit des Angriffs effektvoll betont,
ergänzt und gesteigert wird.

Die Objekte des Angriffs unterscheiden sich in V. 4ff. von
denen in V. 3: V. 5 nennt die ארמנות, mit einem femininen Suffix versehen, das sich auf "Jerusalem" von V. 6 beziehen könnte.
Der ארמון, der stellvertretend für alle Arten von massiven Gebäuden steht, ist offenbar ein aus starkem Mauerwerk errichte-
tes Haus einer sozial arrivierten Person, denn Jes. 34,13 hat
parallel einen מבצר , Jes. 25,2 eine קריה בצורה , Ps. 122,7 חיל
und Spr. 18,19 eine קרית עז . Wie die beiden Jes.-Stellen blik-
ken auch die Jer.-Belege auf seine Zerstörung,[661] die in V. 4
proleptisch genannt ist, denn erst V. 6 spricht von der Stadt,
in der jene prächtigen Bauten zu vermuten sind, nämlich von Jerusalem.

Der vorliegende Text spitzt die Unheilserwartung noch durch
den Hinweis auf eine Maßnahme zu, die die ökologische Situation
der nächsten Umgebung Jerusalems empfindlich belastet: Innerhalb der Gesetzte, die bei Kriegshandlungen anzuwenden sind,
verlangt Dtn. 2o,19 zwar, daß Israel bei der längeren Belagerung einer Stadt nicht die in ihrer Umgebung stehenden Frucht-

---

657 R. Bach, Aufforderung zur Flucht und zum Kampf, 71.

658 Was mit קדש מלחמה pi. gemeint ist, kann vielleicht Dtn. 23,10ff; 2.
Sam. 11,11 verdeutlichen. Zur Formulierung vgl. Joel 3,9 und Micha 3,5.
Den "Heiligen Krieg" als Hintergrund für Jer. 6,1-6 postuliert auch J.A.
Soggin, The prophets on Holy War as Judgement against Israel, in: Biblica
et Orientalia 29, 67-71, zuerst abgedruckt als : Der prophetische Gedanke
über den Heiligen Krieg als Gericht gegen Israel, VT 10 (1960) 79-83.

659 So auch R. Bach, Aufforderung zur Flucht und zum Kampf, 85f.

660 S. Jer. 15,8; 20,16; vgl. auch 1.Kön. 20,16.

661 S. Jer. 9,20; 17,27; 49,27, nur 30,18 positiv; auch die übrigen alt-
testamentlichen Stellen berichten fast ausschließlich die Zerstörung jener
Gebäude, s. außer den genannten Jes.-Stellen noch 32,14, weiter Klgl. 2,5.7;
Hos. 8,14; Am. 1,4.12; 2,2.5; 3,11; 6,8.

bäume schlagen soll, die Aufforderung Jahwes in V. 6a aber, nach
der die Bäume gefällt werden sollen, damit sie als Material für
Belagerungsgeräte wie Sturmleitern u.ä.[662] verwendet werden können, setzt die Vorschrift außer Kraft und verschärft so die Situation um den beabsichtigten Untergang der Stadt. Auch wenn der
Jer.-Text nicht ausdrücklich von Bäumen spricht, die zur Ernäh-
rung dienen, wird jenes Gebot im Hintergrund stehen, auch Dtn.
20,19 verwendet nur den Terminus עץ .

Daß das Holz etwa für einen Belagerungswall bestimmt war,(663) ist wegen
des Verbums שפך ausgeschlossen, denn das setzt eine Aufschüttung voraus,
(664) die in Ez. 17,17 und 21,27 in Verbindung mit jenem Verb ebenfalls als
סללה , deren Wurzel סלל schon den Vorgang des Aufschüttens spiegelt, bezeichnet wird.
Ob allerdings mit סללה ein Belagerungs w a l l gemeint ist, wie die
Wörterbücher und Kommentare annehmen, ist so sicher nicht. Es gäbe dann noch
ein weiteres Wort im Hebräischen, um einen Belagerungswall zu kennzeichnen,
nämlich das Nomen דיק . Während nun die Ez.-Belege(665) keine unmittelbare
Auskunft über die Gestalt eines דיק geben, spricht 2.Kön. 25,1 = Jer. 52,4
von einem דיק סביב , den Nebukadnezzar um Jerusalem herum angelegt habe.
Daß etwa ein die Poliorketik zusammenfassender Terminus für "Belagerungs-
werke"(666) vorliegen sollte, ist angesichts des akk. dajjiqu, das zur Zeit
Asarhaddons den Belagerungswall bezeichnet,(667) wenig wahrscheinlich, zumal
in Ez. 4,2; 17,17; 21,27 und 26,8 סללה und דיק nebeneinander stehen und
in 21,27 und 26,8 weitere konkrete Belagerungsgeräte genannt werden. Da die
einzelnen Maßnahmen jeweils durch ein Waw copulativum aneinandergereiht sind,
scheint es nicht möglich, daß jener Terminus sozusagen einen Oberbegriff repräsentiert. Insbesondere ist auf Ez. 24,2 hinzuweisen, wo neben דיק das Nomen מצור steht, dessen Wurzel auf eine Umschließung der Stadt hindeutet.
Kurzum: Mit דיק wird die Circumvallation gemeint sein, die der Israelrei-
sende noch heute am Beispiel der römischen Belagerung der Festung Masada stu-
dieren kann,(668) bei der er zugleich westlich der Festung auf eine aufge-
schüttete Rampe sieht, und eben die dürfte mit dem Terminus סללה bezeichnet sein.
Die Terminologie in 2.Sam. 20,15 und 2.Kön. 19,32 = Jes. 37,33 stützt diese Annahme, denn nach 2.Sam. 20,15 soll die סללה aufgeschüttet werden g e -
g e n die Stadt hin (אל־העיר), 2.Kön. 19,31 = Jes. 37,33 formuliert im selben Sinne (עליה). Die zuletzt genannte Stelle handelt von dem Assyrer Sanherib. Wenn der tell ed-duwer mit Lachisch identisch ist(669), dann kann auch
hier der Besucher noch Relikte der 701 von den Assyrern für die Eroberung von

---

662 S. den Artikel "Belagerung" von H. Weippert, in: BRL, 37-42.

663 So H. Weippert, in: BRL, 38.

664 S. die Wörterbücher s.v., vgl. akk. šapāku, s. AHw. III, 1168.

665 S. Ez. 4,2; 17,17; 21,27; 26,8.

666 So W. Zimmerli, BK XIII/1, 113.

667 S. R. Borger, Die Inschriften Asarhaddons, § 68: Gbr II,8 (104: "Bela-
gerungsmauer"); AHw. I, 151.

668 S. die Skizze in BRL, 41, Abb. 14,4.

669 S. oben S. 124ff.

Lachisch angelegten Rampe wahrnehmen, die auf einem Relief aus Sanheribs
Palast abgebildet ist.(670)

Von V. 6b bis V. 7b reicht zunächst der Schuldaufweis, der
in V. 8 mit einem Appell an "Jerusalem" abgeschlossen wird, das
auch weiterhin, in V. 6b mit einem anaphorischen היא aufgenommen, das Thema bleibt. Schlagwortartig wird das Verhalten in dieser Stadt umrissen: עשק (V. 6), רעה , חמס ושד(V. 7).

עשק ist kein Nomen, das im Jeremiabuch zum Standardvokabu-
lar gehört. Das Verbum bezeichnet in 7,6 die Bedrückung des sozial Schwachen, während in 21,12 der עשק jemand ist, der einem
anderen etwas unrechtmäßig wegnimmt (גזל). Um das zu verhindern, wird in 21,12 das Königshaus aufgefordert, für das Recht
des Unterdrückten zu sorgen. Diese Adresse wird nicht von ungefähr genannt, denn 22,17 - innerhalb eines Wortes gegen den König Jojakim (22,13-19) - wirft Jojakim כצא(vgl. 6,13), דם הנקי
vergossen zu haben, מרוצה [671] und עשק vor. Dies ist im übrigen
die einzige Stelle neben 6,6, die עשק nennt. Ähnlich wirft Amos
eineinhalb Jahrhunderte vor Jeremia der Hauptstadt des Nordreichs,
Samaria, vor, die soziale Integrität mit עשוקים zerstört zu haben
(3,9); man häuft (אצר) in den "Palästen" (ארמון vgl. Jer. 6,5)
חמס ושד(3,10), deshalb sollen jene Prachtbauten von einem anderen Bedrücker (צר), der von außerhalb kommt (3,9), zerstört werden (3,11).

Dieselbe Reihe, also auch חמס ושד[672], nennt V. 7 des vorliegenden Kapitels, gewissermaßen mit einer Steigerung, denn dieser Vers beklagt die brachiale Durchsetzung unrechtmäßiger Forderungen.

Nicht zufällig wird in Jer. 2-6 - sozuagen als Replik auf die
Gewalttaten - die Wurzel שדד[673] verwendet, wenn die Zerstörung
durch eine militärische Aktion ins Blickfeld gerät, denn so wird

---

670 S. oben S. 125 Anm. 123.

671   מרוצה liegt offenbar die Wurzel רצץ ("bedrücken") zugrunde, die häufig neben עשק steht, s. 1.Sam. 12,3.4 u.a.

672 Beide Nomina zusammen auch in Jer. 20,8 und Ez. 45,9, in umgekehrter
Reihenfolge Hab. 1,3. Daß חמס mehr die Folge als die Tat und שד die Tat
selbst bezeichnet (so H.J. Stoebe, in: THAT I, 584), ist aufgrund der ste-
reotypen Reihenfolge, die erst חמס nennt, unwahrscheinlich. Zu חמס vgl.
R. Knierim, Cht und Chms. Zwei Begriffe für Sünde in Israel und ihr Sitz im
Leben, Diss. Heidelberg 1957.

673 S. Jer. 4,13.20.30; 5,6, aber auch 6,26.

ein einprägsamer Begriff für den Zusammenhang von Tun und Ergehen benutzt. Wie zerstörerisch חמס und שד wirken, zeigen ihre
somatischen Wirkungen beim Menschen: חלי ומכה [674].

Die Quintessenz des Vorangegangenen nennt V. 8, der wieder
mit einer Aufforderung - jetzt an "Jerusalem" - beginnt, die
nicht einseitig als Warnung[675] oder gar als Strafe[676] verstanden werden sollte, denn יסר zielt zunächst einmal (auch im Nifᶜal) auf die Unterweisung bzw. Belehrung[677], mit der freilich eine Warnung beabsichtigt ist, die es verhindern soll, daß Jahwe
augenblicklich[678] Jerusalem zur unbewohnten[679] Öde (שממה wie
in 4,27) macht.

Mit V. 8 wagt sich Jeremia bis zum Widerspruch vor, denn die
Unheilserwartung der vorhergehenden Verse wird mit diesem Vers
anders gewichtet. Noch hofft der Prophet auf Einsicht, die Schlim-
meres verhindern soll: zwei negative Finalsätze, jeweils mit פן
eingeleitet, ringen um die rechte Erkenntnis Jerusalems. Aber
das alles ist ganz behutsam formuliert. Hier wird kein zum Typos geronnenes Denkmodell entfaltet, wie es sich in der sog. Al-
ternativ-Predigt[680] Gehör verschafft. Es ist aber auch kein ka-
tegorischer, auf das Handeln abgestellter Imperativ, den der Prophet hier zum Ausdruck bringt. Wie immer man Jeremias Erwartung
einschätzen mag, das Verbum יסר zeigt mit aller Deutlichkeit,
daß die Intention prophetischer Rede in der Veränderung gegenwärtigen Verhaltens liegt, deshalb Analysen, deshalb aber auch
Prognosen, die mittelbar den Effekt der Revision hervorrufen
sollen.

Die geschichtliche Einordnung ist nicht leicht. Immerhin ist
zu beobachten, daß der zeitlich fixierbare Text 22,13-19 wieder-

---

674 Die Reihenfolge des Nomenpaares zeigt, daß מכה hier die Folge des
"Schlages" meint, die (unsichtbare) Wunde, vgl. auch 10,19; 14,17; 15,18;
30,12.17.

675 So zur Nifᶜal-Form von יסר bei Ges.-B., 305; P. Volz, Kommentar, 70;
F. Nötscher, HS VII/2, 74; W. Rudolph, Kommentar, 42; J. Schreiner, Kommentar, 49.

676 F.Giesebrecht, Kommentar, 40.

677 S. HAL Lfg. II, 400, so schon ugar. jsr, s. UT Nr. 1120.

678 Zu יקע s. HAL Lfg. II, 412.

679 Wie bei יסר und יקע ist auch hier die Ausdrucksweise nicht alltags-
sprachlich, נושב nur noch in 22,6 im selben Kontext.

680 S. dazu W. Thiel, Die dtr. Redaktion von Jer. 1-25, 290ff.

holt in Jer. 2-6, so auch hier, anklingt. Gegebenenfalls ist
mit den ersten Jahren unter der Regierung Jojakims zu rechnen,
denn mit zunehmender Gefährdung durch die Babylonier muß Jeremia die Unheilserwartung unabwendbar erschienen sein. Freilich
ist auch die Zeit Joschijas nicht völlig auszuschließen, aber
aufgrund von 22,15f. doch äußerst unwahrscheinlich.

b) 6,9-15

Mit V. 9 beginnt ein neuer Abschnitt, eröffnet durch eine Redeeinleitung, die einen neuen **Person**enkreis einführt: שארית
ישראל. Mit ihm soll man, wer, wird nicht gesagt, verfahren
wie mit der Traubennachlese[681].

Der Text bietet ein textkritisches Problem. עולל in V. 9a wird als
Imp. m.sg. zu verstehen sein, wie der entsprechende Imperativ von V. 9b -
angeredet ist Jeremia - nahelegt. Was aber soll dann die Verbform עוללו?
Offensichtlich liegt hier eine Interpolation vor,(682) die das vorliegende
Wort konsequent geschichtlich deutet und wie Ri. 20,45 Nachlese als Dezimie-
rung des noch vorhandenen Restes versteht, ohne dabei anklingen zu lassen,
wer hier Nachlese zu halten gedenkt.

Wenn Jeremia in V. 9 mit einem Winzer verglichen wird, der
die Trauben prüft,[683] dann wird der Leser V. 6 assoziieren, in
dem פקד auf den Prüfvorgang hinweist,[684] dessen Ergebnis den
Imperativ von V. 8 hervorruft. Jeremias Einstellung in diesem
Teil des Textes läßt nichts Positives erkennen. Er stellt in V.
10 eine rhetorische Frage, in der er eindringlich mit zwei Ko-
hortativen seinen Redeauftrag reflektiert,[685] der ins Leere gehen muß, weil man "unbeschnittene Ohren"[686] hat. Wieder eine
bildhafte Sprache, die sich in V. 11 fortsetzt: Jeremia ist mit

---

681 Zu עלל als "Nachlese" vgl. Lev. 19,10; Dtn. 24,21, so auch neuerdings
HAL Lfg. III, 789, vgl. arab. ʿalla, "etwas wiederholt tun".

682 B. Duhm (Kommentar, 68) will auch שארית ישראל streichen. Man muß aber
nicht mit einem "eschatologischen Sinn" der Wendung rechnen.

683 S. dazu J.Schreiner, Kommentar, 50.

684 Zum Hofʿal von פקד s. W. Rudolph, Kommentar, 42; zu anderen Deutungs-
möglichkeiten s. R. Althann, Jeremiah 4-6, 208f.; W. McKane, Kommentar, 142.

685 דבר und עוד II hif., für das HAL Lfg. III, 751, hier die Bedeutung
"einschärfen" vorschlägt.

686 ערל im realen Sinn Lev. 19,23 (Obstbäume), sonst übertragen, mit
"Lippen" Ex. 6,12.30, mit "Herz" Lev. 26,41; Jer. 9,25; Ez. 44,9. Das parallele קשב ist im Jeremiabuch häufig, vgl. noch 6,17.19; 8,6; 18,18.19;
23,18.

dem "Zorn Jahwes" so erfüllt (מלא), daß er gleichsam überzu-
laufen droht, deshalb soll er ihn über alle Bewohner "ausgie-
ßen", über jung und alt. Die Deutung wird gleich mitgeliefert,
denn in V. 11b springt der Text vom Bild zur Sache über: Der
"Zorn" bedeutet Gefangenschaft (לכד) und im Anschluß daran ra-
dikale Veränderung der Besitzverhältnisse (V. 12). Daß die Häuser, Felder und zurückgebliebenen Frauen an andere übergehen sollen, mag hier Reflex auf die Praxis der Assyrer sein, anstelle
der exilierten Bevölkerungsteile Fremde anzusiedeln.[687]

Die Begründung des Unheils ist zweiteilig. Zunächst klagt V.
10, daß auf das Wort Jahwes nicht gehört wird, dann V. 13, daß
alle im Lande nur darauf bedacht sind, "ihren Schnitt zu machen"[688].
Ob diese Gewinnsucht auch die Propheten und Priester ergriffen hat,
denen hier שקר angelastet wird, ist aus dem Text nicht herauszu-
lesen; jedenfalls wird ihnen betrügerische Machenschaft vorgeworfen, weil sie שלום שלום rufen, obwohl kein שלום da ist, und damit eine scheinbare Wirklichkeit aufrichten in dem paradoxen Versuch, mit Worten leichtfertig (על-נקלה) einen Zusammenbruch (שבר)
heilen (רפא) zu wollen (V. 14)[689]. Damit lenkt dieser Vers wieder
auf V. 10 (דבר-יהוה) zurück. V. 15 schließlich ist ein Resümee,
die תועבה [690] ist kein neuer Anklagepunkt, denn in ihr fließen
die Defizite in Religion, Ethik und Moral zusammen.

Zwei Beobachtungen seien noch erwähnt. Gegenüber dem Abschnitt,
in dem V. 8 steht, fällt in V. 9ff. die resignierende Haltung Jeremias auf. Unmöglich, daß beide Worte in derselben Situation gesprochen sind. Man wird sagen können, daß sich für V. 9-15 eine
spätere Entstehung nahelegt, aber mehr als eine relative Chronologie läßt sich nicht aufstellen. Die Zusammenbindung beider Abschnitte ist wieder, wie schon öfters beobachtet, auf thematische
Assoziationen zurückzuführen.

---

687 Dazu S. Herrmann, Geschichte Israels, 311f.

688 S. HAL Lfg. I, 141, die Figura etymologica בצע בצע auch in Jer. 8,10;
Ez. 22,27 u.a.

689 V. 12a.13-15 hat eine Doppelung in 8,10-12 (MT, nicht Septuaginta); aufgrund des Kontextes dürfte in Kap. 6 der ursprüngliche Sitz in der Literatur
sein, s. J. Schreiner, Kommentar, 50.

690 תועבה mit עשה als abschließende und zusammenfassende Wendung in Lev.
18,27.29; Jer. 8,12; 44,22. Die Konnotation des Lügenhaft-Betrügerischen hat
תעב vor allem im weisheitlichen Denken, s. Spr. 6,16-19; 11,1.20; 12,22
u.ö., s. auch Ps. 5,7.

Auch an V. 9-15 zeigt sich, wie in den ersten Kapiteln die meisten Themen des übrigen Jeremiabuches schon angesprochen sind. Die Heilsprophetie, der sich 23,9-32 so ausführlich zuwendet, wird hier, abgesehen von 4,10, zum ersten Male deutlicher attackiert, und auch Jeremias Erfahrung, daß die Verkündigung des דבר־יהוה Spott und Hohn einträgt, in 20,9 im Rahmen seines Prophetenschicksals (20,7-18) entfaltet, verschafft sich zum ersten Mal Gehör.

c) 6,16-21

Das Folgende ist mit neuer Redeeinleitung nur locker angefügt. Der Dialog zwischen Jahwe und Jeremia hört auf, jetzt spricht nur noch Jahwe und redet dabei das Volk in der 2.p.pl. an. Im Gesamtaufriß spielen die Verse 16 und 17 noch einmal V. 10 durch, nur mit anderem Subjekt.

Jahwe fordert in V. 16 das Volk auf, nach den "Pfaden der Urzeit" (נתבות עולם) zu fragen, aber das Volk weigert sich. An dieser Stelle ist also wieder die Wegmetapher eingebracht, an die sich der Leser vor allem im Zusammenhang mit Kap. 2 erinnert, in dem der Weg am Anfang der Geschichte der richtige Weg war. Komplementär zu den "Pfaden der Urzeit" steht in V. 16 der vor dem Volk liegende Weg (דרך), beides zusammen versinnbildlicht also Herkunft und Zukunft.[691]

Auch V. 17, der dem Volk vorwirft, daß es nicht auf Späher/ Wächter (צפים), d.h. auf ihr Horn gehört hat, bleibt der metaphorischen Diktion treu. Mit den Spähern bzw. Wächtern müssen die Propheten gemeint sein, deren wesentliche Aufgabe in der Verbindung von spähen und warnen,[692] oder wie es in der vorliegenden Untersuchung häufiger ausgedrückt wurde, von Analyse und Prognose gesehen wird.

---

691 Das Ziel des "guten Weges" ist der מרגוע (Hapaxlegomenon von רגע II) für den נפש , eine sublimierte Vorstellung vom Ruheplatz, den Jes. 28,12 mit dem von derselben Wurzel gebildeten Nomen מרגעה ausdrückt, das dort parallel mit מנוחה steht und konkret "sichere Geborgenheit" meint (H. Wildberger, BK X/3, 1061), vgl. Jes. 32,18, vgl. auch zur מנוחה als Heilsgut Dtn. 12,9; 1.Kön. 8,56; Jes. 11,10.

692 Vgl. Jes. 52,8; 56,10; Ez. 3,17,s. den Titel der Monographie "Wächter über Israel und seine Tradition" (BZAW 82, Berlin 1962) von H. Graf Reventlow.

Wie frei der Umgang mit der geprägten Form sein kann, beweist
V. 18, der mit vorangestelltem לכן kommendes Unheil einführen
müßte , sich aber zunächst einmal vom eigentlichen Publikum abwendet und unter Aufnahme des Stilmittels der apostrophe[693] sich
den "Völkern" und der "Erde" als Zweitpublikum zuwendet. Was dann
folgt, ist stereotyp formuliert und stört den Zusammenhang zwischen dem analytischen und prognostischen Teil, indem in V. 19
von הנה an eine eigenständige Strafankündigung mit Schuldaufweis dazwischen tritt, wobei beides an die dtr. Denkstruktur erinnert.[694]

Ebenfalls einen intermittierenden Eindruck[695] macht die Opfer-
kritik von V. 20, die an Am. 5,21-23 anklingt, zwar im Jeremiabuch selber keine Parallele hat, auf dem Hintergrund der sog. Tem-
pelrede von 7,1ff. allerdings in Jeremias Mund verständlich wird.
Nur, sie steht ganz unvermittelt und ist deshalb besser als ein
selbständiges oder gar versprengtes Wort zu verstehen, das hier
seinen Platz gefunden haben kann, weil die Art der Opferbereit-
schaft, wie sie V. 20 nennt, ein Beispiel für die Mißachtung der
דברים und der תורה Jahwes (V. 19) ist.

Weil in V. 20 noch einmal schuldhaftes Verhalten genannt ist,
wurde es nötig, vor der Unheilsankündigung von V. 21 erneut mit
לכן (und folgender Redeeinleitung) einzusetzen. V. 21aß schließt
sich organisch an V. 19aα , den er offenbar hervorgerufen hat, an;
das Zweitpublikum erfährt jetzt, was Jahwe mit "diesem Volk" zu
tun gedenkt.

Die Aussagen werden gesteigert. Es beginnt recht harmlos. Mit
einer paronomastischen Wendung werden dem Volk für die nächste
Zukunft (הנה mit folgendem Partizip) מכשלים in Aussicht gestellt,
also Hindernisse (כשל), über die man straucheln kann. Selbst wenn
das Perfectum consecutivum von כשל , das die Folge bezeichnet, es

---

693 S. oben S. 197f.

694 Zu Einzelheiten s. W. Thiel, Die dtr. Redaktion von Jer. 1-25, 99ff., der
allerdings V. 18 (so schon B. Duhm, Kommentar, 71) mit zum dtr. Eintrag rechnet. Im Zusammenhang der Rhetorik von Jer. 2 ist aber aufgezeigt worden, daß
das Stilmittel der apostrophe zur Verlebendigung in der Rede angewandt wurde,
so daß hier durchaus mit einem ursprünglichen Bestand zu rechnen ist. Zu der
affektiven Redeweise kann auch der Wechsel zwischen 2. und 3.p. in V. 16 und
V. 17 gerechnet werden, der kaum literarkritischen Postulaten gerecht wird.

695 So schon P. Volz, Kommentar, 81ff.

286

zur Gewißheit macht, daß "dieses Volk" zu Fall kommt, so klingt
das zwar wenig erfreulich, wirkt aber nicht wie ein irreparab-
ler Schaden. Man wird sich ja wieder aufrichten können.

Den ersten Eindruck macht das Ende von V. 21 buchstäblich zunichte. Die Masoreten verstanden das Straucheln als Vorstufe zu
einer härteren Auswirkung, wenn sie das Ketib יאכדו durch das
Qere וְאָכְדוּ ersetzen, also eine weitere Folge ausdrücken woll-
ten. Das Ketib dagegen, das יֹאכְדוּ zu vokalisieren wäre, ist gerade nicht ein Anschlußtempus; es erläutert das Bild, oder prä-
ziser gesagt, es dient als Steigerung, die res und verba gleichermaßen amplifiziert.[696]

d) 6,22-26

Ob die Verse 22-26, von denen 22-24 in 50,41-43 kopiert werden, eine ursprünglich eigenständige Einheit sind,[697] ist nicht
ganz einfach zu entscheiden. V. 23.25 und 26 schwanken zwischen
2.p.sg. und 2.p.pl., je nachdem, ob das kollektive כת־ציון im
Vordergrund steht oder seine einzelnen Glieder, ein literarkritisches Kriterium gibt der Personenwechsel also nicht her.

Was dagegen für den Zusammenhang von V. 16.17 und 22-26 spricht,
ist der analoge Aufbau und die assoziative Bildverwendung: In V.
16f. folgen zweimal Aufforderung und Antwort der Aufgeforderten
in der 1.p. Dieses Stilmittel benutzt auch V. 22ff. Auf die Redeeinleitung von V. 22 mit anschließender Beschreibung, die bis
V. 23 reicht, folgt die Reaktion der Angesprochenen in V. 24 in
der 1.p., an die sich in V. 25 und V. 26a Aufforderungen anschließen und in V. 26b wieder ein Zitat in der 1.p. Vielleicht ist auch
das Bild des Horn blasenden Wächters (V. 17) im Hinblick auf die
Verse 22ff. verwendet. Die Chance, auf das vor der Gefahr warnen-
de Hornsignal zu hören, wie das noch in 6,1 der Fall war, ist ver-
tan, der Feind ist schon im Aufbruch begriffen (הנה mit anschließendem Partizip); keine Warnung erfolgt mehr, die Kunde vom Über-
wältigenden ruft Resignation und Angst hervor (V. 24).

V. 22 beginnt wie V. 16 mit einer Redeeinleitung, die die folgende Unheilsankündigung als Jahwewort ausgibt. Wie in 5,15 wird

---

696 Zu diesem Stilmittel s. oben S. 202f.

697 S. B. Duhm, Kommentar, 72; F.Giesebrecht, Kommentar, 38; F. Nötscher,
HS VII/2, 78ff.; P.Volz, Kommentar, 82f.; W. Rudolph, Kommentar, 47; R. Althann, Jeremiah 4-6, 255ff.; W. McKane, Kommentar, 151ff.

ein "Volk aus dem Norden" erwartet. Da an beiden Stellen ein
Entfernungshinweis steht, ist offensichtlich die übermäßige
Entfernung, in 5,15 mit מרחק und hier mit ירכתי־ארץ wiedergegeben,[698] eines der hervorstechenden Merkmale. Ein Vergleich
mit 5,15 zeigt, wie wenig stereotyp die Ausdrucksweise ist, was
ja nach den bisherigen Beobachtungen generell für die ersten
Kapitel gilt.

Nach V. 23 besteht das Volk aus Kriegern (איש מלחמה), die
sich gegen (על) die "Tochter Zion" (vgl. V. 2) wenden werden.
Wie in den anderen Texten, die vom feindlichen Angriff reden,
wird auch hier ein Wort zur Ausrüstung gesagt.

Der קשת erinnert an 4,29, aber auch an 5,16; an 4,29, wo vom Pferd die
Rede ist,(699) erinnern auch die "Pferdereiter", durch die Wendung רכב על־
סוסים ausgedrückt. Neben dem Bogen wird eine weitere Waffe genannt, der
כידון . Die ältere Literatur war sich zwar nicht darin einig, ob es sich
um eine Waffe handele, die zum Stechen oder zum Werfen eingesetzt wurde, so
daß mit "Lanze" oder "Speer/Wurfspieß" übersetzt wurde,(700) erwog aber nicht
die Möglichkeit einer anderen Waffenart, die die neueren Kommentare in Gestalt eines Sichelschwertes annehmen,(701) nachdem das Nomen כידו , das in
der Kriegsrolle von Qumran(702) in V, 7 erwähnt und in V, 11-14 beschrieben
wird, als Krummschwert gedeutet worden war, das im alten Orient die Form einer Sichel hat.(703) Die Interpretation ist sehr naheliegend, weil V, 13 den Be-

---

698 Der "hinterste Teil der Erde" wird nur im Jeremiabuch genannt, s. noch
25,32; 31,8; 50,41; den äußersten Norden bezeichnet ירכה in Jes. 14,13;
Ez. 38,6.15; 39,2; Ps. 48,3, s. dazu A. Lauha, Zaphon, 40f.
Jer. 6,22 steht terminologisch insofern nicht in Verdacht, eine mythologi-
sche Reminiszenz zu aktivieren, bei der der Norden zum Typos wird (s. A. Lauha, Zaphon), wie die soeben genannten Stellen alle dieselbe Formulierung haben (ירכתי־צפון), die Jeremia jedoch nicht benutzt.

699 S. oben S. 246ff.

700 Lanze z.B. H. Ewald, Kommentar, 122, Speer/Wurfspieß z.B. W.Neumann,
Kommentar, 408ff; C.F. Keil, Kommentar, 107; B.Duhm, Kommentar, 72; P. Volz,
Kommentar, 82; H. Schmidt, Kommentar, 213, so auch Ges.-B., 343; KBL, 433.

701 S. W. Rudolph, Kommentar, 46; J. Schreiner, Kommentar, 54; W. McKane,
Kommentar, 152, so auch HAL Lfg. II, 450.

702 Die Erstedition wurde besorgt von E.L. Sukenik,אוצר המגילות הגנוזות,
Jerusalem 1955; s. vor allem die kommentierte Ausgabe von Y. Yadin, The Scroll
of the War of the Sons of Light against the Sons of Darkness, Oxford 1962.

703 Zum Krumm- bzw. Sichelschwert im alten Orient s. vor allem H. Bonnet,
Die Waffen der Völker, 85f.; Y. Yadin, The Art of Warfare, 172f.204ff.; O.
Keel, Wirkmächtige Siegeszeichen im Alten Testament (OBO 5), Göttingen 1974,
21ff.; H. Weippert, in: BRL, 61.
Zur Deutung des כידון im Qumrantext (bei der in den Qumrantexten bevorzug-
ten Plene-Schreibung sicher nicht mit ō ausgesprochen, vielleicht kīdān, s.
J. Carmignac, Précisions apportées au vocabulaire de l'hébreu biblique par
la guerre des fils de lumière contre les fils de ténèbres, VT 5, 1955, 357f.)
s. vor allem K.G. Kuhn, ThLZ 81 (1956) 28-30, und G. Molin, JSSt 1 (1956)

griff כטף nennt, der aufgrund der kontextuellen Beschreibung eher die Aus-
buchtung der Klinge als die Scheide meint, und weil die ganze Waffe aus Eisen
bestehen soll.(704) Aber damit ist noch nicht alles gesagt, denn es ist ja
denkbar, daß der Verfasser den alttestamentlich bezeugten כידור als Sichelschwert interpretierte, ohne recht zu wissen, was sich hinter diesem Terminus
verbarg.(705)

Die alttestamentliche Bezeugung läßt keinen eindeutigen Schluß zu. In Jos.
8,18.26 ist der von Joschua auf die zu erobernde Stadt Ai ausgestreckte כידור
in einer Szene, die an Ex. 7,14ff. bzw. Ex. 17,8ff. erinnert, gleichsam als
Unterpfand der Herrschaft zu verstehen.

Bei der Beschreibung Goliats in 1.Sam. 17 nennt V. 45 nebeneinander חרב,
חנית und כידון. Hier wird man sich fragen müssen, ob der Verfasser
des Textes sich vorstellt, daß Goliat David mit zwei Arten von Schwertern gegen-
übertritt. Sofern man freilich der Szene einen exemplarischen Charakter ver-
leiht, der darauf zielt, "das Schreckensvolle einer die Unverwundbarkeit
gleichsam garantierenden Bewaffnung eines Riesen darzutun"(706), wird man
ein realistisches Verständnis nicht pressen wollen. Nun wird der כידון in
1.Sam. 17 schon in V. 6 genannt, wo er von Goliat "zwischen den Schultern"
getragen wird. Es gibt zwar eine Reihe von Darstellungen, die zeigen, wie
das Sichelschwert auf den Schultern getragen wird,(707) V. 6 sagt aber בין
כתפיו ,nicht על־כתף , das nach den Wörterbüchern häufig belegt ist und
zu erwarten wäre. Wie soll man sich trotz idealtypischer Ausrüstung den Auftritt Goliats nach V. 6f. vorstellen, wenn er ein geschultertes Sichelschwert
und eine Lanze (חנית) trägt? Die Formulierung weist doch eher auf einen Gegenstand, der auf dem Rücken getragen wurde, wie es bei einer lanzenähnlichen
Waffe möglich ist. V. 45 hat dann nochdas Schwert genannt, um Vollständigkeit
zu haben.

Es bleiben noch zwei Stellen des Hiobbuches zu nennen. In Kap. 41 stehen
in V. 20 אבני־קלע und קשת parallel, in V. 21 כידון und תותח. Leider
ist bei dem Hapaxlegomenon תותח nicht recht deutlich, um welche Waffe es
sich handelt.(708) Das Tertium comparationis "Strohhalm" bringt nicht die
gewünschte Klarheit und auch die Wirkung des כידון , die mit רעש angegeben wird, kann auf verschiedene Waffenarten zutreffen.

Mehr verspricht die Beschreibung des unverletzbaren Schlachtrosses in Hiob
39,19ff. In V. 22 stehen im Parallelismus "Furcht/Schrecken"(פחד, חתת) und
"Schwert" (חרב), danach in V. 23 auf der einen Seite אשפה , der "Köcher",
der synekdochisch für "Pfeil" genannt ist, und auf der anderen Seite zusammen
חנית und כידון , also auch hier treten wie in 1.Sam. 17,4 beide Termini
unmittelbar nebeneinander und zwar zusammenhängend parallel zum "Köcher" auf.
Der Befund ist der Vorstellung eines Sichelschwertes nicht günstig.

Dem Argument, daß das Krummschwert in der Eisen-II-Zeit ganz offensichtlich nicht mehr verwendet wurde,(709) kann freilich mit dem Hinweis begegnet

334-337. Weitgehender Konsens besteht bei der Interpretation des כידור als
Schwert. Anders H. Bardtke (Die Kriegsrolle von Qumran, ThLZ 80, 1955, 406f.),
der traditionell "Lanze" ansetzt.

704 S. dazu K.G. Kühn, ThLZ 81 (1956) 29f. mit Anm. 34.

705 Vgl. K. Galling, Goliath und seine Rüstung, VTS 15, Leiden 1965, 166
Anm. 1.

706 K. Galling, in: VTS 15, Leiden 1965, 167.

707 S. z.B. ANEP 48.332.539.

708 Nach KBL, 1025: "Knüppel", nach E. König, Wörterbuch, 539: "Keule",
vielleicht läßt die synonyme Verwendung auf eine stockähnliche bzw. stock-
gestaltige Waffe schließen.

709 S. H. Bonnet, Die Waffen der Völker, 85ff., vor allem 94f.; H.Weippert,
in: BRL, 61.

werden, daß es noch als königliches bzw. göttliches Herrschaftssymbol fun-
gierte.(710) In diesem Sinne könnte es ja auch in Jer. 6,23 verwendet sein,
allerdings zeigt sonst keine einzige Beschreibung des Angreifers ein Element,
das nicht im realen Zusammenhang der damaligen Kriegstechnik zu verstehen wäre.

Weil auch die übrigen Stellen es nicht wahrscheinlich machen, daß bei כידון
an ein Krummschwert gedacht ist, wird man den Jeremiatext nicht in diesem Sinne festlegen wollen. In Jer. 6,23 scheint eine Lanzenart gemeint zu sein,(711)
neben חנית gibt es ohnehin weitere Termini im Alten Testament, die eine der-
artige Waffe bezeichnen können.(712) Es ist durchaus möglich, daß bei dem Nomen כידון die Endung eine diminutive Funktion hat und auf einen relativ
kurzen Schaft hindeutet,(713) der die Waffe als Wurfwaffe ausweist, die in
Nahkampfsituationen, bei der die Distanz zu gering war, um mit Pfeil und Bogen zu hantieren, und zu weit, um mit einem Schwert zu agieren, eingesetzt
werden konnte. Jer. 6,23 spricht also offensichtlich von Reitern, die mit Bogen und (kurzer) Lanze ausgerüstet sind.

Auch diese Zusammenstellung erinnert auffällig an skythische Reiter. Freilich, auch die assyrischen Reiter sind mit Pfeil und Bogen und mit Lanzen dar-
gestellt(714) und so mögen auch die Babylonier aufgetreten sein. Daß aber ausschließlich Reiter erwähnt werden, macht die Deutung etwa auf die Babylonier
so unwahrscheinlich. Noch einmal sei auf die Bewaffnung skythischer Reiter
verwiesen. Aus Gräbern sind neben Pfeilen vor allem Lanzen nachgewiesen, und
zwar sowohl in langer Gestalt, mehr als 3 m messend, als auch in kurzer Aus-
führung,(715) die in Futteralen mitgeführt und wohl, mit 1.Sam. 17,6 gesprochen, auf dem Rücken transportiert wurden.

---

710 S. H. Bonnet, Die Waffen der Völker, 85ff.; K. Galling, VTS 15, Leiden
1965, 165ff.; O. Keel, Wirkmächtige Siegeszeichen, 34ff.

711 So auch K. Galling, VTS 15, Leiden 1965, 166 Anm. 1 trotz des כידון
der Kriegsrolle.

712 S. die Wörterbücher s.v. רמח , שבט, קין , vgl. H. Weippert, in:
BRL, 201, s. auch in der erwähnten Kriegsrolle von Qumran in VI, 16 זרק,
eventuell auch שלט , dazu K.G. Kuhn, ThLZ 81 (1956) 28. Daß prinzipiell
kein Unterschied zwischen Stoß- und Wurfwaffe, also zwischen Lanze und Speer,
zu sehen ist und nur die Länge des Schaftes die Verwendungsmöglichkeit ein-
schränkt, betont H. Bonnet, Die Waffen der Völker, 105.

713 S. etwa R. Meyer, Grammatik II, § 41 1c. Von diesem Verständnis gehen
schon E. König (Wörterbuch, 176) und F. Zorell (Wörterbuch, 354) aus; im Mit-
telhebräischen wurde כידון so verstanden, s. M. Jastrow, Dictionary I, 631,
vgl. auch G. Dalman, Handwörterbuch, 196.
Leider ist die Wurzel unbekannt, * כיד von Hiob 21,20 hilft nicht weiter; der
Zusammenhang läßt etwa an die Bedeutung "Untergang" (HAL Lfg. II, 449) denken.
Nach W. Leslau (Ethiopic and South Arabic Contributions to the Hebrew Lexicon,
26) bedeutet Geez kedã "stampfen", aber nicht "stoßen", wie KBL, 433, und
Ges.-B., 343, annehmen.
Targum Jonathan hat an der Jer.-Stelle חריסין ("Schild"), vgl. aber Jes.
8,18: רמחא ("Lanze"), die Septuaginta dagegen bietet ζιβύνη (= σιβύνη),
"Lanze", so auch die Peschitta, die njzkᵓ liest.

714 S. z.B. die Reiter mit Lanze bei Y. Yadin, The Art of Warfare, 459 (Zeit
Sanheribs). Zur Illustration von Jer. 6,23 verweist K. Galling (VTS 15, Lei-
den 1965, 166 Anm. 1) auf ein Relief Assurbanipals II., das bei R.D. Barnett/
M. Falkner (The Sculptures of Tiglath-Pileser III., 1962, Tf. 115) abgebildet
ist und einen Reiter zeigt, der neben dem Schild einen Köcher und eine kurze
Lanze bei sich hat.

715 S. R. Rolle, in: Reallexikon der Germanischen Altertumskunde, Bd. 2,

Bei der Wirkung der Nachricht von V. 22f. auf die Hörer verwendet der Text wieder das Mittel der Steigerung; in einer dreigliedrigen Reihe nennt er zunächst Mutlosigkeit (רפה mit יד)[716], dann die Erfahrung der Bedrängnis[717] und schließlich die des angstvollen Schmerzes[718].

Auch dieser Textabschnitt - damit erinnert er mehr an 4,5ff. als an 6,1ff. - rechnet indirekt mit der Geborgenheit in der befestigten Stadt, wenn er in V. 25 warnt, nicht aufs offene Feld hinauszugehen bzw. sich auf den Weg zu machen,[719] weil andernfalls die Gefahr besteht, dem Schwert des F e i n d e s zu erliegen. In V. 25 steht zum ersten und einzigen Mal in Kap. 2-6 die Wurzel איב , neben die auch keine anderen Formen wie צר , צרר oder שנא, die den Feind bezeichnen, in Kap. 2-6 treten.[720] Das macht noch einmal auf einer anderen Ebene die Bezeichnung "Feind aus dem Norden" problematisch, wenn auch in der vorliegenden Untersuchung aus Gründen stilistischer Variation der Terminus "Feind" verwendet wurde. Sofern Jahwe sich fremder Völker bedient, um sein Volk zu strafen, ist der Begriff "Feind" mißverständlich[721] und vielleicht deshalb nicht durchgängig verwendet.

Abschließend wird in V. 26 der Adressat noch einmal benannt

451; dies., Saeculum 28 (1977) 316.

716 In Jer. 38,4 (רפה pi.) wird Jeremia defätistische Agitation vorgeworfen. Das Bild, wonach Jeremia die Hände der Kriegsleute schlaff macht, ist äußerst plastisch; in dieselbe Situation der Belagerung Jerusalems durch die Babylonier gehört auch Lachisch-Ostrakon VI, 6 (Lachish I, 76) mit derselben Formulierung.

717 צרה , s. schon 4,31, auch 49,24 und 50,43 im selben Bild. Auch dieses Nomen ist anschaulich, denn seine Wurzel spiegelt sehr eindrücklich die Situation, eingeschlossen zu sein.

718 חיל , s. schon 4,31; das Bild der schmerzvollen Erfahrung der Gebärenden mit חיל auch in 22,23; 50,43; Ps. 48,7.

719 Weil V. 24 den Plural liest, haben die Masoreten in V. 25 bei den Verbformen ein Qere mit Pluralendung angesetzt, תצאו und תלכו. Der Text wechselt aber nicht nur hier zwischen 2.p.sg. und 2.p.pl., vgl. V. 23 mit V. 24 und V. 25 mit V. 26, das Ketib תצאי und לכי ist in Ordnung.

720 Das Partizip von איב noch in 12,7; 15,9.11.; 18,17 u.ö. (insgesamt 19 mal), צר in 46,10; die Partizipien von צרר und שנא sind im Jeremiabuch nicht belegt.

721 Das gilt im Grunde auch für die Terminologie im Deutschen, denn das genannte hebr. שנא entspricht der Wortgruppe, die althochdeutsch fîant bzw. mittelhochdeutsch vî(e)nt repräsentiert und ein erstarrtes Partizip mit der Grundbedeutung "hassend" ist (F. Kluge, Etymologisches Wörterbuch der deutschen Sprache, 20. Aufl., bearb. von W. Mitzka, Berlin 1967, 190).

(כח־עמי) und zu Trauerriten aufgefordert, die zum Teil denen entsprechen, die in ähnlicher Situation (4,7f.) in 4,8 erwähnt werden.[722]

Ein letztes Mal wird eine emphatische Aussage gemacht, die bis zur äußersten Betroffenheit vordringt, denn die Trauer muß um den "einzigen" gehalten werden, der Leben und Kontinuität versprechen könnte.

e) 6,27-30

Schon immer ist in der exegetischen Forschung der resümierende Charakter von V. 27-30 aufgefallen. Mit diesen Versen "fasst Jeremia die Erfahrungen, die er bis dahin in seiner Jerusalemischen Wirksamkeit gemacht hat, zusammen"[723].

Mit dem Vorhergehenden sind die Gedanken weder thematisch noch terminologisch eng verbunden; weder Unheil und seine Begründung noch Schuld und ihre Folge werden entfaltet, aber in nuce sind die in Kap. 2-6 explizierten Gedanken in diesem Epilog doch noch einmal zusammengefaßt.

An 6,8 und 6,17 knüpft die Funktionsbeschreibung in V. 27 an, die Jeremia mit der Prüfung (בחן) und Erkenntnis (ידע) des Volkes bzw. seines "Weges" (דרך) beschäftigt sieht. So steht nochmals am Ende die Wegmetapher.

Das Ergebnis der Analyse formuliert zunächst V. 28, der das ganze Volk als סררים , als störrisch[724] bzw., mit V. 8 gesprochen, als unbelehrbar bezeichnet, dann die Fortsetzung in V. 29 mit der Wendung הלכי רכיל , die in Kap. 2-6 nicht benutzt wird,

---

722 חרג שק an beiden Stellen, hier steht noch פלש mit אפר , vgl. auch 25,34 (ohne אפר).

723 B. Duhm, Kommentar, 73, s. auch P. Volz, Kommentar, 83ff.; F. Nötscher, HX VII/2, 80f.; W. Rudolph, Kommentar, 50f.; J. Schreiner, Kommentar, 55. Schon die ältere exegetische Literatur urteilt so, s. z.B. E. Naegelsbach, Kommentar, 61ff.; C.F. Keil, Kommentar, 109. Zu den textkritischen Problemen s. die Kommentare, daneben: J.A. Soggin, Jeremias VI, 27-30, VT 9 (1959) 95-98; O. Loretz, "Verworfenes Silber" (Jer. 6,27-30), in: Wort, Lied und Gottesspruch. Beiträge zu Psalmen und Propheten, FS J. Ziegler, hg. von J. Schreiner (Forschung zur Bibel 2), Würzburg 1972, 231-232; R. Althann, Jeremiah 4-6, 266ff.

724 Vielleicht schwingt das sonst durch שקר bezeichnete Lügnerische mit, vgl. akk. sarāru (AHw. II, 1028f.). Die Masoreten haben vor סוררים noch die Constructus-Form סרי , das mag eine superlativische Bedeutung haben, s. R. Althann, Jeremiah 4-6, 268.

292

allerdings mit der wiederholten Beschuldigung, die um den Begriff שקר kreist, verwandt ist, wie der schon erwähnte Text 9,1ff. beweist, in dem in V. 2f. שקר (לא לאמונה, s. 5,1.3), עקב und הלך רכיל [725] betrügerisches und verleumderisches Verhalten benennen. Eine dritte Kennzeichnung gibt das Nomen משחיתים (V. 29), das hier exemplarisch den terminologisch ungeteilten Zusammenhang von Tun und Ergehen reflektiert: Analog zu 2,30 und 5,26 beschreibt das Partizip, wie sich das Volk verhält, und gemäß 4,7 ist es ein Hinweis auf das, was es deshalb erhält (vgl. 6,5).

Mit den Wurzeln נחן von V. 27 und צרף von V. 29 ist ein Bild verarbeitet, das Sach. 13,9 entspricht und einen Metallschmelzer zeigt. Im Sach.-Text stehen die Verben נחן und צרף unmittelbar nebeneinander, um die Aufgabe des Metallschmelzers zu kennzeichnen, die darin bestand, durch Erhitzen in Schmelzöfen oder Schmelztiegeln das Metall von der Schlacke zu reinigen.[726]

Auf die Erfolglosigkeit des Schmelzvorgangs bezogen, teilt der Jer.-Text das negative Ergebnis der Prüfung zunächst weiter in dem Bild aus der Arbeitswelt mit (V. 29bα), erst ein explikatives Waw[727] leitet die Deutung ein: die Schlechten, die die Schlacke repräsentieren, lassen sich nicht abtrennen,[728] im Bild gesprochen: vom Metall bleibt nichts übrig, oder noch einmal anders gewendet: es gibt keine Guten. Deshalb muß Jahwe allesamt verwerfen.

Nur für einen Augenblick kehrt der Text noch einmal zum Bild zurück, wenn das Volk als "abgelehntes Silber" (כסף נמאס) bezeichnet wird, bevor er dann Bild und Sache zum Resümee des Resümees vereinigt: Jahwe hat das Volk verworfen (מאס), und was das heißt, hat 2,37 zunächst angedeutet und Kap. 2-6 insgesamt entfaltet.

---

725 Auch das wieder eine Wendung, die in der weisheitlichen Literatur verwendet wird, s. Spr. 11,13; 20,19, daneben nur noch in Lev. 19,16.

726 S. dazu M.Weippert, in: BRL, 42ff. und 221ff.

727 S. Ges.-K., § 154 a Anm. 1b.

728 Im Anschluß an M.J. Dahood schlägt R. Althann (Jeremiah 4-6, 270) vor, statt נחק die Wurzel נקה mit infigiertem t anzusetzen und das Waw emphatisch zu verstehen ("the wicked will never be clean", 272). Damit läge eine andere Aussageabsicht vor, die aber ganz unwahrscheinlich ist, wenn der Vorgang der Verhüttung von Roh-Metallen berücksichtigt (s. M. Weippert, in: BRL,

Exkurs: Jer. 2-6 und das Jeremiabuch

Im Verlauf der Analyse ist immer wieder beobachtet worden,
daß Themen, die im gesamten Jer.-Buch erörtert wurden, in Jer.
2-6 z.T. eigenständig formuliert sind, daß also trotz der übergreifenden Zusammenhänge die ersten Kapitel von dem übrigen Buch
abzuheben sind.

Die in der exegetischen Forschung verbreitete Meinung, Jer.
2-6 sei ein Komplex sui generis,[729] soll im folgenden Exkurs
durch Textbeispiele bestätigt und vertieft werden. Dieses Urteil betrifft nicht die prophetischen Gattungen wie Droh-,
Schelt-, Mahn- und Heilswort, denn sie sind auch in Kap. 2-6
verarbeitet, es betrifft vielmehr andere Formen der Mitteilung.
So gibt es keinen Text, in dem sich der Prophet an Jahwe wendet, um für das Volk in der Not einzutreten,[730] wie überhaupt
trotz der massiv beklagenswerten Situation der über weite Strek-
ken klaglose Duktus auffällt. Die Klage Jahwes fehlt ebenso wie
die Klage des Volkes, und auch ein Auftrag zur Klage ergeht
nicht, obwohl genügend Anlässe vorhanden sind.[731]
Und schließlich sucht man auch Texttypen, in denen "signa"[732]
eine Rolle spielen wie in 13,1ff.; 13,12ff.; 18,1ff.; 19,1ff.,
in Kap. 2-6 vergebens.

Nun ist es freilich nicht nur der Gattungsaspekt, der zu einem differenzierenden Urteil führt; auch der Stoff, der entfaltet wird, hat durchaus seine eigenständige Komponente, selbst wenn

---

42ff.) wird. Die Metalle werden gereinigt und nicht die Schlacke.

729 Das zeigt auch der literarische Übergang: mit 7,1 setzt ein bis dahin
unbekannter Überschriftentyp ein, der sich über das ganze Buch hin bis 44,1
erstreckt. Datierungen, die die Überlieferung segmentieren, fehlen bis auf
3,6 (innerhalb eines später eingefügten Prosaabschnitts), sie prägen vor allem die zweite Hälfte des Jeremiabuches, s. 24,1; 25,1.3; 26,1; 27,1; 28,1;
29,2; 32,1 u.ö. (insgesamt 25 mal).

730 S. etwa 10,23f. und 32,16ff., zu Intention und Funktion vgl. 11,14;
14,11; 15,1. Zu den "prophetischen Grundgattungen" und ihren terminologischen Problemen s. O. Kaiser, Einleitung, 300ff.

731 Zur Klage Jahwes s. 12,7ff., zur Klage des Volkes 14,19ff., eine Aufforderung zur Klage in 9,9ff. Zur Klage des Propheten s. z.B. in 9,1ff.;
10,17ff.; 15,10ff. In Jer. 2-6 äußert sich Jeremia ausführlicher nur einmal, in 4,19ff., in einer Klage, die aber nicht, wie etwa in 10,17-25 zu
einer Bitte führt (s. V. 24f.), sondern im Anschluß an den vorausgehenden
V. 18 zu einem (weiteren) Schuldaufweis (s. V. 22) führt. Vgl. F. Ahuis,
Der klagende Gerichtsprophet, 162ff.; T. Odashima, Untersuchungen, 183ff.

732 S. oben S. 192.

294

es Querverbindungen zu anderen Kapiteln des Buches gibt. Sie erklären sich sehr leicht so, daß in Kap. 2-6 im wesentlichen jeremianische Worte und Gedanken stehen, die als solche identifizierbar sind, weil sie terminologisch und inhaltlich anderen Textpartien entsprechen, die ebenfalls am besten aus der Zeit und Geschichte der Wende vom 7. zum 6. Jh. zu verstehen sind.

Zunächst sollen einige Gemeinsamkeiten aufgezählt werden: Einer der programmatischen Termini des Jeremiabuches, der innerhalb von Jer. 2-6 das Verhalten des Volkes[733] bzw. der Propheten und Priester[734] kennzeichnet, denen vorgeworfen wird, שלום zu verkündigen, obwohl keine Veranlassung dafür vorliegt,[735] ist שקר. Mit diesem Terminus wird die Gesellschaftskritik punktuell auf den Begriff gebracht, um den herum sich weitere Kritik rankt, die aufgrund der einseitigen Belastung des Sozialgefüges herausgefordert ist. Dazu gehört z.B. מרמה ebenso wie עשק und חמס ושד, um noch einmal die wesentlichen Begriffe zu nennen.[736]

Die Stellenangaben in den Anmerkungen führen in dieser Frage vor allem auf zwei Texte, die soziale Unzulänglichkeiten benennen. Der erste ist 9,1-7, eine gesellschaftskritische Bestandsaufnahme, die sich auf Kap. 2-6 verteilt ebenso wiederfindet wie die Kritik, die in dem zweiten zur Diskussion stehenden Text 22,13-19, an Jojakim geübt wird. Bemerkenswert ist dabei, daß zwischen sozialer und kultischer Dimension nicht scharf geschieden wird. So steht in Kap. 9 gleich in V. 1 der Vorwurf des Ehebruchs (נאף) und der Treulosigkeit (בגד), der nur auf das Verhältnis zu Jahwe bezogen werden kann, wie das auch in 3,8, wo beide Verben zusammen auftreten, und in 5,7 der Fall ist. Damit

---

733 Vgl. 3,10 mit 9,2.4; 13,25 u.a. Hierher gehört auch 5,2 mit seinem Hinweis auf das "falsche Schwören", der unter den Gebotsverletzungen von 7,9 (vgl. 7,4.8) in dtr. Kontext (s. W. Rudolph, Kommentar, und W. Thiel, Die dtr. Redaktion von Jer. 1-25, z.St.) wiederkehrt. 3,23 nimmt unter Einbeziehung der Natur eine Sonderstellung ein.

734 Vgl. 5,31 und 6,13 = 8,10 mit 14,14; 20,6; 23,14.25.26.32; 27,10.14.16; 29,9.21.23. An den zitierten Stellen außerhalb von Kap. 2-6 sind es immer die Propheten, denen שקר zur Last gelegt wird; in 6,13 haben die Priester Anteil daran, vgl. 8,8.

735 Vgl. 6,13f. mit 14,13ff.; 23,16f.; 27,9.14; 29,8f.21f. Auch hier ein kleiner Unterschied, denn 6,13f. läßt neben den Propheten auch die Priester zu Heilsverkündern werden; das Verbum נבא fehlt bezeichnenderweise.

736 מרמה in 5,27 und 9,5, עשק in 6,6 und 22,17, חמס ושד in 6,7 und 20,8.

ist der Vorstellungskreis berührt, der in 2,20 und 3,1.2.3 mit
der Wurzel זנה festgehalten und in 3,6ff. durch נאף (V. 8, vgl.
13,27) paraphrasiert wird. Daneben vermißt Jer. 9 in V. 2 אמונה
genauso wie 5,1 und 5,3, und beklagt in V. 3 den Vorgang der
Verleumdung, die mit derselben Wendung (רכיל mit הלך) auch in
6,28 genannt ist, und schließlich in V. 5 מרמה wie in 5,27. Der
Schluß ist naheliegend, daß 9,1ff. bzw., vorsichtiger formuliert,
ein Gedankenkomplex wie 9,1ff. in Kap. 2-6 fallweise verarbeitet
wurde.

Auch der andere Text, 22,13ff., nennt gebündelt kritische
Punkte, die in Kap. 2-6 verstreut vorliegen, ohne daß hier terminologische Gleichungen aufgestellt werden könnten. 5,1 mit משפט
und אמונה erinnert an 22,15 (vgl. 22,13), משפט וצדקה[737], vom
Volk nach 5,28 außer acht gelassen,[738] läßt an Joschija denken,
der beides befolgte, wenn er den Schwachen und Armen zum Recht
verhalf (22,16), im Unterschied zu Jojakim (22,17). Bei dem Vorwurf der Bedrückung (עשק), der schon erwähnt wurde, ist bemerkenswert, daß mit 6,6 und 22,17 schon alle Stellen des Jeremiabuches erfaßt sind.[739]

Überschneidung ist aber nur die eine Seite. Es sei ausdrücklich darauf hingewiesen, daß im Rahmen des Themas um Trug und
Betrug das Jeremiabuch auch Ausdrücke zu verzeichnen hat, die
Kap. 2-6 nicht kennt. Dazu gehören etwa תרמית in 8,5; 14,14
und 23,26 (Qere), לא־כן in 8,6 und 23,10, עקב in 9,3 und חלל
in 9,4.

Das Phänomen von Teilhabe und Eigenständigkeit prägt mutatis mutandis auch die Unheilserwartungen in den Kapiteln 2-6,
neben die andere Texte treten, die mit einem Angreifer rechnen,
der auch im übrigen Jeremiabuch zuweilen von Norden her erwartet wird.

---

737 Wieder ein Indiz für die Selbständigkeit von Kap. 2-6, denn die Formulierung von 22,15 ist typisch für das übrige Jeremiabuch (s. 9,23; 22,3;
23,5; 33,15); 5,1 ist singulär.

738 In 5,28 דין (neben משפט) und אביון (neben יתום), in 21,16
דין und אביון zusammen mit עני.

739 Das gilt auch für מרמה (s. Anm. 736). Die enge Beziehung zwischen
Kap. 2-6 und 9,1ff. mag auch früheren Lesern aufgefallen sein, denn 9,6
spricht - als Unheilsankündigung - vom Schmelzen und Prüfen und nimmt damit offenbar 6,27-30 auf; zur späteren Eintragung von V. 6 s. J. Schreiner,
Kommentar, 68.

Der erste dieser Texte in poetischer Diktion - die Namen
nennende Prosaüberlieferung soll unberücksichtigt bleiben -
ist der durch die Wendung נאם־יהוה (V. 12 und V. 17) begrenz-
te Abschnitt 8,13-17.

V. 13 beginnt mit einem Bild: Jahwe beklagt, daß am Weinstock keine Trauben und am Feigenbaum keine Feigen zu finden
sind. Recht abrupt[740] wechselt V. 14 in die 1.p.pl., in der
die "Betroffenen" sich selbst ermuntern, in die befestigten
Städte zu fliehen, um dann - so die zynische Schlußfolgerung -
dort vernichtet zu werden. Wie anders spricht 4,5, aber auch
5,17 (vgl. 6,1) von den befestigten Städten, auch wenn ihre
Schutzfähigkeit angezweifelt wird!

Weil schließlich auch die Formulierung abweicht, steht 8,13-17
nur in einem lockeren Zusammenhang mit Kap. 2-6: Für die Vernichtung steht דמם , das nur außerhalb[741] von Kap. 2-6 verwendet und in 8,14 damit erklärt wird, daß Jahwe das Volk "Giftwasser" (מי־ראש) hat trinken lassen.Diese Interpretation befremdet, sie scheint aufgrund von 9,14 und 23,15 hier eingetragen worden zu sein,[742] wozu die "giftigen Schlangen" von V. 17
angeregt haben können. Der Grund für die "Vergiftung" wird in
äußerster Abstraktion genannt: חטא. Deshalb erscheinen nach V.
16[743] als Vollstrecker des Gerichts Pferde, die Stadt, Land und
Bewohner "fressen". Wiederum geht die Formulierung gegenüber Jer.
2-6 eigene Wege, denn wie in 47,3 (vgl. 50,11) bezeichnet neben
סוס hier das Nomen אביר das Schlachtroß, das von Dan her, also von Norden, erwartet wird.[744]

Der Text zeigt kein Interesse an einer näheren Charakterisierung des Angreifers. Das Pferd ist nicht wesentliches Requi-

---

740 Die letzten drei Worte, die die Septuaginta nicht überliefert, gehen
über den Parallelismus hinaus und sind deshalb wohl sekundär; auf die erfolgte Verwüstung blicken sie narrativisch zurück. Zur Textrekonstruktion
s. W. Rudolph, Kommentar, 62; W. McKane, Kommentar, 189.

741 S. noch Nifᶜal-Formen in Jer. 25,37; 48,2; 49,26; 50,13; 51,6; in 8,14
Qal und Hifᶜil.

742 So z.B. auch P. Volz, Kommentar, 108.

743 V. 15 ist mit 14,19b identisch; zur Begründung, daß er später eingetragen wurde, s. W. Rudolph, Kommentar, 62.

744 Das Perfekt mit anschließendem Impf. cons., eine Folge, die in diesem
Zusammenhang in Kap. 2-6 nicht zu beobachten war, stellt die Zukunft (Perfectum propheticum, vgl. V. 17) als perfektiv hin, s. dazu W. Gross, Verbform und Funktion, 141.

sit des Feindes, es steht vielmehr bildlich für die Gefahr, die ebenso das Giftwasser in V. 14 repräsentieren kann wie in V. 17 die Vorstellung von den giftigen Schlangen - vielleicht ein Reflex auf Num 21,4-9 - , gegen die es kein probates Mittel gibt.

An dieser Stelle läßt sich mit gutem Grund behaupten, daß trotz der Richtungsangabe kein konkreter Feind anvisiert ist; Schlange, Schlachtroß und (das sekundäre) Giftwasser paraphrasieren zusammen das sicher erwartete Unheil.

Von vergleichbarer Allgemeinheit ist der nächste Text, 9,9f. 16-21[745], der im Rahmen einer Klage die erwartete Katastrophe reflektiert, indem Jerusalem und die Städte Judas in V. 10 als zukünftig unbewohntes Gebiet dargestellt werden. Ebenso auf die Zukunft, aber wegen der Klage als rekursiver Text in Perfektform stilisiert, ist V. 18 bezogen, mit einem Gedanken, der in Kap. 2-6 nie zum Ausdruck kommt, wenn Gefahr ansteht. Gemeint ist die Exilierung (עזב ארץ), die hier, wie auch in einer Reihe weiterer, zum Teil disparater Texte, außerhalb von Kap. 2-6 beklagt wird.[746]

Ansonsten bleibt die Ankündigung farblos, auch wenn eine kräftige Sprache vorliegt, die der bedrückende V. 20 zum Ausdruck bringt, in dem der "Tod durch die Fenster steigt, in die prachtvollen Bauten eindringt".

Wie wenig die Texte daran interessiert sind, die fremde Macht zu beschreiben, zeigt nicht zuletzt die gegenüber Kap. 2-6 auffällige Intensität, mit der das Unheil als von Jahwe vollzogenes Handeln verstanden wird, so in 8,14.17; 9,10 in aller Deutlichkeit,[747] wie ja auch in den Prosatexten immer wieder darauf hingewiesen wird, daß J a h w e das Volk der Macht der Babylonier preisgibt.[748]

Der nächste in der Kapitelreihenfolge zu nennende Text steht in Kap. 10, in dem nach einem Abschnitt, der über das Verhältnis von Jahwe und Götzenbildern nachdenkt (V. 1-16), in V. 17-22

---

745 In 9,8 steht abschließend נאם־יהוה; 9,9f. und 9,16-21 gehören aufgrund der Klageelemente zusammen, V. 11-15 ist ein Einschub.

746 S. z.B. 9,15; 10,17ff.; 12,14-17; 13,17.19.24; 15,14; 16,13; 17,4; 18,17; 20,4; 22,22.25ff.; 31,10.

747 Deshalb mag die Septuaginta recht haben, wenn sie in V. 18 statt השליכו die suffigierte Singular-Form השלכנו voraussetzt.

748 S. z.B. Jer. 21,5f.; 27,6; 32,28.

wieder im Rahmen der Klage die nationale Not zu Worte kommt,
bevor das Kapitel in V. 23-25 mit einer Bitte Jeremias abschließt.

Formal läßt sich V. 17-22 arbeitshypothetisch herausheben.
Im Mittelpunkt steht auch in diesem Text die Exilierung des
Volkes, die schon 9,18 nennt, mit dem Unterschied, daß der
zeitliche Rahmen nur in Kap. 10 erkennbar wird, denn gleich
der Eingangsvers 17 setzt eine Belagerung (מצור) voraus; ob
die erste oder die zweite, ist freilich nicht sicher.

In einem ergreifenden Bild vergleicht der Prophet in V. 20
die Existenz des ganzen Volkes mit einem Zelt, das verwüstet
(שדד) ist und nicht mehr aufgerichtet wird, weil die Bewohner zum Exodus (יצא) aufgebrochen sind. Schon mit V. 19 setzt
die Klage über den Zusammenbruch (שבר) ein, die rekursiv zur
Not steht und deshalb in V. 20 das Perfekt fordert, obwohl V.
17 einen Präsentativ hat, an den sich ein Perfectum consecutivum anschließt.

Die Schuld wird allein - das ist neu gegenüber Kap. 2-6 -
den רעים angelastet, die nicht weiter differenziert werden[749]
und deren Versagen mit dem Verbum בער ausgedrückt wird; sie
waren sozusagen "viehisch töricht"[750], weil sie nicht nach Jahwe fragten (דרש). Auch hier fehlt eine Querverbindung zu Kap.
2-6.

Ein letzter Unterschied ist mit V. 22 zu nennen. Während in
Kap. 2-6 der erwartete Ansturm die entsprechenden Einheiten eröffnet, schließt er hier das Wort ab. Erneut steht der Präsentativ[751], die Klage ist beendet, das "Tempus" entspricht V. 18
vor der Klage. Mit derselben Formulierung wie in 3,18 (vgl. 16,15)
und 6,22 läßt eine Nachricht die Bedrohung "aus dem Nordland"
kommen, die wie in den anderen Texten außerhalb von Kap. 2-6
auffällig unkonkret ist. Das einzige, was gesagt wird, ist: רעש
גדול . Im Zusammenhang dieser Wendung ist es bemerkenswert, daß
die Wurzel רעש mehrere Male im Rahmen der erwarteten Gefahr (s.

---

749 Vgl. 2,8; die Verwendung entspricht, auf Kap. 2-6 bezogen, dem sekundä-
ren Heilswort 3,15. 6,3 hat ausländische Gestalten vor Augen.

750 Denominiert von * בעיר , das Qal in 10,8 und das Nifᶜal in 10,21; 51,17.

751 Die Übersetzung J.Schreiners (Kommentar, 78): "Horch, eine Kunde trifft
eben ein" übergeht die masoretische Akzentsetzung, die bei באה eindeutig
ein Partizip voraussetzt.

8,16; 10,10; 47,3, vgl. 49,21) auftritt, nie allerdings in Kap.
2-6.[752]

Schon bei den Erörterungen zu Kap. 2-6 wurde der Text 12,7-13
erwähnt. Formal hängt er mit dem soeben zitierten zusammen - auch
er steht im Duktus der Klage - , inhaltlich geht er aber doch eigene Wege.

Jahwe beklagt, daß er sein "Haus" und "Erbteil" preisgegeben
hat,[753] und zwar in die Hand der Feinde (איב). Das dreimalige
נחלתי signalisiert die emotionale Bewegung, die von 12,7ff. ausgeht. Nur knapp skizziert wird der Grund, warum Jahwe sich abge-
wandt hat: Weil sein "Erbteil" gegen ihn seine Stimme erhoben
hat (V. 8), ergeht in V. 9 der metaphorisch geprägte Aufruf an
die "Tiere des Feldes", zum Fraß zu kommen.[754] Die überschwengliche Emotionalität muß diesen Aufruf hervorgerufen haben, denn
V. 10 kehrt wieder zum "Tempus" von V. 7 (und 8) mit drei Per-
fekten zurück, die hier einen perfektiven Aspekt bezeichnen; eine
consecutio unterbleibt und auch der typische Präsentativ fehlt.

Der Unterschied dieses Textes zu den vorhergehenden Einheiten
liegt auf der Hand, denn die Perfektformen kennzeichnen auch die
auf V. 10 folgenden Verse, in denen es wie vorher keine einzige
konsekutive Verbform gibt. Seine Dialektik liegt in dem Miteinander von Emotionalität einerseits und Rationalität, die faktisch
Vorliegendes registriert, andererseits; Geschichte präsentiert
sich hier in der Verschränkung von Distanz und Betroffenheit.

Auch der Abschnitt 13,20-22 läßt sich aus seinem Kontext un-
beschadet isolieren: Nach dem Prosatext 13,1-14, in dem in V.
1-11 und V. 12-14 "signa" (Hüftschurz bzw. Weinkrüge) Ausgangs-
punkt für Unheilsankündigungen sind, folgt in V. 15-17 eine Warnung, die (noch) mit einer möglichen Abwendung des Unheils rechnet, das aber in V. 18-19 schon real erfahren wurde bzw. wird.[755]

---

752 שממה undחניתך מעוך haben Verbindung zu 9,10, also eine Querverbindung zu einem anderen Text außerhalb von Kap. 2-6.

753 עזַב und נטש, das letzte Verbum wieder häufig außerhalb von Jer. 2-6,
s. 7,29; 15,6; 23,33.39; 48,32, im selben Kontext aber auch 5,10.

754 Zum textkritischen Problem von V. 9 s. J. Schreiner, Kommentar, 85.

755 Die Perfekta haben stativischen Charakter; V. 19a ist eindeutig,von ihm
aus wären auch V. 18 und V. 19b entsprechend zu interpretieren. Eine futurische Übersetzung (s. B. Duhm, Kommentar, 124; W. Rudolph, Kommentar, 92; J.
Schreiner, Kommentar, 9o) legt sich nicht nahe, allenfalls ließe sich präsentisch übersetzen, so z.B. P. Volz, Kommentar, 153.

Während V. 18 eine Aufforderung an den Königshof ist, spricht
V. 20 mit einer femininen Imperativform (Ketib) einen Adressaten an, der im Text nicht benannt wird.[756] Die Abgrenzung zum
Vorhergehenden ist schon deshalb gerechtfertigt, weil die Gefahr, die in V. 15-17 möglich und in V. 18-19 erfahren wurde/
wird, in V. 20-22 unmittelbar bevorsteht. V. 23-24 wechselt
dann in die 2.p.pl. mit einem Schelt- (V. 23) und Drohwort (V.
24). Zurück in die 2.p.f.sg. führen wieder die Verse 25-27, die
im Zusammenhang wie die Begründung von V. 20-22 wirken, aber
doch wohl selbständig sind, weil sie mit V. 26 ein Drohwort
enthalten, das parallel zu V. 22 steht.

Auch V. 20-22 hat einen höheren Reflexionsgrad als die entsprechenden Abschnitte in Kap. 2-6. Nicht das Interesse am ge-
waltigen Überfall fremdländischer Macht steht im Vordergrund,
sondern eine mögliche Antwort auf die Ereignisgeschichte, die
selber unabänderlich scheint, will der Text provozieren und
nennt deshalb eine Reihe von Fragen, die jeden Vers kennzeichnen. Nur einmal, gleich am Anfang von V. 20 fordert der Sprecher, auf die הבאים מצפון hinzusehen. Schon diese Formulierung
zeigt, wie wenig prospektiv-erregende Ereignisse den Hörer bzw.
Leser in Bewegung bringen sollen. Ruhig, nicht im Zusammenhang
eines Präsentativs, beschreibt das Partizip den Anmarsch eines
Gegners, der wieder nicht durch irgendein Epitheton gekennzeichnet wird.

Die erste Frage in V. 20 zielt auf die Bewohner Jerusalems -
als עדר bezeichnet (vgl. 6,3) - , d.h. auf ihre "kommunale" Existenz; eine in V. 17 desselben Kapitels ausgesprochene Exilierung bleibt hier im Nominalsatz nur angedeutet.

Der folgende V. 21 erscheint exegetischem Scharfsinn zuweilen
anstößig, deshalb wird ein neuer Wortlaut erstellt.

So ist der Wortlaut von V. 21a in כי ינקפו רעיך (לך) ראשך ("wenn
deine Buhlen dir den Kopf zerschlagen") (757) bzw. יפקד mit der Septuaginta in יפקדו emendiert und לראש als ירוש/ = ירשלם aufgefaßt und
an eine andere Stelle transponiert worden: "wenn sie heimsuchen dich, Jerusalem, die du selbst gewöhnt an dich als traute Freunde"(758).
Warum sollte aber der vorliegende masoretische Text nicht verständlich
sein, vielleicht mit einer geringen Umstellung?

---

756 Man rechnet entweder mit "Zion" oder aufgrund der Septuaginta mit "Jerusalem", s. den Apparat der BH und die Kommentare z.St.

757 P. Volz, Kommentar, 155f.

758 W. Rudolph, Kommentar, 92.

Zu פקד fehlt nur scheinbar ein Objekt, V. 21aβ läßt sich mühelos als
Objektsatz, d.h. als asyndetischer Relativsatz verstehen. Beläßt man die
Wortfolge, ist allerdings das לראש unverständlich, zieht man dagegen
אלפים לראש zum ersten Kolon - eine "Verschreibung" ist aufgrund des
zweimaligen עליך , das zur aberratio oculi führen konnte, leicht erklärbar - so ergibt sich folgende Übersetzungsmöglichkeit: "Was wirst du sagen,
wenn man über dich Freunde als Oberhaupt einsetzt, die du an dich gewöhnt
hattest?"(759)
Wie ist das aber zu verstehen?

Für פקד ist die Konnotation der "Amtseinsetzung" mit על üblich,[760] und auch למד ist im Rahmen einer Freundschaftswerbung
vor allem im Jeremiabuch verständlich, in dem das Verbum nicht
nur die intellektuelle Vermittlung von Kenntnissen und Fähig-
keiten, sondern insbesondere ein Vertrautmachen beschreibt.[761]
Schließlich אלוף und ראש : ראש meint innerhalb des metonymi-
schen Gebrauchs in vielen Modifikationen die personelle Vormachtstellung (Oberhaupt)[762], die das Jeremiabuch einmal auf
"Israel" (יעקב) als ראש הגוים bezieht, entsprechend ist also
hier der אלוף die Obermacht Judas.

Nicht ohne Grund wird das Nomen אלוף gewählt sein, denn es
gibt eine ganze Reihe von Nomina wie אהב, רע , אח , ידיד u.a.,
die einen Vertrauten bzw. Freund bezeichnen. Die Wurzel des im
Hebräischen sehr seltenen Wortes ist auch in anderen semitischen
Sprachen belegt und könnte hier den "Verbündeten" meinen.[763] Historisch spricht nichts dagegen, daß Juda Kontakte zu Babylon
knüpfte, als die Macht der Assyrer erlosch.[764] Der schon an anderer Stelle erwähnte Versuch Joschijas, die Ägypter davon ab-
zuhalten, den Assyrern Beistand zu leisten, spricht auch unter
diesem Aspekt eine deutliche Sprache.

---

759 Ähnlich B. Duhm, Kommentar, 125; ohne Begründung J. Schreiner, Kommentar, 91; vgl. auch W. McKane, Kommentar, 306ff.

760 S. Num. 4,49; 27,16; Jer. 51,27 (übertragen 15,3), mit der Präposition
אל 49,19; 50,44.

761 S. dazu E. Jenni, in: THAT I, 873; s. schon 2,33.

762 S. dazu H.-P. Müller, in: THAT II, 705ff.

763 S. akk. elēpu/alāpu, "zusammenwachsen, sich verstricken", allerdings
im Gt-Stamm, s. AHw. I, 199; WUS Nr. 243 übersetzt ugar. ulp mit "Verbün-
deter", UT Nr. 206 mit "chief, prince"; dieser Herrschaftsaspekt nach R.S.
Tomback (A Comparative Semitic Lexicon, 21) auch im Punischen, so auch im
Mittelhebräischen, s. G. Dalman, Handwörterbuch, 19; M. Jastrow, Dictionary
I, 68.

764 Vgl. zu dieser Interpretation B. Duhm, Kommentar, 125; J. Schreiner,
Kommentar, 90f.

Die Erörterungen zu 2,18 und 2,36 haben gezeigt, wie auch zu
früherer geschichtlicher Stunde Bündnispolitik betrieben worden
zu sein scheint, die sich hier nach V. 21 bei neuer Machtkon-
stellation noch einmal wiederholt. Allein diese kritische Reflexion steht im Vordergrund, die Begründung des Unheils kann
dem gegenüber ganz knapp sein: רכ עון !

Damit sind alle Passagen genannt, die außerhalb von Kap. 2-6
in poetisch strukturierten Texten personalisiertes Unheil ankündigen bzw. reflektieren. Die Blickrichtung ist gegenüber Kap.
2-6 verändert. Während dort der furchterregende Angreifer und
sein Erfolg im Blickpunkt stehen, wird in den übrigen Texten,
deren häufige Einbindung in einen Klagekontext schon für den re-
flektiven Charakter spricht, den Gedanken über das Unheil mehr
Aufmerksamkeit gewidmet. Die zuletzt besprochenen Texte sind offenbar a l l e zum Ende der vorexilischen Wirksamkeit Jeremias
hin anzusetzen. Zu jener Zeit muß sich dem Propheten die Gefahr
eines babylonischen Angriffs aufgedrängt haben und mit ihm die
Erwartung der Deportation. Beides hängt nicht in allen Text zusammen, so daß sich nicht in jedem Falle konsistente Zeitkrite-
rien anbieten.

Kurzum: Die Texte in Jer. 2-6 lassen Beziehungen zum übrigen
Jeremiabuch, oder genauer gesagt: zu anderen Worten Jeremias
erkennen, sind aber unter formalem und inhaltlichem Aspekt als
eigenständige Sammlung zu verstehen, die einige Aussagen des
übrigen Buches aufgenommen, andere wiederum variierend verarbeitet oder gar, wie bei den Themen, die sich mit einer kommenden Gefahr beschäftigen, vorhandene Texte reserviert und damit
für andere Texte des Buches offenbar unverfügbar gemacht hat.

V.   Die Geschichtsanschauung Jeremias und seiner Tradenten

Im letzten Kapitel sollen wesentliche Ergebnisse der Untersuchung ausgewertet und mit den am Anfang der Untersuchung stehenden Gedanken zum Geschichtsverständnis verknüpft werden.

Jer. 2-6 ist soweit wie möglich zeitgeschichtlich exegesiert
worden. Das bedarf über die Erläuterungen im I. Kapitel hinaus
einer nachträglichen Erklärung, denn jenes Verfahren, das sich
nicht allein auf die Aussagen der Texte beschränkt, ist weder
selbstverständlich noch unumstritten.[1] Wenn trotzdem eine ge-
schichtsbezogene Auslegung - wohl gemerkt: im Zusammenhang,
nicht anstelle theologischer Deutungen - gegenüber einem Verständnis bevorzugt wurde, das die Textaussagen mehr oder weniger auf geschichtsneutrale Wahrheiten[2] reduziert, dann hat das
vor allem zwei Gründe, die sich wechselseitig bedingen. Da ist
zum einen bei vielen Propheten, vor allem bei Hosea, Jesaja und
Jeremia eine kritische Distanz zu den Regierenden zu beobachten,
durch deren hybrides Vertrauen auf die eigene und die fremde politische Macht sich jene Propheten in Krisensituationen herausgefordert sahen. Die Propheten müssen also mit den geschichtlichen Gegebenheiten vertraut gewesen sein. Das legt auch die Zeit
ihres Wirkens nahe, denn immer, wenn Israel in außenpolitische
Gefahren verstrickt wurde, traten Propheten auf: vor der Schriftprophetie im 9. Jh. Elia und Micha ben Jimla zur Zeit der Aramäer-
kriege, im 8. Jh. Amos, Hoschea, Jesaja und Micha zur Zeit der assyrischen Invasionen, und im 7./6. Jh. Jeremia, Habakuk, Obadja
und Ezechiel zur Zeit der babylonischen Eroberungen. Zum anderen
sind bei der Analyse von Jer. 2-6 immer wieder Beschreibungen aufgefallen, die Vorfindliches, insbesondere aber erst Erwartetes so
konkret und differenziert äußern, daß trotz zahlreicher Bilder die
Vorstellung einer poetischen Vergegenwärtigung, die mehr ahnt als
weiß, sehr unwahrscheinlich ist. Um die Bedingungen und Möglichkeiten der Textaussage(n) zu berücksichtigen, ist in der Untersuchung philologisch, archäologisch, historisch und theologisch

---

1 Skeptisch gegenüber den "particulars of external history" als Verstehens-
hilfe für die Texte äußert sich einer der neuesten Jeremia-Kommentare, s. W.
McKane, Kommentar, LXXXVIIIf.

2 Wer die Frage nach der Wahrheit in der Schriftprophetie stellt, muß die
"Geschichte" mitbedenken, s. W. Zimmerli, Wahrheit und Geschichte in der
alttestamentlichen Schriftprophetie, VTS 29 (Congress Volume Göttingen 1977),
Leiden 1978, 1-15.

argumentiert worden, und zwar vom Jeremiabuch aus im Blick auf
andere literarische und außerliterarische Zeugnisse, und umgekehrt: von den externen Quellen hin zu den Texten in Jer. 2-6.
Damit ist einem ausschließlich auf Vermutung und Intuition be-
ruhenden Verfahren weitgehend gewehrt,[3] weil das im I. Kapitel
erwogene Postulat der Auslegung des Textes durch das Geschehen
und des Geschehens durch den Text eine zumindest partielle Über-
prüfung ermöglicht, die an die Voraussetzung literarkritischer
und literargeschichtlicher Sachverhalte der entsprechenden Texte geknüpft ist.

Im Rahmen außenpolitischer Anspielungen, von denen noch am
ehesten Hinweise auf eine zeitliche Fixierung zu erwarten ist,
werden nur in dem Kapitel Jer. 2, in dem Bündnisbestrebungen
(2,18 und 2,36) kritisiert und fremdländische Eingriffe (2,16)
erwartet werden,[4] konkrete Namen genannt. Es sind dort die Ägypter und Assyrer, deren Geschichte im wesentlichen bekannt, aber
nicht problemlos mit den Ereignissen in Juda am Ende des 7. und
am Anfang des 6. Jh.s synchronisierbar und verrechenbar ist. Berücksichtigt man, daß Jer. 2 (wie die folgenden Kapitel) nicht
in einem Zuge entstanden ist, sondern Worte aus verschiedenen
Perioden prophetischer Wirksamkeit vereinigt, dann ist die Interpretation nicht an den kurzen Abschnitt "von der Berufung
bis einige Zeit vor dem Abschluß der Reform Josias 622 v.Chr."[5],
einem Zeitraum von allenfalls fünf Jahren, gebunden. So läßt sich
die Erwartung eines ägyptischen Übergreifens (2,16), die mit den
Verteidigungsmaßnahmen Joschijas im Westen und Südwesten Judas
kongruiert,[6] am besten in den Jahren 616-609 ansetzen, und der
Versuch, ein bilaterales Bündnis mit Ägypten und Assyrien einzugehen (2,18), einige Zeit vor dem Untergang der Assyrer (612),

---

3 W. McKane (Kommentar, LXXXVIIIf.) kritisiert "guesswork" und "instantaneous intuitions" der nach geschichtlichen Anknüpfungspunkten suchenden Exegeten, ist aber nicht grundsätzlich gegen ein entsprechendes Vorgehen eingestellt.

4 S. hierzu und zum folgenden oben S. 163ff.

5 G.Fohrer, Einleitung, 428; vgl. dagegen die großzügigere Datierung O. Eiß-feldts, Einleitung, 485.Die vorliegende Untersuchung hat keine chronolgische Aufteilung verifizieren können, wie sie R. Albertz (ZAW 94, 1982, 20-47) und J.Schreiner (Kommentar, 8f. und 17ff.) vornehmen, die in 2,4-4,2 mit einer Verkündigung vor 609 und in 4,3-6,30 nach 609 rechnen.

6 S. oben S. 115ff.

vielleicht als Reflex auf die Befürchtung einer ägyptischen Invasion. Dagegen kann die Möglichkeit eines einseitigen Bündnis-
ses mit Ägypten nach 2,36 erst erwogen worden sein, als die Assyrer von der politischen Bühne des alten Orients abgetreten
waren, also erst nach 612.

In den restlichen Kapiteln werden keine fremdländischen
Namen genannt, und auch nicht mehr die Versuche, durch politisches Taktieren das kleine Juda, das sich unter Joschija an-
schickte, seine Grenze in verschiedene Richtungen vorzurücken,[7]
nachdem durch die Wachablösung der Großmächte für eine kurze
Zeit ein Machtvakuum entstanden war, aus zu erwartenden hege-
monialen Plänen anderer Mächte herauszuhalten. Was jetzt auf
der außenpolitischen Ebene folgt, ist nur noch die Erwartung,
daß Juda und Jerusalem angegriffen und erobert werden. Die entsprechenden Texte stehen in den Kapiteln 4-6,[8] die sich allerdings zeitlich nicht an die in Kap. 2 angedeuteten Geschichtssituationen anschließen. Vielmehr bilden jene Kapitel ein Kom-
positionsgefüge, das eine komplexe, im einzelnen nicht nachweisbare Entstehungsgeschichte hat, von der aber gesagt werden
kann, daß sie Worte aus der gesamten Wirkungszeit Jeremias umgreift.

Allein die Erkenntnis des uneinheitlichen Charakters der Kapitelfolge ist schon von großem heuristischem Wert, denn es ist,
konkret gesprochen, unter dieser Voraussetzung nicht möglich, die
Stellen, die feindliche Bedrohungen bzw. Aktivitäten spiegeln,
gleichsam auf einer höheren Ebene zu einer neuen "Einheit" zu
verbinden. Zum literarkritischen tritt das literargeschichtliche
Problem der Kapitel 2-6. Wenn diese Kapitel nur auf die Zeit von
626-622 v.Chr. bezogen werden, dann hat auch das Auswirkungen auf
die Interpretation des "Feindes aus dem Norden". Entfällt die
zeitliche Beschränkung und wird der Kompositionscharakter ernst
genommen, dann ist eine separate Befragung der einzelnen Textteile und deren Entstehung bzw. Verbindung gefordert. Das ist

---

7 S. oben S. 104ff.

8 Nach T. Odashima (Untersuchungen, 168ff.) sind die Worte vom "Feind aus
dem Norden" ursprünglich eine eigenständige Sammlung gewesen. Als den einzelnen Abschnitten übergeordnete Einheit versteht R. Althann (Jeremiah 4-6,
308ff.) Kap. 4-6. Mit den Kapiteln 1 bzw. 2-10 rechnen z.B. W.L. Holladay,
The Architecture of Jeremiah 1-20, London 1976; F. Ahuis, Der klagende
Gerichtsprophet, 161ff.; T. Odashima, Untersuchungen, 165ff.

in der vorliegenden Untersuchung praktiziert worden und hat zu
dem Ergebnis geführt, daß bei den einzelnen Worten die Erwartung der Eroberer unterschiedlich betont, ausgedrückt und verstanden wird. Nicht immer ist es möglich, das Subjekt der Texte
präzis zu erfassen. So wird nicht recht deutlich, ob in 4,5-8
die Babylonier bzw. Chaldäer gemeint sind, die aber mit großer
Wahrscheinlichkeit 4,13-18 und 5,1-6 im Blick haben, während
4,11-12 wohl an die Edomiter und 4,27-31 bzw. 5,15-19 an die
Skythen gedacht haben, von 2,16 abgesehen, wo die Ägypter erwähnt sind.

Die bunte Vielfalt erklärt sich aus der etwa vierzigjährigen
Wirksamkeit Jeremias, in der im Zusammenhang und im Schatten des
längerfristigen Hegemonialstrebens der Babylonier an allen Seiten Judas politische Bewegungen Gestalt annahmen und ihre Interessen wahrzunehmen versuchten. Ohne Einzelheiten zu wiederholen, sind im Südwesten die Ägypter zu nennen, im Südosten die
Edomiter, im Osten die Syrer, Moabiter und Ammoniter, "von Norden her" die Skythen und vor allem die Babylonier. Diese Konstellation ist es, die Jer. 2-6 weitgehend zum Hintergrund hat
bzw. widerspiegelt. Wenn in den Texten keine Namen genannt werden,[9] dann liegt das an der besonders anhand von Kap. 2 aufge-
zeigten rhetorischen Absicht, die bei den überlieferten Worten,
dem monologischen Teil des prophetischen Auftritts, die Aufmerksamkeit und Neugier des Hörers provozieren wollte und konkretisierende Namen für eine anschließende Diskussion zurückhielt.[10]

Über die Zeit, in der die Erwartungen geäußert wurden, läßt
sich nur eine pauschale Aussage machen, weil geschichtliche Anspielungen, anders als in Kap. 2, vollständig fehlen. Man wird
nur sagen können, daß Jeremia in der ersten Hälfte seines Auftretens mit einer skythischen und auch ägyptischen Gefahr hat
rechnen können und in der zweiten Hälfte seines Wirkens mit babylonischen und edomitischen Aggressionen.

Für eine spätere Sammlung der Worte des Propheten, die wiederholt die Eroberung Judas bzw. Jerusalems ankündigen, wurde
der namenlose Angreifer von unschätzbarem Wert, denn jetzt,

---

9 Im Grunde trifft das auch für Jer. 2,16 zu, denn dort werden die Ägypter
nicht direkt benannt, sondern mit der Bezeichnung "Söhne Nofs und Tachpanhes"
umschrieben.

10 S. oben S. 186ff. und 218ff.

nachdem die Babylonier Jerusalem in Schutt und Asche hatten versinken lassen, konnten alle Texte im Rückblick auf die babylonische Eroberung gelesen werden. Dabei bestimmte gleich am Anfang der Textreihe 4,5-6,30 in 4,6b ein nicht ursprünglicher Hinweis auf den Norden die Herkunft des Angreifers nachträglich richtig.[11]

Diese Interpretation war im Recht, sofern die zeitliche Streckung von Kap. 2-6 bis zum Auftreten der Babylonier reicht. Das ist auch der Zeitraum, den das Incipit 1,1-3, das die Tätigkeit Jeremias nach der babylonischen Eroberung nicht mehr erfaßt, ausschließlich berücksichtigt. So ist der Schluß möglich, die Verse 1-3 des 1. Kap. zunächst allein auf die Kapitel 2-6 zu beziehen. Daß in jenem Geschichtsüberblick die Könige Joahas und Jojachin nicht erwähnt werden, mag seinen Grund vor allem in ihren kurzen Regierungszeiten, die nicht einmal ein Jahr ausmachten, also keine gefüllte Zeit nach altisraelitischem Verständnis waren,[12] und in ihrer daraus resultierenden Bedeutungslosigkeit haben. Es sollte aber gesehen werden, daß Jer. 2-6 nach der vorgetragenen Analyse im wesentlichen Worte enthält, die auf die Zeit Joschijas und Jojakims weisen, so daß mehr oder weniger zufällig das Richtige getroffen wird, wenn Joahas und Jojachin, die in 22,10-12 und 22,20-30 bedacht bzw. genannt werden, im Incipit unerwähnt bleiben. Ob auch Worte aus der Zeit Zidkijas in Jer. 2-6 vorliegen, ist nicht mit guten Gründen nachweisbar. Wenn jener König (und das mit ihm verbundene Geschehen) in 1,1-3 genannt wird, dann resultiert das aus der Absicht, dem Leser im Incipit das Ende in Erinnerung zu rufen, auf das die anschließende Kapitelfolge in wiederholten Anläufen zustrebt.

Beides zusammen, 1,1-3 und 2-6, wird schon bald, nachdem sich die Unheilsankündigungen bewahrheitet hatten, konzipiert und in einem vorläufigen Bestand, zu dem 3,1-4,4 als größerer Komplex neben anderen Einzelworten noch nicht gehörten, erarbeitet worden sein. Dafür spricht vor allem ein traditionsgeschichtlicher Grund: An einigen Stellen in Jer. 2-6, vor allem in Kap. 2, wo die Götzenproblematik im Vordergrund steht, existieren hervorragende Anknüpfungspunkte für eine im Jeremiabuch

11 S. oben S. 212ff. vor allem 215.

12 Vgl. K. Koch, Die mysteriösen Zahlen der judäischen Könige und die apokalyptischen Jahrwochen, VT 28 (1978) 437.

breit entfaltete dtr. Bearbeitung. Aber bis auf geringfügige
Ausnahmen,[13] die gegenüber der durchgehenden dtr. Textgestal-
tung in anderen Teilen des Buches spätere Interpolationen sein
dürften, fehlen dtr. geprägte Texte. Mit anderen Worten: Erst
nachdem jeremianische Worte dtr. redigiert und ergänzt waren,
wurde die neu entstandene Schrift, zu der offenbar auch ein
Teil von Kap. 1 gehörte, mit den ersten drei Versen und den
ihnen entsprechenden Kapiteln 2-6 verbunden. Daß dabei der Berufungsbericht zwischen Incipit und Kap. 2-6 kam, resultiert
aus chronologischen Überlegungen.

Ein besonderes Problem ist die Verfasserschaft bei einzelnen Worten. Immer wieder konnte beobachtet werden, daß sich
die Ausdrucksweise auf die Kap. 2-6 beschränkt und dort häufiger nur an einer einzigen Stelle bezeugt findet.[14] Aber das ist
nur ein Teilaspekt, denn der sprachliche Ausdruck in Kap. 2-6
zeigt streckenweise auch deutliche Parallelen zum übrigen Buch.
Beides läßt sich zusammen erklären, die Exklusivität aus einer
hochpoetischen Sprache, die sich ihrem bedeutenden Redegegenstand durch eine einzigartige Diktion verpflichtet weiß,[15] und
die terminologischen Bezüge aus der Bewahrung, der Wirkung und
dem Einfluß jeremianischer Gedanken und deren Teilhabe an den
Fragen und Problemen der Zeit. Weil eine kritische Wahrnehmung
der Zeiterscheinungen und ihre Verarbeitung nie ausschließlich
das Werk eines einzelnen sind, sollte nicht um jeden Preis die
Autorschaft Jeremias bei allen Einzelworten verteidigt und unter Beweis gestellt werden. Das ist der Grund, warum in der Untersuchung nicht immer die jeremianische Verfasserschaft diskutiert wurde. Andererseits sind aus späterer Zeit resultierende Erweiterungen als solche benannt worden, wenn der Befund eindeutig war. Sie betreffen vor allem die Begründungen des erwarteten Unheils, um die man sich nach der erfolgten Katastrophe
offenbar verstärkt bemühte,[16] schließen aber auch die Erwartun-

---

13 Nach W. Thiel (Die dtr. Redaktion von Jer. 1-25, 80-102) gehört dazu
2,5b.20.26b; 3,6-13; 4,3f.; 5,18f.; 6,16-21.

14 Zum Problem der Hapaxlegomena s. neuerdings F.E. Greenspahn, Hapax Le-
gomena in Biblical Treatment Since Antiquity with Special Reference to
Verbal Forms (SBL Dissertation Ser. 74), Chico/California 1984.

15 S. oben S. 190.

16 S.z.B. oben S. 264ff.

gen selbst ein, die in einem neuen Licht gesehen werden konnten.[17] Es würde die Gefahr eines hermeneutischen Zirkels her-
aufbeschwören, wollte man zwischen "echten" und "unechten" Worten ohne Rest aufteilen, wo Fragen nach der Herkunft bleiben.
Solange ein Wort aus der Zeit Jeremias heraus zu verstehen ist,
kann es auch "jeremianisch" genannt werden. Eine Grenze etwa
zwischen Protagonistischem und Epigonenhaftem ist bei dem spär-
lichen Material und der kurzen Zeitspanne einer Generation nicht
scharf zu ziehen, zumal bei der engen Traditionsverbundenheit
alttestamentlicher Autoren der Begriff des Protagonistischen
ohnehin an Schärfe verliert.[18]

Mit diesen Beobachtungen und Überlegungen soll die Sicherheit bei der Suche nach ureigenen prophetischen Worten infrage
gestellt, die Notwendigkeit jener Beschäftigung aber nicht bestritten werden, denn der Traditionsprozeß ist von den Worten
des Propheten ausgegangen, dessen Namen dem jeweiligen Buch immer auch einen individuellen Stempel aufgedrückt hat.

Wendet man sich von den schon angesprochenen Erwartungen zu
deren Begründungen, dann sind als Teilaspekte der umfassenden,
aufgrund pauschaler Verurteilungen zuweilen nicht leicht zu
differenzierenden prophetischen Kritik vor allem soziale, kultische und politische Mißstände im weitesten Sinne zu nennen.
Wie gezeigt, ist für die Frage der Datierung der jeremianischen
Worte die Begründung, warum das Unheil notwendig wird, ebenso
wichtig wie die Zusammenhänge des erwarteten Unheils. Eine
Seite dieser Beziehung ist unter religionshistorischem Gesichts-
punkt besonders bemerkenswert. Wie immer man nämlich die "Reform
Joschijas" im einzelnen beurteilt, man kann den aus Jer. 2-6
herauslesbaren Status confessionis nicht auf eine vorreformato-
rische Phase joschijanischer Kultpolitik reduzieren.

Die Abweichung von Jahwe ist in Jer. 2-6 nicht eo ipso Hinwendung zu einem anderen Gott bzw. zu anderen Göttern. Sie, oder
genauer gesagt: ihre materiale Präsenz hat Joschija nach 2.Kön.

---

17 S. z.B. oben S. 257ff. zu 5,7-14.

18 Das soll nicht bedeuten, die Entstehungsgeschichte des Textes preiszugeben und sich ausschließlich auf die Endgestalt der Texte zu konzentrieren,
denn damit würde das historisch bedingte Aussagegefälle eines Textes unsachgemäß eingeebnet, vgl. dazu R. Liwak, Literary Individuality as a Problem of
Hermeneutics in the Hebrew Bible (erscheint demnächst in JSOT, Suppl. Series).

23,4ff. entfernen lassen, aber wurde damit auch ihr Einfluß beseitigt? Freilich, Kap. 2 läßt sich als massive Auseinandersetz-
zung mit der Götterproblematik verstehen, wird sie doch in V.
8.11.23.27.28.29 ausdrücklich reflektiert. Kultpolitische
Anspielungen liegen damit aber nicht vor. Zweimal, in V. 8 und
V. 23, nennt der Text den Baal bzw. die Baalim, wahrscheinlich,
um damit generell auf den Götzendienst hinzuweisen.[19] Die übrigen Verse dagegen nennen keine Namen, es sind generell Götter
(V. 11.28), die mit ihrem hervorstechendsten Merkmal genannt
werden: Sie sind unnütz (V. 8, vgl. V. 28).Wenn man fragt, in
welcher Situation sie sich untauglich geben, dann nennt V. 28
die Zeit kommenden Unheils, das in Kap. 2 mehr angedeutet als
ausgesprochen wird, von 4,5ff. an aber, wenn die Bedrohung der
kollektiven Existenz auf dem Spiel steht, konkrete Gestalt annimmt.

Interessant ist vor allem 2,27f. Dort setzt sich der Text
mit Götterfiguren auseinander, die archäologisch auch über die
Zeit Joschijas hinaus nachgewiesen sind.[20] Die Meinung ist geäußert worden, daß sie nicht den "Ausschließlichkeitsanspruch"
Jahwes erschüttert, sondern einen Funktionsverlust des Gottes
Israels markiert hätten, dem die genuine Aufgabe des Schutz-
und Führungsgottes der Sippe verlorengegangen, der aber trotzdem als Garant nationaler Sicherheit verstanden worden sei.[21]
Trifft das zu, dann liegt die Spitze der Kritik von Jer. 2 in
der paradoxen Aufforderung, von den selbst gefertigten, leb-
losen Gestalten einen existentiellen Schutz für die Sicherheit
des ganzen Volkes zu erwarten. Es ist diese Stoßrichtung der
Argumentation, die über alle Reformmaßnahmen Joschijas hinaus
aktuell bleiben mußte.

Wenn in Jer. 22,15f. Jojakim von seinem Vater Joschija negativ abgesetzt wird und das dtr. Geschichtswerk gerade im Zusammenhang mit Jojakim in 2.Kön. 24,3 die "Sünden Manasses"

---

19 2,8 und 2,23 können aber auch konkreter gemeint sein, 2,8 auf dem Hintergrund einer von Jahwe abhängigen Orakelpraxis (vgl. 2.Kön. 1) und 2,23
im Zusammenhang von Kultpraktiken, die auf Fruchtbarkeitsriten beruhen;
zum letzteren vgl. K. Koch, die Profeten I, 88ff. passim zu Hosea, Die
Profeten II, 34 zu Jeremia.

20 S. dazu M. Rose, Ausschließlichkeitsanspruch, 182ff.

21 So M. Rose, Ausschließlichkeitsanspruch, s. vor allem die Zusammenfassung 263ff.

nennt, die in 2.Kön. 21,2ff. in kultpolitischen Verfehlungen
gesehen werden, dann ist in dieser Hinsicht, so blaß die An-
deutungen auch sind, nach Joschija nicht   mit integren Verhältnissen zu rechnen. Damit ist nicht gesagt, daß Religionsformen praktiziert wurden, die von den Invasoren aufgezwungen
worden wären.[22] Es ist aber nicht unwahrscheinlich, daß im Zuge der politischen Beherrschung des kleinen Juda durch eine
Großmacht deren Götter als Initiatoren des Erfolgs eine große
Ausstrahlung hatten. Mag diese Erscheinung auch nicht die primäre Intention der Kritik sein, sie schwingt doch im Kap. Jer.
2 mit, in dem so selten die Aussagen eindeutig außenpolitisch
oder kultpolitisch festgelegt sind, weil beides nach diesem
Kapitel grundsätzlich nicht voneinander geschieden werden kann:
eine Entscheidung für die erwartete Rettung von außen ist zugleich eine Entscheidung gegen Jahwe.

Das alles sind Überlegungen des Propheten, die nicht auf
irgendeinen Abschnitt seiner Tätigkeit beschränkt werden können.
Sie blieben vom Anfang bis zum Ende aktuell und bewahrheiteten
sich in den Konsequenzen, die Jeremia daraus zog. Als Juda und
Jerusalem 597 vorläufig und 586 endgültig scheiterten, war deshalb die Zeit gekommen, markante Unheilserwartungen zu sammeln,
nicht ohne ihre Begründungen. Weil beides in Jer. 2-6 immer auch
Querverbindungen zu anderen Teilen des Jeremiabuches hat - von
den Fremdvölkersprüchen abgesehen - , ist Jer. 2-6 im Grunde
genommen das Jeremiabuch in nuce.

Das gilt allerdings nur für die Themen und ihre sprachliche
Gestaltung, nicht für die Komposition insgesamt, die bewahren
wollte,[23] was in historisch schweren Stunden vom Propheten gesagt wurde, darüber hinaus aber die Verkündigung der Autorität
für ihre Aussageabsicht, die nicht einfach mit der des gesamten
Jeremiabuches verrechenbar ist, fruchtbar zu machen versuchte.

G. von Rad hat in seiner "Theologie des Alten Testaments"
zur Absicht des dtr. Geschichtswerkes gesagt: "Es geht Dtr.
(d.h. dem Deuteronomisten) ... um jenes 'Auf daß du recht be-
haltest in deinem Spruch' (Ps. 51,6); sein Werk ist eine große,

---

22 Vgl. zum Problem M. Cogan, Imperialism and Religion. Assyria, Judah and
Israel in the Eighth and Seventh Centuries B.C.E., Montana/Missoula 1974,
vor allem 65ff; H.Spieckermann, Juda unter Assur in der Sargonidenzeit (FRLANT
129), Göttingen 1982, 227ff.

23 Vgl. oben S. 51.

aus dem Kultischen ins Literarische transponierte 'Gerichtsdoxologie'".[24] Dieses Urteil trifft partiell die Intention von
Jer. 2-6, allerdings mit unterschiedlicher Blickrichtung: Während das dtr. Geschichtswerk zurückblickt, schaut Jer. 2-6 in
wesentlichen Texten voraus. Über die Katastrophe im Jeremiabuch
zu b e r i c h t e n , blieb Aufgabe eines narrativen Textes
(Jer. 39,1ff.). An dieser Stelle kann auf die Verwendung des
hebräischen Perfekts hingewiesen werden, das an vielen Stellen
nicht eindeutig zu erklären ist. Es muß mit Vergangenheit und
Zukunft berücksichtigendem perfektivem Aspekt und als Aussage
über ein statisches Verhältnis, das den eingetretenen Zustand
kennzeichnet, übersetzt werden. Also auch hier eine Art des Os-
zillierens, denn im Anschluß an die erfolgte Katastrophe konnte
das auf die Zukunft bezogene Perfekt im Sinne einer abgeschlos-
senen Handlung in der Vergangenheit gelesen werden und zugleich
als Hinweis auf einen Zustand, der gegenwärtig noch vorlag.[25]
Vielleicht kann man schon deshalb annehmen, daß die Sammlung
nicht lange nach den Ereignissen von 586 konzipiert wurde.

Mit einer "Gerichtsdoxologie" erschöpft sich freilich nicht
die Aufgabe von Jer. 2-6. Daß diese Sammlung insgesamt noch eine andere Funktion hat, ist schon bei der Analyse einzelner
Stellen angedeutet worden und soll jetzt noch einmal zusammenhängend dargestellt werden, zunächst mit einem Blick auf die
Komposition von Jer. 2-6. Der Aufbau der Sammlung ist planvoll.
Hart stehen sich der positive Anfang 2,1-3 und der negative
Schluß 6,27-30 als Resümee von 2-6 gegenüber. In Kap. 2 wird
vor allem das negativ bewertete Verhalten des Volkes und seiner Repräsentanten beschrieben; bruta facta interessieren dabei nur, soweit sie für die Argumentation beweisträchtig sind,
wie V. 15 zeigt. Nur wenn eindeutig gegenwärtige Verhaltensweisen gerügt werden, stehen Imperfektformen[26], so in V. 18.
23ff.33, bzw. ein Nominalsatz wie in V. 18; sonst wird das Per-

---

24 G. von Rad,Theologie des Alten Testaments, Bd. II, 354f.

25 Die geschichtlich zu erklärende Vielfalt der Verbfunktionen in poetischen
Texten (vgl. H.-P. Müller, Zur Geschichte des hebräischen Verbs - Diachronie
der Konjugationsthemen - , BZ NF 27, 1983, 34-57; ders., Der 90. Psalm. Ein
Paradigma exegetischer Aufgaben, ZThK 81, 1984, 283 Anm. 83) war besonders
geeignet, die mehrdeutige Aneignung von Text und vorfindlicher Wirklichkeit
auszudrücken.

26 In V. 36 für zukünftiges Verhalten.

fekt verwendet, das in V. 5-8.10-13.20-22.30.32 die Verschränkung von Vergangenheit und Gegenwart bewirkt. Nur in den Versen 16.19.35-37 ist der Blick nach vorn gerichtet.

Sieht man einmal von dem Komplex 3,1-4,4 ab, der nachträglich in den Zusammenhang Kap. 2;4,5ff.; 5 und 6 eingearbeitet
sein wird,[27] dann schlägt in 4,5ff. gegenüber Kap. 2 das Verhältnis von rekursiver bzw. präsentischer Beobachtung und daraus abgeleiteter Erwartung ins Gegenteil um. Nur die Verse 10.
18.22 (Perf.) bzw. 14 und 30 (Impf.) nennen Verfehlungen, der
größte Teil des Kapitels wird der kommenden Gefahr gewidmet.
Mit anderen Worten: Im Rahmen der Makrostruktur 2; 4,5ff. ist,
in traditioneller Terminologie ausgedrückt, Kap. 2 das Schelt-
wort und Kap. 4,5ff. das Drohwort.

In Kap. 5 und 6 halten sich Analyse und Prognose die Waage;
genau genommen überwiegt in Kap. 5 leicht der analytische Anteil,[28] in Kap. 6 der prognostische. Gleichsam zwischen beiden
Polen steht eine Reflexion als Bindeglied (V. 9.29: Impf.). Im
analytischen Teil von Kap. 6 kommt die Vergangenheit nur in V.
16 (Impf. cons.) und 17 (Perf. cons., Impf. cons.) zu Wort, am
Schluß der Sammlung zeigt sich also eine deutliche Konzentration auf die Gegenwart,[29] die einen entsprechend häufigeren
Zukunftsbezug zur Folge hat.[30]

Damit wird eine kompositorische Tendenz sichtbar, die sich
von einem archivarischen Interesse an der eingetretenen Katastrophe und ihren Voraussetzungen abhebt. Im Vordergrund steht
nicht eine apologetische, monumentale oder antiquarische Zweck-
setzung. Diese Aspekte sind zwar in der Zusammenstellung von
Unheilsbegründungen, -erwartungen und -beschreibungen angelegt,
aber nicht der Grund, warum die Sammlung Jer. 2-6 zustande ge-

---

27 S. oben S. 203ff.

28 Die Kritik richtet sich bei Kap. 5 in V. 3.7.8.11.12.23-31 (Perf.) auf
die Vergangenheit und in V. 1.2.6 (Impf.). 3-5 (Perf.). 21.22. (Impf.) auf
die Gegenwart, während in V. 6 (Perf. neben Impf.). 10 (Imp., Jussiv). 13
(Imp .). 14 (Präsentativ, Perf. cons.). 15-17 (Präsentativ, Impf., Perf.
cons.) die Zukunft zum Ausdruck kommt.

29 V. 6: Nominalsatz, V. 7: Perf., Impf., V. 10: Impf., V. 13: Ptz., V. 15:
Perf., Imp., V. 20: Impf., Perf. Dabei wird sozusagen das Perfekt durch das
Imperfekt interpretiert.

30 Diese Dimension wird in V. 9 durch Impf. und Imp., in V. 10 durch Impf.,
in V. 11 durch Imp. und Impf., in V. 12 durch Perf. cons. und Impf., in V.
19 und 21 durch einen Präsentativ, der in V. 21 durch Perf. cons. weiterge-

kommen ist und überliefert wurde. Und wenn auch eine sprachlich hervorgehobene, zuweilen sachlich abgewogene und dann wieder Betroffenheit erregende Darstellung vorliegt, wird man nicht
von einer rhetorischen, pragmatischen oder tragischen Geschichts-
darlegung reden können,[31] denn auch diese Elemente, die miteinander verwoben und nicht auf einzelne Einheiten verteilbar sind,
werden einem gleichsam höheren Ziel dienstbar gemacht. Was die
vorliegende Komposition am meisten bewegt, ist ihre didaktische
Absicht. Der in der Antike und im Mittelalter so bedeutende Topos der "historia magistra vitae"[32], der auch innerhalb der Kap.
2-6 immer wieder zu beobachten ist, prägt im wesentlichen die
Überlieferung der ganzen Sammlung. Sie ist Warnung für die gegenwärtige Zeit[33] und für zukünftige Zeiten. Deshalb werden die
furchterregenden Erwartungen tradiert, deshalb auch die Erinnerungen. Wohlgemerkt: Die historia magistra vitae und ihre Funktion als Warnung für nachfolgende Geschlechter ist die Basiska-
tegorie bzw. Überlieferungsabsicht der Tradenten von Jer. 2-6,
nicht die Funktion der einzelnen Worte in dieser Komposition.
Man würde den Ernst und die Radikalität der prophetischen Unheilsankündigungen in Frage stellen, wollte man in ihnen einen
verschlüsselten Umkehrruf entdecken,[34] der verhindern soll, daß
das Schreckliche eintrifft und damit ein Zeichen und Hinweis auf
das Heil als eigentliche Absicht Jahwes wäre. Das heißt nicht,
daß dem Propheten nicht auch die Aufgabe des Warnens zufiel.
6,17[35] spricht in diesem Zusammenhang von den Spähern und 6,8[36]

---

führt wird, und in V. 22-26 durch Imp., Impf. und Perf. ausgedrückt.

31 Vgl. oben S. 20ff. mit Anm. 91.

32 Vgl. oben S. 14ff.

33 Vielleicht steht auch deshalb am Ende der Sammlung das jeremianische Resümee 6,27-30, in dem das Perfekt vorherrschend ist, das hier die verschiedenen Zeitdimensionen mit der Gegenwart als Mitte der Zeiten in sich vereinigt.

34 So neuerdings R.M. Peterson, Repentance or Judgment: the Construction and
Purpose of Jeremiah 2-6, ET 96 (1985) 199-203; vgl. dagegen G. Warmuth, Das
Mahnwort. Seine Bedeutung für die Verkündigung der vorexilischen Propheten
Amos, Hosea, Micha, Jesaja und Jeremia (BET 1), Frankfurt 1976, 94ff.; vgl.
auch das Referat über die Intention der prophetischen Verkündigung in der neueren exegetischen Literatur von E. Oßwald, Aspekte neuerer Prophetenforschung,
ThLZ 109 (1984) 645f. Die Ausweglosigkeit der Unheilsankündigungen betont in
neuester Zeit J.M. Schmidt, Zukunftsperspektiven alttestamentlicher Prophetie, EvErz 37 (1985) 257-269.

35 S. oben S. 284.

36 S. oben S. 281.

unmißverständlich von der prophetischen Absicht, mit der Verkündigung eine Verhaltensänderung herbeizuführen. Aber das bleibt
von der unmittelbaren Unheilserwartung unberührt.

Erst als Jeremias Erwartungen zu Erinnerungen geworden waren,
als man erfuhr, wohin es führte, wenn der Wille Jahwes mißachtet wurde, konnte die gesamte Verkündigung des Propheten zum mah-
nenden Beispiel werden. Dabei blieb es aber nicht, denn ebenso
wie ein Teil der prophetischen Bücher im großen wurde auch Jer.
2-6 im kleinen in einem späteren Stadium angesichts des einge-
troffenen Unheils noch einmal, jetzt vor allem mit dem Blick in
die Zukunft, bearbeitet und ergänzt: In dem Komplex 3,1-4,4, der
ältere Worte enthält, insgesamt aber erst in exilisch-nachexilischer Zeit mit seiner vorliegenden Gestalt entstand,[37] ist der
Weg zu einer zukünftigen Hoffnung beschritten worden, die eine
spannungsvolle Einheit mit den Unheilserwartungen eingegangen
ist.[38] Zu beachten ist, daß dieser Textteil nicht an das Ende
der ganzen Sammlung gesetzt wurde. Eine regelhafte Abfolge von
Unheil und Heil ist keine Möglichkeit der Geschichtsbetrachtung[39]
von Jer. 2-6; beides steht hier in einem dialektischen Verhältnis.

Soweit zum Aufbau, zur Intention und zur Überlieferung der
Komposition Jer. 2-6 und ihren Bedeutungen für die Geschichtsvorstellung. Im einzelnen ist noch einiges zu ergänzen: Wie die
Untersuchung gezeigt hat, sind am konsequentesten Kap. 2 und
4,5ff. als Rede stilisiert. Bei der Redegestaltung, die vor allem an Kap. 2 aufgewiesen worden ist, sind zahlreiche Mittel
rhetorischer Kommunikation eingesetzt worden, um in gesteiger-
tem Maße beim Hörer bzw. Leser Aufmerksamkeit und Affekterregung zu erzielen. Nicht immer konnte bei den entsprechenden Abschnitten eine scharfe Grenzlinie zwischen Poesie und Prosa gezogen werden, ein Problem, das nicht ausschließlich für die alt-
testamentlich-prophetische Literatur spezifisch ist,[40] dort aber
nach einer Erklärung verlangt, weil es nicht grundsätzlich, son-

---

37 S. oben S. 203ff.

38 S. zur Kompositionsgeschichte der Prophetenbücher R. Rendtorff, Das Alte
Testament, 255ff.

39 Vgl. oben S. 44ff.

40 Vgl. zum Problem E. Norden, Die antike Kunstprosa, 30ff.; vgl. oben S.189.

dern fallweise bezeugt ist. Das betrifft auch das Phänomen eines harten Nebeneinanders von Poesie und Prosa als einer weiteren Spielart von unterschiedlichen Sprachformen innerhalb
eines Textganzen.[41]

Es scheint so, daß offenbar im Hinblick auf den Leser, der
besser als der Hörer schwierigere Strukturen nachvollziehen
kann, poetische und in Prosa vermittelte Gedankenführungen und
Ausdrucksweisen schon in einem ersten Stadium von dem Propheten selbst zu einem komplexen, funktionierenden System zusammengearbeitet wurden,[42] das spätere Tradenten aufnahmen und so
erweiterten, daß sie mit den Überlagerungen jener Kategorien
die Erwartungen der Leser parieren und damit erhöhtes Interesse
für ihr eigenes Anliegen beanspruchen konnten. Für die Geschichtsvorstellungen hat das eine wesentliche Bedeutung, die in drei
Punkten erfaßt werden soll.

1. Die Systemverschränkung und -überlagerung transzendiert
die in der neueren historiographischen Diskusssion verbreitete
Unterscheidung zwischen beschreibender und erzählender Darstellung[43] und hat damit, wenn auch nicht gleichermaßen, an Diskursivität u n d Narrativität teil. Das resultiert nicht immer
aus nachträglichen Eingriffen in den Text, sondern verdankt sich
auch der Absicht, nicht demonstrieren zu wollen, "wie es eigentlich gewesen" ist. Gerade um der Zukunft willen wird neben der
Gegenwart auch - zuweilen durch "Sproßerzählungen" - die Vergangenheit erörtert, die Voraussetzungen, Hintergründe und Beispiele für die Erklärung und das Verständnis kommenden Geschehens
liefert. Allerdings kann man die einzelnen Kategorien nicht immer strikt voneinander trennen, weil der Hintergrund einsehbar,
also gewissermaßen zugleich Vordergrund sein konnte,[44] und die
Voraussetzungen immer auch zum Beispiel fähig waren.[45]

---

41 Mögliche Modelle der Entstehung bzw. Beeinflussung von Erweiterungen im
Rahmen von Poesie und Prosa diskutiert W. McKane, Kommentar, Lff.

42 Zum Problem vgl. etwa J.M. Lotman, Die Struktur des künstlerischen Textes,
hg. mit einem Nachwort und einem Register von R. Grübel (Edition Suhrkamp
582), Frankfurt 1973, vor allem 150ff.

43 Zu den Darstellungsformen s. J.G. Droysen, Historik, 273ff., vgl. dazu
J. Rüsen (s. oben S. 5 Anm. 5).

44 Vgl. oben S. 52.

45 Mit dem "Mehrwert" des zeitgebundenen prophetischen Wortes hat sich ausführlich H.-J. Hermisson (Zeitbezug des prophetischen Wortes, KuD 27, 1981,

2. Das zweite hängt mit dem ersten zusammen. Weil Narrative und das Axiom der Folge die Sprachformen nicht dominieren, bleibt ein unveränderbar chronologisches Prinzip sekundär. Eine Folge ist zwar im Gesamtaufriß von Kap. 2 angelegt, wird aber in den folgenden Kapiteln, in denen zeitlich und sachlich zu Differenzierendes zur Einheit zusammengefaßt wird, weitgehend bedeutungslos. In jenen Kapiteln steht eine Fülle von Formen und Gattungen beieinander, die oft nur durch Leit- und Stichworte miteinander verknüpft sind, nie aber durch zeitliche Bezüge in ein Nacheinander gebracht werden.

So deutlich eine Anzahl von Einzelworten auf die konkrete Geschichtssituation des Propheten Jeremia weist, so unmißverständlich werden in der Komposition Jer. 2-6 viele Worte ihrem historischen Ort entzogen, um neu gelesen werden zu können: als zeitunabhängige Verkündigung, wie es scheint. Noch einmal sei an den kompositionellen Zusammenhang erinnert, bei dem der Komplex 3,1-4,4 noch fehlte. In Kap. 2 und Kap. 4,5ff. wird der Hörer bzw. Leser auf die verkehrten Wege des Volkes mitgenommen. Mit den Bildern gesprochen, wird ihm gezeigt: das bewohnte Fruchtland, das gleichsam Endstation der Wanderung sein könnte,[46] wird zum Durchgangsland in die menschenleere Öde (z.B. 4,7), aus der das Volk gekommen ist (2,6).

Anders akzentuiert ist der Komplex 3,1-4,4, und zwar schon deshalb, weil hier der literarische Kompositionscharakter mit seinem scharf abgrenzbaren Wechsel zwischen Prosaabschnitten und poetischen Partien eigene Wege geht, vor allem aber, weil sich seine Gedanken wie ein Exkurs lesen lassen, der die Wegmetapher zum Anlaß nimmt, um über die Möglichkeiten, Bedingungen, Grenzen und Folgen einer Umkehr auf dem eingeschlagenen Weg nachzudenken.

Wenn der Leser die soeben genannte Aussageabsicht der Wegmetapher nach Kap. 2 und 4 erkennen wollte, dann mußte er erst eine Folge aktivieren, die im Textgefüge nicht unmittelbar ge-

---

96-110) beschäftigt. Zur damit zusammenhängenden Gegenwartsbedeutung s. H.-C. Schmitt, Zur Gegenwartsbedeutung der alttestamentlichen Prophetie, EvErz 37 (1985) 269-285.

46 Zukunft wäre dann eine Perpetuierung   der Gegenwart bzw., um das in der Natur verankerte Bild zu deuten: nicht "durchgehende", sondern bleibende Teilhabe an den zum Gut sich verdichtenden Gütern (2,7) des Volkes. Die ohnehin nicht stark ausgeprägte Dynamik geschichtlichen Geschehens käme dann frei-

geben ist. Das ist anders, sofern er die Verbindung von Kap. 2
und 4,5ff. berücksichtigte: V. 36f., am Ende von Kap. 2, stellt
fest, daß Jahwe die politische Hilfe, auf die das Volk vertraut
hat, verworfen habe und kündigt eine erfolglose Zukunft des Volkes an. In jener zeitunabhängigen "Rede" ist damit ein vorläu-
figes Ende oder besser gesagt: eine Wende erreicht, denn was es
bedeutet, daß dem Volk der politisch kalkulierbare Erfolg ver-
sagt bleibt, sagt dann 4,5ff. Zweifellos ist damit eine sequen-
tielle Ordnung aufgerichtet, die aber die vorgegebenen konkreten
Geschichtssituationen hinter sich läßt, um überkommene Zusammenhänge neu verstehen zu können.

Wie gezeigt wurde, ist kein Kapitel in Jer. 2-6 einheitlich.
Selbständige Einheiten, die der gesamten vorexilischen Wirkungszeit Jeremias entstammen können, sind zusammengefaßt,[47] durch
Worte, die nicht von Jeremia stammen, aufgefüllt und zu neuer
Verkündigungseinheit verbunden worden. Es ist schon am Anfang
des Schlußkapitels dieser Untersuchung darauf hingewiesen worden, daß das Incipit 1,1-3 durch die Nennung Joschijas und Jojakims zutreffend die Zeit der prophetischen Wirksamkeit im Rahmen von Jer. 2-6 nennt. Dabei hat das Berufungsjahr von 1,1 Bedeutung über den statistischen Wert hinaus, denn es signalisiert
den Zeitpunkt neuer Machtkonstellationen, die auch ihre generellen Fernwirkungen hatten. Erst als die Babylonier bzw. Chaldäer
ihre Angriffe auf das kleine Jerusalem/Juda gerichtet hatten,
wurde es aktuell, die prognostischen Texte zu sammeln und unter
das "Programm" von 4,6b zu stellen. Es war die Empirie, die es
ermöglichte und erforderte, die "Geschichte" noch einmal anzu-
gehen, die es aber nicht verhindern konnte, daß mit 4,11-12;
4,27-31 und 5,15-19 Worte aufgenommen wurden, die den babylonischen Angreifer nicht meinten, sich mit ihrem pragmatischen
Gehalt aber für die neue Aussage anboten.

Deshalb brauchten die Texte, die ein fremdes Volk erwarten,

---

lich zum Stillstand.

47 Leider entzieht sich die Vorgeschichte jener Texte unserer Kenntnis. Wegen der gebundenen Form, die sehr einprägsam ist, werden die Einzelworte zunächst mündlich vorgetragen worden sein. Nur wenn man das Modell einer dia-
logischen Struktur als pragmatischen Hintergrund des monologisch Verkündeten
zugrunde legt, wird man etwa auch mit der Selbständigkeit eines fast zum
Aphorismus geronnenen kurzen Wortes wie 4,11f. rechnen dürfen.

nicht in eine chronologisch zutreffende Reihenfolge gesetzt und
aneinandergereiht zu werden; man konnte sogar eine anachronisti-
sche Verbindung zwischen Begründung und Erwartung ziehen.[48]

Entsteht einerseits mit diesem Widerspruch, konkret gesprochen: mit der früh anzusetzenden Erwartung einer skythischen Invasion auf dem Hintergrund spät zu datierender Begründungen eine
Spannung zwischen ursprünglicher Intention und nachlaufender Explikation, so kann andererseits durch die redaktionelle Gestaltung das Problem der Verifikation von Erwartungen verdeckt sein.
Die Rede ist von den Worten, die über skythische Eroberer handeln. Mit den Skythen konnte Jeremia eine feindliche Macht vor
Jerusalem erwarten, nachdem er von ihrer Gefährlichkeit und gegebenenfalls von ihren Bewegungen im syrisch-palästinischen Raum
gehört hatte, die freilich nur als mehr oder weniger zufälliges
Produkt ausflutender Reiterscharen und nicht als beabsichtigte,
aber irgendwie verhinderte Eroberungsbestrebungen, bei denen Jerusalem sicher kein diskutables Ziel gewesen wäre, recht verständlich sind.[49] Wenn der Prophet trotzdem den kühnen Gedanken
an ein eroberndes Reitervolk zum Ausdruck brachte, dann hat er
das politische Kalkül, das ohnehin nur schwer mit den Gegebenheiten lückenlos verrechenbar ist, nicht zur alleinigen Norm
seiner Erwartungen gemacht, mit der unausweichlichen Folge, daß
rationale Erwägungen und irrationale Unverfügbarkeiten eine stär-
kere wechselseitige Spannung eingingen. In Verbindung mit dem
"Feind aus dem Norden" ist der Satz formuliert worden: "The great
prophets in general ... were not mere idealistic dreamers but
realistic observers of the political-especially the internatio-
nal-situation."[50] Diese Alternative ist falsch gewählt. Weder
sind Erwartungen, und seien sie noch so idealistisch, ohne real
begriffene Voraussetzung gedacht noch ist die realistische Ein-
schätzung des faktisch Erkannten die ganze Wirklichkeit. Eines
zeigt sich freilich mit aller Deutlichkeit: Nicht nur Heilserwartungen blieben unerfüllt. Dieses Schicksal konnten ebenso
die "politischen Voraussagen"[51] teilen, die nur aufgrund ihrer

---

48 S. oben S. 271.

49 S. oben S. 136ff.

50 J.Ph. Hyatt, JBL 59 (1940) 507.

51 E. Jenni, Die politischen Voraussagen der Propheten, vor allem 111. Seine Aufzählung nicht erfüllter Erwartungen des Jeremiabuches (112) erfaßt das

Anonymität und der vereinheitlichenden Tendenz späterer Redaktion vor der Wahrheitsfrage bewahrt wurden.

Der heuristische Wert der Einsicht in den Zusammenhang von Geschichtsvorstellungen und dem davon nicht zu trennenden Umgang mit vorgegebenen Überlieferungen ist hoch einzuschätzen. Aufgrund dieses Wissens wird eine Prüfung der Komposition und Redaktion einzelner Schriften erforderlich,[52] wenn nach dem historischen Fundus gefragt wird, der bei einem Textganzen nur durch die Bearbeitung der "kleinen Einheiten" hindurch ermittelt werden kann. Ob es sich dabei um prophetische Bücher handelt oder um Schriften mit ausgesprochen geschichtlichen Mitteilungen, bleibt sich grundsätzlich gleich.

Die Sammlung, Anordnung und Erweiterung überlieferter Stoffe hängt auf das engste mit den damaligen Geschichtswahrnehmungen und -vorstellungen zusammen! Wenn dabei nach neuzeitlichem Verständnis mit den Überlieferungen unhistorisch verfahren wurde, dann hängt das mit den in der Antike noch unbekannten Axiomen der Irreversibilität und Einmaligkeit von Ereignissen zusammen. Aus der Unkenntnis dieser temporalen Erfahrungsmodi[53] erklärt sich eine Zusammenstellung der Worte, die den ursprünglichen Situationen nicht entspricht, auch wenn das Incipit 1,1-3 mit seinen chronologischen Angaben das suggeriert. Ist auch das Erfahrungspotential nicht einfach zwischen einst und jetzt teilbar,[54] so muß doch bei allen Untersuchungen antiker Texte von einem erkenntniskritischen Unterschied zwischen dem antiken Geschichtsverständnis einerseits und dem neuzeitlichen andererseits ausgegangen werden. Ungeachtet der markanten Geschichtsbezüge des Incipits Jer. 1,1-3 eignet schon dem ersten Wort des Jeremiabuches (דְּבַר) keine Bedeutung, die dem Kollektivsingular

---

2., 4. und 5. Kapitel nicht.

52 Zum Verhältnis von Redaktionskritik und historischer Rekonstruktion vgl. J.T. Willis, Redaction Criticism and Historical Reconstruction, in: Encounter with the Text. Form and History in the Hebrew Bible, ed. by M.J. Buss, Philadelphia/Pennsylvania/Missoula, Montana 1979, 83-89.

53 Dazu oben S. 9ff., vor allem S. 12f.

54 Die zeitgenössische Geschichtswissenschaft kann die im alten Israel gemachten Erfahrungen der sich gleichenden Situationen und deren Verknüpfungen durch die Konstrukte "Simultantypus" und "Struktur" auf den Begriff bringen, um damit nach sich wiederholenden Merkmalkombinationen bzw. nach dem prägenden Ordnungszusammenhang zu suchen, s. im einzelnen K.-G. Faber, Theorie der Geschichtswissenschaft, 89ff.

"Geschichte" und was ihn auszeichnet, entsprechen oder näher kommen könnte. Das Nomen דֶּרֶךְ ist weder ein Bewegungsbegriff noch deutet es eine Bewegung noch meint es die Erkundung eines Ereignisses.[55] Das Geschehen zur Zeit Jeremias, auch das erwartete, erschien nicht einmalig und auch nicht unumkehrbar. Insofern konnten sich spätere Tradenten so stark auf das Beispielhafte beziehen und so, im anderen Sinne als beim neuzeitlichen Verständnis,[56] die Gleichzeitigkeit des Ungleichzeitigen betonen.

Eine"Theologie des Alten Testaments", nicht etwa eine "Geschichte Israels", schreibt offensichtlich mit Genugtuung: "Betrachtet man das AT als die Offenbarungsurkunde einer Religion, so fällt negativ auf, daß die Geschichte der eine rechte Hauptgegenstand der ganzen Urkunde ist. Von 39 Schriften sind 16 ohne weiteres Geschichtsbücher ... Alle Prophetenschriften ... haben die Geschichte zu ihrem Gegenstand ... Das AT weiß nur von dem Gott, der in der Geschichte handelt."[57] Aber was bedeutet dann Geschichte? "Es ist das menschliche Geschehen, dessen unzählige einzelne Akte aufeinander bezogen sind, in ihrem Zusammenhang sich zu Größe verdichten und aus ihrer gegenseitigen Bezogenheit ihren Sinn und Bedeutung gewinnen."[58] Zweierlei werde der entdecken, der im Alten Testament "mit dem Auge des Theologen liest", erstens: "Geschichte ist Bewegung auf ein Ziel hin, nicht bloßer, zielloser Ablauf von Geschehnissen", und zweitens: "Geschichte ist eine Veranstaltung Gottes. Er bringt mit seiner Verheißung die Bewegung in Gang. Er steckt ihr nach seinem Willen das Ziel ... Er greift ein, wann er es für angebracht hält."[59]

Die Analyse von Jer. 2-6 führt zu einer von diesem Urteil abweichenden Einsicht. Daß die Prophetenbücher die Geschichte zum Gegenstand haben, ist nicht die ganze Wahrheit. In Jer. 2-6, wo ein ausgesprochen hoher Anteil an Geschichtsbezügen vorliegt,

---

55 S. oben S. 78-97.

56 S. oben S. 12.

57 L. Köhler, Theologie des Alten Testaments, Tübingen 1935 (3. Aufl. 1953), 76.

58 L. Köhler, Theologie, 76f.

59 L. Köhler, Theologie, 77.

ist die Geschichte nicht das einzige Thema, aber auch nicht
eins, das zusammenhanglos neben andere Arten der Wirklichkeitsaneignung tritt. Hier sind weder Geschichte und Mythos[60] noch
Geschichte und Kult[61] noch Geschichte und Weisheit[62] noch Geschichte und Natur[63] diastatische Größen, weil im Grunde genommen eine ἱστορίη im Sinne Herodots vorliegt, eine ungeteil-
te Erkundung des empirisch Vorfindlichen.[64]

Ein weiterer Einwand betrifft die Definition von Geschichte.
Trotz der politischen Brisanz, die sich nach den retardierenden
20er Jahren des 7. Jh.s im altorientalischen Raum rasch verdich-
tete, wurde in Juda, das in die geschichtlichen Bewegungen verstrickt war, die Zeit nicht als prozessual beschleunigte Zeit
erfahren. Das bedeutet freilich nicht zugleich, die Vorstellung
eines wie immer zu verstehenden Ziels preiszugeben, das nach den
Textaussagen durch göttliche Setzungen eingelöst werden kann,
unabhängig vom paradigmatischen Verständnis der Geschichte. Allerdings muß gegenüber dem Zitat der menschliche Faktor stärker
betont werden, der die Konturen des Ziels mitbedingt.

J. Wellhausen hat einmal über die Propheten gesagt: "Nicht
die Sünde des Volkes, an der es ja nie fehlt und deretwegen man
in jedem Augenblick den Stab über dasselbe brechen kann, veran-
laßte sie zu reden, sondern der Umstand, daß Jahwe etwas tun
will, daß große Ereignisse bevorstehen."[65] Die Diktion etwa von
Jer. 2,19 und 2,33 auf der einen Seite und 2,27 und 2,28 auf der
anderen vermag das nicht zu bestätigen, denn dort folgt die רעה
Jahwes der רעה des Volkes. Zwar bringt den Propheten die Sorge
um die Zukunft zum Sprechen, aber nur, sofern sie vergangene Zukunft voraussetzt.[66] Und eben diese Sorge um die Zukunft hat
auch die Tradenten der Wirklichkeit deutenden und werdenden
Worte Jeremias durch Auswahl, Erweiterung und Zuordnung zu ei-

---

60 Vgl. oben S. 47ff.150.219.
61 Vgl. oben S. 25ff.49f.220f.
62 Vgl. oben S. 267.
63 Vgl. oben S. 13f.47.50.
64 Vgl. oben S. 9.21f.
65 J. Wellhausen, Israelitische und jüdische Geschichte, 107.
66 Vgl. oben S. 53f. Gegenüber den im I. Kapitel skizzierten Denkweisen
wird hier eine eigenständige Bewältigung der Wirklichkeit sichtbar.

ner neuen Sinnstiftung verpflichtet.

3. Das dritte hängt mit dem ersten und mit dem zweiten zusammen. Es geht um das Problem des Verhältnisses von Faktizität und Fiktion, das mit der Zuordnung von Historik und Poetik korreliert.[67]

Die aristotelische Unterscheidung zwischen der Dichtkunst, die sich der möglichen Geschichte öffnet, und der Geschichtsschreibung, die sich der geschehenen Geschichte zuwendet,[68] trifft auch nicht annähernd die alttestamentlichen Verhältnisse. Hier stehen nicht die poetisch formulierten Erwartungen der Propheten als mögliche Ereignisse neben der in Prosa verfaßten Erinnerung der sog. Geschichtsbücher als geschehene Ereignisse. Und auch innerhalb der Prophetenschrift, etwa bei Jeremia, ist die Erwartung keine Frage der Möglichkeit. Das ist sie nur dann, wenn sie an Bedingungen geknüpft ist, wie sie unausgesprochen die Gesamtkomposition Jer. 2-6 kennzeichnen.[69]

Überhaupt verlieren jene Unterscheidungen angesichts von Jer. 2-6 an Gewicht und Schärfe. Nur selten finden sich nämlich entsprechende Sprachformen nebeneinander. Viel häufiger sind sie ineinandergearbeitet, so daß, mit Aristoteles ausgedrückt, keine Linie zwischen Wirklichkeit und Möglichkeit gezogen werden kann und damit keine Grenze zwischen Faktischem und Fiktivem. Erst als sich in der Neuzeit die Erfahrung der geschichtlichen Perspektivierung durchsetzte und mit ihr das Bewußtsein, die vergangene Wirklichkeit immer nur verkürzend darstellen zu können, konnte die Ineinanderblendung von res factae und res fictae reflektiert werden. Mit unterschiedlicher Annäherung an die Wirklichkeit praktiziert,[70] noch ohne mit ihren Wechselwirkungen und ihrer Übereinstimmung im Wahrscheinlichen als Erkenntnisziel beider Formen der Wirklichkeitsaneignung zu rechnen, wurde die perspektivische Geschichtsbetrachtung seit jeher, be-

---

67 Zum folgenden vgl. oben S. 5ff.

68 S. oben S. 188.

69 Vgl. oben S. 312ff.; zu Kap. 2 allein vgl. oben S. 185.

70 Auf den Zusammenhang von Fiktion, Paradigma und historia magistra vitae macht M. Oeming (Bedeutung und Funktionen von "Fiktionen" in der alttestamentlichen Geschichtsschreibung, EvTh 44, 1984, 254-266) aufmerksam. M. Oeming versteht allerdings unter der Fiktion "historisch Unzutreffendes" (262).

sonders eindrücklich in der Komposition Jer. 2-6. In ihr erstreckt sich die Perspektivierung auf die Vergangenheit und
auch auf die Zukunft, in einer doppelten Beziehung, denn die
Zukunft Jeremias ist immer auch die Vergangenheit seiner Tradenten.

Es ist besonders zu beachten, daß es die Erwartungen des
Propheten sind, die eine anschauliche Diktion hervorgerufen
haben, während die Erinnerungen vor allem an die frühe Geschichte, wenig Konkretes enthalten und nur in gerafften Überblicken
festgehalten werden.[71] Die verkürzenden Aussagen, oder anders
ausgedrückt: die Fiktionalisierung dessen, der Geschichte wahr-
nimmt und konstituiert, so daß eine Trennung zwischen Faktum
und deutender Darstellung hinfällig wird[72], bedeutet bei den
Texten aus Jer. 2-6 allerdings nicht, daß eine konzeptionelle
Wirklichkeit die geschichtliche Vorstellung geleitet hat. Das
ist im altorientalischen Raum geschehen[73] und trifft auch cum grano salis für die Gestaltung der Sammlung Jer. 2-6 zu, nicht aber
für die Worte Jeremias, dessen Erwartung nicht zwangsläufig
aus seiner Erfahrung und Erinnerung ableitbar ist. Der Blick
in die Gegenwart und die Vergangenheit hat ihm gezeigt, daß
Jahwe handeln muß, aber nicht, wie Jahwe handeln wird. Insofern ist für ihn, anders als für seine Tradenten die historia
nicht so ausgeprägt ein magistra vitae. Und wenn auch die prophetischen Einzelworte schon in rhetorisch geschliffener Sprache gestaltet sind, so werden sie doch nicht wie in der späteren
Geistesgeschichte auf Exempel beschränkt, die soziale, kultische und politische Entscheidungen zu begründen, zu rechtfertigen und zu korrigieren haben.[74] Auf diese Zusammenhänge stößt
man wieder erst bei der Komposition der Kap. 2-6. Bei Jeremia
steht die Rhetorik allein im Dienst seines Vortrags: Der Ernst
und die Schwere der Situation, der gegenwärtigen und der zukünftigen, erfordern, wie gesagt, eine besondere sprachliche
Gestaltung, die der Situation korrespondiert.

Gegenüber der eigentlichen Geschichtsschreibung wird man in

---

71 Vgl. oben S. 19.

72 S. oben S. 25ff. und 29ff.

73 Vgl. oben S. 54ff.

74 Vgl. oben S. 14ff.

der prophetischen Literatur insofern eine verstärkte Tendenz
zur Fiktionalisierung hervorheben müssen, wie hier komplexe
Handlungsgefügeund Beziehungsgeflechte sowie Interdependenz
und Intersubjektivität[75] als die Wirklichkeit umfassender berücksichtigende Kategorien vernachlässigt werden. Andererseits
ist in der Prophetie über die providentielle Grundlage als geschichtliche Kraft hinaus die menschliche Verantwortung in ihrer Geschichtswirksamkeit betont[76] und damit eine Identifizierung zwischen der Ursache des Unheils und der Schuld am Unheil
vorgenommen.[77]

Über die geschichtlichen Tendenzen der jeremianischen Zeit
läßt sich der Verkündigung des Propheten weder ein expliziter
noch ein impliziter Hinweis entnehmen. Wenn die Geschichtsforschung vom "Niedergang" spricht und das noch an einen "Aufstieg" rückbindet,[78] dann beruft sie sich auf die geschichtlichen Entwicklungen, auf den Verlauf der israelitisch-judäi-
schen Geschichte im Zusammenhang mit der übergreifenden altorientalischen Geschichte. Jer. 2-6 verschließt sich dieser
Deutung: Der Prophet sieht nach Jer. 2 einen Niedergang, seitdem das Volk das Land betreten hat. Das ist freilich in anderem
Sinne als in der Geschichtsforschung gemeint, denn er benennt
den Verfall im Verhalten des Volkes, der sich bis zu seiner Gegenwart zusammengeballt hat, um nun durch eine politische Katastrophe entladen zu werden. Anders gewendet: Die prophetische
Geschichtswahrnehmung geht nicht a l l e i n von der Voraussetzung politischer Konstellationen aus. Sie sind ihm zwar bekannt, können aber nicht das erwartete Geschehen begründen, sondern nur konkretisieren, nachdem ein entsprechender Plan Jahwes
aufgestellt ist. Damit ist die Erfahrung der Kontingenz gemacht,
die aber immer an das menschliche Verhalten geknüpft wird, weil
es Voraussetzung für das göttliche Handeln ist.

---

75 Vgl. oben S. 29ff. und 37ff.

76 Vgl. in Kap. I die Überblicke über die Geschichtsvorstellungen im alten
Orient, wo in der Regel der göttliche Plan alleinbestimmend ist.

77 Hier werden Gemeinsamkeiten mit den Geschichtswahrnehmungen im alten
Griechenland deutlich.

78 S. etwa die Titel "The Decline and Fall of the Kingdom of Judah" von T.
K. Cheyne, London 1908, "The Decline and Fall of the Hebrew Kingdoms: Israel
in the Eighth and Seventh Centuries B.C." von T.H. Robinson, Leiden 1976 (Reprint der Ausgabe von 1926), oder die Überschrift "Josiah and the Decline of

326

Anstoß zur Auseinandersetzung mit Zeit und Geschichte ist
eine die gesamte Lebenswirklichkeit umfassende Sorge um die Integrität des Volkes im weitesten Sinne. Dazu gehören vor allem
nach Kap. 2 a u c h politische Überlegungen, die aber nicht
am Anfang und nicht im Zentrum der prophetischen Gedanken stehen.[79] Mag auch Jeremia die Katastrophe nicht als letztes Wort
verstanden haben, an dem Phänomen des "Aufstiegs"[80] als geschichtliche Kategorie hat er so wenig Interesse gezeigt wie
an der Frage des "Niedergangs". Nicht anders steht es bei der
Konzeption der Sammlung, die sich in der frühen Exilszeit zunächst (2;4,5ff;5;6) einer ausdrücklichen Zukunftsperspektive
enthielt und erst später (im Komplex 3,1-4,4) die Möglichkeit
des Heils zum Ausdruck brachte, aber dabei nicht das Interpretament einer Abwärts- bzw. Aufwärtsbewegung benutzte.

Zugespitzt könnte man sagen, daß lineare und zyklische sowie statische und dynamische Verständnismöglichkeiten[81] inein-
andergeblendet sind. Sie schließen sich nicht aus, weil die geschichtliche Bewegung zwar eine Richtung zeigt, aber immer auch
sich wiederholende Merkmale bzw. Merkmalkombinationen, und
weil die Bewegung streckenweise restlos ist, aber doch immer
zur Ruhe kommt. So liegt nur im Paradigma Konsistenz vor, aber
nicht in der Verknüpfung des Geschehenen mit dem Geschehenden
und auch nicht in der Verbindung von Unheil und Heil. Das Paradigma ermöglicht aber die Korrelation von Erinnerung und Erwartung, nicht aufgrund anthropologischer Grundgegebenheiten,[82]
sondern aufgrund der Beziehung zwischen Jahwe und seinem Volk,
bei der beide Seiten im Verlaufe der Geschichte sich wiederholende Beispiele gesetzt haben.

Judah" von S.A. Cook in: The Cambridge Ancient History, Vol. III, 394.

79 Das macht es schwer, die Propheten als "echte Politiker" zu verstehen
(K.Elliger, Prophet und Politik. 1935 , in: Kleine Schriften, 140). Ihre
Verkündigung war zweifellos von großer politischer Bedeutung (differenziert
bei D. Kinet, Prophet und Politik, BiKi 38, 1983, 144-149), ging darin aber
nicht auf.

80 Zu dem komplementären Begriffspaar Aufstieg und Niedergang s. die S.7f.
Anm. 14 genannte Literatur mit Nachweisen. Die geschichtlichen Voraussetzungen sind zwar die Bedingungen der prophetischen Verkündigung (vgl. oben
S. 76ff.), sie werden aber nicht in einer übergreifenden Theorie erfaßt
(vgl. oben S. 53 Anm. 210).

81 Vgl. oben S. 17f.22.50.

82 So das griechische Verständnis, s. oben S.22.

Dies sind Überlegungen, die vor allem aus dem Verständnis von Jer. 2 erwachsen, dessen Komposition wertvolle Aspekte der Geschichtsvorstellung zu erkennen gibt. In Kap. 2 sieht V. 37 die sinnstiftende Grundhaltung im Vertrauen zu Jahwe. Daß sich das geschichtlich auch einlösen läßt, zeigt der Anfang des 2. Kap. Um dieses rechte Vertrauen, das Abschied von den fremden Göttern und vom bisherigen politischen Weg bedeutet, von dem man sich   Zukunft versprach, wirbt die persuasive Rede. Im Grunde genommen handelt Jahwe in der Gegenwart nicht unmittelbar. In den Kapiteln 4,5ff., 5 und 6 wird sein Handeln für die Zukunft erwartet, in Kap. 2 wird es im Rückblick auf die Vergangenheit genannt, wenn Jeremia die Beziehung zwischen Tun und Ergehen im positiven (V. 2ff.) und negativen (V. 14ff.) Sinn vor Augen führt.

Jer. 2 kündigt nicht wie die folgenden Kapitel im geschichtlichen Raum erfahrbare Katastrophen an. Dieses Kapitel wirbt vielmehr vehement für den "anderen Weg" und das auf charakteristische Weise: "Geschichte" stellt sich in einer Gegenläufigkeit dar. Das Kapitel führt zwar von der Vergangenheit zur Gegenwart, aber am "Ende" angekommen, leitet es den Hörer bzw. Leser wieder in die Vergangenheit und löst damit das Programm von 6,16 ein: "Tretet hin an die Wege und seht euch um und forscht nach den Pfaden der Urzeit, welches der Weg des Heils sei und dann geht auf ihm." Geschichte als Prozeß ist das freilich nicht.

Ein integraler Bestandteil für die Geschichtsvorstellung ist der Terminus דרך [83]. In 2,17.18.33(bis).36, vielleicht auch in 2,23, bezeichnet er, dem griechischen δρόμος und ὁδός entsprechend, nicht nur den Weg, sondern auch seine Bewältigung;[84] das kontextuell häufige הלך [85] und die semantische Möglichkeit, mit דרך auch den "Wandel" zu bezeichnen,[86] illustrieren das nachdrücklich. Bei der Verwendung von דרך mag allerdings ein judäischer Autor anders gedacht haben als ein Bewohner des fla-

---

83 Vgl. K. Koch, Die Profeten II, 32ff.; ders., in: TRE Bd. XII, 1984, 570 und 579; H.D. Preuß, Jahweglaube und Zukunftserwartung, 71-108.

84 S. dazu A. Demandt, Metaphern für Geschichte. Sprachbilder und Gleichnisse im historisch-politischen Denken, München 1978, 201.

85 S. 2,2.5.8.23.25.

86 S. die Wörterbücher s.v.

chen Landes, für den sich mit der Wegmetapher eine mehr oder
weniger geradlinige Richtung verbindet. Nicht so für den, der
das Bergland vor Augen hat, in dessen zum Teil unwegsamen Re-
gionen Wege in mühsamen Windungen und Biegungen verlaufen oder
gar aufhören können.

Grundsätzlich versinnbildlicht die Metapher in Jer. 2 Kontinuität und Ziel der Bewegung, denn die Wanderung durch die Wüste endet in 2,6 im Fruchtland. Mit "Fortschritt"[87] hat das wenig zu tun, auf das Fruchtland folgte irgendwann wieder die Öde
(2,15), weil das Volk für einen eigenen Weg sorgte (2,33).[88]

Schließlich sagt diese Metapher auch etwas über die Art der
Bewegung aus. Zum Vergleich sei der im Lateinischen ähnlich verwendete Terminus cursus in seinen zahlreichen Zusammensetzungen[89]
genannt, der mit unterschiedlicher Geschwindigkeit gedacht wird,
je nachdem, ob er während kriegerischer Zeiten (schnell) oder
friedlicher (langsam) abläuft.[90] Im Gefolge technischer Errun-
genschaften konnte die römische Geschichte mit einer endlos-
glücklichen Wagenfahrt verglichen werden, die Juppiter bei Vergil dem Volk verheißt.[91] Anders Jer. 2: Hier wird das Bild der
(geführten) Wanderung benutzt, das in klassischen Texten wie
Gen. 12,1-3 und Ex. 33,12ff. gleichsam präfiguriert ist. Es
drückt die denkbar ruhigste Bewegung aus im Unterschied zur
Vorstellung beschleunigter Vorgänge. Insofern sind die "Väter"
der Wüstenzeit eher Vorgänger als Vorfahren. Wenn Jer. 2 auf
die positive Vergangenheit zu sprechen kommt, dann argumentiert dieses Kapitel mit der Synonymie temporaler und ethischer

---

87 Mit dem Begriff προκοπή hat im griechischen Denken zum ersten Mal Polybios (z.B. I,1-4; I,12,7; II,37,10; III,59 u.ö.) diesen Gedanken ausgedrückt,
im Lateinischen entspricht dem "progressus", s. A. Demandt, Metaphern für Geschichte, 202.
Vgl. die Bemerkung Xenophanes' von Kolophon (Nr. 21 B 18 bei H. Diels/W. Kranz,
Die Fragmente der Vorsokratiker, Bd. 1, 11. Aufl., Zürich/Berlin 1964, 133),
nach der die Götter den Sterblichen am Anfang nicht alles enthüllt hätten; erst
allmählich hätten die Menschen das Bessere herausgefunden. Der Unterschied (im
Alten Testament nicht nur) zu Jer. 2 ist augenfällig.
88 S. dazu A. Kuschke, Die Menschenwege und der Weg Gottes im Alten Testament,
StTh 5 (1951) 106-118.
89 S. A. Demandt, Metaphern für Geschichte, 200f.
90 So Claudian III,45f.
91 Vergil, Aeneis I,278f.

"Wegbereiter"[92], die zugleich in der Nachfolge Jahwes stehen.

In die dieser Dialektik entsprechenden entgegenlaufenden Dimensionen wird der Hörer bzw. Leser mit hineingenommen, denn es "geht die als Landreise gedachte Geschichte aus der Vergangenheit in die Zukunft, solange der Betrachter sich selbst heraushält; sie kehrt ihre Richtung um, sofern er sich seinerseits in Bewegung setzt und den Vorfahren in die Vergangenheit folgt"[93]. So wird auch verständlich, wie etwa die geschichtliche Aussage von 2,18, die 2,36f. um Jahre vorausgeht, beibehalten werden konnte, obwohl sie gar nicht mehr "aktuell" war: Auf dem Weg in die Vergangenheit ist sie eine konkrete Möglichkeit falschen Verhaltens, die sich in der Gegenwart mutatis mutandis wiederholt. Unter bestimmten Bedingungen kehren also die "Ereignisse" wieder, denn man hielt den Ereignisvorrat grundsätzlich für beschränkt.[94]

In letzter Konsequenz wünscht sich Jer. 2 ein "Ende der Geschichte", das wieder zu ihrem "Anfang" zurückkehrt. Dieser Satz ist freilich mißverständlich, so daß man vielleicht besser sagen müßte: Ende der "Geschichte von Jer. 2". Aber auch das ist nicht eindeutig, und zwar nicht nur, weil Jer. 2 d i e Geschichte noch nicht kannte. Neuzeitliches Denken bezieht, wie in Kap. I festgestellt wurde, seine Bewegungsaussagen und die Bilder, die sie repräsentieren, auf das, was es im eigentlichen Sinn unter Geschichte als Kollektivsingular versteht. Für Jer. 2 ist geschichtliche Erfahrung zugleich naturhafte Erfahrung; der "Weg" kann ein Bild für das geschichtliche Heil und Unheil ebenso wie für den Anteil an den Naturgütern des Landes sein, er kann aber auch wie in 2,33f. auf das ethisch-moralische Verhalten hindeuten, das seinerseits wieder die "Geschichte" beeinflußt.

Die Geschichte hat gezeigt, daß der letzte Vers von Jer. 2 erfolglos war. So gab es zunächst einmal ein "Ende der Geschichte", das Jer. 2 nicht im Sinne hatte, das aber mit der Überlie-

---

92 Zu entsprechenden Gedanken im griechischen (ἕπομαι) und lateinischen (sequor) Denken s. A. Demandt, Metaphern für Geschichte, 203f.

93 A. Demandt, Metaphern für Geschichte, 204.

94 Marc Aurel (VII,49; XI,1) hat diesen Gedanken in das Aperçu gekleidet, daß derjenige, der 40 Jahre lang gelebt hat, alles erlebt habe; selbst wenn man 10 000 Jahre lebte, könnte man nicht mehr erfahren. Die Zeitspanne von weniger als 2000 Jahren hat ihn gründlich wiederlegt.

ferung von 4,5ff.; 5; 6 als zukünftiges Geschehen tradiert wurde, weil das "Ende" nicht endgültig war. Noch einmal sei 5,14
genannt: Jahwe will seine Worte im Munde des Propheten zu Feuer
und das Volk zu Brennholz machen. Erst im Kontext wird dieses
Wort verständlich. Es ist nämlich das ungehorsame Volk, das der
Vernichtung preisgegeben werden soll. Geschichtswirksamkeit bedeutet nach Jer. 2-6 nicht zugleich Geschichtsnotwendigkeit, weil
jene direkt von Jahwe abhängig ist, diese aber indirekt von den
Entscheidungen und vom Verhalten des Volkes.

Für diese Einsicht, bei Jeremia selbst in Worte gefaßt,[95]
wirbt die Komposition Jer. 2-6 insgesamt, ohne direkte Forderungen aufzustellen. Und auch שוב wird nicht sogleich mitge-
setzt,[96] wenn von דרך die Rede ist.

Zugespitzt formuliert fließt die Zeit einer ganzen Generation, durch das Incipit 1,1-3 mit seiner ereignisgeschichtlichen,
geographisch-kollektiven und institutionellen Dimension auf unterschiedliche Tempi des Wandels bezogen,[97] mit dem Textkorpus
Jer. 2-6 in e i n e r zeit- und geschichtslosen Rede zusammen.
Wird dem Leser in den drei ersten Versen des Jeremiabuches der
Eindruck einer zeitlichen Streckung vermittelt, so ist doch nach
der erfolgten Katastrophe im wesentlichen das Paradigma, die
historia magistra vitae, für die künftigen Generationen von Bedeutung. Schon Jeremia hatte sich an ein "Israel" gewandt, das
über die alten Grenzen Judas hinauswies.[98] Die Komposition Jer.
2-6 konnte daran anknüpfen und einen Leserkreis ansprechen, der
sich während des Exils jenseits der alten Landesgrenzen neu zu
definieren hatte.

Wenn am Ende der Kapitelfolge 2-6, in 6,27-30, eine negative Bilanz gezogen wird, dann darf man wohl annehmen, daß zur Zeit

---

95 S. oben S. 204ff. zu 3,12f. und S. 281 zu 6,8.

96 Vgl. dagegen den späteren Teil 3,1-4,4, dazu oben S. 203ff. Zum Verständnis der Prophetie unter dem Aspekt der Umkehr s. das Referat und die Stellungnahme von H.W. Wolff, Die eigentliche Botschaft der klassischen Propheten, in: Beiträge zur alttestamentlichen Theologie, FS W. Zimmerli zum 70. Geb., hg. von H. Donner/R. Hanhart/R. Smend, Göttingen 1977, 547-557; G. Warmuth (Das Mahnwort, 94ff.) hat gezeigt, daß Jeremia trotz zahlreicher Mahnworte nicht zur Umkehr als Möglichkeit einer das Unheil abwendbaren Entscheidung gemahnt hat.

97 S. oben S. 69ff.

98 S. oben S. 172f.

der Sammlung und Komposition der Texte aus der Geschichte noch
nicht gelernt worden war. Dazu aber will Jer. 2-6 beitragen.
Der Anfang von Kap. 2 nennt die "Pfade der Urzeit", ist dann
aber sogleich bei der gegenwärtigen Zeit, in der gleichsam auf
den Punkt hin das Geschehen reduziert bzw. kontaminiert ist,
weil buchstäblich ein Exempel statuiert werden soll, um im guten Sinne Erinnerung und Erwartung zu ermöglichen.

ABKÜRZUNGSVERZEICHNIS

A. Allgemeine Abkürzungen

abgedr.	abgedruckt	nö	nordöstlich
acc.	Akkusativ	nw	nordwestlich
äg.	ägyptisch	ö	östlich
arab.	arabisch	o.ä.	oder ähnliches
aram.	aramäisch	Obv.	Obvers, Rückseite
ass.	assyrisch	p.	Person
babyl.	babylonisch	par(r).	Parallele(n)
Bd(e).	Band (Bände)	Perf. (cons.)	Perfectum (consecutivum)
chr.	chronistisch	pi.	Pi^{c}el
dtn.	deuteronomisch	pl.	Plural
dtr.	deuteronomistisch	Pl.	Plate
f.	Femininum	PN	Personenname
f(f).	nach Zahlenangaben:	Ptz.	Partizip
	folgend(e)	pu.	Pu^{c}al
hebr.	hebräisch	Rev.	Revers, Rückseite
Her.	Herodot	s.	siehe
hif.	Hif^{c}il	S.	Seite
hof.	Hof^{c}al	sg.	singular
hitpalp.	Hitpalpel	sog.	sogenannt
		ssw	südsüdwestlich
Imp.	Imperativ	sum.	sumerisch
Impf. (cons.)	Imperfectum (consecu-	s.v.	sub voce
	tivum)	sw	südwestlich
Inf.	Infinitiv	SW	Sämtliche Werke
Jh.	Jahrhundert	Tf.	Tafel
Jt.	Jahrtausend	u.a.	und andere
Lit.	Literatur	ug.	ugaritisch
m.	Maskulinum	V.	Vers
MT	Masoretischer Text	vgl.	vergleiche
n	nördlich	Vol.	Volume
nif.	Nif^{c}al	w	westlich

B. Abkürzungen von Textausgaben, Hilfsmitteln und Reihentiteln

ABLAK   M. Noth, Aufsätze zur biblischen Landeskunde und Altertumskunde, hg. von H.W. Wolff, 2 Bde., Neukirchen 1971

AHw.	Akkadisches Handwörterbuch. Unter Benutzung des lexikalischen Nachlasses von B. Meissner (1868–1947) bearbeitet von W. von Soden, 3 Bde., Wiesbaden 1965/1981
ANET	Ancient Near Eastern Texts Relating to the Old Testament, hg. von J.B. Pritchard, 3. Aufl., Princeton, New Jersey 1969
AOB	Altorientalische Texte und Bilder zum Alten Testament, hg. von H. Greßmann, Bd. 2: Bilder, 2. Aufl., Berlin 1927 (Nachdruck 1970)
AOT	Altorientalische Texte und Bilder zum Alten Testament, hg. von H. Greßmann, Bd. 1: Texte, 2. Aufl., Berlin 1926 (Nachdruck 1970)
BET	Beiträge zur biblischen Exegese und Theologie
BHH	Biblisch-historisches Handwörterbuch. Landeskunde, Geschichte, Religion, Kultur, Literatur, hg. von B. Reicke/L. Rost, Göttingen, Bd. I: 1962, Bd. II: 1964, Bd. III: 1966, Bd. IV: 1979
BHK	Biblia Hebraica, hg. von R. Kittel, 3. Aufl., Stuttgart 1937 (Nachdrucke)
BHS	Biblia Hebraica Stuttgartensia, hg. von K. Elliger/W. Rudolph, Stuttgart 1967/77
BRL	Biblisches Reallexikon, hg. von K. Galling (HAT I/1), 2. Aufl., Tübingen 1977
BTAVO	Beiheft zum Tübinger Atlas des Vorderen Orients
CC	Corpus Christianorum
CCSL	Corpus Christianorum. Series Latina
EAE	Encyclopedia of Archaeological Excavations in the Holy Land, Vol. I: London 1975, II: London 1976 (ed. by M. Avi-Yonah), Vol. III: Oxford 1977, IV: Oxford 1978 (ed. by M. Avi-Yonah/ E. Stern)
GAG	W. von Soden, Grundriß der akkadischen Grammatik samt Ergänzungsheft zum Grundriß der akkadischen Grammatik (AnOr 33^2/47), Rom 1969
Ges.-B.	W. Gesenius/F. Buhl, Hebräisches und aramäisches Handwörterbuch über das Alte Testament, 17. Aufl., Leipzig 1915 (Nachdruck 1962)
Ges.-K.	Wilhelm Gesenius' Hebräische Grammatik, völlig umgearbeitet von E. Kautzsch, 28. Aufl., Leipzig 1909 (Nachdruck 1962)
HAL	Hebräisches und aramäisches Lexikon zum Alten Testament von L. Köhler und W. Baumgartner. Neu bearbeitet von W. Baumgartner und J.J. Stamm, Lfg. I: Leiden 1967, Lfg. II: Leiden 1974 (hg. von B. Hartmann/Ph. Reymond/J.J. Stamm), Lfg. III: Leiden 1983
HWPh	Historisches Wörterbuch der Philosophie
JSOT Suppl. Ser.	Journal for the Study of the Old Testament. Supplement Series
KAI	Kanaanäische und aramäische Inschriften, hg. von H. Donner/W. Röllig, Bd. I: Texte, 3. Aufl., Wiesbaden 1971 (zitiert nach Nummern), II: Kommentar, 3. Aufl., Wiesbaden 1973, III: Glossare, Indizes, Tafeln, 2. Aufl., Wiesbaden 1969
KBL	L. Köhler/W. Baumgartner, Lexicon in Veteris Testamenti Libros, Leiden 1958; dies., Supplementum ad Lexicon in Veteris Testamenti Libros, Leiden 1958

LdÄ   Lexikon der Ägyptologie, begründet von W. Helck und E. Otto, hg. von W. Helck und W. Westendorf, Wiesbaden, Bd. I: 1975, II: 1977, III: 1980, IV: 1982 (jeweils zusätzlich Registerband), V: 1984, VI, Lfg. 1–8: 1985–1986

MDB   Le Monde de la Bible

OBO   Orbis Biblicus et Orientalis

RA   Reallexikon der Assyriologie, Bd. I (hg. von E. Ebeling und B. Meissner): Berlin/Leipzig 1932, II (hg. von E. Ebeling und B. Meissner): Berlin/Leipzig 1938, III (hg. von E. Weidner und W. von Soden): Berlin/New York 1957–1971, IV (hg. von D.O. Edzard): Berlin/New York 1972–1975, V (hg. von D.O. Edzard): Berlin/New York 1976–1980, VI (hg. von D.O. Edzard): Berlin/ New York 1980–1983

THAT   Theologisches Handwörterbuch zum Alten Testament, hg. von E. Jenni und C. Westermann, München/Zürich, Bd. I: 4. Aufl. 1984, Bd. II: 3. Aufl 1984

ThWAT   Theologisches Wörterbuch zum Alten Testament, Stuttgart u.a., Bd. I (hg. von G.J. Botterweck/H. Ringgren): 1973, II (hg. von G.J. Botterweck/H. Ringgren): 1977, III (hg. von G.J. Botterweck/H. Ringgren): 1982, IV (hg. von G.J. Botterweck/H. Ringgren): 1984, V (hg. von G.J. Botterweck/H. Ringgren/H.-J. Fabry): 1986

TRE   Theologische Realenzyklopädie. In Gemeinschaft mit H.R. Balz u.a. hg. von G. Krause und G. Müller, Berlin/New York, Bd. 9: 1982, 12: 1984

UT   Ugarit Textbook, hg. von C.H. Gordon (AnOr 38), Rom 1965

WUS   J. Aistleitner, Wörterbuch der ugaritischen Sprache (BSAW 106/3), Berlin 1963

S T E L L E N R E G I S T E R

1. Altes Testament

338

Deuteronomium	
1,1	62 Anm. 20
1,7	171 Anm. 112
1,31	60 Anm. 13 + 14
2,7	113
7,4	264 Anm. 585
8,15	60 Anm. 13 + 14
10,8	208 Anm. 295
11,4	246 Anm. 493
11,16	264 Anm. 585
11,24	171 Anm. 112
12,5	75 Anm. 75
12,9	284 Anm. 691
13,7.14	264 Anm. 585
18,22	86.87
19,13	180 Anm. 154
20,1	246 Anm. 492
20,19	278.279
21,8	180 Anm. 154
21,9	180 Anm. 154
23,10ff.	278 Anm. 658
24,21	282 Anm. 681
27,25	180 Anm. 154. 181 Anm. 164
28,49	234 Anm. 421. 260f. Anm. 565
28,50	260f. Anm. 565
31,16	210 Anm. 304. 264 Anm. 585
31,25	208 Anm. 295
31,26	208 Anm. 295
33,16	167 Anm. 88
34,8	65 Anm. 39

Josua	
3,3	208 Anm. 295
4,7	208 Anm. 295
4,18	208 Anm. 295
6	213 Anm. 310
6,5	214 Anm. 317
6,10.16	239 Anm. 457
8,18	288
8,26	288
10,20	213 Anm. 314
10,23	50
11,4	246 Anm. 492
11,22	109
13,3	171 Anm. 111
15,1-12.20	111
15,8	272 Anm. 621
15,21-62	106.108
15,35	128
15,39	126
15,47	108
15,59	71 Anm. 52. 272 Anm. 628
15,61	113 Anm. 39
16,1	113 Anm. 40
16,10	130
18,16	272 Anm. 621
18,21ff.	106 + Anm. 11
18,21-28	106
19,2-7	106
19,41-46	106.112
21,8-42	121
23,14	87
23,15	86.87
24,6	247f. Anm. 502
24,20.23	264 Anm. 585

Richter	
1,29	130
1,35	130
2,10ff.	44 Anm. 160
2,17	210 Anm. 304
3,27	213 Anm. 310
5,14	241 Anm. 468
7,13	240 Anm. 459
7,18	213 Anm. 310. 214 Anm. 317
7,19	213 Anm. 310
7,20	213 Anm. 310

25,18-21	68.69
25,21	68 Anm. 48
25,22	68 Anm. 46
25,27	68
Jesaja	
1,1	58 Anm. 1. 63
1,29	182 Anm. 167
3,17	167 Anm. 88
5,2	112 Anm. 37
5,13	68 Anm. 48
5,19	165
5,25-30	233 Anm. 418
5,25f.	234
5,25	255 Anm. 540
5,26	214 + Anm. 320. 260 Anm. 560. 260f. Anm. 565
5,28	233 Anm. 417
5,29	165
6,1	65 Anm. 36
8,9	87
8,18	289 Anm. 713
9,1-7	105 Anm. 2
9,7	87
10,27b-34	74.237
10,30	74
11,6	255 Anm. 541
11,10	284 Anm. 691
11,12	214 Anm. 320
13,2	214 Anm. 320
13,5	231 Anm. 405. 260 Anm. 560. 260f. Anm. 565
13,7	255 Anm. 540
13,13	241 Anm. 464
13,22	276 Anm. 649
14,13	287 Anm. 698
15,3	217 Anm. 337
16,11	239 Anm. 451 + 455
17,13	233 Anm. 417
18,3	213 Anm. 313.

	214 Anm. 318 + 320
19,13	167 Anm. 97
20,1	112
21,1ff.	239 Anm. 449
21,1	233 Anm. 417
21,3-4	239 Anm. 449
22,6	262 Anm. 574
22,12	217 Anm. 337
23,3	171 Anm. 111
25,2	278
25,3	266 Anm. 596
26,15	233 Anm. 417
27,10	111 Anm. 31
28,12	284 Anm. 691
29,6	233 Anm. 417
29,16	266 Anm. 600
30,1ff.	174
30,1-5	169
30,15	174
30,17	214 Anm. 320
30,27	260 Anm. 560
31,1ff.	174
31,1-3	169
32,14	278 Anm. 661
32,18	284 Anm. 691
33,19	95 Anm. 145
34,13	278
36,11	95 Anm. 145. 261 Anm. 567
36,14	225 Anm. 370
36,16	262 Anm. 577
37,33	279
38,8	247
40,7	226 Anm. 381
41,5	266 Anm. 596
42,4	250 Anm. 520
42,5	266
42,13	239 Anm. 457
43,1	266
43,17	246 Anm. 492
44,10	162

	13. 327 Anm. 85
2,6	164 Anm. 73. 184. 190.195.199.201. 242.317.328
2,7	186.190.192.199. 211 Anm. 306. 317 Anm. 46
2,8	191.191.197.199 Anm. 248. 205 Anm. 277. 211 Anm. 306. 257 Anm. 548 + 550. 277 Anm. 652. 298 Anm. 749. 310 + Anm. 19. 327 Anm. 85
2,9	192.223
2,10ff.	161
2,10-13	163.313
2,10-12	161
2,10f.	192 Anm. 209. 198. 203
2,10	192.201.202
2,11	164.192.195.196. 200. 211 Anm. 306. 257 Anm. 550. 310
2,12	198
2,13	192.195.257 Anm. 550. 264 Anm. 585
2,14ff.	185.327
2,14-19	163-174
2,14-16	189
2,14f.	192 Anm. 209
2,14	162.172.196.201. 202
2,15	185.195.201.202. 215 Anm. 326. 216. 217.242.312.328
2,16	195. 277 Anm. 651. 304. 306 + Anm. 9
2,17	196. 257 Anm. 550. 264 Anm. 585. 327
2,18	182. 183 Anm. 171. 192.195.196.199. 200.201.202.223. 245.302.304.312. 327.329
2,19	192.201.202.211 Anm. 306. 223.

	257 Anm. 548 + 550. 264 Anm. 585. 322
2,20(ff.)	211
2,20-29	174-178
2,20-22	313
2,20	192.195.201.254 Anm. 537. 295.308. Anm. 13
2,21	195.201
2,22	195.201.202.205 Anm. 277. 230
2,23ff.	312
2,23f.	195
2,23	192.197.201.202.205 Anm. 277. 310 + Anm. 19. 327 + Anm. 85
2,24	196
2,25	195.201.202.245.246. 327 Anm. 85
2,26	160. 308 Anm. 13
2,27f.	310
2,27	162.192.195.201.202. 310.322
2,28	192.196.310.322
2,29	159 Anm. 50. 196. 205 Anm. 277. 257 Anm. 548. 310
2,30-37	178-183
2,30	165.195.201.267 Anm. 6o5. 292. 313
2,31	195.196.201.202
2,32	195.196.201.313
2,33-37	202 Anm. 266
2,33f.	329
2,33	196.245.246.301 Anm. 761. 312.322.327.328
2,34	195
2,35	185.192.193.197.223
2,36f.	184.186.329
2,36	183 Anm. 171. 188. 192 + Anm. 209. 193. 195.196.197.201.202. 223.245.302.304.305. 312 Anm. 26. 318.327
2,37	184.188.192.193.195. 292.327

6,9–15	282–284		585. 270 Anm. 617.280
6,9	109 Anm. 23. 313. 313f. Anm. 30	7,8	294 Anm. 733
6,10	284. 313 Anm. 29. 313f. Anm. 30	7,9	257 Anm. 550. 264 Anm. 585. 294 Anm. 733
6,11	313f. Anm. 30	7,12	150 Anm. 7
6,12.13–15	283 Anm. 689	7,18	264 Anm. 585
6,12	313f. Anm. 30	7,22	91 Anm. 138. 160. 161 Anm. 56
6,13f.	294 Anm. 735	7,24	208 Anm. 296. 268 Anm. 608
6,13	253 Anm. 531. 270 Anm. 619.280. 294 Anm. 734. 313 Anm. 29	7,27	89,90
		7,28	253 Anm. 531. 267 Anm. 605
6,15	313 Anm. 29	7,29	211 Anm. 305. 299 Anm. 753
6,16–21	284–286. 308 Anm. 13	7,34	152 Anm. 19
6,16f.	286	8,1	160
6,16	286.313.327	8,3	109 Anm. 23
6,17	282 Anm. 686. 286. 291.313.314	8,5	257 Anm. 548. 295
		8,6	282 Anm. 686. 295
6,19	282 Anm. 686. 313f. Anm. 30	8,7	257 Anm. 548
6,20	313 Anm. 29	8,8	257 Anm. 548. 294 Anm. 734
6,21	313f. Anm. 30		
6,22–26	286–291. 313f. Anm. 30	8,9	265
		8,10–12	283 Anm. 689
6,22–24	286	8,10	283 Anm. 688. 294 Anm. 734
6,22	298		
6,23	208 Anm. 291.244. 248 + Anm. 505. 265 Anm. 588.275	8,12	283 Anm. 690. 296
		8,13–17	242.296
		8,13	296
6,26	217 Anm. 337. 280 Anm. 673	8,14	213 Anm. 314. 214 + Anm. 316. 263 Anm. 582. 296 + Anm. 741
6,27–30	291f. 295 Anm. 739. 312.314 Anm. 33. 330	8,15	296 Anm. 743
		8,16	233 Anm. 416. 242.296. 299
6,28	295		
6,29	313	8,17	296
7,1ff.	285	8,19	155. Anm. 30. 264 Anm. 585
7,1	99.293 Anm. 729		
7,3	232 Anm. 413	9,1ff.	292. 293 Anm. 731. 295 + Anm. 739
7,4	294 Anm. 733	9,1–8	253.257
7,5	232 Anm. 412 + 413	9,1–7	294
7,6	181.182.264 Anm.	9,1	257 Anm. 550. 294

9,2f.	292	11,4	161
9,2	253 + Anm. 531. 292 Anm. 733. 295	11,5	160
		11,6	151 Anm. 13
9,3	295	11,8	208 Anm. 296
9,4	253 + Anm. 530 + 531. 294 Anm. 733. 295	11,9	151 Anm. 13
		11,10	172 Anm. 119. 264 Anm. 585
9,5	253 + Anm. 530. 294 Anm. 736. 295	11,14	161 Anm. 56. 293 Anm. 730
9,6	295 Anm. 739		
9,7	258 Anm. 553	11,17	172 Anm. 119
9,9ff.	293 Anm. 731	11,18–23	238 Anm. 447
9,9f.	221.242	11,20	156 Anm. 33
9,10	299 Anm. 752	11,21ff.	73 Anm. 64
9,13	223 Anm. 367. 268 Anm. 608	11,21–23	238 Anm. 447
		11,23	109 Anm. 23
9,14	296	12,1–6	238 Anm. 447
9,16–21	221	12,1	159 Anm. 50. 229 Anm. 398. 258. 269 + Anm. 611
9,16	221		
9,18	298		
9,19	221	12,4	243 Anm. 474
9,20	278 Anm. 661	12,5–6	238 Anm. 447
9,23	295 Anm. 737	12,7ff	293 Anm. 731. 299
9,25	282 Anm. 686	12,7–13	227.228.277.299
10,1	89,90	12,7	290 Anm. 720. 299
10,7	266 Anm. 596	12,8	256 Anm. 457. 299
10,8	298 Anm. 750	12,9	299 + Anm. 754
10,10	242.299	12,10	228 Anm. 396. 277.299
10,15	155 Anm. 29	12,11	243 Anm. 474
10,17ff.	293 Anm. 731	12,12	211 Anm. 305. 227. 228 Anm. 396
10,17–25	293 Anm. 731	12,14	172 Anm. 122
10,17–22	298	12,16	257 Anm. 550
10,17	298	13.1ff.	293
10,19	281 Anm. 674. 298	13,1–14	299
10,20	240 Anm. 458. 298	13,1–11	299
10,21	277 Anm. 652. 298 Anm. 750	13,3	151 Anm. 13
		13,6	151 Anm. 13
10,22	298	13,10	268 Anm. 608
10,23–25	298	13,12ff.	293
10,23f.	293 Anm. 730	13,12–14	299
11,1	99	13,13	160

19,1ff.	93	23,1	277 Anm. 652
19,2	89.90	23,2	277 Anm. 652
19,4	180 Anm. 154. 181	23,4	277 Anm. 652
19,5	181 + Anm. 163	23,5	295 Anm. 737
20,4	221	23,7	161 + Anm. 56
20,6	294 Anm. 734	23,9–32	284
20,7–18	284	23,9	100
20,8	280 Anm. 672. 294 Anm. 736	23,10	243 Anm. 474. 257 Anm. 550. 295
20,9	284	23,13–17	246
20,12	156 Anm. 33	23,13	160
20,13	270	23,14	257 Anm. 550. 294 Anm. 734
20,16	239 Anm. 457. 278 Anm. 660	23,15	296
21,1	99	23,16f.	294 Anm. 735
21,2	221	23,18	282 Anm. 686
21,4	221	23,19	269
21,11	100	23,22	232 Anm. 413
21,12	280	23,25	294 Anm. 734
21,16	295 Anm. 738	23,26	294 Anm. 734. 295
22,3	181.182. 270 Anm. 617. 295 Anm. 737	23,29	259 Anm. 556
		23,32	294 Anm. 734
22,4	232 Anm. 412. 246 Anm. 493. 248 Anm. 505	23,33–40	93
		23,33	299 Anm. 753
22,6	281 Anm. 679	23,35	94
22,8–9	263 Anm. 584	23,37	94
22,10–12	307	23,39	299 Anm. 753
22,13ff.	295	24,1	293 Anm. 729
22,13–19	256.280.281.294	24,4	151 Anm. 13
22,13	256.295	24,5	68.69
22,15f.	282.310	15,1	99.100 Anm. 162. 293 Anm. 729
22,15	256. 295 + Anm. 737	25,3	64. 100 Anm. 162 + 163. 293 Anm. 729
22,16	270.295	25,5	232 Anm. 413
22,17	180 Anm. 154.182. 280. 294 Anm. 736. 295	25,8ff.	151
		25,10	152 Anm. 19
22,20–30	307	25,13	89,90
22,22	277 Anm. 652	25,15–29	109
22,23	206 Anm. 285. 290 Anm. 718	25,20	109.134

25,31	156 Anm. 33. 159 Anm. 50
25,32	287 Anm. 698
25,34	291 Anm. 722
25,37	296 Anm. 741
25,38	166 Anm. 85
26ff.	100
26-45	80
26,1	293 Anm. 729
26,5	93
26,13	232 Anm. 413
26,15	181
26,17-19	150 Anm. 7
26,19	266 Anm. 592
26,20-23	178
27,1	141 Anm. 200. 293 Anm. 729
27,2ff.	141. 267 + Anm. 603
27,5	267
27,6	267
27,9	294 Anm. 735
27,10	294 Anm. 734
27,14	93. 294 Anm. 734 + 735
27,16	294 Anm. 734
28,1	293 Anm. 729
28,4	68.69
28,9	87
28,17ff.	87
28,18	87
29,1-3	101
29,1	62 Anm. 20
29,2	293 Anm. 729
29,8f.	294 Anm. 735
29,8	225 Anm. 370
29,9	294 Anm. 734
29,21f.	294 Anm. 735
29,21	294 Anm. 734
29,22	68.69
29,23	257 Anm. 550. 294 Anm. 734

30,1	99
30,2	89.90
30,4	89.90
30,8	254 Anm. 537
30,12	281 Anm. 674
30,14	245
30,17	208. 281 Anm. 674
30,18	278 Anm. 661
30,23	269
31,1	208
31,2-6	154. 158 + Anm. 40
31,2f.	152
31,2	208
31,4	208
31,6	208. 233 Anm. 415
31,8	287 Anm. 698
31,9	208 Anm. 295
31,10	208
31,11	208
31,12	206.208
31,20	239 Anm. 454. 265 Anm. 588
31,27	172 Anm. 119
31,28	255 Anm. 544
31,32	161 + Anm. 56
31,34	152. 252 Anm. 523
31,35	265 Anm. 588
32,1	99. 293 Anm. 729
32,2	253f. Anm. 532
32,16ff.	293 Anm. 730
32,17	91
32,22	160
32,32	160
32,33	267 Anm. 605
32,39	266 Anm. 592
33,8	252 Anm. 523. 257 Anm. 548
33,11	152 Anm. 19
33,15	295 Anm. 737
34,1	99
34,5	89.90

34,6	89.90
34,7	125.129. 263 Anm. 582
34,8	99
34,13	161 Anm. 56
34,14	161
35,1	99
35,3	74 Anm. 74
35,13	267 Anm. 605
35,14	94
35,18	95
36	101. 256 Anm. 546
36,2	64 Anm. 34. 89.90. 101 Anm. 171
36,3	252 Anm. 523
36,4	80.89.90.94
36,6	94
36,8	94
36,10	80.94
36,23ff.	94
36,27ff.	80
36,32	94
37–38	174
37,2	89.90.94 Anm. 143
37,7	169
37,9	225 Anm. 370
37,10	240 Anm. 459
37,16–21	256
38,1	89.90
38,4	89.90. 290 Anm. 716
38,5	91
38,14ff.	92
38,14–27	256
38,14	91
38,25	256
38,27	92
38,28b–40,12	99
39,1ff.	312
39,2(ff.)	67
39,2	66
39,5	229 Anm. 398
39,8f.	67
39,10	254 Anm. 535
40ff	99
40–45	99
40,1	68.69.99.100.101
40,2f.	91f.
40,7	254 Anm. 535
40,13–15	92
40,16	92
41,16–18	169
42,16–18	91
43,1–7	169
43,1	89.90. 94 Anm. 143
44,1	99. 167 Anm. 97. 170. 293 Anm. 729
44,3	264 Anm. 585
44,4	97 Anm. 150
44,12ff.	170
44,16	83.90
44,17	232 Anm. 412
44,21	152
44,22	283 Anm. 690
44,25	232 Anm. 412
44,27	255 Anm. 544
44,28	87
44,29	87
45,1	89.90
46ff.	101
46	248
46,1	61 + Anm. 17. 101
46,2	101.170. 171 Anm.112
46,3ff.	170
46,4	248
46,6	171 Anm. 112
46,7	171 Anm. 112. 265 Anm. 588
46,8	171 Anm. 112
46,9	245 Anm. 453. 248
46,10	171 Anm. 112. 290 Anm. 720

Ezechiel

1,1-3	98
1,1	65 Anm. 36
1,2	68
1,3	58 Anm. 1
3,16	151 Anm. 12
3,17	284 Anm. 692
4,2	279 + Anm. 665
6,1	151 Anm. 12
6,9	210
7,1	151 Anm. 12
7,18	217 Anm. 337
12,25	61 Anm. 19
12,28	61 Anm. 19
16	246
16,25	205 Anm. 280
17,3	234 Anm. 421
17,7	234 Anm. 421
17,17	279 + Anm. 665
21,26	241 Anm. 467
21,27	239 Anm. 457. 279 + Anm. 665
22,27	255 Anm. 541. 283 Anm. 688
23	246
23,5	245 Anm. 486
23,6	247
23,7	245 Anm. 486
23,9	245 Anm. 486
23,12	245 Anm. 486. 247
23,16	245 Anm. 486
23,20	245 Anm. 486
23,23	247
23,30	210
24,2	279
26,7	246
26,8	279 + Anm. 665
26,10	230 Anm. 401. 246 Anm. 494
27,6	161 Anm. 62

27,14	247
27,31	217 Anm. 337
30,3	234 Anm. 425
30,13	167 Anm. 97
30,16	167 Anm. 97
32,2	165
33,3	213 Anm. 312
33,6	213 Anm. 312
34,12	233
34,25	256 Anm. 547
35,10	228 Anm. 397
35,12	228 Anm. 397
37,8	241 Anm. 464
38,4	247
38,6	287 Anm. 698
38,15	247. 287 Anm. 698
39,2	287 Anm. 698
44,9	282 Anm. 686
45,9	280 Anm. 672

Hosea

1,1	58 Anm. 1. 60.62. 63f. + Anm. 31. 98
2	246
4,7	162
5,8	213 Anm. 312. 214 Anm. 317
8,1	233 Anm. 420
8,14	278 Anm. 661
9,6	167
9,8	269 Anm. 613
13,7	255 Anm. 542

Joel

1	220 Anm. 350
1,1	58 Anm. 1. 62. 63f. Anm. 31
1,8	217 Anm. 337
1,13f.	217 Anm. 337
1,13	217 Anm. 337

Apostelgeschichte		19,38	86 Anm. 125
8,21	86 Anm. 125		
15,6	86 Anm. 125	Offenbarung	
		7,1	226 Anm. 380

3. Apokryphen

2. Makkabäer		Sirach	
2,29f.	145 Anm. 223	33,13	266 Anm. 602
		49,7	74

4. Qumran-Schriften

Kriegsrolle		V,13	287
V,7	287	VI,16	289 Anm. 712
V,11-14	287		

5. Rabbinische Quellen

Midrasch Rabba zu Koh. 1,1 § 2   75 Anm. 76

6. Kanaanäische und aramäische Quellen

Arad-Ostrakon 20,2: Y. Aharoni, Arad Inscriptions, 41 225 + Anm. 372;
    40: Y. Aharoni, Arad Inscriptions, 70ff. 114 Anm. 45; 88: Y. Aharoni,
    Arad Inscriptions, 103f. 107 Anm. 12.

El-Amarna-Tafel 273,20f. 130 Anm. 154; 287,15 125 Anm. 125; 288,43 125
    Anm. 125; 297,12 150 Anm. 6; 328,5 125 Anm. 125; 329,6 125 Anm. 125;
    335,10.16 125 Anm. 125; 1417 269 Anm. 612.

KAI 194,10(195) 215 Anm. 323; 198,3 261f. Anm. 573; 202 B 2 247 Anm. 497.

Lachisch-Ostrakon IV,6: Lachish I,76 290 Anm. 716; IV,7: Lachish I,76 244
    Anm. 479; IV,10: Lachish I,76 215 Anm. 323; IV,10ff.: Lachish I,76 125
    + Anm. 119. 129 Anm. 152

7. Ugaritische Quellen

KTU 1.6 VI:54 101 Anm. 169

PRU 5,60, 34-35 59 Anm. 8; II 89,9 161 Anm. 62.

RS 1838 59 Anm. 8

8. Akkadische Quellen

Borger, R., Inschriften: NIN A I 57 (43) 217 Anm. 336; NIN A II 143 140
    Anm. 197; § 68, Gbr II,8 (104) 279 Anm. 667.

Grayson, A.K., Chronicles: 19 184 Anm. 172; 88 Z. 14, Chronicle 2 77 Anm.
    87 + 88; 91, Chronicle 3,10 169 Anm. 107; 94 140 Anm. 197; 101 237
    Anm. 443; 102 256 Anm. 545.

Güterbock, H.G., AfO 13 (1939–41) 47 216 Anm. 333.

Hunger, H., Nr. 28, CT 36,38,33 101 Anm. 169; Nr. 73, UET 1,172 IV 1–10
    101 Anm. 169.

KBo. 10,1 34f. Rs 2 216 Anm. 333.

Mayer, W., 110f. 216 Anm. 334.

OIP II, 50/1, 1625 217 Anm. 336.

TCL 3, 420 216 Anm. 334.

Winckler, H., Pl. 31,40 217 Anm. 336.

Wiseman, D.J., 7f. 77 Anm. 89; 29 183f. Anm. 172; 54 Z. 10, B.M. 21 901
    169 Anm. 107; 59, B.M. 25 127 Rev. 38 140 Anm. 197; 71, B.M. 21 946
    Rev. 8 237 Anm. 443; 72, B.M. 21 946 256 Anm. 545; 50 Z. 14, B.M.
    25 127 77 Anm. 87 + 88.

9. Griechische Quellen

Aristoteles, Poetik, 9. Kap. 188 Anm. 184; Poetik, 14. Kap. 188 Anm. 181;
    Rhetorik I,3,3 187 Anm. 179.

Euseb. Onomastikon 26,10.12 124 Anm. 116; 26,27–29 73 Anm. 63; 27,28f.
    73 Anm. 64; 68,19 124 Anm. 116; 120,20ff. 124.

Herodot I,103ff. 139; I,105 136.137.146 + Anm. 225. 147; I,106 141 ; I,207,2
    22; II,30,70 168; II,157 107.136.139 Anm. 191; II,161,4 23 Anm. 88; IV,1
    141; IV,11 142; IV,67 146; IV,159,6 23 Anm. 88; V,56 23 Anm. 88; VII,64
    143.

Josephus, Antiquitates X,38f. 178 Anm. 143; XII,8.5.2 145 Anm. 223; XV,74
    140f. Anm. 197.

Polybios I,1–4 328 Anm. 87; I,12,7 328 Anm. 87; II,37,10 328 Anm. 87; III,59
    328 Anm. 87.

Thukydides I,2–19 20; I,20–22 20; I,22 20; I,22,4 20 + Anm. 73; I,23 21
    Anm. 75. 24 Anm. 91; I,75,3 20 Anm. 73; I,76,2 20 Anm. 73; II,2 21 Anm.
    76; II,48–54.71–78 21 Anm. 75; II,65,7 20 Anm. 73; III,20–24 21 Anm. 75;
    III,45,1 20 Anm. 73; III,82,8 20 Anm. 73; V,19 21 Anm. 76.

Xenophanes: Diels, H./Kranz, W., Nr. 21 B 18 328 Anm. 87.

10. Lateinische Quellen

Augustinus, De doctrina christiana 2,19 (29) 16 Anm. 54; 2,28 (44) 16 Anm.
    54.

Cicero, De legibus 1,5 21 Anm. 80; De oratore II,36 12 Anm. 33; II,51 12
    Anm. 33; II,77,314 190; II,79.321.322.324 191 Anm. 201; II,79.322–323
    191 Anm. 200; II,81,328–329 191; II,81,330 191 Anm. 202; III,37,151 194
    Anm. 216; III,38,154 194 Anm. 218; Orator XIX,100 190 Anm. 190.

Claudian III,45f. 328 Anm. 90.

Hieronymus: Migne, J.-P., Bd. 24, 758 73 Anm. 64; Migne, J.-P., Bd. 25, 818
73 Anm. 64.

Justin II,3 147.

Livius 6,1,1 19 Anm. 69.

Marc Aurel VII,49 329 Anm. 94; XI,1 329 Anm. 94.

Petrus Diaconus: Fraipont, I, CCSL 175, 252-280 73 Anm. 66; Geyer, P., CCSL
175, 95-103 73 Anm. 66; Geyer, P., CSEL 39, 110 Z. 4f. 73 Anm. 67; Geyer, P., CSEL 49, 1o5-121 73 Anm. 66.

Plinius V,63 161 Anm. 63; V,74 145 Anm. 223.

Quintilian I,10,1 189 Anm. 188; I,4-6 189 Anm. 188; I,5,1 193 Anm. 213;
II,13,11 196 Anm. 228; III,4,12-15 187 Anm. 179; III,4,15 188 Anm. 180;
III,9,5 192 Anm. 206; IV,1,6 191 Anm. 200; IV,1,33 191 Anm. 198; IV,1,34
191 Anm. 199; IV,1,42 191 Anm. 204; IV,2,31 191 Anm. 202; IV,2,35f. 194
Anm. 214; IV,2,61 191 Anm. 203; V,9,5 192 Anm. 207;V,9,15 192 Anm. 207;
V,10,11 192 Anm. 208; V,10,24 190 Anm. 192 + 193; V,10,32 190 Anm. 194;
V,10,36 190 Anm. 196; V,10,42 190 Anm. 196; V,11,15 192 Anm. 210; V,11,16
192 Anm.210;V,13,1ff. 192 Anm. 206; VI,1,2 193 Anm. 211; VI,1,52 193 Anm.
211; VI,2,13 193 Anm. 211; VII,10,11 194 Anm. 214; VIII,1,2 193 Anm. 213;
VIII,3,4.5 194 Anm. 216; VIII,4,3 203 Anm. 269; VIII,6,1 194 Anm. 217;
VIII,6,3 203 Anm. 270 + 271; VIII,6,5 194 Anm. 220; VIII,6,19 262 Anm.
575; VIII,29 195 Anm. 223; VIII,6,54 196 Anm. 225; VIII,6,59 195 Anm.
222; VIII,6,67 196 Anm. 226; IX,1,3 196 Anm. 225; IV,2,6 196 Anm. 230;
IX,2,11 197 Anm. 233; IX,2,16 197 Anm. 235; IX,2,19 197 Anm. 236. 254
Anm. 534; IX,2,20f. 197 Anm 236; IX,2,38 197 Anm. 238; IX,2,40 222 Anm.
364; IX,2,41 222f. Anm. 365. 223 Anm. 366; IX,2,72 196 Anm. 229; IX,3,2
198 Anm. 240; IX,3,3 198 Anm. 241; IX,3,4 198 Anm. 242; IX,3,23 200 Anm.
255; IX,3,28ff. 198 Anm. 244; IX,3,45 198 Anm. 247. 199 Anm. 252; IX,3,62
202 Anm. 267; IX,3,77 199 Anm. 248; XI,1,43 194 Anm. 215; XI,1,46 194
Anm. 215.

Theodosius: Geyer, P., CSEL 39, 137-150 73 Anm. 65; Geyer, P., CSEL 39, 140
Z. 6-8 73 Anm. 65 + 68

Vergil, Aeneis I,278f. 328 Anm. 91.

GEOGRAPHISCHES REGISTER

Arabische und hebräische Ortsbezeichnungen werden in Anlehnung an O. Keel/
M. Küchler, Orte und Landschaften der Bibel. Ein Handbuch und Studienreiseführer, Bd. 2: Der Süden, Zürich/Einsiedeln/Köln/Göttingen 1982 wiedergegeben.

Kaukasus	138.139	Ramallah	74
Kirjat–Jearim	94	ramat el-chalil	122
Kleinasien	29–31	Ramat Rahel	131.273
Kuntillet Adschrud	113f. Anm. 43	ras el-charrube	71.72 Anm. 59 + 62. 73
Lachisch	124.125.126.127.129. 132 Anm. 165. 279.280	Ribla	67
Leontes	227	Rom	17–19
Libanon/Antilibanon	227	Rotes Meer	113
Libna	107 + Anm. 107	rudschm el-baqara	119
Lydien	139	Ruma	107 + Anm. 12
Machtesch Ramon	117	Samaria	105.280
Mamre	123	Saqqarah	183 Anm. 172
Marescha	124.127.128.132	ṣarᶜa	130
Manasse	105	Schefela	127
Medien	140.146 Anm. 227	Scythopolis	142.145
Megiddo	169.173	Sered	227
Memphis	125.143.167.170	Sichem	74
Meṣad Chaschavjahu	110.133.144 + Anm. 211	Sidon	141
		Sif	106.123
Meṣad Mischor ha-Ruach	117	Simeon	105
Mesopotamien	29.30.31.32.36.169. 234	Sinai	115
		Socho	106.128
minet rubin	110	Syrien-Palästina	30.111.136.139.142. 144.146.169.170.173. 183 + Anm. 172. 217. 234.237.319
Mizpa	92.131		
mmscht	106		
Moab	141.256 Anm. 547	Tachpanhes	167.168
Nachal Besor	116	Taphnai	73 Anm. 69. 168.169. 170
Nachal Aroer	117		
Nachal Haᵓela	127.128	Tekoa	119.122.132 Anm. 164. 272.273.274
Nachal Ṣeelim	119		
Nachal Zohar	118	Tel ᶜArad	117 Anm. 69
Naftali	1o5	Tel Aschdod	108
Negev	116.117.120.228	Tel ᶜAzeqah	129.133
Netofa	273	Tel Dan	233 Anm. 414
Nil	171 + Anm. 111 + 112. 245	Tel ᶜErani	127
		Tel Goren	119
Ninive	140 + Anm. 197	Tel ᶜIra	116
Nippur	77	Tel Malḥata	117.118
Nof	167	Tel Masos	116
Orontes	227	Tel Mor	108
Rama	131	Tel Safit	127.133

LITERATURVERZEICHNIS

Die Abkürzungen richten sich nach: Theologische Realenzyklopädie. Abkürzungsverzeichnis, zusammengestellt von S. Schwertner, Berlin/New York 1976. Assyrische und babylonische Texte werden nach dem Abkürzungssystem bei W. von Soden, Akkadisches Handwörterbuch, Bd. I, Wiesbaden 1965, X-XVI, zitiert.

Für häufiger benutzte Werke wird in den Anmerkungen ein unmißverständlicher Kurztitel genannt. Kommentare zum Jeremiabuch werden mit dem Signum "Kommentar" zitiert, Kommentare zu anderen biblischen Büchern durch Angabe der jeweiligen Reihe und Bandzahl.

Nicht alle genannten Arbeiten konnten in das Literaturverzeichnis aufgenommen werden; das betrifft vor allem viele Titel, die im I. Kapitel erwähnt sind. Um Mißverständnisse zu vermeiden, wird die Literatur in den Anmerkungen fallweise ausführlich angegeben. Häufig zitierte Werke sind im Abkürzungsverzeichnis aufgeführt. Artikel aus dort genannten Sammelwerken werden im Literaturverzeichnis nicht erwähnt.

ABEL, F.-M., Topographie des Campagnes Machabéennes, RB 33 (1924) 201-217

-, Géographie de la Palestine, Vol. I: Paris 1933, II: Paris 1938

ABEL, P., Histoire de la Palestine, Vol. I, Paris 1952

ACKROYD, P.R., The Vitality of the Word of God, ASTI 1 (1962) 7-23

-, Historians and Prophets, SEÅ 33 (1968) 18-54

-, Israel under Babylon and Persia, London 1970

-, The Book of Jeremiah, JSOT 28 (1984) 47-59

AESCHIMANN, A., Le prophète Jérémie, Neuchâtel 1959

AHARONI, Y., Excavations at Ramat Raḥel, 1954, Preliminary Report, IEJ 6 (1956) 102-111.137-157

-, Archaeological Survey of ʿEin Gedi, BIES 22 (1958) 27-45 (hebr.)

-, The Negeb of Judah, IEJ 8 (1958) 26-38

-, The Expedition to the Judean Desert, 1960, Expedition B, IEJ 11 (1961) 11-24

-, Excavations at Ramat Raḥel, Seasons 1959 and 1960, Rom 1962

-, Excavations at Ramat Raḥel, Seasons 1961 and 1962, Rom 1964

-, Forerunners of the Limes, Iron Age Fortresses in the Negev, IEJ 17 (1967) 1-17

-, (Ed.), Beer-Sheba I. Excavations at Tel Beer-Sheba. 1969-1971 Seasons, Ramat Gan 1973

-, Arad Inscriptions (Judean Desert Studies), Jerusalem 1981

-, Das Land der Bibel. Eine historische Geographie. Mit einem Vorwort von V. Fritz, Neukirchen 1984

AHARONI, Y./FRITZ, V./KEMPINSKI, A., Vorbericht über die Ausgrabungen auf der Ḥirbet el-Mšāš (Tēl Māśôś), 1. Kampagne 1972, ZDPV 89 (1973) 197-210

-, Excavations at Tel Masos (Khirbet el-Meshâsh), Preliminary Report on the First Season, 1972, Tel Aviv 1 (1974) 64-74

-, Vorbericht über die Ausgrabungen auf der Ḥirbet el Mšāš (Tel Māśôś), 2. Kampagne 1974, ZDPV 91 (1975) 109-130

-, Excavations at Tel Masos (Khirbet el-Meshâsh), Preliminary Report on the Second Season, 1974, Tel Aviv 2 (1975) 97-124

AHARONI, Y./ROTHENBERG, B., In the Footsteps of Kings and Rebels, Tel Aviv 1964 (hebr.)

AHLSTRÖM, G.W., Is Tell Ed-Duweir Ancient Lachish?, PEQ 112 (1980) 7-9

-, Tell ed-Duweir: Lachish or Libna?, PEQ 115 (1983) 103-104

AHUIS, F., Der klagende Gerichtsprophet. Studien zur Klage in der Überlieferung von den alttestamentlichen Gerichtspropheten (CThM A,12), Stuttgart 1982

ALBENDA, P., Syrian-Palestinian Cities on Stone, BA 43 (1980) 222-229

ALBERTZ, R., Jer 2-6 und die Frühzeitverkündigung Jeremias, ZAW 94 (1982) 20-47

ALBREKTSON, B., History and the Gods. An Essay on the Idea of Historical Events as Divine Manifestations in the Ancient Near East and in Israel, Lund 1967

ALBRIGHT, W.F., Researches of the School in Western Judaea, BASOR 15 (1924) 2-11

-, Topographical Researches in Judaea, BASOR 18 (1925) 6-10

-, The American Excavations at Tell Beit Mirsim, ZAW NF 6 (1929) 1-17

-, Additional Note, BASOR 62 (1936) 25f.

-, s.Sellers, O.R.

ALT, A., Israel und Ägypten. Die politischen Beziehungen der Könige von Israel und Juda zu den Pharaonen nach den Quellen untersucht (BWAT 6), Leipzig 1909

-, Judas Gaue unter Josia, PJ 21 (1925) 100-116, abgedr. in: ders., Kleine Schriften zur Geschichte des Volkes Israel, Bd. II, 4. Aufl., München 1977, 276-288

-, Josua, in: Beiträge zur Religionsgeschichte und Archäologie Palästinas, FS E. Sellin, Leipzig 1927, 13-24, abgedr. in: ders., Kleine Schriften, Bd. I, 4. Aufl., München 1968, 193-202

-, Das Institut im Jahre 1927, PJ 24 (1928) 5-74

-, Das System der assyrischen Provinzen auf dem Boden des Reiches Israel, ZDPV 52 (1929) 220-242, abgedr. in: ders., Kleine Schriften, Bd. II, 188-205

-, Die territorialgeschichtliche Bedeutung von Sanheribs Eingriff in Palästina, PJ 25 (1929) 80-88, abgedr. in: ders., Kleine Schriften, Bd. II, 242-249

-, Das Institut in den Jahren 1929 und 1930, PJ 27 (1931) 5-50

-, Neue assyrische Nachrichten über Palästina, ZDPV 67 (1945) 128-146, abgedr. in: ders., Kleine Schriften, Bd. II, 226-241

-, Tiglathpilesers III. erster Feldzug nach Palästina (1951), abgedr. in: ders., Kleine Schriften, Bd. II, 150-162

-, Bemerkungen zu einigen judäischen Ortslisten des Alten Testaments, BBLAK 68 (1951) 193-210, abgedr. in: ders., Kleine Schriften, Bd. II, 289-305

-, Festungen und Levitenorte im Lande Juda (1952), abgedr. in: ders., Kleine Schriften, Bd. II, 306-315

-, Der Anteil des Königtums an der sozialen Entwicklung in den Reichen Israel und Juda (1955), abgedr. in: ders., Kleine Schriften, Bd. II, 348-372

ALTHANN, R., Jeremiah IV,11-12: Stichometry, Parallelism and Translation, VT 28 (1978) 385-391

-, A Philological Analysis of Jeremiah 4-6 in the Light of Northwest Semitic (BiOr 38), Rom 1983

AMSLER, S., Les prophètes et la politique, RThPh 23 (1973) 14-31

ANACKER, U./BAUMGARTNER, H.M., Art. "Geschichte", in: Handbuch philosophischer Grundbegriffe, hg. von H. Krings u.a., Bd. 1, München 1973, 547-557

ANDERSEN, K.T., Die Chronologie der Könige von Israel und Juda, Studia Theologica 23 (1969) 69-114

ARISTOTELES, Rhetorik, Ausgabe: The 'Art' of Rhetoric, hg. von J.H. Freese, (Loeb) London/Cambridge (Mass.) 1926, (Reprints)

-, Poetik, Ausgabe: The Poetics, hg. von W. Hamilton Fyfe, (Loeb) 2.Aufl., London/Cambridge (Mass.) 1932, (Reprints)

AUGUSTIN, M., Beobachtungen zur chronistischen Umgestaltung der deuteronomistischen Königschroniken nach der Reichsteilung, in: Das Alte Testament als geistige Heimat, FS für H.W. Wolff zum 70. Geb., hg. von M. Augustin und J. Kegler (EHS.T 177), Frankfurt/Bern 1982, 11-50

AVI-YONAH, M., Scythopolis, IEJ 12 (1962) 123-134

-, Gazetteer of Roman Palestine (Qedem 5), Jerusalem 1976

BACH, R. Die Erwählung Israels in der Wüste, Ev.-theol. Diss. Bonn 1951

-, Die Aufforderung zur Flucht und zum Kampf im alttestamentlichen Prophetenspruch (WMANT 9), Neukirchen 1962

BAR-ADON, P., Rivage de la Mer Morte, RB 77 (1970) 398-400

-, The Hasmonean Fortresses and the Status of Khirbet Qumran, ErIs 15 (1981) 349-352 (hebr.)

BARR, J., Bibelexegese und moderne Semantik. Theologische und linguistische Methode in der Bibelwissenschaft, München 1965

-, Alt und Neu in der biblischen Überlieferung. Eine Studie zu den beiden Testamenten, München 1967

BARRICK, W.B., The Meaning and Usage of RKB in Biblical Hebrew, JBL 101 (1982) 481-503

BARTH, H., Die Jesaja-Worte in der Josiazeit. Israel und Assur als Thema einer produktiven Neuinterpretation der Jesajaüberlieferung (WMANT 48), Neukirchen 1977

BARTLETT, J.R., The Rise and Fall of the Kingdom of Edom, PEQ 104 (1972) 26-37

-, Edom and the Fall of Jerusalem 587 B.C., PEQ 114 (1982) 13-24

BAUMGÄRTEL, F., Die Formel n^{e}ʾum jahwe, ZAW 73 (1961) 277-290

BAUMGARTNER, W., Herodots babylonische und assyrische Nachrichten, ArOr

18 (1950), 69-106, abgedr. in: ders., Zum Alten Testament und seiner Umwelt. Ausgewählte Aufsätze, Leiden 1959, 282-331

BEER, G., Miszellen. 4. Zu Jeremia 4,31, ZAW 31 (1911) 153-154

BEIT-ARIEH, Y., Tel ʿIra, 1980, IEJ 31 (1981) 243-245

-, Tel ʿIra - A fortified City from the Judean Monarchy Period, Qad. 18 (1985) 17-25 (hebr.)

BEIT-ARIEH, Y./CRESSON, B., An Edomit Ostracon from Ḥorvat ʿUza, Tel Aviv 12 (1985) 96-100

BENGTSON, H., Einführung in die Alte Geschichte, 8. Aufl., München 1979

BENZINGER, I., Die Bücher der Könige (KHC IX), Freiburg/Leipzig/Tübingen 1899

BERG, W., Uneigentliches Sprechen. Zur Pragmatik und Semantik von Metapher, Metonymie, Ironie, Litotes und rhetorischer Frage (TBL 102), Tübingen 1978

BERGMAN, A., Soundings at the supposed site of Old Testament Anathoth, BASOR 62 (1936) 22-25

-, The Identification of Anathoth, BJPES 4 (1936/37) 11-19 (hebr.)

BERGSTRÄSSER, G., Das hebräische Präfix ש, ZAW 29 (1909) 40-56

BERNHARDT, K.-H., Prophetie und Geschichte, VTS 22, Leiden 1972, 20-46

BERRIDGE, J.M. Prophet, People and the Word of Yahweh. An Examination of Form and Content in the Proclamation of the Prophet Jeremiah (BST 4), Zürich 1970

BEWER, J.A., The Book of Jeremiah, Vol. I: Jeremiah, Ch. 1-25 (HAB 5), London/New York 1951

BEYER, G., Beiträge zur Territorialgeschichte von Südwestpalästina im Altertum, ZDPV 54 (1931) 113-170

BEYER, K., Althebräische Syntax in Prosa und Poesie, in: Tradition und Glaube. Das frühe Christentum in seiner Umwelt, FS K.G. Kuhn zum 65. Geb., hg. von G. Jeremias u.a., Göttingen 1971, 76-96

The Bible in Aramaic, ed. by A. Sperber, Vol. III: The latter Prophets according to Targum Jonathan, Leiden 1962

Biblia Sacra Iuxta Vulgatam Versionem, Bd. II, hg. von R. Weber, Stuttgart 1969

Bibliographie zur antiken Bildersprache, unter Leitung von V. Pöschl bearbeitet von H. Gärtner und W. Heyke, Heidelberg 1964

BIRAN, A./COHEN, R., Aroer, IEJ 25 (1975) 171

-, Aroer, 1976, IEJ 26 (1976) 139-140

-, Aroer, 1977, IEJ 27 (1977) 250-251

-, Aroër (Négev) - 1977, RB 85 (1978) 425-427

-, Aroer, 1978, IEJ 28 (1978) 197-199

-, Tel ʿIra, IEJ 29 (1979) 124-125

-, Aroer, 1980, IEJ 31 (1981) 131-132

-, Aroer in the Negev, ErIs 15 (1981) 250-273 (hebr.)

-, Aroer (1980), RB 89 (1982) 240-242

BIRAN, A., Aroer, 1981, IEJ 32 (1982) 161-163

-, Aroer (1981), RB 89 (1982) 243-245

-, Tel ʿIra, Qad. 18 (1985) 25-28 (hebr.)

-, Zum Problem der Identität von Anatot, ErIs 18 (1985) 209-214 (hebr.)

BLISS, F.J./MACALISTER, R.A.S., Excavations in Palestine during the Years 1898-1900, London 1902

BOBZIN, H., Überlegungen zum althebräischen 'Tempus'system, WO 7 (1973/74) 141-153

BOECKER, H.J., Anklagereden und Verteidigungsreden im Alten Testament. Ein Beitrag zur Formgeschichte alttestamentlicher Prophetenworte, EvTh 20 (1960) 398-412, abgedr. in: Das Prophetenverständnis in der deutschsprachigen Forschung seit Heinrich Ewald, hg. von P.H.A. Neumann (WdF 307), Darmstadt 1979, 455-474

-, Redeformen des Rechtslebens im Alten Testament (WMANT 14), 2. Aufl., Neukirchen 1970

BÖHMER, S., Heimkehr und neuer Bund. Studien zu Jeremia 30-31 (Göttinger Theologische Arbeiten 5), Göttingen 1976

BOMAN, Th., Das hebräische Denken im Vergleich mit dem griechischen, 7. Aufl., Göttingen 1981

BONNET, H., Die Waffen der Völker des Alten Orients, Leipzig 1926

BORGER, R., Der Aufstieg des neubabylonischen Reiches, JCS 19 (1965) 59-78

-, Die Inschriften Asarhaddons, Königs von Assyrien (AfO.B 9), Osnabrück 1967 (Neudruck der Ausgabe 1956)

BORÉE, W., Die alten Ortsnamen Palästinas, 2. Aufl., Leipzig 1930, Nachdruck Hildesheim 1968

BRAUDEL, F., Histoire et Sciences sociales: la longue durée, Erstabdruck in: Annales. Economies, Sociétés, Civilisations 13 (1958) 725-753, häufig abgedr.

BRIGHT, J., Jeremiah (AncB 21), 2nd ed., Garden City/New York 1978

-, Prophetic Reminiscence: its Place and Function in the Book of Jeremiah, in: Biblical Essays 1966, Proceedings of the Ninth Meeting of 'Die Ou Testamentiese Werkgemeenskap in Suid-Afrika' and Proceedings of the Second Meeting of 'Die Nuwe-Testamentiese Werkgemeenskap van Suid-Afrika', Potchefstroom 1967, 11-30

BROCKELMANN, C., Lexicon Syriacum, 2. Aufl., Halle 1928

-, Hebräische Syntax, Neukirchen 1956

-, Grundriß der vergleichenden Grammatik der Semitischen Sprachen, Bd. 1: Berlin 1908, Bd. 2: Berlin 1913, Nachdrucke Bd. 1 und 2, Hildesheim 1966

BROSHI, M., The Expansion of Jerusalem in the Reigns of Hezekiah and Manasseh, IEJ 24 (1974) 21-26

BRUEGGEMANN, W., Jeremiah's Use of Rhetorical Questions, JBL 92 (1973) 358-374

-, The Book of Jeremiah. Portrait of the Prophet, Interp. 37 (1983) 130-145

BRUNNER, H., "Was aus dem Munde Gottes geht", VT 8 (1958) 428-429

BUDDE, K., Die Überschrift des Buches Jeremia (Verhandlungen des XIII. Internationalen Orientalisten-Kongresses Hamburg, September 1902, Sektion V), Leiden 1904, 235-239

-, Über das erste Kapitel des Buches Jeremia, JBL 40 (1921) 23-37

370

BÜCHSEL, F., Art. ἰστορέω (ἰστορία), in: ThWNT, Bd. 3, Stuttgart 1938 (Nachdruck 1950), 394-399

BÜHLMANN, W./SCHERER, K., Stilfiguren der Bibel. Ein Nachschlagewerk (BiBe 10), Fribourg 1973

BUHL, F., Über die Ausdrücke für: Ding, Sache u.ä. im Semitischen, in: FS V. Thomsen, Leipzig 1912, 30-38

du BUIT, M., Routes aux temps bibliques, in: DBS, Tome X, ed. par. H. Cazelles et A. Feuillet, Paris 1985, 1011-1052

BURR, V., Bibliothekarische Notizen zum Alten Testament (Forschungsstelle für Buchwissenschaft an der Universitätsbibliothek Bonn, Kl. Schriften 6), Bonn 1969

BURROWS, M., Ancient Israel, in: The Idea of History in the Ancient Near East, ed. by R.C. Dentan, New Haven/London 1966, 99-131

Ioannis Calvini Opera quae supersunt omnia, hg. von G. Baum u.a. (CR 65), Brunsvigae 1888, 470-706

The Cambridge Ancient History, ed. by J.B. Bury u.a., Vol. III: The Assyrian Empire, Cambridge 1925, letzter Nachdruck 1965

CANCIK, H., Mythische und historische Wahrheit. Interpretationen zu Texten der hethitischen, biblischen und griechischen Historiographie (SBS 48), Stuttgart 1970

-, Grundzüge der hethitischen und alttestamentlichen Geschichtsschreibung, Wiesbaden 1976

CARR, E.H., Was ist Geschichte?, Stuttgart 1963

CARROLL, R.P., When Prophecy failed. Reactions and Responses to Failure in the Old Testament Prophetic Traditions, London 1979

-, Prophecy and Dissonance. A theoretical approach to the Prophetic Tradition, ZAW 92 (1980) 108-119

-, From Chaos to Covenant. Uses of Prophecy in the Book of Jeremiah, London 1981

CASPARI, W., Jeremja als Redner und Selbstbeobachter, NKZ 26 (1915) 777-788. 842-863

CASSIN, E., Le roi et le lion, RHR 198 (1981) 355-401

CAZELLES, H., Sophonie, Jérémie et les Scythes en Palestine, RB 74 (1967) 24-44; in englischer Übersetzung wieder gedruckt in: Perdue, L.G./Kovacs, B.W., A Prophet to the Nations, 129-149

-, Bible et Politique, RSR 59 (1971) 497-530

-, La production du livre de Jérémie dans l'histoire ancienne d'Israël, in: Masses Ouvrières 343, Mars 1978, 9-31

-, La vie de Jérémie dans son contexte national et international, in: Le Livre de Jérémie. Le Prophète et son Milieu. Les Oracles et leur Transmission (BEThL 54), hg. von P.-M. Bogaert, Leuven 1981, 21-39

CELADA, B., Los profetas del AT, la politica y la sociologica, CuBi 23 (1966) 43-45

-, Characteristicas de la intervención de los profetas Isaias y Jeremias en politica, CuBi 25 (1968) 95-99

CHILDS, B.S., The Enemy from the North and the Chaos Tradition, JBL 78 (1959) 187-198; abgedr. in: Perdue, L.G./Kovacs, B.W., A Prophet to the Nations, 151-161

-, Memory and Tradition in Israel, London 1962

CHRISTENSEN, D.L., Zephaniah 2:4-15: A Theological Basis for Josiah's Program of Political Expansion, CBQ 46 (1984) 667-682

CHRISTIAN, V., Über einige Verben des Sprechens, WZKM 29 (1915) 438-444

CIASCA, A., Tell Gat, OrAnt 1 (1962) 23-39

(CICERO) Marcus Tullius Cicero, De oratore, Ausgabe: Cicero, De oratore, in two Volumes, with an English Translation by E.W. Sutton and H. Rackham (Loeb), London/Cambridge (Mass.) 1959-1960 (Reprints)

-, De re publica. De legibus, Ausgabe: Cicero, De re publica. De legibus, with an English Translation by C. Walker Keyes (Loeb), London/Cambridge (Mass.) 1928 (Reprints)

CLAUDIAN, Ausgabe: Claudian, with an English Translation by M. Platnauer (Loeb), 2 Vol., London/Cambridge (Mass.) 1922 (Reprints)

COGAN, M., Imperialism and Religion: Assyria, Judah and Israel in the Eighth and Seventh Centuries B.C.E. (Society of Biblical Literature, Monograph Series 19) Montana, Missoula 1974

COHEN, R., Kadesh-Barnea, 1976, IEJ 26 (1976) 201-202

-, Kadesh-Barnea, 1978, IEJ 28 (1978) 197

-, Fortresses Israélites (Négev), RB 85 (1978) 427-429

-, The Israelite Fortresses in the Negev Highlands, Qad. 12 (1979) 35-50 (hebr.)

-, The Iron Age Fortresses in the Central Negev, in: Cohen, R./Schmitt, G., Drei Studien zur Archäologie und Topographie Altisraels (BTAVO B,44), Wiesbaden 1980, 7-31

-, Excavations at Kadesh-Barnea 1976-1978, BA 44 (1981) 93-107

-, Kadesh-Barnea, 1981-1982, IEJ 32 (1982) 266-267

-, Excavations at Kadesh-Barnea 1976-1982, Qad. 16 (1983) 2-14 (hebr.)

-, Qadesh - L'Archéologie, MDB 39 (May-June-July 1985) 9-23

-, s. Biran, A.

COLLINS, T., Line-Forms in Hebrew Poetry. A grammatical approach to the stylistic study of the Hebrew Prophets (Biblical Institute Press, Studia Pohl: Series Maior 7), Rom 1978

COLLON, D./CROUWEL, J./LITTAUER, M.A., A Bronze Chariot Group from the Levant in Paris, Levant 8 (1976) 71-81

COLPE, C., Zur Bezeichnung des "Heiligen Krieges",Berliner Theologische Zeitschrift 1 (1984) 45-57.189-214

CONDAMIN, A., Trois Poèmes de Jérémie, Jér. II,1-IV,4, RSR 4 (1912) 297-320

-, Le Livre de Jérémie, Paris 1920

CORNILL, C.H., Einleitung in das Alte Testament, 3. und 4. Aufl., Freiburg/ Leipzig 1896

-, Die metrischen Stücke des Buches Jeremia reconstruiert, Leipzig 1901

-, Das Buch Jeremia, Leipzig 1905

-, Die literarhistorische Methode und Jeremia 1, ZAW 27 (1907) 100-110

CRENSHAW, J.L., A Living Tradition. The Book of Jeremiah in Current Research, Interp. 37 (1983) 117-129

CRESSON, B., s. Beit-Arieh, Y.

CRONWELL, J.H., s. Littauer, M.A.

CROSS, F.M./FREEDMAN, D.N., Josiah's Revolt against Assyria, JNES 12 (1953) 56-58

CUNLIFFE-JONES, H., The Book of Jeremiah (TBC 13), London 1960, Nachdruck 1965

DAHOOD, M., Jeremiah 5,31a and UT 127:32, Bib. 57 (1976) 106-108

DALMAN, G., Jahresbericht des Instituts für das Arbeitsjahr 1908/09, PJ 5 (1909) 1-26

-, Jahresbericht des Instituts für das Arbeitsjahr 1913/14, PJ 10 (1914) 3-50

-, Palästinische Wege und die Bedrohung Jerusalems nach Jes. 10, PJ 12 (1916) 34-57

-, Jerusalem und sein Gelände, Gütersloh 1930. Mit einer Einführung von K.H. Rengstorf und mit Nachträgen auf Grund des Handexemplars des Verfassers von P. Freimuth, Hildesheim/New York 1972

-, Arbeit und Sitte in Palästina, Bd. I,1 und I,2, Gütersloh 1928

-, Aramäisch-neuhebräisches Handwörterbuch zu Targum, Talmud und Midrasch, Göttingen 1938, Nachdruck Hildesheim 1967

DAVIES, G.I., Tell ed-Duweir: Ancient Lachish: A Response to G.W. Ahlström, PEQ 114 (1982) 25-28

DEMANDT, A., Metaphern für Geschichte. Sprachbilder und Gleichnisse im historisch-politischen Denken, München 1978

DeROCHE, M., Israel's 'Two Evils' in Jeremiah II,13. VT 31 (1981) 369-371

-, Jeremiah 2:2-3 and Israel's Love for God during the Wilderness Wanderings, CBQ 45 (1983) 364-376

-, Yahwe's r î b Against Israel: A Reassessment of the so-called "Prophetic Lawsuit" in the Preexilic Prophets, JBL 102 (1983) 563-574

DeVRIES, S.J., Yesterday, Today and Tomorrow. Time and History in the Old Testament , London 1975

DIELS, H./KRANZ, W., Die Fragmente der Vorsokratiker, Bd. 1, 11. Aufl., Zürich/Berlin 1964

DONNER, H., Israel unter den Völkern. Die Stellung der klassischen Propheten des 8. Jahrhunderts v. Chr. zur Außenpolitik der Könige von Israel und Juda (VTS 11), Leiden 1964

-, Herrschergestalten in Israel, Berlin/Heidelberg/New York 1970

-, Einführung in die biblische Landes- und Altertumskunde, Darmstadt 1976

-, Pilgerfahrt ins Heilige Land. Die ältesten Berichte christlicher Palästinapilger (4.-7. Jh.), Stuttgart 1979

-, Geschichte des Volkes Israel und seiner Nachbarn in Grundzügen. Teil 2: Von der Königszeit bis Alexander dem Großen. Mit einem Ausblick auf die Geschichte des Judentums bis Bar Kochba (Grundrisse zum AT 4/2), Göttingen 1986

DOTHAN, M., An Archaeological Survey of the Lower Rubin River, IEJ 2 (1952) 104-117

-, Tell Mor (Tell Kheidar), IEJ 9 (1959) 271-272

-, Tell Mor (Tell Kheidar), IEJ 10 (1960) 123-125

-, Excavations at Tell Mor (1959 Season), BIES 24 (1960) 120-132

-, The Fortress at Kadesh-Barnea, IEJ 15 (1965) 134-151

DOTHAN, M./FREEDMAN, D.N., Ashdod I. The First Season of Excavations. 1962 (ᶜAtiqot English Series 1), Jerusalem 1967

–, Ashdod II-III. The Second and Third Seasons of Excavations. 1963, 1965, Soundings in 1967, 2 Vols. (ᶜAtiqot English Series 9-10), Jerusalem 1971

DOTHAN, M., The Foundation of Tel Mor and of Ashdod, IEJ 23 (1973) 1-17

DOTHAN, M./PORATH, Y., Ashdod IV. Excavations of Area M, ᶜAtiqot English Series 15 (1982) 1-63

DOTHAN, T., The Philistines and their Material Culture, Jerusalem 1982

–, s. Mazar, B.

DRIVER, S.R., The Book of the Prophet Jeremiah, London 1906

DROWER, E.S./MACUCH, A., A Mandaic Dictionary, Oxford 1963

DROYSEN, J.G., Historik. Vorlesungen über Enzyklopädie und Methodologie der Geschichte, hg. von R. Hübner, 8. Aufl., Darmstadt 1977

DÜRR, L., Die Wertung des göttlichen Wortes im Alten Testament und im antiken Orient (MVÄG 42/1), Leipzig 1938

DUHM, B., Das Buch Jeremia (KHC XI), Tübingen/Leipzig 1901

–, Das Buch Jeremia. In den Versmaßen der Urschrift übersetzt, Tübingen 1907

–, Israels Propheten, Tübingen 1916

DUNAYEVSKY, I., s. Mazar, B.

DUNCAN, J.G., Corpus of Palestinian Pottery, London 1930

DUPONT-SOMMER, A., Un papyrus araméen d'époque saïte découvert à Saqqarah, Sem. 1 (1948) 43-68

EBACH, J./RÜTERSWÖRDEN, U., ADRMLK, "Moloch" und BAᶜAL ADR. Eine Notiz zum Problem der Moloch-Verehrung im alten Israel, UF 11 (1979) 219-226

EHRLICH, A.B., Randglossen zur hebräischen Bibel. Textkritisches, Sprachliches und Sachliches, Bd. 4: Jesaja, Jeremia, Leipzig 1912

EICHHORN, J.G., Die hebräischen Propheten, Bd. II, Göttingen 1819

EICHRODT, W., Offenbarung und Geschichte im Alten Testament, ThZ 4 (1948) 321-331

–, Der Prophet Hesekiel, Kap. 1-18 (ATD 22/1), 4. Aufl., Göttingen 1977, Kap. 19-48 (ATD 22/2), 2. Aufl., Göttingen 1969

EISSFELDT, O., Voraussage-Empfang, Offenbarungs-Gewißheit und Gebetskraft-Erfahrung bei Jeremia, NT 5 (1962) 77-81, abgedr. in: ders., Kleine Schriften, Bd. IV, hg. von R. Sellheim und F. Maass, Tübingen 1968, 58-62

–, Einleitung in das Alte Testament, 4. Aufl., Tübingen 1976

EISENHUT, W., Einführung in die antike Rhetorik und ihre Geschichte, 3. Aufl., Darmstadt 1982

EITAN, J., Hebrew and Semitic Particles. Comparative Studies in Semitic Philology, AJSL 44 (1928) 177-205

Die El-Amarna-Tafeln. Mit Einleitung und Erläuterungen hg. von J.A. Knudtzon. Anmerkungen und Register bearb. von O. Weber und E. Ebeling, Zwei Teile, Leipzig 1915, Nachdruck Aalen 1964

ELLIGER, K., Die Heimat des Propheten Micha, ZDPV 57 (1934) 81-152, abgedr. in: ders., Kleine Schriften zum Alten Testament (ThB 32), hg. von H. Gese und O. Kaiser, München 1966, 9-71

–, Nochmals "Prophet und Politik", ZAW 55 (1937) 291-295

–, Die Ostraka von Lachis, PJ 34 (1938) 30-58

–, Zu Text und Schrift der Ostraka von Lachis, ZDPV 62 (1939) 63-89

-, Der Begriff "Geschichte" bei Deuterojesaja, in: FS O. Schmitz, Witten 1953, 26-36, abgedr. in: ders., Kleine Schriften, 199-210

EMERTON, J.A., Notes on some problems in Jeremiah V, 26, in: Mélanges bibliques et orientaux en l'honneur de M.H. Cazelles, éd. par A. Caquot et M. Delcor (AOAT 212), Neukirchen 1981, 125-133

ENGELS, O., Art. "Geschichte, Historie" (Kap. III), in: Geschichtliche Grundbegriffe. Historisches Lexikon zur politisch-sozialen Sprache in Deutschland, Bd. 2, hg. von O. Brunner/W. Conze und R. Koselleck, Stuttgart 1975, 610-624

EPPSTEIN, V., The Day of Yahveh in Jeremiah 4,23-28, JBL 87 (1968) 93-97

ERBT, W., Jeremia und seine Zeit. Die Geschichte der letzten fünfzig Jahre des vorexilischen Juda, Göttingen 1902

ERMAN, A., Die Literatur der Ägypter, Leipzig 1923

ERMAN, A./GRAPOW, H., (Hg.), Wörterbuch der ägyptischen Sprache, Bd. I-VII, Leipzig/Berlin 1926/63, Nachdruck Berlin 1971

ESCOBAR, J., Estudio de los restos arqueológicos de Tecóa, SBFLA 26 (1976) 5-26 und Tafeln 1-12

EUSEBIUS. Das Onomastikon der biblischen Ortsnamen, GCS: Eusebius Werke III,1, Leipzig 1904 (Nachdruck Hildesheim 1966)

EVANS, C.D., Judah's Foreign Policy from Hezekiah to Josiah, in: Scripture in Context. Essays on the Comparative Method, ed. by C.D. Evans, W.W. Hallo, J.B. White (Pittsburgh Monograph Series 34), Pittsburgh, Pennsylvania 1980, 157-178

EVENARI, M./AHARONI, Y./SHANAN, L./TADMOR, N.H., The Ancient Desert Agriculture of the Negev, III. Early Beginnings, Appendix I: Finds of the Israelite Period III, IEJ 8 (1958) 239-268

EWALD, H., Geschichte des Volkes Israel bis Christus, Bd. 3,1, Göttingen 1847

Excavations and Surveys in Israel, Vol 1 (1982), 2 (1983), ed. by I. Pommerantz, Jerusalem 1984

FABER, K.-G., Theorie der Geschichtswissenschaft, 4. Aufl., München 1978

Faber, K.-G./MEIER, Chr., (Hg.), Historische Prozesse (Beiträge zur Historik 2), München 1978

FASCHER, E., Antike Geschichtsschreibung als Beitrag zum Verständnis der Geschichte, ThLZ 77 (1952) 641-652

FEINBERG, Ch.L., Jeremiah. A Commentary, Grand Rapids, Michigan 1982

FILSON, F.V., Method in Studying Biblical History, JBL 68 (1949) 1-18

FINEGAN, J., Handbook of Biblical Chronology. Principles of Time Reckoning in the Ancient World and Problems of Chronology in the Bible, Princeton, New Jersey 1964

FINLEY, M.I., Ancient History. Evidence and Models, New York 1986

Fischer Weltgeschichte. Die Altorientalischen Reiche III: Die erste Hälfte des 1. Jahrtausends, hg. von E. Cassin, J. Bottéro, J. Vercoutter (Fischer Weltgeschichte, Bd. 4), 4. Aufl., Frankfurt/M. 1977

FISHBANE, M., Jeremiah IV,23-26 and Job III,3-13: A Recovered Use of the Creation Pattern, VT 21 (1971) 151-167

-, Biblical Interpretation in Ancient Israel, Oxford 1985

FOHRER, G., Prophetie und Geschichte, ThLZ 89 (1964) 481-500, abgedr. in: ders., Studien zur alttestamentlichen Prophetie, 1949-1965, (BZAW 99), Berlin 1967, 265-293

-, Die Propheten des Alten Testaments, Bd. 2, Gütersloh 1974

-, Einleitung in das Alte Testament, 12. Aufl., Heidelberg 1979

Formen der Geschichtsschreibung, hg. von R. Koselleck, H. Lutz und J. Rüsen. Theorie der Geschichte, Beiträge zur Historik, Bd. 4, München 1982

FOX, M.V., Jeremiah 2,2 and the 'Desert Idea', CBQ 35 (1973) 441-450

FREEDMAN, D.N., The Biblical Idea of History, Interp. 21 (1967) 32-49

-, Pottery, Poetry and Prophecy. Studies in Early Hebrew Poetry, Eisenbrauns, Winona Lake 1980

-, s. Dothan, M.

FREEDMAN, H., Jeremiah (SBBS 6), 3. Aufl., London 1961

FRIEDMAN, R.E., The Prophet and the Historian: The Acquisition of Historical Information from Literary Sources, in: The Poet and the Historian. Essays in Literary and Historical Criticism, ed. by R.E. Friedman, Chico, California 1983, 1-12

von FRITZ, K., Die griechische Geschichtsschreibung, Bd. 1: Von den Anfängen bis Thukydides, Berlin 1967, mit Anmerkungsband

FRITZ, V., The 'List of Rehoboam's Fortresses' in 2.Chr. 11:5-12 - A Document from the Time of Josiah, ErIs 15 (1981) 46*-53*

-, s. Aharoni, Y.

FRITZ, V./GÖRG, M./FUHS, H.F., Kadesch in Geschichte und Überlieferung. Materialien zur Tagung der Arbeitsgemeinschaft der deutschsprachigen katholischen Alttestamentler vom 23.-27. Sempt. 1979 in Bamberg, BN 9 (1979) 45-70

FRITZ, V./KEMPINSKI, A., Vorbericht über die Ausgrabungen auf der Ḫirbet el-Mšāš (Tēl Māśôś), 3. Kampagne 1975, ZDPV 92 (1976) 83-104

-, Ergebnisse der Ausgrabungen auf der Ḫirbet el-Mšāš (Tēl Māśôś) 1972-1975 (Abhandlungen des Deutschen Palästinavereins), Teil I: Textband, Teil II: Tafelband, Teil III: Pläne, Wiesbaden 1983

FUHRMANN, M., Das Exemplum in der antiken Rhetorik, in: Geschichte - Ereignis und Erzählung (Poetik und Hermeneutik V), hg. von R. Koselleck und W.D. Stempel, München 1973, 449-452

FUHS, H.F., s. Fritz, V.

FUNK, R.W., The History of Beth-zur with reference to its Defences, AASOR 38 (The 1957 Excavation at Beth-Zur), 1968, 4-17

Funktionen des Fiktiven, hg. von D. Henrich und W. Iser (Poetik und Hermeneutik X), München 1983

GAENSLE, C., The Hebrew Particle אשר, AJSL 31 (1914/15) 3-66.93-159 = The Hebrew Particle אשר , Diss. Chicago 1915

GALLING, K., Die Geschichte als Wort Gottes bei den Propheten, ThBl 8 (1929) 169-172

-, Biblische Sinndeutung der Geschichte, EvTh 8 (1948) 307-319

-, Die Bücher der Chronik, Esra, Nehemia (ATD 12), Göttingen 1954

-, Goliath und seine Rüstung, VTS 15, Leiden 1965, 150-169

-, (Hg.), Textbuch zur Geschichte Israels. In Verbindung mit E. Edel und R. Borger, 2. Aufl., Tübingen 1968, 3. Aufl., Tübingen 1979

GANOR, N.R., The Lachish Letters, PEQ 99 (1967) 74-77

GARLAND, D.D., Exegesis of Jer. 2,10-13, SWJT 2 (1960) 27-32

GELIN, A., Jérémie. Les Lamentations. Le Livre de Baruch (La Sainte Bible 11), 2. Aufl., Paris 1959

GELLER, St. A., Parallelism in Early Biblical Poetry, Missoula, Montana 1979

GERLEMAN, G., Wort und Realität, in: FS H.S. Nyberg, Uppsala 1954, 155-160

Geschichte - Ereignis und Erzählung (Poetik und Hermeneutik V), hg. von R. Koselleck und W.D. Stempel, München 1973

GESE, H., Geschichtliches Denken im Alten Orient und im Alten Testament, ZThK 55 (1958) 127-145, abgedr. in: ders., Vom Sinai zum Zion. Alttestamentliche Beiträge zur biblischen Theologie (BEvTh 64), München 1974, 81-98

GESE, H./HÖFFNER, M./RUDOLPH, K., Die Religionen Altsyriens, Altarabiens und der Mandäer (RM 10,2), Stuttgart u.a. 1970

de GEUS, C.H.J., Idumaea, Jaarbericht van het Vooraziatisch-Egyptisch Genootschap, Ex Oriente Lux 26 (1979/80) 53-74

GEVARYAHU, H.M.I., Biblical Colophons: A Source for the "Biography" of Authors, Texts and Books, VTS 28 (Congress Volume Edinburgh 1974), Leiden 1975, 42-59

GIBSON, J.C.L., Textbook of Syrian Semitic Inscriptions, Vol. I: Hebrew and Moabite Inscriptions, Oxford 1971 (Reprint 1973), Vol. II: Aramaic Inscriptions, Oxford 1975, Vol. III: Phoenician Inscriptions. Including Inscriptions in the mixed Dialect of Arslan Tash, Oxford 1982

GICHON, M., The System of Fortifications in the Kingdom of Judah, in: The Military History of the Land of Israel in Biblical Times, ed. by I. Liver, Maarachoth 1965, 410-425 (hebr.)

GIESEBRECHT, F., Das Buch Jeremia (HK III/2), 2. Aufl., Göttingen 1907

GILBOA, E., s. Kempinski, A.,

GILWHITE, C.T., Jeremiah V,28, ET 56 (1944/45) 138

GINSBERG, H.L., Judah and the Transjordan States from 734 to 582 B.C.E., in: A. Marx Jubelee Volume on the Occasion of his seventieth Birthday, New York 1950, 347-368

GLUECK, N., Explorations in Eastern Palestine, II, AASOR 15, New Haven 1935

   -, Some Edomite Pottery from Tell El-Kheleifeh, BASOR 188 (1967) 8-38

GÖRG, M., s. Fritz, V.

Gold der Skythen aus der Leningrader Eremitage. Ausstellung der Staatlichen Antikensammlungen am Königsplatz in München, 19. Sept. bis 9. Dez. 1984, München o.J.

GOTTWALD, N.K., All the Kingdoms of the Earth. Israelite Prophecy and International Relations in the Ancient Near East, New York/London 1964

GRAF, K.H., Der Prophet Jeremia, Leipzig 1862

GRAPOW, H., Die bildlichen Ausdrücke des Ägyptischen. Vom Denken und Dichten einer altorientalischen Sprache, Leipzig 1924, Nachdruck Darmstadt 1983

   -, s. Erman, A.

GRASSI, E., Die Theorie des Schönen in der Antike, Köln 1962

GRAYSON, A.K., Assyrian and Babylonian Chronicles (TCS V), New York 1975

   -, Histories and Historians of the Ancient Near East: Assyria and Babylonia, Or. 49 (1980) 140-194

GRESSMANN, H., Der Ursprung der israelitisch-jüdischen Eschatologie (FRLANT 6), Göttingen 1905

-, Bemerkungen des Herausgebers, ZAW NF 1 (1924) 157f.

-, Der Messias (FRLANT 26), Göttingen 1929

GRETHER, O., Name und Wort Gottes im Alten Testament (BZAW 64), Berlin 1934

GRIMM, D., Geschichtliche Erinnerung im Glauben Israels, ThZ 32 (1976) 257-268

GRIMM, J./GRIMM, W., Deutsches Wörterbuch, Bd. 4,1,2, Leipzig 1897

GROSS, W., Verbform und Funktion. wayyiqṭol für die Gegenwart? Ein Beitrag zur Syntax poetischer althebräischer Texte (Arbeiten zu Text und Sprache im Alten Testament 1), St. Ottilien 1976

-, Zur Funktion von qatal. Die Verbfunktion in neueren Veröffentlichungen, BN 4 (1977) 25-38

-, Otto Rössler und die Diskussion um das althebräische Verbalsystem, BN 18 (1982) 28-78

GÜNTHER, H., Art. "Geschichte, Historie" (Kap. IV), in: Geschichtliche Grundbegriffe. Historisches Lexikon zur politisch-sozialen Sprache in Deutschland, hg. von O. Brunner, W. Conze und R. Koselleck, Bd. 2, Stuttgart 1975, 625-647

GUÉRIN, V., Description géographique, historique et archéologique de la Palestine, Tom. 1-3: Judée, Paris 1868-1869, Nachdruck Amsterdam 1969

GUNKEL, H., Die Propheten, Göttingen 1917

GUNNEWEG, A.H.J., Heil im Gericht. Zur Interpretation von Jeremias später Verkündigung, in: Tradition - Krisis - Renovatio aus theologischer Sicht, FS W. Zeller, Marburg 1976, 1-9

-, Prophetie und Politik, Beiträge aus der evangelischen Militärseelsorge 25 (1978) 5-18, abgedr. in: ders., Sola Scriptura. Beiträge zur Exegese und Hermeneutik des Alten Testaments. Zum 60. Geburtstag hg. von P. Höffken, Göttingen 1983, 129-142

GYLES, M.F., Pharaonic Policies and Administration 663-323 B.C., Chapel Hill 1959

HAACKE, K., Zu Jerem. 2,17, ZAW 21 (1901) 142

HAAG, H., Die Propheten als politische Mahner, SKZ 113 (1945) 385-387.396-398

-, Prophet und Politik im Alten Testament, TThZ 80 (1971) 222-246

HALLER, M., Jeremia und das Jeremiabuch, RGG 1. Aufl., Tübingen 1912, 297-307

-, Edom im Urteil der Propheten, in: Vom Alten Testament, FS K. Marti (BZAW 41), Gießen 1925, 109-117

HALPERN, B., Doctrine by Misadventure: Between the Israelite Source and the Biblical Historian, in: The Poet and the Historian. Essays in Literary and Historical Biblical Criticism, ed. by R.E. Friedman, Chico, California 1983, 41-73

HAMMOND, Ph.C., Hébron, RB 72 (1965) 267-270; RB 73 (1966) 566-569; RB 75 (1968) 253-258

HAMP, V., Der Begriff "Wort" in den aramäischen Bibelübersetzungen. Ein exegetischer Beitrag zur Hypostasenfrage und zur Geschichte der Logos-Spekulation, München 1938

HANFMAN, G.M.A., A Near Eastern Horseman, Syria 38 (1961) 243-255

HARDING, L., s. Macdonald, E.

HARDT, D., Fiktion, Erfahrung, Gewißheit. Second thoughts, in: Formen der Geschichtsschreibung, 621-630

378

HARDTWIG, W., Die Verwissenschaftlichung der Historie und die
Ästhetisierung der Darstellung, in: Formen der Geschichtsschreibung,
147-191

HAREL, M., Israelite and Roman Roads in the Judean Desert, IEJ 17 (1967)
18-26

HARWEG, R., Textanfänge in geschriebener und gesprochener Sprache, Orbis
17 (1968) 343-388

HAYES, J.H./MILLER, J.M., (Ed.), Israelite and Judaean History, London 1977

HEINISCH, P., Das "Wort" im Alten Testament und im alten Orient (BZfr X,7.8),
Münster 1922

HELCK, W./OTTO, E., Kleines Wörterbuch der Ägyptologie, 2. Aufl, Wiesbaden
1970

HELCK, W., Die Beziehungen Ägyptens zu Vorderasien im 3. und 2. Jahrtausend
v. Chr., (ÄA 5), 2. Aufl., Wiesbaden 1971

HEMPEL, J., Politische Absicht und politische Wirkung im biblischen Schrift-
tum, Nachrichten von der Gesellschaft der Wissenschaften zu Göttingen,
Jahresbericht 1937/38, 42-59

-, Die Ostraka von Lakiš. Eine Besprechung, ZAW NF 15 (1938) 126-139

-, Altes Testament und Geschichte. Studien des apologetischen Seminars,
27. Heft , Göttingen 1930

-, Wort Gottes und Schicksal, in: FS A. Bertholet, hg. von W. Baumgartner u.a., Tübingen 1950, 222-232

-, Glaube, Mythos und Geschichte im Alten Testament, ZAW 65 (1953) 109-167

-, Faktum und Gesetz im alttestamentlichen Geschichtsdenken, ThLZ 85
(1960) 823-828

-, Die Faktizität der Geschichte im Biblischen Denken, in: Biblical Studies in Memory of H.C. Alleman, ed. by J.M. Myers, O. Reimherr, H.N. Bream,
New York 1960, 67-88

-, Geschichten und Geschichte im Alten Testament bis zur persischen Zeit,
Gütersloh 1964

HENTSCHEL, G., 2 Könige (Die Neue Echter Bibel), Würzburg 1985

HERMISSON, H.-J., Zeitbezug des prophetischen Wortes, KuD 27 (1981) 96-110

HERODOT, Ausgabe: Herodotus with an English Translation by A.D. Godley (Loeb),
4 Vol., London/Cambridge (Mass.) 1920-1925 (Reprints)

HERRMANN, S., Das Prophetische, in: Reich Gottes und Wirklichkeit, Festgabe
für A.D. Müller zum 70. Geb., Berlin 1961, 32-52

-, Die prophetischen Heilserwartungen im Alten Testament. Ursprung und
Gestaltwandel (BWANT 85), Stuttgart 1965

-, Prophetie und Wirklichkeit in der Epoche des babylonischen Exils (Arbeiten zur Theologie, R. 1, H. 32), Stuttgart 1967, abgedr. in: ders.,
Gesammelte Studien zur Geschichte und Theologie des Alten Testaments (ThB
75), München 1986, 179-209

-, Die konstruktive Restauration. Das Deuteronomium als Mitte biblischer
Theologie, in: Probleme biblischer Theologie, FS G. von Rad, hg. von H.W.
Wolff, München 1971, 155-170, abgedr. in: ders., Gesammelte Studien zur
Geschichte und Theologie des Alten Testaments, S. 163-178

-, Ursprung und Funktion der Prophetie im alten Israel (Rhein.-Westf.
Akademie der Wissenschaften, Geisteswissenschaften, Vorträge, G 208),
Opladen 1976

-, Forschung am Jeremiabuch. Probleme und Tendenzen ihrer neueren Entwicklung, ThLZ 102 (1977) 481-490

- Zeit und Geschichte (Kohlhammer Taschenbücher 1002), Stuttgart/Berlin/ Köln/Mainz 1977

-, Die Bewältigung der Krise Israels. Bemerkungen zur Interpretation des Buches Jeremia, in: Beiträge zur alttestamentlichen Theologie, FS W. Zimmerli zum 70. Geb., hg. von H. Donner, R. Hanhart und R. Smend, Göttingen 1977, 164-178; in englischer Übersetzung wieder gedr. in: Perdue, L.G./ Kovacs, B.W., A Prophet to the Nations, 299-311

-, Geschichte Israels in alttestamentlicher Zeit, 2. Aufl., München 1980

-, Jeremia. Der Prophet und die Verfasser des Buches Jeremia, in: Le Livre de Jérémie. Le Prophète et son Milieu. Les Oracles et leur Transmission (BEThL 54), éd. par P.M. Bogaert, Leuven 1981, 197-214

-, Geschichtsbild und Gotteserkenntnis. Zum Problem altorientalischen und alttestamentlichen Geschichtsdenkens, in: I.L. Seeligmann Volume, ed. by A. Rofé und Y. Zakovitch, Vol. III, Jerusalem 1983, 15-38, abgedr. in: ders., Gesammmelte Studien zur Geschichte und Theologie des Alten Testaments, 9-31

-, Jeremia (BK XII/Lfg. 1), Neukirchen 1986

HERTZBERG, W., Jeremia und das Nordreich Israel, ThLZ 77 (1952) 595-602, abgedr. in: ders., Beiträge zur Traditionsgeschichte und Theologie des Alten Testaments, Göttingen 1962, 91-100

HESSE, F., Die Erforschung der Geschichte Israels als theologische Aufgabe, KuD 4 (1958) 1-19

-, Zur Frage der Wertung und der Geltung alttestamentlicher Texte, in: FS F. Baumgärtel zum 70. Geb. am 14. Jan. 1958, überreicht von J. Herrmann (Erlanger Forschungen 10), Erlangen 1959, 74-96

-, Kerygma oder geschichtliche Wirklichkeit? Kritische Fragen zu Gerhard von Rads "Theologie des Alten Testaments, I. Teil", ZThK 57 (1960) 17-26

-, Bewährt sich eine "Theologie der Heilstatsachen" am Alten Testament? Zum Verhältnis von Faktum und Deutung, ZAW 81 (1969) 1-17

-, Zur Profanität der Geschichte Israels, ZThK 71 (1974) 262-290

HILLER, H., Wörterbuch des Buches, 4. Aufl., Frankfurt/M. 1980

HILLERS, D.R., A Convention in Hebrew Literature: The Reaction to bad News, ZAW 77 (1965) 86-90

Historische Prozesse, hg. von K.-G. Faber und Chr. Meier, Theorie der Geschichte, Beiträge zur Historik, Bd. 2, München 1978

History, Historiography and Interpretation. Studies in Biblical and Cuneiform Literatures, ed. by H. Tadmor and M. Weinfeld (The Hebrew University. The Institute of Advanced Studies), Jerusalem 1983

HITZIG, F., Der Prophet Jeremia (KEH III), 2. Aufl., Leipzig 1866

HOBBS, T.R., Jeremiah 3,1-5 and Deuteronomy 24,1-4, ZAW 86 (1974) 23-29

-, Some Proverbial Reflections in the Book of Jeremiah, ZAW 91 (1979) 62-72

HÖFFNER, M., s. Gese, H.

HÖRIG, M., Dea Syria. Studien zur religiösen Tradition der Fruchtbarkeitsgöttin in Vorderasien (AOAT 208), Neukirchen 1979

HOFFMAN, Y., Das Buch Jeremia: Enzyklopädie ʿOlam Hattanach 11 (1983) 20-23 (hebr.)

HOFFMANN, H.-D., Reform und Reformen. Untersuchungen zu einem Grundthema
der deuteronomistischen Geschichtsschreibung (AThANT 66), Zürich 1980

HOFFNER, H.A., Jr., Histories and Historians of the Ancient Near East: The
Hittites, Or. 49 (1980) 283-332

HOLLADAY, W.L., Prototype and Copies: a new Approach to the poetry-prose
Problem in the Book of Jeremiah, JBL 79 (1960) 351-367

-, Style, Irony, and Authenticity in Jeremiah, JBL 81 (1962) 44-54

-, "The Priests Scrape out on their Hands", Jeremiah V,31, VT 15 (1965)
111-113

-, Jeremiah II,34bβ - A Fresh Proposal, VT 25 (1975) 221-225

-, Structure, Syntax and Meaning in Jeremiah IV, 11-12a, VT 26 (1976)
28-37

-, The Architecture of Jeremiah 1-20, Lewisburg/London 1976

-, A Coherent Chronology of Jeremiah's Early Career, in: Le Livre de
Jérémie. Le Prophète et son Milieu. Les Oracles et leur Transmission
(BEThL 54), éd. par P.-M. Bogaert, Leuven 1981, 58-73

-, The Years of Jeremiah's Preaching, Interp. 37 (1983) 146-159

HORNUNG, E., Geschichte als Fest. Zwei Vorträge zum Geschichtsbild der
frühen Menschheit (Libelli 246), Darmstadt 1966, 9-29: Vom Geschichtsbild der alten Ägypter

-, Zum altägyptischen Geschichtsbewußtsein, in: Archäologie und Geschichtsbewußtsein (Kommission für Allgemeine und Vergleichende Archäologie des Deutschen Archäologischen Instituts Bonn, AVA-Kolloquien, Bd. 3), München 1982, 13-30

HORST, F., Die Anfänge des Propheten Jeremia, ZAW 41 (1923) 94-153

- , Die zwölf kleinen Propheten. Nahum bis Maleachi (HAT 14), 3. Aufl.,
Tübingen 1964

HORWITZ, W.J., Audience Reaction to Jeremiah, CBQ 32 (1970) 555-564

HUMBERT, P., Les adjectivs zār et nŏkrī et la femme étrangère des Proverbes
bibliques, in: Mélanges Syriens offerts à M.R. Dussaud, I, Paris 1939,
259-266

-, Le substantiv tōʿēbā et le verbe tʿb dans l'Ancien Testament, ZAW 72
(1960) 217-237

HUNGER, H., Babylonische und assyrische Kolophone (AOAT 2), Neukirchen 1968

HYATT, J.Ph., The Peril from the North in Jeremiah, JBL 59 (1940) 499-513

-, The Date and the Background of Zephaniah, JNES 7 (1948) 25-29

-, The Beginning of Jeremiah's Prophecy, ZAW 78 (1966) 204-214

HYATT, J.Ph./HOPPER, S.R., The Book of Jeremiah (IntB V), New York/Nashville
1956, 775-1142

INGARDEN, R., Das literarische Kunstwerk, 2. Aufl., Tübingen 1960

Inscriptions Reveal. Documents from the Time of the Bible, the Mishna and
the Talmud (Israel Museum, Catalogue 100), hg. von R. Hestrin u.a., Jerusalem 1973 (hebr.)

ISER, W., Die Appellstruktur der Texte. Unbestimmtheit als Wirkungsbedingung literarischer Prosa, in: R. Warning (Hg.), Rezeptionsästhetik.
Theorie und Praxis (UTB 303), München 1975, 228-252

ITTMANN, N., Die Konfessionen Jeremias. Ihre Bedeutung für die Verkündigung
des Propheten (WMANT 54), Neukirchen 1981

JACOB, E., Histoire et Historiens dans l'Ancien Testament, RHPhR 35 (1955) 26-34

-, Théologie de l'Ancien Testament, 2. Aufl., Neuchâtel 1968

JAMES, F., The Iron Age at Beth Shan, Philadelphia 1968

JAROŠ, K., Hundert Inschriften aus Kanaan und Israel. Für den Hebräisch- unterricht bearbeitet, Fribourg 1982

JASTROW, M., A Dictionary of the Targumim, the Talmud Babli and Yerushal- mi, and the Midrashic Literature, Vol. I and II, New York 1950

JAUSS, H.R., Der Gebrauch der Fiktion in Formen der Anschauung und Dar- stellung der Geschichte, in: Formen der Geschichtsschreibung, 415-451

JEAN, Ch.-F./HOFTIJZER, J., Dictionnaire des inscriptions sémitiques de l' ouest, Leiden 1965

JEAN, F.C., Jérémie et sa politique, sa théologie, Paris 1913

JENNI, E., Die politischen Voraussagen der Propheten (AThANT 29), Zürich 1956

-, Das hebräische Piᶜel. Syntaktisch-semasiologische Untersuchung einer Verbalform im Alten Testament, Zürich 1968

JEPSEN, A., Die Quellen des Königsbuches, 2. Aufl., Halle 1956

-, Noch einmal zur israelitisch-jüdischen Chronologie, VT 18 (1968) 31-46

JEPSEN, A./HANHART, R., Untersuchungen zur israelitisch-jüdischen Chrono- logie (BZAW 88), Berlin 1964

JEREMIAS, J., Gott und Geschichte im Alten Testament. Überlegungen zum Ge- schichtsverständnis im Nord- und Südreich Israels, EvTh 40 (1980) 381-396

JOBLING, D., Jeremiah's Poem in III,1-IV,2, VT 28 (1978) 45-55

-, The Quest of the historical Jeremiah: Hermeneutical Implications of Recent Literature, USQR 34 (1978/79) 3-12; abgedr. in: Perdue, L.G./ Kovacs, B.W., A Prophet to the Nations, 285-297

JOHNSON, B., Hebräisches Perfekt und Imperfekt mit vorangehendem wᵉ (CB.OT 13), Lund 1979

JONAS, H., Wandel und Bestand. Vom Grunde der Verstehbarkeit des Geschicht- lichen, Frankfurt/M. 1970

JOSEPHUS, Ausgabe: Josephus with an English Translation by R. Marcus, 9 Vol., Vol. VI: Jewish Antiquities, Books IX-XI, (Loeb) London/Cambridge (Mass.) 1937 (Reprints)

JOÜON, P. Grammaire de l'hébreu biblique, Rom 1923, Nachdruck 1965

JUNGE, E., Der Wiederaufbau des Heerwesens des Reiches Juda unter Josia (BWANT, 4. F., H. 23), Stuttgart 1937

KAISER, O., Geschichtliche Erfahrung und eschatologische Erwartung. Ein Beitrag zur Geschichte der alttestamentlichen Eschatologie im Jesaja- buch, NZSTh 15 (1973) 272-285

-, Einleitung in das Alte Testament, 5. Aufl., Göttingen 1984

KAMMERER, A., Pétra et la Nabatène, I: Texte, II: Atlas, Paris 1929/30

KAPLAN, J., Yavne-Yam, IEJ 19 (1969) 120-121

-, Yavneh-Yam, RB 77 (1970) 388-389

-, Further Aspects of Middle Bronze Age II Fortifications in Palestine, ZDPV 91 (1975) 1-17

KATZENSTEIN, H.J., "Before Pharao conquered Gaza" (Jeremiah XLVII,1), VT 33 (1983) 249-251

KAUFMANN, Y. The Religion of Israel - From its Beginnings to the Babylonian Exile, Chicago 1960

KEDAR, B., Biblische Semantik, Neukirchen 1981

KEEL, O., Wirkmächtige Siegeszeichen im Alten Testament (OBO 5), Göttingen 1974

-, Die Welt der altorientalischen Bildsymbolik und das Alte Testament, 3. Aufl., Zürich/Einsiedeln/Köln/Neukirchen 1984

KEEL, O./KÜCHLER, M./UEHLINGER, Chr., Orte und Landschaften der Bibel. Ein Handbuch und Studienreiseführer zum Heiligen Land, Bd. 1: Geographisch-geschichtliche Landeskunde, Zürich u.a. 1984

KEEL, O./KÜCHLER, M., Orte und Landschaften der Bibel. Ein Handbuch und Studienreiseführer, Bd. 2: Der Süden, Zürich/Einsiedeln/Köln/Göttingen 1982

KEGLER, J., Politisches Geschehen und theologisches Verstehen in der frühen israelitischen Königszeit (CThM A,8), Stuttgart 1977

KEIL, C.F., Biblischer Commentar über den Propheten Jeremia und die Klagelieder (BC III/2), Leipzig 1872

KEMPINSKI, A./ZIMCHONI, O./GILBOA, E./RÖSEL, H., Excavations at Tel Masos: 1972, 1974,1975, ErIs 15 (1981) 154-180 (hebr.)

KEMPINSKI, A., s. Aharoni, Y./Fritz, V.

KESSLER, E., Das rhetorische Modell der Historiographie, in: Formen der Geschichtsschreibung, 37-85

KEUK, H., Historia. Geschichte des Wortes und seiner Bedeutungen in der Antike und in den romanischen Sprachen, Diss. Münster 1934

KIENITZ, F.K., Die politische Geschichte Ägyptens vom 7. bis zum 4. Jahrhundert vor der Zeitwende, Berlin 1953

KIRCHNER, J., (Hg.), Lexikon des Buchwesens, Bd. I: Stuttgart 1952

KITCHEN, K.A., The Third Intermediate Period in Egypt (1100-650 B.C.), Warminster 1973

KITTEL, R., Die Bücher der Könige (HK I/5), Göttingen 1900

-, Geschichte des Volkes Israel, Bd. II, 6. und 7. Aufl., Stuttgart 1925

KLAUBER, E.G., Politisch-religiöse Texte der Sargonidenzeit, Leipzig 1913

KLOPFENSTEIN, M.A., Die Lüge nach dem Alten Testament. Ihr Begriff, ihre Bedeutung und ihre Beurteilung, Zürich/Frankfurt/M. 1964

KOCH, K., Wort und Einheit des Schöpfergottes in Memphis und Jerusalem, ZThK 62 (1955) 251-293

-, Die mysteriösen Zahlen der judäischen Könige und die apokalyptischen Jahrwochen, VT 28 (1978) 433-441

-, Die Profeten , Bd. II (Urban-Taschenbücher 281), Stuttgart/Berlin/Köln/Mainz 1980

-, Art. "Geschichte/Geschichtsschreibung/Geschichtsphilosophie.AT" in: TRE Bd. 12, hg. von G. Krause und G. Müller, Berlin/New York 1984, 565-586

-, Auf der Suche nach der Geschichte (Rezensionsartikel zu: J. van Seters, In Search of History, Historiography in the Ancient World and the Origins of Biblical History, London/New Haven 1983), Bib. 67 (1986) 109-117

KOCHAVI, M., Tel Malḥata, IEJ 17 (1967) 272f.

-, Tel Malḥata, RB 75 (1968) 392-395

-, The first Season of Excavations at Tell Malḥata, Qad. 3 (1970) 22-24 (hebr.)

-, (Ed.), Judaea, Samaria and the Golan. Archaeological Survey 1967-1968, by P. Bar-Adon a.o., Jerusalem 1972 (hebr.)

KÖHLER, L., Beobachtungen am hebräischen und griechischen Text von Jeremia Kap. 1-9, ZAW 29 (1909) 1-39

-, Kleine Lichter. 50 Bibelstellen erklärt, Zürich 1945

-, Theologie des Alten Testaments, 3. Aufl., Tübingen 1953

KÖNIG, E., Einleitung in das Alte Testament. Mit Einschluß der Apokryphen und Pseudepigraphen des Alten Testaments, Bonn 1893

-, Historisch-Comparative Syntax der hebräischen Sprache, 2. Hälfte von: Historisch-kritisches Lehrgebäude des Hebräischen, Leipzig 1897

-, Das alttestamentliche Prophetentum und die moderne Geschichtsforschung, Gütersloh 1910

KOSELLECK R., Historia Magistra Vitae. Über die Auflösung des Topos im Horizont neuzeitlich bewegter Geschichte, in: Natur und Geschichte, K. Löwith zum 70. Geb., hg. von H. Braun und M. Riedel, Stuttgart 1967, 196-219, abgedr. in: ders., Vergangene Zukunft. Zur Semantik geschichtlicher Zeiten (Reihe Theorie Suhrkamp), Frankfurt/M. 1979, 38-66

-, Geschichte, Geschichten und formale Zeitstrukturen, in: Geschichte - Ereignis und Erzählung, hg. von R. Koselleck und W.D. Stempel (Poetik und Hermeneutik V), München 1973, 211-222, abgedr. in: ders., Vergangene Zukunft, 130-143

-, Darstellung, Ereignis und Struktur, in: Geschichtswissenschaft heute. Positionen, Tendenzen und Probleme, hg. von G. Schulz, Göttingen 1973, 307-317, abgedr. in: ders., Vergangene Zukunft, 144-157, unter dem Titel: 'Ereignis und Struktur' in :Poetik und Hermeneutik V, 560-571

-, Art."Geschichte, Historie" (Kap. I.V-VII), in: Geschichtliche Grundbegriffe. Historisches Lexikon zur politisch-sozialen Sprache in Deutschland,hg. von O. Brunner, W. Conze und R. Koselleck, Bd. 2, Stuttgart 1975, 593-595.647-717

-, "Neuzeit". Zur Semantik moderner Bewegungsbegriffe, in: Studien zum Beginn der modernen Welt, hg. von R. Koselleck, Stuttgart 1977, 264-299, abgedr. in: ders., Vergangene Zukunft, 300-348

-, Standortbindung und Zeitlichkeit. Ein Beitrag zur historiographischen Erschließung der geschichtlichen Welt, in: Objektivität und Parteilichkeit in der Geschichtswissenschaft, hg. von R. Koselleck, W.J. Mommsen, J. Rüsen. Theorie der Geschichte, Beiträge zur Historik, Bd. 1, München 1977, 17-46, abgedr. in: ders., Vergangene Zukunft, 176-207

KOVACS, B.W., s. Perdue, L.G.

KRAUS, H.-J., Prophetie und Politik (TEH NF 36), München 1952

-, Gesetz und Geschichte. Zum Geschichtsbild des Deuteronomisten, EvTh 12 (1952) 415-428, abgedr. in: ders., Biblisch-theologische Aufsätze, Neukirchen 1972, 50-65

-, Chirbet el-chōch, ZDPV 72 (1956) 152-162

-, Prophetie in der Krisis. Studien zu Texten aus dem Jeremiabuch (BSt 43), Neukirchen 1964

-, Geschichte als Erziehung, in: Probleme biblischer Theologie, FS G. von Rad zum 70. Geb., hg. von H.W. Wolff, München 1971, 259-274, abgedr.

384

in: ders., Biblisch-theologische Aufsätze, 66-83

KRECHER, J./MÜLLER, H.-P., Vergangenheitsinteresse in Mesopotamien und Israel, Saeculum 26 (1975) 13-44

KRETSCHMER, K., Art. "Scythae", in: RE II A.1 (2. Reihe, 3. Halbband), Stuttgart 1921, 923-942

KUBOTH, J., Konflikto inter Javeo kaj Izraelo (Jer. 2,1-20), Biblia Revúo 11 (1975) 69-80

KUHN, K.G., Der gegenwärtige Stand der Erforschung der in Palästina neu gefundenen hebräischen Handschriften. 30. Beiträge zum Verständnis der Kriegsrolle von Qumran, ThLZ 81 (1956) 25-30

KUSCHKE, A., Arm und Reich im Alten Testament, ZAW 57 (1939) 31-57

-, Die Menschenwege und der Weg Gottes, StTh 5 (1951) 106-118

KUTSCH, E., Die chronologischen Daten des Ezechielbuches (OBO 62), Freiburg, Schweiz/Göttingen 1985

Lachish I (Tell ed-duweir). The Lachish Letters, by H. Torczyner, L. Harding, A. Lewis, J.L. Starkey (The Wellcome Archaeological Research Expedition to the Near East Publications, Vol. I), London/New York/Toronto 1938

Lachish III (Tell ed-duweir). The Iron Age, by O. Tufnell, M.A. Murray, D. Diringer (The Wellcome-Marston Archaeological Research Expedition to the Near East, Vol. III), (Text/Plates), London/New York/Toronto 1953

LAMBERT, W.G., Destiny and Divine Intervention in Babylon and Israel, OTS 17 (1972) 65-72

LANG, B., Kein Aufstand in Jerusalem. Die Politik des Propheten Ezechiel (SBS 7), Stuttgart 1978

-, Prophetie, prophetische Zeichenhandlung und Politik in Israel, TThQ 161 (1981) 275-280

LAQUEUR, R., Formen geschichtlichen Denkens im Alten Orient und Okzident, NJWJ 7 (1931) 489-506

LAUHA, A., Die Geschichtsauffassung der Propheten Israels, ThFen 1 (1936) 1-6

-, Zaphon. Der Norden und die Nordvölker im Alten Testament (AASF 49,2), Helsinki 1943

LAUNEY, M., Recherches sur les armées hellénistiques, Vol. II, Paris 1950

LAUSBERG, H., Handbuch der literarischen Rhetorik. Eine Grundlegung der Literaturwissenschaft, München 1960, mit Registerband

-, Elemente der literarischen Rhetorik. Eine Einführung für Studierende der klassischen, romanischen, englischen und deutschen Philologie, 5. Aufl., München 1976

LAUTERBACH, J.Z., The Belief in the Power of the Word, HUCA 14 (1939) 287-302

LAWTON, R., Israelite Personal Names on Pre-Exilic Hebrew Inscriptions, Bib. 65 (1984) 330-346

LEHMANN-HAUPT, C.F., Art. "Kimmerier", in: RE XI,1 (21. Halbband), Stuttgart 1921, 397-434

LEMAIRE, A., Inscriptions hébraïques, Tome 1: Les ostraca, Paris 1977

-, Les fouilles de Lakhish et l'histoire de l'ancien Israël, REJ 141 (1982) 461-464

LESLAU, W., Ethiopic and South Arabic Contributions to the Hebrew Lexicon, Berkeley/Los Angeles 1958

LESLIE, E.A., Jeremiah, chronologically arranged, translated and interpreted, New York/Nashville 1954

LEVIN, Chr., Noch einmal: die Anfänge des Propheten Jeremia, VT 31 (1981) 428-440

-, Die Verheißung des neuen Bundes in ihrem theologiegeschichtlichen Zu-sammenhang ausgelegt (FRLANT 137), Göttingen 1985

LEWY, J., Forschungen zur alten Geschichte Vorderasiens (MVAG 29. Jg., 1924/2), Leipzig 1925

LIND, M.C., Yahwe is a Warrior. The Theology of Warfare in Ancient Israel, Scottdale/Kitchener 1980

LINDSAY, J., The Babylonian Kings and Edom, 605-550 B.C., PEQ 108 (1976) 23-39

LIPIŃSKI, E., Art. "Jeremiah: In the Bible", in: Encyclopedia Judaica, Vol. 9, Jerusalem 1971, 1345-1359

-, Northwest Semitic Inscriptions, OLoP 8 (1977) 81-117

LIVERANI, M., Memorandum on the Approach to Historiographic Texts, Or. 42 (1973) 178-194

LITTAUER, M.A./CROUWELL, J.H., Wheeled Vehicles and ridden Animals in the Ancient Near East (HO, 7. Abt., Bd. I, 2. Abschn., Lfg. 1), Leiden 1979

LIVIUS, Ausgabe: Livy, with an English Translation, 14 Vol., Vol. III, trans-lated by B.O. Foster (Loeb), London/Cambridge (Mass.) 1924 (Reprints)

LIWAK, R., Überlieferungsgeschichtliche Probleme des Ezechielbuches. Eine Studie zu postezechielischen Interpretationen und Kompositionen, Ev.-theol. Diss. Bochum 1976

-, Die Rettung Jerusalems im Jahr 701 v. Chr. Zum Verhältnis und Ver-ständnis historischer und theologischer Aussagen, ZThK 83 (1986) 137-166

von LOEWENCLAU, I., Zu Jeremia II,20, VT 16 (1966) 117-123

LOHFINK, N., Freiheit und Wiederholung. Zum Geschichtsverständnis des Alten Testaments, in: Die religiöse und theologische Bedeutung des Alten Testa-ments (Studien und Berichte der Katholischen Akademie in Bayern, 33), Würzburg 1964, 79-103

LONG, B.O., The Stylistic Components of Jeremiah 3,1-5, ZAW 88 (1976) 386-390

LORENZEN, P., Formale Logik (Sammlung Göschen, Bd. 1176/1176a), 2. Aufl., Berlin 1962

LORETZ, O., Die hebräische Nominalform qattāl, Bib. 41 (1960) 411-416

-, Die Sprüche Jeremias in Jer 1,17-9,25, UF 2 (1970) 109-130

-, "Verworfenes Silber" (Jer. 6,27-30), in: Wort, Lied und Gottesspruch. Beiträge zu Psalmen und Propheten, FS J. Ziegler, hg. von J. Schreiner (Forschung zur Bibel 2), Würzburg 1972, 231-232

LOTMAN, J.M., Die Struktur des künstlerischen Textes, hg. mit einem Nachwort und einem Register von R. Grübel (Edition Suhrkamp 582), Frankfurt/M. 1973

LÜBBE, H., Geschichtsbegriff und Geschichtsinteresse. Analytik und Pragmatik der Historie, Basel 1977

LUNDBOM, J.R., Jeremiah: A Study in Ancient Hebrew Rhetoric (SBL Dissertation Series 18), Missoula, Montana 1975

(LUTHER) D.Martin Luther, Die gantze Heilige Schrifft Deudsch / Affs new zu-gericht. Unter Mitarbeit von H. Blanke hg. von H. Volz, Bd. 2, München 1972

MAAG, V., Eschatologie als Funktion des Geschichtserlebnisses, Saeculum 12 (1961) 123-130, abgedr. in: ders., Kultur, Kulturkontakt und Religion. Ges. Studien zur allgemeinen und alttestamentlichen Religionsgeschichte.

Zum 70. Geb. hg. von H.H. Schmid und O.H. Steck, Göttingen/Zürich 1980, 170–180

MACALISTER, R.A.S., s. Bliss, F.J.

MACDONALD, E./STARKEY, J.L./HARDING, L., Beth Pelet II, London 1932

MACHOLZ, G.Chr., Jeremia in der Kontinuität der Prophetie, in: Probleme biblischer Theologie, FS G. von Rad zum 70. Geb., hg. von H.W. Wolff, München 1971, 306–334

MACUCH, A., s. Drower, E.S.

MADER, A.E., Mambre, 2 Bde., Freiburg 1957

MAIGRET, J., Deux prophètes face à deux invasions: Isaïe et Jérémie, BTS 82 (1966) 2–3

MAISLER, B., (Mazar), Ancient Israelite Historiography, IEJ 2 (1952) 82–88

–, s. Mazar, B.

MALAMAT, A., The Last Wars of the Kingdom of Judah, JNES 9 (1950) 218–227

–, The Historical Setting of two Biblical Prophecies on the Nations, IEJ 1 (1950/51) 149–159

–, Jeremiah and the Last Two Kings of Judah, PEQ 83 (1951) 81–87

–, Doctrines of Causality in Hittite and Biblical Historiography: A Parallel, VT 5 (1955) 1–12

–, The Last Kings of Judah and the Fall of Jerusalem. A Historical-Chronological Study, IEJ 18 (1968) 137–156

–, Josiah's Bid for Armageddon. The Background of the Judean-Egyptian Encounter in 609 B.C., JANES 5 (1973) 267–278

–, Megiddo 609 B.C.: The Conflict Re-Examined, AAH 22 (1974) 445–449

–, The Twilight of Judah: in the Egyptian-Babylonian Mealstrom, VTS 28 (Congress Volume Edingburgh 1974), Leiden 1975, 123–145

MANDELKERN, S., Veteris Testamenti Concordantiae Hebraicae atque Chaldaicae, 2. Aufl., Berlin 1936, Nachdrucke, u.a. Graz 1955

MARC AUREL, Ausgabe: Wege zu sich selbst, griechisch und deutsch von W. Theiler, Zürich 1951

MARKERT, L./WANKE, G., Die Propheteninterpretation. Anfragen und Überlegungen, KuD 22 (1976) 191–220

MARTI, K., Der Prophet Jeremia von Anatot, Basel 1889

MARTIN, J.D., The forensic Background to Jeremiah III,1, VT 19 (1969) 82–92

MARTIN-ACHARD, R., Esaïe et Jérémie aux prises avec des problèmes politiques. Contribution à l'étude du thème: Prophétie et Politique, RHPhR 47 (1967) 208–224

MAY, H.G., The Chronology of Jeremiah's Oracles, JNES 4 (1945) 217–227

MAYER, R., Zur Bildsprache der alttestamentlichen Propheten, MThZ 1 (1950) 55–65

–, Sünde und Gericht in der Bildsprache der vorexilischen Propheten, BZ NF 8 (1964) 22–44

MAYER, W., Gedanken zum Einsatz von Streitwagen und Reitern in neuassyrischer Zeit, UF 10 (1978) 175–186

MAZAR, A., Excavations at Khirbet Abu et-Twein and the System of Iron Age Fortresses in Judah, ErIs 15 (1981) 229–249 (hebr.)

–, Iron Age Fortresses in the Judaean Hills, PEQ 114 (1982) 87–109

–, Three Israelite Sites in the Hills of Judah and Ephraim, BA 45 (1982) 167–178

MAZAR, B., s. Maisler, B.

MAZAR, B./DOTHAN, T./DUNAYEVSKY, I., En-Gedi. The First and Second Seasons of Excavations 1961-62, ʿAtiqot, Engl. Series 5, Jerusalem 1966, 1-136

MAZAR, B./DUNAYEVSKY, I., En-Gedi. Third Season of Excavations. Preliminary Report, IEJ 14 (1964) 121-130

-, En-Gedi. Fourth and Fifth Seasons of Excavations. Preliminary Report, IEJ 17 (1967) 133-143

McCOWN, Ch.Ch., Tell en-Naṣbeh excavated under the Direction of the late W. F. Badé, Vol. I, Berkeley/New Haven 1947

McKANE, W., Prophets and Wise Men, London 1965

-, Jeremiah II, 23-25. Observations on the Versions and History of Exegesis, OTS 17 (1972) 73-88

-, Relations between Poetry and Prose in the Book of Jeremiah with special Reference to Jeremiah III,6-11 and XII,14-17, VTS 32 (Congress Volume Vienna 1980), Leiden 1981, 220-237; abgedr. in: Perdue, L.G./Kovacs, B.W., A Prophet to the Nations, 269-284

-, ŠPY(Y)IM with special Reference to the Book of Jeremiah, in: Mélanges bibliques et orientaux en l'honneur de M.H. Cazelles, éd par A. Caquot et M. Delcor (AOAT 212), Neukirchen 1981, 319-335

-, A Critical and Exegetical Commentary on Jeremiah, Vol. I: Introduction and Commentary on Jeremiah I-XXV (ICC), Edinburgh 1986

MEIER, Chr., Die Entstehung der Historie, in: Geschichte - Ereignis und Erzählung (Poetik und Hermeneutik V), hg. von R. Koselleck und W.D. Stempel, München 1973, 251-305, überarbeitet in: ders., Die Entstehung des Politischen bei den Griechen, Frankfurt/M. 1980, 360-434

-, Art. "Geschichte, Historie" (Kap. II), in: Geschichtliche Grundbegriffe. Historisches Lexikon zur politisch-sozialen Sprache in Deutschland, hg. von R. Koselleck und W.D. Stempel, Bd. 2, Stuttgart 1975, 595-610

-, Prozeß und Ereignis in der griechischen Historiographie des 5. Jahrhunderts v. Chr., in: Historische Prozesse, hg. von K.-G. Faber und Chr. Meier, München 1978, 69-97, geringfügig überarbeitet in: ders., Die Entstehung des Politischen bei den Griechen, Frankfurt/M. 1980, 326-359

-, s. Faber, K.-G.

MERAN, J., Theorien in der Geschichtswissenschaft (Kritische Studien zur Geschichtswissenschaft 66), Göttingen 1985

MESHEL, Z., Horvat Ritma - An Iron Age Fortress in the Negev Highlands, Tel Aviv 4 (1977) 110-135

-, Kuntillet ʿAjrud. Religious Center from the Time of the Judaean Monarchy on the Border of Sinai, Jerusalem 1978 (engl. und hebr.)

-, The History of 'Darb el-Ghaza' - The Ancient Road to Eilat and Southern Sinai, ErIs 15 (1981) 358-371 (hebr.)

MEYER, E., Geschichte des Altertums, Bd. II,2, 2. Aufl., hg. von E. Stier, Stuttgart/Berlin 1931 (Nachdruck Darmstadt 1965), Bd. III, hg. von E. Stier, 2. Aufl., Stuttgart 1937 (Nachdruck Darmstadt 1954)

MEYER, R., Hebräische Grammatik, Berlin, Bd. I: 3. Aufl. 1966, II: 3. Aufl. 1969, III: 3. Aufl. 1972, IV: 3. Aufl. 1972

-, Gegensinn und Mehrdeutigkeit in der althebräischen Wort- und Begriffsbildung (SSAW.PH 120,5), Berlin 1979

MILGROM, J., The Date of Jeremiah, Chapter 2, JNES 14 (1955) 65-69

MILLARD, A.R., The Scythian Problem, in: Glimpses of Ancient Egypt, ed. by J. Ruffle et al., Warminster 1979, 119-122

MILLER, J.M., The Old Testament and the Historian, Philadelphia 1976

MINEAR, P.S., The Conception of History in the Prophets and Jesus, JBR 11 (1943) 156-161

MINNS, E.H., Scythians and Greeks. A Survey of Ancient History and Archaeology on the north Coast of the Exine from the Danube to the Caucasus, 2 Bde, New York 1965

MITTMANN, S., Ri. 1,16f. und das Siedlungsgebiet der kenitischen Sippe Hobab, ZDPV 93 (1977) 213-235

MOMIGLIANO, A., Essays in Ancient and Modern Historiography, Oxford 1977

MOMMSEN, H./PERLMAN, I./YELLIN, J., The Provenience of the lmlk Jars, IEJ 34 (1984) 89-113

MONTAGNINI, F., Parola e realtà nella Bibbia, Parole di Vita 10 (1965) 337-345

MORENZ, S., Wortspiele in Ägypten, in: FS J. Jahn zum XXII. Nov. MCMLVII, hg. vom Kunsthistorischen Institut der Karl-Marx-Universität Leipzig, 1957, 23-32

MORGAN, G.C., Studies in the Prophecy of Jeremiah, London 1956 (Reprint 1963)

MOSCATI, S., An Introduction to the Comparative Grammar of the Semitic Languages. Phonology and Morphology (Porta Linguarum Orientalium 6), Wiesbaden 1964

MOWINCKEL, S., Prophecy and Tradition. The Prophetic Books in the Light of the Study of the Growth and History of the Tradition (ANVAO.HF II,3), Oslo 1946

MUILENBURG, J., A Study in Hebrew Rhetoric: Repetition and Style, VTS 1 (Congress Volume Copenhagen 1953), Leiden 1953, 97-111

-, The Terminology of Adversity in Jeremiah, in: Translating and Understanding the Old Testament. Essays in Honor of H.G. May, ed. by H.Th. Frank/W.L. Reed, Nashville 1970, 42-63

-, Mizpah of Benjamin, StTh 8 (1954) 25-42

MÜLLER, H.-P., Zur Geschichte des hebräischen Verbs, BZ NF 27 (1983) 34-57

-, Der 90. Psalm. Ein Paradigma exegetischer Aufgaben, ZThK 81 (1984) 265-285

-, s. Krecher, J.

MUHLACK, U., Theorie oder Praxis der Geschichtsschreibung, in: Formen der Geschichtsschreibung, 607-620

MYERS, J.M., Edom and Judah in the Sixth-Fifth Centuries B.C., in: Near Eastern Studies in Honor of W.F. Albright, ed. by H. Goedicke, Baltimore/London 1971, 377-392

NAᵓAMAN, N., Sennacherib's "Letter to God" on his Campaign to Judah, BASOR 214 (1974) 25-39

-, Sennacherib's Campaign to Judah and the Date of the lmlk Stamps, VT 29 (1979) 61-86

-, Hezekiah's Fortified Cities and the LMLK Stamps, BASOR 261 (1986) 5-21

NAVEH, J., A Hebrew Letter from the Seventh Century B.C., IEJ 10 (1960) 129-139

-, The Excavations of Meṣad Ḥashavyahu. Preliminary Report, IEJ 12 (1962) 89-113

-, More Hebrew Inscriptions from Meṣad Hashavyahu, IEJ 12 (1962) 27-32

NEHER, A., Jeremias, Köln 1961

-, L'essence du prophétisme, Paris 1972

NELSON, R., Realpolitik in Judah (687-609 B.C.E.), in: Scripture in Context
II. More Essays on the Comparative Method, ed. by W.W. Hallo, J.C. Moyer,
L.G. Perdue, Winona Lake, Indiana 1983, 177-189

NEUMANN, P.K.D., Das Wort, das geschehen ist ... Zum Problem der Wortempfangs-
terminologie in Jer. I-XXV, VT 23 (1973) 171-217

NEUMANN, P.H.A., (Hg.), Das Prophetenverständnis in der deutschsprachigen
Forschung seit Heinrich Ewald (WdF 307), Darmstadt 1979

NEUMANN, W., Jeremias von Anathoth. Die Weissagungen und Klagelieder der Propheten, Bd. 1: 1-25, Leipzig 1856

NICHOLSON, E.W., The Book of the Prophet Jeremiah. Chapters 1-25 (CBC), Cambridge 1973

Niedergang. Studien zu einem geschichtlichen Thema, hg. von R. Koselleck und
P. Widmer (Sprache und Geschichte, Bd. 2), Stuttgart 1980

NÖTSCHER, F., Das Buch Jeremias (HS VII/2), Bonn 1934

-, Jeremias/Die Klagelieder (Echter-Bibel 2), Würzburg 1947

NORDEN, E., Die antike Kunstprosa. Vom 6. Jh. v. Chr. bis zur Renaissance,
Bd. 1, 9. Aufl., Darmstadt 1983

NORTH, C.R., The Old Testament Interpretation of History, London 1946

-, Art. "History", in: IDB, Vol. E-J, New York/Nashville 1962, 607-612

NOTH, M., Die Historisierung des Mythos im Alten Testament, CuW 4 (1928)
265-272.301-309, abgedr. in: ders., Ges. Studien zum Alten Testament
II (ThB 39), München 1969, 29-47

-, Die israelitischen Personennamen im Rahmen der gemeinsemitischen Namengebung (BWANT 46), Stuttgart 1928 (Nachdruck Hildesheim 1966)

-, Studien zu den historisch-geographischen Dokumenten des Josuabuches,
ZDPV 58 (1935) 185-255, abgedr. in: ABLAK, hg. von H.W. Wolff, Bd. 1,
Neukirchen 1971, 229-280

-, Grundsätzliches zur geschichtlichen Deutung archäologischer Befunde
auf dem Boden Palästinas, PJ 34 (1938) 7-22, abgedr. in: ABLAK, Bd. 1,
3-16

-, Geschichte und Gotteswort im Alten Testament. Rede, gehalten bei der
Jahresfeier der Rheinischen Friedrich-Wilhelms-Universität zu Bonn am 18.
Nov. 1949 (Bonner akademische Reden 3), abgedr. in: ders., Ges. Studien
zum Alten Testament (ThB 6), 3. Aufl., München 1966, 230-247

-, Das Buch Josua (HAT 7), 1. Aufl., Tübingen 1938, 2. Aufl. 1953

-, Der Beitrag der Archäologie zur Geschichte Israels, VTS 7, Leiden 1960,
262-282, abgedr. in: ABLAK, Bd. 1, 34-51

-, Die Welt des Alten Testaments, 4. Aufl., Berlin 1962

-, Geschichte Israels, 10. Aufl., Göttingen 1986

-, Könige (BK IX/1), 2. Aufl., Neukirchen 1983

OAKESHOTT, M.F., The Edomite Pottery, in: Midian, Moab and Edom. The History
and Archaeology of Late Bronze and Iron Age Jordan and North-West Arabia,
ed. by J.F.A. Sawyer and D.J.A. Clines (JSOT Suppl. Ser. 24), Sheffield
1983, 53-63

OATS, J., Assyrian Chronology 631-612 B.C., Iraq 27 (1965) 135-159

Objektivität und Parteilichkeit in der Geschichtswissenschaft, hg. von R. Koselleck, W.J. Mommsen und J. Rüsen. Theorie der Geschichte, Beiträge zur Historik, Bd. 1, München 1977

O'CONNELL, K.G./ROSE, D.G., Tell el-Ḥesi, 1979, IEJ 30 (1980) 221-223

–, Tel el-Ḥesi (1979; 1981), RB 91 (1984) 272-277

OEMING, M., Bedeutung und Funktionen von "Fiktionen" in der alttestamentlichen Geschichtsschreibung, EvTh 44 (1984) 254-266

von ORELLI, C., Die Propheten Jesaja und Jeremia (KK A/4), 3. Aufl., München 1905

OSSWALD, E., Aspekte neuerer Prophetenforschung, ThLZ 109 (1984) 641-650

OTTO, E., Ägypten. Der Weg des Pharaonenreiches, 4. Aufl., Stuttgart/Berlin/ Köln/Mainz 1966

–, s. Helck, W.

OTTO, E., Jerusalem – die Geschichte der Heiligen Stadt (Urban-Taschenbücher 308), Stuttgart/Berlin/Köln/Mainz 1980

OTZEN, B., Studien zu Deuterosacharja (AThD 6), Kopenhagen 1964

OVERHOLT, Th.W., Some Reflections on the Date of Jeremiah's Call, CBQ 33 (1971) 165-184

–, Jeremiah 2 and the Problem of "Audience Reaction", CBQ 41 (1979) 262-273

PANNENBERG, W., Der Gott der Geschichte. Der trinitarische Gott und die Wahrheit der Geschichte, KuD 23 (1977) 76-92, abgedr. in: ders., Grundfragen systematischer Theologie, Ges. Aufsätze, Bd. 2, Göttingen 1980, 112-128

PARDEE, D., Letters from Tel Arad, UF 10 (1978) 289-336

–, Literary Sources for the History of Palestine and Syria. II: Hebrew, Moabite, Ammonite, and Edomite Inscriptions, AUSS 17 (1979) 47-69

–, Handbook of Ancient Hebrew Letters. A Study Edition (Society of Biblical Literature: Sources for Biblical Study 15), Chico, California 1982

PARKER, R.A./DUBBERSTEIN, W.H., Babylonian Chronology 626 B.C. – A.D. 75 (Brown University Studies XIX), Providence, Rhode Island 1956

PARPOLA, S., Neo-Assyrian Toponyms (AOAT 5/1), Neukirchen 1970

PARROT, A., A Propos de Tell Ed-Duweir, Syria 16 (1935) 418

PATERSON, R.M., Repentance or Judgment: the Construction and Purpose of Jeremiah 2-6, ET 96 (1985) 199-203

PENNA, A., Geremia. Lamentazioni. Baruch (La Sacra Bibbia), Turin 1970

PERDUE, L.G., Jeremiah in Modern Research: Approaches and Issues, in: ders./ Kovacs, B.W., A Prophet to the Nations, 1-32

PERDUE, L.G./KOVACS, B.W. (Ed.), A Prophet to the Nations. Essays in Jeremiah Studies, Winona Lake, Indiana 1984

PERLMAN, I., s. Mommsen, H.

PERRY, E., The Meaning of ᵉmuna in the Old Testament, JBR 21 (1953) 252-256

PETERSEN, C., Mythos im Alten Testament. Bestimmung des Mythosbegriffs und Untersuchung der mythischen Elemente in den Psalmen (BZAW 157), Berlin/ New York 1982

PETERSEN, D.L., The Roles of Israel's Prophets (JSOT, Suppl. Ser. 17), Sheffield 1981

PETRIE, W.M.F., Tell el-Hesy (Lachish), London 1891

–, Beth Pelet I, London 1930

PETRIE, W.M.F./WALKER, J.H., Memphis I, London 1908

-, The Palace of Apries (Memphis II), London 1909

PLETT, H.F., Einführung in die rhetorische Textanalyse, 4. Aufl., Hamburg 1979

POLYBIOS, Ausgabe: The Histories, with an English Translation by W.R. Paton, I-VI (Loeb), London/Cambridge (Mass.) 1922-1927 (Reprints)

PORTEN, B., The Identity of King Adon, BA 44 (1981) 36-52

PORTEOUS, N.W., Old Testament and History, ASTI 8 (1972) 21-77

POTRATZ, J.A.H., Die Skythen in Südrußland, Basel 1963

PREUSS, H.D., Jahweglaube und Zukunftserwartung (BWANT 87), Stuttgart u.a. 1968

PROCKSCH, O., Geschichtsbetrachtung und geschichtliche Überlieferung bei den vorexilischen Propheten, Leipzig 1902

-, Art. "'Wort Gottes' im AT",   in: ThWNT IV, hg. von G. Friedrich, Stuttgart 1942, 89-100

PUSCHMANN, J., Alttestamentliche Auslegung und historisches Denken, Diss. Hamburg 1959

QUINTILIAN, Ausgabe: Quintilianus, M.F., Ausbildung des Redners. Zwölf Bücher, hg. und übersetzt von H. Rahn, Erster Teil, Buch I-VI (Texte zur Forschung 2), Darmstadt 1972, Zweiter Teil, Buch VII-XII (Texte zur Forschung 3), Darmstadt 1975

RABIN, C., Nōṣerim, Textus 6 (1966) 44-52 (hebr.)

von RAD, G., Die falschen Propheten, ZAW NF 10 (1933) 109-120

-, Der Heilige Krieg im alten Israel, 3. Aufl., Göttingen 1958

-, Les idées sur le Temps et l'Histoire en Israël et l'Eschatologie des Prophètes, in: maqqél shâqédh. La Branche d'amandier, Hommage à W. Vischer, Montpellier 1960, 198-209

-, Die Botschaft der Propheten (GTB Siebenstern 188), 4. Aufl., Gütersloh 1981

-, Theologie des Alten Testaments, Bd. I: Die Theologie der geschichtli- chen Überlieferungen Israels, 8. Aufl., München 1982, Bd. II: Die Theo- logie der prophetischen Überlieferungen Israels, 7. Aufl., München 1980

RAINEY A.F., The Toponymics of Eretz-Israel, BASOR 231 (1978) 1-17

-, The Administrative Division of the Shephelah , Tel Aviv 7 (1980) 194-202

RAMLOT, L., Art. "Prophétisme", in: DBS 8, Paris 1972, 811-1222

van RAVENSTEIJN, Th.L.W., Jeremiah IV,5-VI,30. Land en Stad verworpen. Met naschrift over: F. Wilke, Das Skythenproblem im Jeremiabuch, ThSt(U) 32 (1914) 1-29

REHM, M., Das zweite Buch der Könige. Ein Kommentar, Würzburg 1982

RENDTORFF, R., Zum Gebrauch der Formel n^e'um jahwe im Jeremiabuch, ZAW 66 (1954) 27-37, abgedr. in: ders., Ges. Studien zum Alten Testament (ThB 57), München 1975, 256-266

-, Kult, Mythos und Geschichte im Alten Testament, in: Sammlung und Sendung. Vom Auftrag der Kirche in der Welt. Eine Festgabe für H. Rendtorff zu seinem 70. Geb. am 9. Apr. 1958, hg. von J. Heubach und H.-H. Ulrich, Berlin 1958, 121-129, abgedr. in: ders., Ges. Studien, 110-118

-, Geschichte und Überlieferung, in: Studien zur Theologie der alttesta- mentlichen Überlieferungen, FS G. von Rad zum 60. Geb., hg. von R. Rend- torff und K. Koch, Neukirchen 1961, 81-94, abgedr. in: ders., Ges. Studien, 25-38

-, Geschichte und Wort im Alten Testament, EvTh 22 (1962) 621-649, abgedr. in: ders., Ges. Studien, 60-88

-, Geschichtliches und weisheitliches Denken im Alten Testament, in: Beiträge zur alttestamentlichen Theologie, FS W. Zimmerli zum 70. Geb., hg. von H. Donner, R. Hanhart und R. Smend, Göttingen 1977, 344-353

-, Das Alte Testament. Eine Einführung, 2. Aufl., Neukirchen 1985

Graf REVENTLOW, H., Grundfragen der alttestamentlichen Theologie im Lichte der neueren deutschen Forschung, ThZ 17 (1961) 81-98

-, Liturgie und prophetisches Ich bei Jeremia, Gütersloh 1963

-, Hauptprobleme der alttestamentlichen Theologie im 20. Jahrhundert (EdF 173), Darmstadt 1982

RHEYMOND, Ph., La révolte de l'homme, d'après Jérémie chapitre 2, VC 46 (1958) 138-149

RICE, T.T., Die Skythen. Ein Steppenvolk an der Zeitenwende, Köln 1957

RICHTER, W., Exegese als Literaturwissenschaft, Göttingen 1971

RIETZSCHEL, C., Das Problem der Urrolle. Ein Beitrag zur Redaktionsgeschichte des Jeremiabuches, Gütersloh 1966

ROBERTS, J.J.M., Myth versus History, CBQ 38 (1976) 1-13

ROBINSON, E., Biblical Researches in Palestine and the Adjacent Regions, 3 Bde., Boston 1856 (Nachdruck Jerusalem 1970)

ROBINSON, Th.H., The Text of Jeremiah VI,27-30 in the Light of Ezekiel XXII, 17-22, JThS 16 (1915) 482-519

-, Note on the Text of Jer. 4,11, JThS 23 (1921) 68

-, Die zwölf kleinen Propheten. Hosea bis Micha (HAT 14), 3. Aufl., Tübingen 1964

ROHLAND, E., Die Bedeutung der Erwählungstraditionen Israels für die Eschatologie der alttestamentlichen Propheten, Diss. Heidelberg 1956

RÖSEL, H., s. Kempinski, A.

ROLLE, R., Art. "Bewaffnung": Die Bewaffnung der Reiternomaden. § 17: Bewaffnung der Skythen, in: Reallexikon der Germanischen Altertumskunde, Bd. 2, hg. von H. Beck u.a., 2. Aufl., Berlin/New York 1976, 450-453

-, Das Reitervolk am Schwarzen Meer, in: Alte Kulturen ans Licht gebracht. Neue Erkenntnisse der modernen Archäologie, hg. von R. Pörtner, Düsseldorf/Wien 1975, 319-332

-, Urartu und die Reiternomaden, Saeculum 28 (1977) 291-339

-, Die Welt der Skythen. Stutenmelker und Pferdebogner: Ein antikes Reitervolk in neuer Sicht, Luzern/Frankfurt 1980

-, Der griechische Handel der Antike zu den osteuropäischen Reiternomaden aufgrund archäologischer Zeugnisse, in: Untersuchungen zu Handel und Verkehr der vor- und frühgeschichtlichen Zeit in Mittel- und Nordeuropa, Teil I, hg. von H. Düwel u.a., Göttingen 1985, 460-490

ROSE, D.G., s. O'Connell, K.G.

ROSE, M., Der Ausschließlichkeitsanspruch Jahwes. Deuteronomische Schultheologie und die Volksfrömmigkeit in der späten Königszeit (BWANT 106), Stuttgart/Berlin/Köln/Mainz 1975

-, Bemerkungen zum historischen Fundament des Josia-Bildes in II Reg 22f., ZAW 89 (1977) 50-63

ROST, L., Jeremias Stellungnahme zur Außenpolitik der Könige Josia und Jojakim, CuW 5 (1929) 69-78

-, Das Problem der Weltmacht in der Prophetie, ThLZ 90 (1965) 241-250, abgedr. in: ders., Studien zum Alten Testament (BWANT 101), Stuttgart/ Berlin/Köln/Mainz 1974, 76-86

-, Bemerkungen zu dibbär, in: FS Sekine Masao, Tokio 1972, 9-43, abgedr. in: ders., Studien zum Alten Testament, 39-60

ROSTOWZEW, M., Skythien und der Bosperus, Bd. 1: Kritische Übersicht der schriftlichen und archäologischen Quellen, Berlin 1931

ROTHENBERG, B., Negev. Archaeology in the Negev and the Arabah, Ramat Gan 1967 (hebr.)

ROTHSTEIN, J.W., Das Buch Jeremia (HSAT I, 720-868), 4. Aufl., Tübingen 1922

ROWLEY, H.H., The Early Prophecies of Jeremiah in their Setting, BJRL 45,1 (1962) 198-234, Reprint Manchester 1962; wieder abgedr. in: Perdue, L.G./ Kovacs, B.W., (Ed.), A Prophet to the Nations, 33-61

RUBINSON, K.S., Herodotus and the Scythians, Exped. 17 (1975) 16-20

RUDOLPH, K., s. Gese, H.

RUDOLPH, W., Zum Text des Jeremia, ZAW 48 (1930) 272-286

-, Zum Jeremiabuch, ZAW 60 (1944) 85-106

-, Hebräisches Wörterbuch zu Jeremia (Einzelwörterbücher zum Alten Testament, 3. Heft), Berlin 1953

-, Die Chronikbücher (HAT 21), Tübingen 1955

-, Jeremia (HAT 12), 3. Aufl., Tübingen 1968

-, Joel, Amos, Obadja, Jona (KAT XIII,2), Gütersloh 1971

-, Micha, Nahum, Habakuk, Zephanja (KAT XIII,3), Gütersloh 1975

RÜSEN, J., (Hg.), Historische Objektivität. Aufsätze zur Geschichtstheorie. Mit Beiträgen von H.M. Baumgartner, K.-G. Faber, J. Rüsen, A. Schaff (Kleine Vandenhoeck-Reihe 1416), Göttingen 1975

-, Für eine erneuerte Historik. Studien zur Theorie der Geschichtswissenschaft, Stuttgart/Bad Cannstatt 1976

-, Wie kann man Geschichte vernünftig schreiben? Über das Verhältnis von Narrativität und Theoriegebrauch in der Geschichtswissenschaft, in: Theorie und Erzählung in der Geschichte, 300-333

-, Bemerkungen zu Droysens Typologie der Geschichtsschreibung, in: Formen der Geschichtsschreibung, 192-200

-, Rekonstruktion der Vergangenheit (Kleine Vandenhoeck-Reihe 1515), Göttingen 1986

RÜSEN, J./SÜSSMUTH, H., (Hg.), Theorien in der Geschichtswissenschaft (Geschichte und Sozialwissenschaften. Studientexte zur Lehrerbildung 2), Düsseldorf 1980

RÜTERSWÖRDEN, U., Die Beamten der israelitischen Königszeit. Eine Studie zu śr und vergleichbaren Begriffen (WMANT 117), Stuttgart u.a. 1985

-, s. Ebach, J.

RUPP, H./KÖHLER, O., Historia - Geschichte, Saeculum 2 (1951) 627-638

SAEBØ, M., Offenbarung in der Geschichte und als Geschichte. Bemerkungen zu einem aktuellen Thema aus alttestamentlicher Sicht, StTh 35 (1981) 55-71

SALLER, S., Iron Age Remains from the Site of a new School at Bethlehem, SBFLA 18 (1968) 153-180

SAUER, G., Mandelzweig und Kessel in Jer. 1,11ff., ZAW 78 (1966) 56-61

SAUNERON, S./YOYOTTE, J., Sur la politique palestinienne des rois saïtes,

VT 2 (1952) 131-136

SCHADEWALDT, W., Furcht und Mitleid?, in: ders., Antike und Gegenwart. Über die Tragödie, München 1966, 16-60

-, Die Anfänge der Geschichtsschreibung bei den Griechen. Herodot, Thukydides (Tübinger Vorlesungen, Bd. 2), Frankfurt/M. 1982

SCHARBERT, J., Jeremia und die Reform des Joschija, in: Le Livre de Jérémie. Le Prophète et son Milieu. Les Oracles et leur Transmission (BEThL 54), éd. par. P.-M. Bogaert, Leuven 1981, 40-57

SCHERER, K., s. Bühlmann, W.

SCHIEDER, Th., Der Typus in der Geschichtswissenschaft (1952), in: ders., Staat und Gesellschaft im Wandel der Zeit. Studien zur Geschichte des 19. und 20. Jahrhunderts, 2. Aufl., München 1970, 172-187

-, Geschichte als Wissenschaft. Eine Einführung, München/Wien 1965

SCHMID, H.H., Altorientalisch-alttestamentliche Weisheit und ihr Verhältnis zur Geschichte, in: ders., Altorientalische Welt in der alttestamentlichen Theologie. Sechs Aufsätze, Zürich 1974, 64-90

-, Altorientalische Welt in der alttestamentlichen Theologie, in: ders., Altorientalische Welt in der alttestamentlichen Theologie, 145-164

-, Das alttestamentliche Verständnis von Geschichte in seinem Verhältnis zum gemeinorientalischen Denken, WuD NF 13 (1975) 9-21

SCHMIDT, E.F., Persepolis I. Structures, Reliefs, Inscriptions (The University of Chicago - Oriental Institute Publications 68), Chicago 1953

SCHMIDT, H., Die großen Propheten (SAT 2,2), Göttingen 1923, Jeremia: 203-388

SCHMIDT, J.M., Zukunftsperspektiven alttestamentlicher Prophetie, EvErz 37 (1985) 257-269

SCHMIDT, W.H., Zukunftsgewißheit und Gegenwartskritik. Grundzüge prophetischer Verkündigung (BSt 64), Neukirchen 1973

SCHMITT, H.-C., Zur Gegenwartsbedeutung der alttestamentlichen Prophetie, EvErz 37 (1985) 269-285

SCHMITT, R., Abschied von der Heilsgeschichte? Untersuchungen zum Verständnis von Geschichte im Alten Testament (Europäische Hochschulschriften XXIII/195), Frankfurt/M./Bern 1982

SCHUTTERMAYR, G., Beobachtungen zu Jer. 5,13, BZ NF 9 (1965) 215-232

SCHNEIDER W., Grammatik des biblischen Hebräisch, 4. Aufl., München 1980

SCHOLTZ, G., Art. "Geschichte, Historie", in: Historisches Wörterbuch der Philosophie, hg. von J. Ritter, Bd. 3, Basel/Stuttgart 1974, 344-398

SCHOTT, A., Die Vergleiche in den akkadischen Königsinschriften (MVAAeG 1925,2, 30. Jg.), Leipzig 1926

SCHOTTROFF, W., "Gedenken" im Alten Orient und im Alten Testament. Die Wurzel zākār im semitischen Sprachkreis (WMANT 15), 2. Aufl., Neukirchen 1967

-, Jeremia 2,1-3. Erwägungen zur Methode der Prophetenexegese, ZThK 67 (1970) 263-294

SCHREINER, J., Jeremia 1-25,14 (Die Neue Echter Bibel), Würzburg 1981

-, Jeremia II. 25,15-52,34 (Die Neue Echter Bibel), Würzburg 1984

SCHWARTZ, E., Griechische Geschichtsschreiber, Leipzig 1959

-, Über das Verhalten der Hellenen zur Geschichte (1920), in: ders., Vergangene Gegenwärtigkeiten, Ges. Schriften, Bd. 1, 2. Aufl., Berlin 1963, 47-66

SCHWARZENBACH, A., Die geographische Terminologie im Hebräischen des Alten

Testaments, Leiden 1954

SEELIGMANN, I.L., Menschliches Heldentum und göttliche Hilfe. Die doppelte Kausalität im alttestamentlichen Geschichtsdenken, ThZ 19 (1963) 385-411

–, Erkenntnis Gottes und historisches Bewußtsein im alten Israel, in: Beiträge zur alttestamentlichen Theologie, FS W. Zimmerli zum 70. Geb., hg. von H. Donner, R. Hanhart und R. Smend, Göttingen 1977, 414-445

–, Die Auffassung von der Prophetie in der deuteronomistischen und chronistischen Geschichtsschreibung (mit einem Exkurs über das Buch Jeremia), VTS 29 (Congress Volume Göttingen 1977), Leiden 1978, 254-284

SEGERT, St., A Basic Grammar of the Ugaritic Language with Selected Texts and Glossary, Berkeley/Los Angeles/London 1984

SEIDL, Th., Die Wortereignisformel in Jeremia. Beobachtungen zu den Formen der Redeeröffnung in Jeremia, im Anschluß an Jer. 27,1.2, BZ NF 23 (1979) 20-47

SELLERS, O.R., The Citadel of Beth-Zur, Philadelphia 1933

SELLERS, O.R./ALBRIGHT, W.F., The First Campaign of Excavation at Beth-zur, BASOR 43 (1931) 2-13

SELLIN, E., Die palästinischen Krughenkel mit den Königsstempeln, ZDPV 66 (1943) 216-232

Seminar. Geschichte und Theorie. Umrisse einer Historik, hg. von H.M. Baumgartner und J. Rüsen (Suhrkamp Taschenbuch Wissenschaft 98), Frankfurt/M. 1976

van SETERS, J., Histories and Historians of the Ancient Near East: The Israelites, Or. 50 (1981) 137-185

Septuaginta. Ieremias, Baruch, Threni, Epistula Ieremiae,hg. von J. Ziegler (Septuaginta. Vetus Testamentum Graecum Auctoritate Societas Litterarum Gottingensis editum, Vol. XV), 2. Aufl., Göttingen 1976

SIMONS, J., The geographical and topographical Texts of the Old Testament, Leiden 1959

SKINNER, J., Prophecy and Religion. Studies in the Life of Jeremiah, Cambridge 1922, Reprint 1963

SKWERES, D.E., Das Motif der Strafgrunderfahrung in biblischen und neuassyrischen Texten, BZ NF 14 (1970) 181-197

SMEND, R., Lehrbuch der alttestamentlichen Religionsgeschichte, 2. Aufl., Freiburg/Leipzig/Tübingen 1899

SMEND, R., Elemente alttestamentlichen Geschichtsdenkens (ThSt 95), Zürich 1968

–, Die Entstehung des Alten Testaments (Theologische Wissenschaft, Bd. 1), 3. durchges. Aufl., Stuttgart/Berlin/Köln/Mainz 1984

SMITH, G.A., Jeremiah, 4. Aufl., London 1929

SNELL, B., Die Entstehung des Geistes. Studien zur Entstehung des europäischen Denkens bei den Griechen, 5. Aufl., Hamburg 1980, 203-217: Die Entstehung des geschichtlichen Bewußtseins

SNIJDERS, L.A., The Meaning of zār in the Old Testament, OTS 10 (1954) 1-154

von SODEN, W., Leistung und Grenze sumerischer und babylonischer Wissenschaft, Die Welt als Geschichte 2(1936) 411-466.509-557, abgedr. in der Reihe: "Libelli", Bd. 142, Darmstadt 1965, 21-133 mit Nachträgen

–, Sprache, Denken und Begriffsbildung im Alten Orient, Akademie der Wissenschaften und der Literatur. Abhandlungen der geistes- und sozialwissenschaftlichen Klasse, Jg. 1973, Nr. 6, Mainz/Wiesbaden 1974

396

-, Mirjam - Maria "(Gottes-)Geschenk", UF 2 (1970) 269-272, abgedr. in: Bibel und Alter Orient. Altorientalische Beiträge zum Alten Testament, hg. von H.-P. Müller (BZAW 162), Berlin/New York 1985, 129-133

SOGGIN, J.A., Einige Bemerkungen über Jeremia II,34, VT 8 (1958) 433-435

-, Jeremias VI,27-30, VT 9 (1959) 95-98

-, "La tua condotta nella valle". Nota a Geremia 2,23a, RSO 36 (1961) 207-211

-, Alttestamentliche Glaubenszeugnisse und geschichtliche Wirklichkeit, ThZ 17 (1961) 385-398

-, Geschichte, Historie und Heilsgeschichte im Alten Testament, ThLZ 89 (1964) 721-736

-, The "Negation" in Jeremiah 4,27 and 5,10a, cf. 5,18b, in: ders., Old Testament and Oriental Studies (BibOr 29), Rom 1975, 179-183, zuerst abgedr. als: "La 'negazione' in Geremia 4,27 e 5,1oa cfr. 5,18b", Bib. 46 (1965) 56-59

-, Iddio e la storia nel pensiero biblico, Protest.25 (1970) 129-137, abgedr. als "God and History in Biblical Thought" in: ders., Old Testament and Oriental Studies, 59-66

-, A History of Ancient Israel from the Beginnings to the Bar Kochba Revolt, A.D. 135, Westminster 1985

SPALINGER, A., Psammetichus, King of Egypt: I: JARCE 13 (1976) 133-147

-, Egypt and Babylonia: A Survey (c. 620 B.C. - 550 B.C.), SAK 5 (1977) 221-244

SPARN, W., Inquisition oder Prophetie. Über den Umgang mit der Geschichte, EvTh 44 (1984) 440-463

SPEISER, E.A., The Biblical Idea of History in its common Near Eastern Setting, in: Oriental and Biblical Studies. Collected Writings of E.A. Speiser, ed. by J.J. Finkelstein and M. Greenberg, Philadelphia 1967, 187-210

-, Ancient Mesopotamia, in: The Idea of History in the Ancient Near East, ed. by R.C. Dentan, New Haven/London 1966, 35-76

SPIECKERMANN, H., Juda und Assur in der Sargonidenzeit (FRLANT 129), Göttingen 1982

SPIEGELBERG, W., Zu dem alttestamentlichen Namen der Stadt Daphne, ZÄS 65 (1930) 59-61

STADE, B., Jer. 3,6-16, ZAW 4 (1884) 151-154

-, Bemerkungen zum Buche Jeremia, ZAW 12 (1892) 276-308

-, Streiflichter auf die Entstehung der jetzigen Gestalt der alttestamentlichen Prophetenschriften, ZAW 23 (1903) 153-171

-, Der "Völkerprophet" Jeremia und der jetzige Text von Jer. Kap. 1, ZAW 26 (1906) 97-123

STAERK, W., Religion und Politik im alten Israel, Tübingen 1905

-, Habakuk 1,5-11. Geschichte oder Mythos?, ZAW NF 10 (1933) 1-28

STARKEY, J.L., s. Macdonald, E.

STEINMANN, J., Le prophète Jérémie (LeDiv 9), Paris 1952

STERN, E., Israel at the Close of the Period of Monarchy: An Archaeological Survey, BA 38 (1975) 26-54

STIERLE, K., Geschehen, Geschichte,Text der Geschichte, in: Geschichte - Ereignis und Erzählung (Poetik und Hermeneutik V), hg. von R. Koselleck und W.D. Stempel, München 1973, 530-534, abgedr. in: ders., Text als Handlung. Perspektiven einer systematischen Literaturwissenschaft (UT 423), München 1975, 49-55

-, Geschichte als Exemplum - Exemplum als Geschichte. Zur Pragmatik und Poetik narrativer Texte, in: Geschichte - Ereignis und Erzählung, 347-354, abgedr. in: ders., Text als Handlung, 14-48

STOEBE, H.J., Das Deutsche Evangelische Institut für Altertumswissenschaft des Heiligen Landes. Lehrkurs 1962, ZDPV 80 (1964) 1-45

-, Geprägte Form und geschichtlich individuelle Erfahrung im Alten Testament, VTS 17 (Congress Volume Rom 1968), Leiden 1969, 212-219

STOLZ, F., Jahwes und Israels Kriege. Kriegstheorien und Kriegserfahrungen im Glauben des alten Israel (AThANT 60), Zürich 1972

STRASBURGER, H., Die Wesensbestimmung der Geschichte durch die antike Geschichtsschreibung (Sitzungsberichte der Wissenschaftlichen Gesellschaft an der Joh. Wolfg. Goethe-Universität Frankfurt/M., Bd. 5, 1966, Nr. 3), 3. Aufl., Wiesbaden 1975, abgedr. in: ders., Studien zur Alten Geschichte, hg. von W. Schmitthenner und R. Zoepffel, Bd. 2 (Collectanea 42/2), Hildesheim/New York 1982, 963-1014, mit Nachträgen 1015f.

STRECK, M., Assurbanipal und die letzten assyrischen Könige bis zum Untergange Ninivehs, Teil 1-3, Leipzig 1916, Nachdruck Leipzig 1975

SÜSSMUTH, H., s. Rüsen, J.

SÜTTERLIN, W., Thekoa. Eine geographisch-archäologische Skizze, PJ 17 (1921) 31-46

SULIMIRSKI, T., Scythian Antiquities in Western Asia, ArtAs 17 (1954) 282-318

SUTCLIFFE, E.F., A Note on Jeremiah V,3, JSSt 5 (1960) 348-349

-, A Note on Jer. 5,12, Bib. 41 (1960) 287-290

TADMOR, H., Philistia under Assyrian Rule, BA 29 (1966) 86-102

TALMON, S., The 'Desert Motif' in the Bible and in Qumran Literature, in: Biblical Motifs. Origins and Transformations, ed. by A. Altmann, Cambridge, Mass. 1966, 31-63

Theorie und Erzählung in der Geschichte, hg. von J. Kocka und Th. Nipperdey. Theorie der Geschichte, Beiträge zur Historik, Bd. 3, München 1979

THIEL, W., Die deuteronomistische Redaktion von Jeremia 1-25 (WMANT 41), Neukirchen 1973

-, Die deuteronomistische Redaktion von Jeremia 26-45 (WMANT 52), Neukirchen 1981

-, Der Prophet Jeremia und das Jeremiabuch, ZdZ 39 (1985) 190-195

-, Ein Vierteljahrhundert Jeremia-Forschung, VF 31 (1986) 32-52

THIEME, K., Jeremias, Opportunist oder Utopist?, Jud. 2 (1946) 106-127

THIERSCH, H., Die neueren Ausgrabungen in Palästina. V. Tell es Safi, in: Jahrbuch des Kaiserlich Deutschen Archäologischen Instituts, mit dem Beiblatt: Archäologischer Anzeiger, Bd. 23 (1908), Berlin 1909, 366-384

THOMAS, D.W., The Site of Ancient Lachish. The Evidence of Ostrakon IV from Tell ed-Duweir, PEQ 72 (1940) 148-149

-, Jeremiah V,28, Expository Times 57 (1945/46) 54-55

-, The Age of Jeremiah in the Light of recent archaeological Discovery, PEQ 82 (1950) 1-15

THOMPSON, J.A., The Book of Jeremiah (NICOT), Grand Rapids, Michigan 1980

THOMSEN, P., Loca Sancta. Verzeichnis der im 1. bis 6. Jahrhundert n. Chr. erwähnten Ortschaften Palästinas mit besonderer Berücksichtigung der Lokalisierung der biblischen Stätten, Bd. I, Halle 1907

THUKYDIDES, Ausgabe: Thucydides, 4 Bde., hg. von C.F. Smith, (Loeb) London/ Cambridge (Mass.) 1919-1952, (Reprints)

THUREAU-DANGIN, F., La fin de l'empire assyrien, RA 22 (1925) 27-29

TOMBACK, R.S., A Comparative Semitic Lexicon of the Phoenician and Punic Languages (SBL Dissertation Series 32), New York 1978

TOOMBS, L.E., Tell el-Ḥesi, 1981, IEJ 32 (1982) 67-69

TORREY, C.C., The Background of Jeremiah 1-10, JBL 56 (1937) 193-216

TSCHERIKOWER, V., Die hellenistischen Städtegründungen von Alexander dem Großen bis auf die Römerzeit, Leipzig 1927

TUCKER, G.M., Prophetic Superscriptions and the Growth of a Canon, in: Canon and Authority. Essays in Old Testament Religion and Theology, ed. by G.W. Coats and B.O. Long, Philadelphia 1977, 56-70

UEDING, G., Einführung in die Rhetorik. Geschichte - Technik - Methode. Unter Mitarbeit von Chr. Brüggemann, E. Callier, J. Fröchling, E. Haas, G. Hentschel, P. Kampers, U. Reuper, U. Römhild und B. Steinbrink, Stuttgart 1976

USSISHKIN, D., The Destruction of Lachish by Sennacherib and the dating of the royal Judean Storage Jars, Tel Aviv 4 (1977) 28-60

-, Excavations at Tel Lachish - 1973-1977, Preliminary Report, Tel Aviv 5 (1978), Heft 1-2, zusammengefaßter Neudruck unter dem Titel: Excavations at Tel Lachish - 1973-1977 (Tel Aviv University, Institute of Archaeology, Reprint Series 3), Tel Aviv 1978

-, Answers at Lachish, Biblical Archaeology Review 5/6 (1979) 16-38

-, The "Lachish Reliefs" and the City of Lachish, IEJ 30 (1980) 174-195

-, Lachish in the Days of the Kingdom of Judah - The Recent Archaeological Excavations, Qad. 15 (1982) 42-56 (hebr.)

-, Excavations at Tel Lachish 1978-1983: Second Preliminary Report, Tel Aviv 10 (1983) 97-175

-, Defense Judean Counter-Ramp found at Lachish in 1983 Season, Biblical Archaeology Review 10 (1984) 66-73

VAGGIONE, R.P., Over all Asia? The Extent of the Scythian Domination in Herodotus, JBL 92 (1973) 523-530

de VAUX, R., Les Ostraca de Lachis, RB 48 (1939) 181-206, abgedr. in: ders., Bible et Orient, Paris 1967, 457-484

-, Das Alte Testament und seine Lebensordnungen, Freiburg/Basel/Wien, Bd. I: 1960, Bd. II: 1962

(VERGIL) Publius Vergilius Maro, Opera, hg. von F.A. Hirtzel, Oxford 1900, mehrere Nachdrucke

VITTINGHOFF, F., Zum geschichtlichen Selbstverständnis der Spätantike, HZ 198 (1964) 529-574

VOGT, E., Verba Jeremiae filii Helciae (Jer 1,1-3), VD 42 (1964) 169-172

VOLZ, P., Studien zum Text des Jeremia (BWAT 25), Leipzig 1920

-, Der Prophet Jeremia (KAT X), 2. Aufl., Leipzig 1928, Nachdruck 1983

-, Jeremia und Jeremiabuch, in: RGG III, 2. Aufl., Tübingen 1929, 72-80

WÄFLER, M., Nicht-Assyrer neuassyrischer Darstellungen (AOAT 26), Neukirchen 1975

WALKER, J.H., s. Petrie, W.M.F.

WALSER, G., Die Völkerschaften auf den Reliefs von Persepolis (Teheraner Forschungen 2), Berlin 1966

WAMBACQ, B.N., Jeremias, Klaagliederen, Baruch, Brief van Jeremias (BOT X), Roermond 1957

WARMUTH, G., Das Mahnwort. Seine Bedeutung für die Verkündigung der vorexilischen Propheten Amos, Hosea, Micha, Jesaja und Jeremia (Beiträge zur biblischen Exegese und Theologie 1), Frankfurt/M. 1976

WATSON, W.G.E., Classical Hebrew Poetry. A Guide to its Techniques (JSOT, Suppl. Ser. 26), Sheffield 1984

WEINFELD, M., Near Eastern Patterns in Prophetic Literature, VT 27 (1977) 178-195

WEINRICH, F., Der religiös-utopische Charakter der "prophetischen Politik" (AWR.B 7), Gießen 1932

WEIPPERT, H., Die Prosareden des Jeremiabuches (BZAW 132), Berlin/New York 1973

–, Schöpfer des Himmels und der Erde. Ein Beitrag zur Theologie des Jeremiabuches (SBS 102), Stuttgart 1981

WEIPPERT, M., Edom. Studien und Materialien zur Geschichte der Edomiter auf Grund schriftlicher und archäologischer Quellen, Diss. ev. theol. u. Habil.schrift Tübingen 1971

–, "Heiliger Krieg" in Israel und Assyrien. Kritische Anmerkungen zu Gerhard von Rads Konzept des "Heiligen Krieges im alten Israel", ZAW 84 (1972) 460-493

–, Fragen des israelitischen Geschichtsbewußtseins, VT 23 (1973) 415-442

–, Art. "Edom und Israel", in: TRE, Bd. 9, hg. von G. Krause und G. Müller, Berlin/New York 1982, 291-299

WEISER, A., Glaube und Geschichte im Alten Testament (BWANT, 4. F., H. 4), Stuttgart 1931, abgedr. in: ders., Glaube und Geschichte im Alten Testament und andere ausgewählte Schriften, Göttingen 1961, 99-182

–, Das Buch Jeremia, Kap. 1-25,14 (ATD 20), 8. Aufl., Göttingen 1981, Kap. 25,15-52,34 (ATD 21), 6. Aufl. 1977

WELCH, A.C., Jeremiah. His Time and his Work, Oxford 1951

WELLHAUSEN, J., Prolegomena zur Geschichte Israels, Berlin 1981, Nachdruck der 6. Aufl. 1927

–, Israelitische und jüdische Geschichte, Berlin 1981, Nachdruck der 9. Aufl. 1958

WELTEN, P., Die Königs-Stempel. Ein Beitrag zur Militärpolitik Judas unter Hiskia und Josia (Abhandlungen des Deutschen Palästinavereins), Wiesbaden 1969

–, Geschichte und Geschichtsdarstellung in den Chronikbüchern (WMANT 42), Neukirchen 1973

WENDEL, C., Die griechisch-römische Buchbeschreibung verglichen mit der des Vorderen Orients, Halle 1949

WERNER, R., Schwarzmeerreiche im Altertum, WG 17 (1957) 221-244

WESTERMANN, C., Jeremia, Stuttgart 1967

–, Zum Geschichtsverständnis des Alten Testaments, in: Probleme biblischer Theologie, G. von Rad zum 70. Geb., hg. von H.W. Wolff, München 1971, 611-619

–, Grundformen prophetischer Rede (BEvTh 31), 5. Aufl., München 1978

-, Vergleiche und Gleichnisse im Alten und Neuen Testament (CThM A,14), Stuttgart 1984

-, The Old Testament's Understanding of History in Relation to that of the Enlightenment, in: Understanding the Word. Essays in Honor of Bernhard W. Anderson, ed. by J.T. Butler, E.W. Conrad and B.C. Ollenburger (JSOT Suppl. Ser. 37), Sheffield 1985, 207-219

WHISTON, L.A.J., A textual Analysis of Jer. 1-6, Diss. Harvard 1951

WHITLEY, C.F., The Date of Jeremiah's Call, VT 14 (1964) 467-483, abgedr. in: Perdue, L.G./Kovacs, B.W., A Prophet to the Nations, 73-87

WIDMER, P., Die unbequeme Realität. Studien zur Niedergangsthematik in der Antike (Sprache und Geschichte, Bd. 8), Stuttgart 1983

WIESNER, J., Fahren und Reiten in Alteuropa und im Alten Orient (Documenta Hippologica, AO, Heft 2-4), Leipzig 1939, Nachdruck Hildesheim/New York 1971

WILCKE, C., Zum Geschichtsbewußtsein im Alten Mesopotamien, in: Archäologie und Geschichtsbewußtsein (Kommission für Allgemeine und Vergleichende Archäologie des Deutschen Archäologischen Instituts Bonn, AVA-Kolloquien 3), München 1982, 31-52

WILDBERGER, H., Jahwewort und prophetische Rede bei Jeremia, Diss. Zürich 1942

-, Jeremia, in: RGG III, 3. Aufl., Tübingen 1959, 581-584

-, Jeremiabuch, in: RGG III, 3. Aufl., Tübingen 1959, 584-590

-. Jesajas Verständnis der Geschichte, VTS 9 (Congress Volume Bonn 1962), Leiden 1963, 83-117, abgedr. in: ders., Jahwe und sein Volk. Ges. Aufsätze zum Alten Testament, zu seinem 70. Geb. am 2. Jan. 1980 hg. von H.H. Schmid und O.H. Steck (ThB 66), München 1979, 75-109

-, Jesaja (BK X/1-3), Neukirchen, Bd. 1: 2. Aufl. 1980, Bd. 2: 1978, Bd. 3: 1982

WILKE, F., Das Skythenproblem im Jeremiabuch, in: Alttestamentliche Studien, R. Kittel zum 60. Geb., dargebracht von A. Alt u.a. (BWAT 13), Leipzig 1913, 222-254

-, Die politische Wirksamkeit der Propheten Israels, Leipzig 1913

WILKINSON, J., Jerusalem Pilgrims before the Crusades, Jerusalem 1971

WILLIAMS, R.J., Ägypten und Israel, in: TRE Bd. 1, hg. von G. Krause und G. Müller, Berlin/New York 1977, 492-505

WILLIS, J.T., Redaction Criticism and Historical Reconstruction, in: Encounter with the Text. Form and History in the Hebrew Bible, ed. by M.J. Buss, Philadelphia, Pennsylvania/Missoula, Montana 1979, 83-89

-, Dialogue between Prophet and Audience as a Rhetorical Device in the Book of Jeremiah, JSOT 33 (1985) 63-82

WINCKLER, H., Geschichte Israels, Bd. 1, Leipzig 1895

-, Altorientalische Geschichtsauffassung, Ex Oriente Lux 2,2 (1906) 1-64

WINTER, U., Frau und Göttin. Exegetische und ikonographische Studien zum weiblichen Gottesbild im Alten Testament und in dessen Umwelt (OBO 53), Freiburg, Schweiz/Göttingen 1983

WISEMAN, D.J., Chronicles of Chaldaean Kings (626-556 B.C.) in the British Museum, London 1956, (Reprints)

WISSER, L., Jérémie. Critique de la vie sociale. Justice sociale et connaissance de Dieu dans le livre de Jérémie, Genf 1982

WITTRAM, R., Das Interesse an der Geschichte. Zwölf Vorlesungen über Fragen des zeitgenössischen Geschichtsverständnisses, 2. Aufl., Göttingen 1963

–, Anspruch und Fragwürdigkeit der Geschichte. Sechs Vorlesungen zur Methodik der Geschichtswissenschaft und zur Ortsbestimmung der Historie, Göttingen 1969

WOLF, W., Das alte Ägypten, München/Darmstadt 1971

WOLFF, H.W., Die Begründungen der prophetischen Heils- und Unheilssprüche, ZAW 52 (1934) 1–22, abgedr. in: ders., Ges. Studien zum Alten Testament (ThB 22), München 1964, 9–35

–, Das Zitat im Prophetenspruch. Eine Studie zur prophetischen Verkündigungsweise, BEvTh 4 (1937), abgedr. in: ders., Ges. Studien, 36–129

–, Das Thema "Umkehr" in der alttestamentlichen Prophetie, ZThK 48 (1951) 129–148, abgedr. in: ders., Ges. Studien, 130–150

–, Das Geschichtsverständnis der alttestamentlichen Prophetie, EvTh 20 (1960) 218–235, abgedr. in: ders., Ges. Studien, 286–307

–, Dodekapropheton 2. Joel und Amos (BK XIV/2), 2. Aufl., Neukirchen 1975

–, Dodekapropheton 1. Hoaea (BK XIV/1), 3. Aufl., Neukirchen 1976

–, Die eigentliche Botschaft der klassischen Propheten, in: Beiträge zur alttestamentlichen Theologie, W. Zimmerli zum 70. Geb., hg. von H. Donner, R. Hanhart und R. Smend, Göttingen 1977, 547–557

The World History of the Jewish People: The Age of the Monarchies, Bd. I,4,1: Political History, Bd. I,4,2: Culture and Society, ed. by A. Malamat and I. Eph^cal, Jerusalem 1979

WRIGHT, G.E., Cult and History. A Study of a current Interpretation, Interp. 16 (1962) 3–20

–, Fresh Evidence for the Philistine Story, BA 29 (1966) 70–86

WÜRTHWEIN, E., Die Josianische Reform und das Deuteronomium, ZThK 73 (1976) 395–423

–, Das erste Buch der Könige, 1. Kön. 1–16 (ATD 11,1), Göttingen 1977

–, Die Bücher der Könige. 1. Kön. 17 – 2. Kön. 25 (ATD 11,2), Göttingen 1984

YADIN, Y., The Art of Warfare in Biblical Lands in the Light of Archaeological Discovery, London 1963

–, The Historical Significance of Inscription 88 from Arad. A Suggestion, IEJ 26 (1976) 9–14

YAMAUCHI, E., The Scythians: Invading Hordes from the Russian Steppes, BA 46 (1983) 90–98

YEIVIN, S., Early Contacts between Canaan and Egypt, IEJ 10 (1960) 193–203

YELLIN, J., s. Mommsen, H.,

YOYOTTE, J., Sur le voyage asiatique de Psammetique II, VT 1 (1951) 140–144

–, s. Sauneron, S.

ZALEWSKY, S., The Caption to the Book of Jeremiah (Jer. 1,1–3), BetM 60 (1974) 26–62 (hebr., engl. Summary)

ZIMCHONI, O., s. Kempinski, A.

ZIMMERLI, W., Ezechiel (BK XIII/1+2), 2. Aufl., Neukirchen 1979

402

-, Wahrheit und Geschichte in der alttestamentlichen Schriftprophetie.
VTS 29 (Congress Volume Göttingen 1977), Leiden 1978, 1-15

Nachtrag:

CARROLL, R.P., Jeremiah: a commentary (OTL), London 1986